Y. G. Ovsiyenko

RUSSIAN FOR BEGINNERS

Ю.Г. Овсиенко

РУССКИЙ ЯЗЫК ДЛЯ НАЧИНАЮЩИХ

2-е издание, стереотипное

МОСКВА
«РУССКИЙ ЯЗЫК»
1992

Y.G.Ovsiyenko

RUSSIAN FOR BEGINNERS

2nd stereotype edition

RUSSKY YAZYK PUBLISHERS
MOSCOW
1992

81.2Р-96
О-34

Translated from the Russian by V. Korotky

Reviewed by the Department of Russian for Foreign Students Attending the Preparatory Faculty of Moscow State University

Учебное издание

Овсиенко Юлия Георгиевна

РУССКИЙ ЯЗЫК
ДЛЯ НАЧИНАЮЩИХ

(для говорящих на английском языке)

Зав. редакцией О. А. Неделина
Редактор Г. М. Шемякина
Редактор перевода М. В. Табачникова
Младший редактор М. С. Багирова
Художник В. С. Карасёв
Художественный редактор Н. И. Терехов
Технический редактор Л. П. Коновалова
Корректор М. С. Карелина

О $\frac{4602020101-046}{015(01)-92}$ без объявл.

ISBN 5-200-02137-5

CONTENTS

CONCENTRIC CYCLE II

PREFACE

This is an elementary Russian course intended for adult beginners in Russian (senior secondary-school pupils, college students, and others). It can be studied both with and without a teacher. To make it suitable for unaided study, the theoretical explanations, the notes on the history, geography and culture of the Soviet Union, and the instructions for the exercises are given in English. For the same purpose the course is supplied with a key to the exercises.

The course aims at helping the student acquire a working knowledge of Russian so that he could: communicate with Russians on topics covered by the situations dealt with in the course; express his thoughts in Russian on the basis of the grammar and vocabulary studied; understand aurally, read and retell simple texts, conveying in Russian his attitude towards what he has read or heard; read with a dictionary and translate more difficult texts and prepare oral or written reports on any given theme.

Thus the textbook gives the student a thorough knowledge of the fundamentals of Russian. On completing the course the student, if he so desires, will be able to continue an unaided deeper study of the language.

The Structure of the Course

The book consists of the following sections: 1. A short phonetics course. 2. A pictorial dictionary introducing concrete vocabulary grouped in thematic cycles. 3. The main part consisting of 33 units. 4. Russian speech conventions. 5. A key to the exercises. 6. A general alphabetic Russian-English vocabulary.

The brief phonetics course gives information on the main rules of Russian phonetics (sounds and letters, pronunciation of the Russian sounds, stress and reduction of sounds, soft and hard consonants, and the main types of intonational constructions).

The pictorial dictionary introduces the most common of the concrete words, grouped in definite thematic cycles. Its purpose is to explain that part of the concrete vocabulary which, while belonging to the main active Russian word stock, has a low frequency in speech and writing. It is precisely the low frequency of these words in the texts that calls for their visual presentation.

The main part of the course is divided into two concentric cycles: Concentric Cycle I contains 19 units (1 to 19), and Concentric Cycle II, 14 units (20 to 33). Each concentric cycle is concluded by generalising grammatical tables. The 33 units of the main part give all the necessary information on Russian grammar. They deal with the following fundamental themes: declension of nouns, adjectives and pronouns in the singular and plural; verb conjugation; verbal aspects; verbs of motion; the main methods of expressing location, direction and time; the main types of simple and complex sentences; the conditional mood; direct and indirect (reported) speech; the participle and the verbal adverb; etc.

The section "Russian Speech Conventions" generalises and supplements the relevant material contained in the units of the main course.

The vocabulary of the course has been selected on the basis of a comprehensive statistical analysis of Russian and includes the most frequently used words and phrases. The vocabulary contains about 2000 words and phrases in all.

The Structure of the Units

The contents of the phonetics section are arranged thematically and not in accordance with the units. They can be divided into four main subsections, each of which is concluded by one of the intonational constructions and a short text.

The phonetics course is followed by some rules of Russian spelling. Only those letters are dealt with which may prove difficult for English-speaking students.

The units of the main course are arranged as follows: 1. Preparation for reading (conventional formulas, set phrases, clichés, and words and expressions occurring in the texts). 2. A text and a dialogue, based on definite lexical and grammatical themes dealt with in the unit concerned. 3. Notes on the history, geography and culture of the Soviet Union relevant to the text and the dialogue. 4. Grammatical notes, preceded by speech patterns (syntactical models), and grammatical tables. 5. Exercises of the following types: observation exercises, substitution exercises, situational exercises (based on visual presentation or speech stimulus), exercises in translation, and communicative exercises to be done either orally with a teacher or to be recorded on tape. The study of a unit should be concluded by doing the "assignments on the text". This system of exercises is aimed at a gradual development of definite speaking skills and habits.

In presenting and consolidating the grammar and vocabulary the functional approach is consistently followed (presentation of material in speech patterns and model sentences, the communicative slant of the exercises, creative assignments on the texts, etc.).

In addition each unit includes supplementary material for the student's unaided study: texts based on the history, geography and culture of the Soviet Union, and thematically relevant proverbs, sayings, extracts from poetry, and songs. This serves a dual purpose: while broadening the cognitive range of the course, it also provides material for the development of the student's dialogical speech (conversation, discussion) and his monological (oral and written) speech.

The texts given in the "Read with a Dictionary" section are supplied with lexical notes and notes of historical and cultural interest. In boxes structures that may prove difficult for the student are given (with their English equivalents).

The units contain material for active and passive assimilation (the latter is marked with a special symbol Ⓟ). Part of the material introduced in the first unit as passive is activised in the subsequent units.

The more complicated types of assignments on the texts (proverbs, sayings, excerpts from poetry, etc.) are to be done after the completion of the main studies. This material, marked with a special symbol Ⓢ, makes it possible to slant the study of the course depending on the student's level: students who do all the main exercises without difficulty may be given additional tasks for unaided creative work.

The "Key to the Exercises" is intended for checking the exercises by the student himself. This part of the course is particulary important for those studying the course outside a Russian linguistic environment.

Thematically this course is based on socio-cultural material and includes information on the history and geography of the Soviet Union. Besides a purely pragmatic purpose, the illustrative material aims at broadening the student's knowledge of Soviet culture.

The choice of the material and its arrangement have been determined by the principal goal of the course – giving the student a working knowledge of Russian.

ABBREVIATIONS

acc., accusative
adj., adjective
dat., dative
f., feminine
gen., genitive
imp., imperfective
instr., instrumental
m., masculine
n., neuter
nom., nominative
p., perfective
pl., plural
prep., preposition
prepos., prepositional
pron., pronoun
sing., singular
smb., somebody
smth., something

INTRODUCTORY PHONETICS COURSE

The Russian Alphabet

Letters		Name of Letter	Sound	Similar English Sound
Prin-ted	Hand-written			
А а	Аа	а	[а]	like **ar** in "**far**"
Б б	Бб	бэ	[б]	like **b** in "**b**ut"
В в	Вв	вэ	[в]	like **v** in "**v**oice"
Г г	Гг	гэ	[г]	like **g** in "**g**et"
Д д	Дд	дэ	[д]	like **d** in "**d**ay"
Е е	Ее	е	[йэ]	like **ye** in "**ye**t"
Ё ё	Ёё	ё	[йо]	like **yo** in "**yo**ur"
Ж ж	Жж	жэ	[ж]	like **s** in "plea**s**ure"
З з	Зз	зэ	[з]	like **z** in "**z**one"
И и	Ии	и	[и]	like **ee** in "m**ee**t"
Й й	Йй	short и	[й]	like **y** in "bo**y**"
К к	Кк	ка	[к]	like **k** in "s**k**ate"
Л л	Лл	эл	[л]	like **l** in "**l**ook"
М м	Мм	эм	[м]	like **m** in "**m**ay"
Н н	Нн	эн	[н]	like **n** in "**n**ot"
О о	Оо	о	[о]	like **or** in "p**or**t"
П п	Пп	пэ	[п]	like **p** in "s**p**oon"

Letters		Name of Letter	Sound	Similar English Sound
Prin-ted	Hand-written			
Р р	Р р	эр	[р]	like **r** in "**r**ock"
С с	С с	эс	[с]	like **s** in "**s**moke"
Т т	Т т	тэ	[т]	like **t** in "**t**ie"
У у	У у	у	[у]	like **oo** in "m**oo**n"
Ф ф	Ф ф	эф	[ф]	like **f** in "**f**oot"
Х х	Х х	ха	[х]	like **ch** in the Scottish "lo**ch**"
Ц ц	Ц ц	цэ	[ц]	like **ts** in "boo**ts**"
Ч ч	Ч ч	чэ	[ч]	like **ch** in "**ch**air"
Ш ш	Ш ш	ша	[ш]	like **sh** in "**sh**ell"
Щ щ	Щ щ	ща	[щ]	like **sh ch** in "Dani**sh** **ch**arter" (pronounced as one word)
ъ	ъ	hard sign		
ы	ы		[ы]	like **i** in "k**i**ck"
ь	ь	soft sign		
Э э	Э э	э	[э]	like **e** in "b**e**t"
Ю ю	Ю ю	ю	[йу]	like **you** in "**you**th"
Я я	Я я	я	[йа]	like **yar** in "**yar**d"

RUSSIAN SOUNDS AND LETTERS

There are 33 letters in the Russian alphabet, but there are many more sounds in the language. Russian sounds are articulated somewhat differently from their English counterparts. Some Russian sounds have no English counterparts (see the table on p. ...).

After a soft consonant (for soft and hard consonants, see p. ...) the letters **е**, **ё**, **ю** and **я** indicate one sound: [э], [о], [у] and [а], respectively: нет [н’ет], лю́ди [л’у́д’и].

The letters **е**, **ё**, **ю** and **я** represent the sound combinations [йэ], [йо], [йу] and [йа], respectively:

1. at the beginning of a word: юг [йу], я [йа];
2. after a vowel: моё [йо], моя́ [йа];
3. after **ь** and **ъ**: друзья́ [йа], съесть [йэ].

STRESSED VOWELS AND THE REDUCTION OF VOWELS

Russian words have one stressed syllable. The stress may fall on the first, second, third, etc. syllable of a word: ко́мната, кварти́ра, потоло́к.

The stressed syllable is longer and is articulated more tensely than the unstressed ones. In unstressed syllables the vowels undergo reduction and are shorter (quantitative reduction), while the vowels [а], [о] and [э] change their timbre (qualitative reduction).

The vowels [и], [у] and [ы] undergo only quantitative reduction, i. e. they are shorter in an unstressed position than in a stressed position: иди́ – кино́, тут – туда́, сыр – сыро́к.

There are two degrees of reduction in Russian: the 1st degree – in the first pretonic syllable and in the absolute beginning of a word – and the 2nd degree – in the other pretonic and in the post-tonic syllables.

а [а]

1. [а] when stressed: там, ма́ма, па́па, а́вгуст.
2. [а] when unstressed: стака́н, авто́бус, магази́н, кварти́ра.

In the first pretonic syllable and at the beginning of a word a shorter and faint sound [ʌ] is pronounced instead of [а]: балко́н, [бʌлко́н], авто́бус [ʌвто́бус].

In the second pretonic and in a post-tonic syllable [а] is shorter than in the first pretonic syllable. It is represented by [ъ]: магази́н [мъгʌзи́н], ко́мната [ко́мнътъ].

о [о]

1. [о] when stressed: он, мост, дом, пол, по́лка.
2. [о] when unstressed: она́, крова́ть, коридо́р, потоло́к.

о ⟶ [а]

In an unstressed position [о] is pronounced in the same way as [а] in an identical position.

In the first pretonic syllable and at the beginning of a word [ʌ] is pronounced instead of **о**: слова́рь [слʌва́р’], окно́ [ʌкно́]; and in the second pretonic and a post-tonic syllable [ъ]: молоко́ [мълʌко́], колбаса́ [кълбʌса́], э́то [э́тъ].

INTONATIONAL CONSTRUCTION IC-1

IC–1 — — ╲ _

Это мама. Она дома.

The intonational construction IC-1 conveys a complete thought in a statement (declarative sentence). The centre of IC-1 is the stressed syllable of the word containing the main item of the information conveyed by the statement.

A distinctive feature of IC-1 is a sharp drop of the tone on the centre of the IC, which continues on the postcentral part. The postcentral part is pronounced with a lower than mid tone, characteristic of the precentral part.

Read the sentences, using IC-1.

Э́то дом. Э́то квартира. Э́то мама. Она́ дома. Э́то папа. Он тоже до́ма.

дома́ at home
то́же as well
Это ма́ма. This is Mom.
Она́ до́ма. She is at home.

е [э], [йэ]

1. [э] when stressed: лес, есть, день, сле́ва, пе́сня.
2. [э] when unstressed: стена́, тетра́дь, среда́, де́рево.

е ⟶ [и]

In the first pretonic syllable a short [и] is pronounced instead of **е**: река́ [р’ика́], сестра́ [с’истра́]; and in the second pretonic and in a post-tonic syllable a very short [и], which is represented by [ь]: телегра́ф [т’ьл’игра́ф], телеви́зор [т’ьл’ив’и́зър], ве́чер [в’э́ч’ьр].

я [а], [йа]

1. [а] when stressed: пять, мя́со, моя́, я́сно.
2. [а] when unstressed: де́сять, ку́хня, язы́к.

я ⟶ [и]

In the first pretonic syllable a short [и] is pronounced instead of **я**: пятна́дцать [п’итна́ццът’], обяза́тельно [ʌб’иза́т’ьл’нъ]; and in the second pretonic and in a post-tonic syllable a very short [и], which is represented by [ь]: дя́дя [д’а́д’ь], ме́сяц [м’э́с’ьц], дере́вня [д’ир’э́вн’ь], янва́рь [йинва́р’].

2–1350

и [и] ы [ы]

Pay attention to the pronunciation of the vowels [и] and [ы] (see tables Nos 1 and 2).

и – у – ы – и, и – ы – у – ы, и – у – ы, и – ы – у

и – и – и – ы – ы – ы, ты – ды – ны – сы – зы – мы – пы – бы – вы

ты – ти, ды – ди, ны – ни, сы – си, зы – зи, мы – ми, пы – пи, бы – би, вы – ви, сы́ты – си́то, дым – Ди́ма, возы́ – вози́, мыть – Ми́ла, быть – бить, выть – вить

INTONATIONAL CONSTRUCTION IC–2

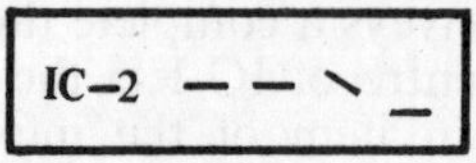

IC–2 — — ↘ _

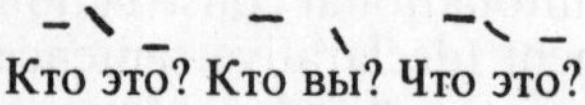

Кто это? Кто вы? Что это?

IC–2 is used in questions (interrogative sentences) with an interrogative word. The centre of IC–2 is usually the interrogative word. The stress becomes stronger on the centre of IC–2. The tone drops in the postcentral part.

Read the sentences, using IC–1 and IC–2.

Кто[2] э́то? – Э́то ма́ма и па[1]па. А э́то брат и сестра[1]. Кто[2] вы? – Я студе[1]нт. Ка[2]к вас зову́т? – Меня́ зову́т Оле[1]г. Что[2] э́то? – Э́то на́ша у[1]лица. – Где[2] ваш дом? – Он сле[2]ва. – Где[2] магази́н? – Он спра[1]ва. – Где[2] шко́ла? – Она́ зде[1]сь.

а and; while
и and
где? where?
спра́ва on the right
сле́ва on the left
здесь here
я I
он he
она́ she
вы you
наш our
ваш your
Кто э́то? Who is he (she)?
Что э́то? What is it?
Как вас зову́т? What is your name?
Меня́ зову́т... My name is....

HARD AND SOFT CONSONANTS

Russian consonants may be hard or soft. Fifteen hard consonants have their soft counterparts. The consonants **ж, ш, ц** are invariably hard, whereas the consonants **ч, щ, й** are invariably soft.

Correlative pairs		Always
	Hard **м б п в ф д т з с н л р г к х**	Always hard **ж ш ц**
	Soft **м' б' п' в' ф' д' т' з' с' н' л' р' г' к' х'**	Always soft **ч щ й**

Pay attention to the pronunciation of the hard and soft consonants д–д'; т–т'; н–н'; л–л'; р–р', (*See tables Nos 3, 4, 5, 6, 7 and 8.*)

Read the syllables.

ма–мя, мэ–ме, мо–мё, му–мю, мы–ми
ба–бя, бэ–бе, бо–бё, бу–бю, бы–би
ва–вя, вэ–ве, во–вё, ву–вю, вы–ви
да–дя, дэ–де, до–дё, ду–дю, ды–ди
та–тя, тэ–те, то–тё, ту–тю, ты–ти
са–ся, сэ–се, со–сё, су–сю, сы–си
на–ня, нэ–не, но–нё, ну–ню, ны–ни
ла–ля, лэ–ле, ло–лё, лу–лю, лы–ли
ра–ря, рэ–ре, ро–рё, ру–рю, ры–ри

The softness of a consonant is indicated in writing by the soft mark **ь** which follows it or by the letters **и, е, ё, ю, я**.

я, ю, ы are not written after the consonants **г, к, х, ж, ш, ч, щ**.

Read the words, paying attention to the pronunciation of the hard (I) and soft (II) consonants.

I

ба́бушка, балко́н, голова́, дом, ла́мпа, ма́ма, па́па, пол, потоло́к, рука́, ры́ба, сок, сын, там, тут, фру́кты, футбо́л

II

вещь, де́вять, де́сять, ию́ль, ию́нь, ме́бель, не, неде́ля, они́, пе́сня, пять, семь, семья́, си́ний

х [х]

Pay attention to the pronunciation of the consonant [х] (*see Table No. 9*).

ка–ха, ко–хо, ку–ху; и–ки, и–ги, и–хи,
и–ки, и–ги, и–хи; ки–ги–хи, ке–ге–хе
у́хо, хор, хо́лод, вход, хала́т, ху́же, хлеб, хи́мик, стихи́

ж [ж], ш [ш]

Pay attention to the pronunciation of the consonants [ж] and [ш] (*see Table No. 10*).

у–жу–жу, у–жо–жо–жа, жа–жо–жу
жар, жаль, жук, журна́л, кружо́к, дру́жба, оде́жда
у–шу–шу, у–шо–шо–ша, ша–шо–шу
ша́пка, шарф, наш–на́ша, ваш–ва́ша, шум, шу́тка, хорошо́, шко́ла, ко́шка
же ⟶ [жэ] жи ⟶ [жы] ше ⟶ [шэ] ши ⟶ [шы]
After **ж** and **ш е** is pronounced as [э].
After **ж** and **ш и** is pronounced as [ы].
уже́ [ужэ́], шесть [шэс'т'], жить [жыт'], ножи́ [н∧жы́], жена́ [жына́], шить [шыт'], маши́на [м∧шы́нъ]

ц [ц]

Pay attention to the pronunciation of [ц] (*see Table No. 11*).
тца – ца, тцо – цо, тцу – цу, тцу – цу, ца – цо – цу
це ⟶ [цэ] ци ⟶ [цы]
центр, цирк, цвет, оте́ц, па́лец, ме́сяц
тс ⟶ [ц] сове́**тс**кий
дц ⟶ [цц] два́**дц**ать

ч [ч']

The Russian [ч'] is similar to the English consonant represented by **ch** in the word "**ch**air".
и – чи – и – чи, и – чи – че – ча – чо – чу
чай, час, чей, челове́к, чулки́, ночь, врач, по́чта, де́вочка

щ [ш'ш']

Pay attention to the pronunciation of [ш'ш'] (*see Table No. 12*).
и – щи – и – щи, и – щи – ще – ща – що – щу
щи, щека́, вещь, плащ, това́рищ
сч ⟶ [ш'ш'] **сч**а́стье, **сч**ита́ть

INTONATIONAL CONSTRUCTION IC-3

IC–3 — — ^ _

— — ^ _ — — — ^ _
Это школа? Это институт?

IC-3 is used to convey the question in an interrogative sentence without an interrogative word. The structure of sentences of this type coincides with that of statements (declarative sentences): **Это студент[1].** **Это студент[3]?** English statements and questions of this type have a different structure: This is a student. Is this a student?

The centre of IC-3 is the stressed syllable of the word which contains the question. The precentral part is pronounced with the mid tone. The tone rises sharply on the centre of IC-3. In the postcentral part the tone drops lower than the mid tone. The tone begins to fall within the centre of the IC and continues falling on the postcentral part.

Это школа[3]? – Да[1], | школа[1].

The answers to such questions consist of two syntagms, each of which is pronounced with the intonation of IC-1.

Read the sentences, using IC-3 and IC-1.

– Это школа[3]? – Нет[1], | не школа[1]. (Нет[1], э́то не школа[1].) Это институ́т.

– Вы студент[3]? – Да[1], | студент[1]. (Да[1], | я студент[1].)

Note the shift of the centre of IC-3.

– Он был в кино[3]? – Да[1], | в кино[1].

– Он бы[3]л в кино́? – Да[1], | бы[1]л.

– Это её[3] сестра́? – Да[1], | её[1].

– Это её сестра[3]? – Да[1], | сестра[1].

да	yes	– Это шко́ла? – Да, (шко́ла).
нет	no	"Is it a school?" "Yes. (It's a school)."
не	not	– Нет, (не шко́ла). "No. (It's not a school)."

VOICED AND VOICELESS CONSONANTS

Russian consonants may be voiced or voiceless.

<table>
<tr><td rowspan="2">Correlative pairs</td><td>Voiced б в г д ж з</td><td>Always voiced й л м н р</td></tr>
<tr><td>Voiceless п ф к т ш с</td><td>Always voiceless х ч щ ц</td></tr>
</table>

At the end of a word and before a voiceless consonant a voiced consonant is pronounced as its voiceless counterpart: сад [сат], зуб [зуп], глаз [глас], нож [нош], луг [лук], but сады́, зу́бы, глаза́, ножи́, луга́; ло́жка [ло́шкъ], за́втра [за́фтръ].

Before a voiced consonant a voiceless consonant is pronounced as its voiced counterpart: сде́лать [зд'э́лът'], вокза́л [вʌгза́л], футбо́л [фудбо́л].

A preposition and the word which follows are pronounced as one word. The final voiced consonant of a preposition preceding the initial voiceless consonant of the word that follows it becomes voiceless: в‿сад [фсат], в‿клуб [фклуп], из‿клу́ба [исклу́бъ]; and the final voiceless consonant of a preposition preceding the initial voiced consonant of the word that follows it becomes voiced: с‿докла́да [здʌкла́дъ], от‿бра́та [ʌтбра́тъ], с‿бра́том [збра́тъм].

INTONATIONAL CONSTRUCTION IC-4

IC–4

Аня дома. А Нина?

Я студент. А вы?

Incomplete questions (interrogative sentences) with the conjunction **а** are pronounced with IC-4. The tone falls on the centre of IC-4 and rises at the postcentral part: **А Нина[4]?** If there is no postcentral part, the tone begins to rise within the centre of IC-4: **А вы[4]?**

Read the sentences, using IC-1 and IC-4.

Я студент[1]. А вы[4]? – Я тоже[1] студе́нт. Меня́ зову́т Том[1]. А вас[4]? – Меня́ зову́т Олег[1].

Ма́ма дома[1]. А папа[4]? – Па́па тоже[1] до́ма. Та́ня в кино[1]. А Нина[4]? – Ни́на дома[1].

Я студе́нт. А вы?	I am a student. And you?
Меня́ зову́т Том. А вас?	My name is Tom. And yours?

MAIN TYPES OF INTONATIONAL CONSTRUCTIONS

IC–1

Э́то дом[1]. Э́то инженер[1].

Он студент[1]. Он дома[1].

IC–2

Что[2] э́то? Кто[2] э́то?

Кто[2] он? Где[2] он?

IC–3

Э́то дом[3]? Э́то инженер[3]?

Он студент[3]? Он дома[3]?

IC–4

Том в кино[1]. А Дима[4]?

Та́ня дома[1]. А Нина[4]?

TEXTS

1. Э́то Оле́г и Таня[1]. Они́ брат и сестра[1]. А э́то ма́ма и папа[1]. Сейча́с они́ дома[1].

2. – Оле́г дома[3]? – Да[1], | дома[1].

– А Таня[4]? – Та́ня тоже[1] до́ма.

– Где[2] сейча́с ма́ма? – Она́ дома[1].

3. – Кто[2] вы? – Я студе[1]нт.

– Ка[2]к вас зову́т? – Меня́ зову́т То[1]м.

– Э́то ваш бра[3]т? – Да[1].

– Ка[2]к его́ зову́т? – Его́ зову́т Джо[1]н.

– А кто[2] он? – Он то[1]же студе́нт.

4. – Меня́ зову́т То[1]м. А ва[4]с?

– Я студе[1]нт. А вы[4]?

– Э́то ваш бра[3]т? – Да[1].

– Он студе[3]нт? – Не[1]т, | не студе[1]нт. Он инжене[1]р.

HOW SOME RUSSIAN LETTERS ARE WRITTEN

1. *л, м, я*: *слéва, моя́*. The letters *л, м, я* begin with a dot placed at one-fourth of the height of the letter.

2. *о*: *окнó, пóле* The letter *о* is written without a joining stroke when it occurs at the beginning of a word and before *л, м, я*.

3. *к, л*: *кинó, окнó, лес* The height of the letters *к, л* is the same as that of the other letters.

4. The small letters *и, н, п, щ, ц, р, у* have no "hook" in their upper part:

цветóк, ýтро, пальтó, плащ

5. The letters *ж, х, э* are joined to the preceding letter:

ах, нож, уж, ýхо

6. Do not confuse the capital letters *У* and *Ч*

7. Do not confuse the letters *ц, щ* and *у*

8. Do not confuse the Russian *ш* (*шкаф*) and the English *w*.

9. Note the way the Russian letters are written:

я, ю, ф: я́блоко, юг, фру́кты

Read through the text and copy it out.

Моя́ ко́мната.

Это моя́ ко́мната. Сле́ва стол и кре́сло. Спра́ва шкаф. Там плащ, пальто́ и костю́м. Тут дива́н, а здесь телеви́зор.

NOTES ON THE TABLES

No. 1. There is no English counterpart of the Russian vowel [ы]. The English vowel represented by **i** in the word "kick" resembles the Russian [ы].

No. 2. Compare the articulation of [и] and [ы].

In pronouncing [и] the tip of the tongue is lowered and touches the lower teeth. The tongue is moved forward and the front and middle parts of the centre of the tongue are raised high. In the articulation of [ы] the tip of the tongue is raised towards the palate, the tongue is pulled backward, the back part of the centre of the tongue is tense and raised high, as in the articulation of the vowel [у]. The lips are neutral or are slightly drawn apart.

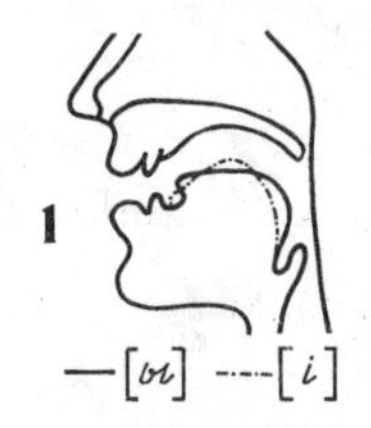

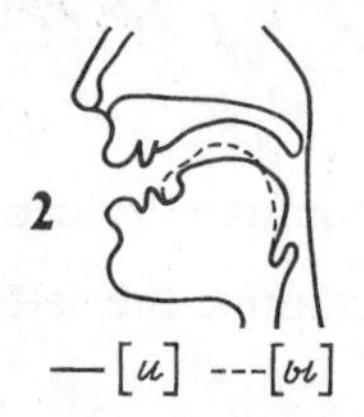

No. 3. In the pronunciation of the Russian consonants [н], [т] and [д] the tongue assumes a position different from the position it assumes in the pronunciation of the English counterparts of these sounds. In the articulation of the English sounds represented by **n** in "not", **t** in "tie" and **d** in "day" the tip of the tongue touches the teethridge. However, the Russian [н], [т] and [д] are dental sounds: in their articulation the tip of the tongue touches the lower teeth, while the fore part of the tongue forms an obstruction by touching the upper teeth: на – та – да, но – то – до, ну – ту – ду.

No. 4. In the pronunciation of the soft consonants [н'], [т'] and [д'] the middle part of the centre of the tongue is raised and the obstruction formed by the fore part of the tongue and the upper teeth is firmer than in the articulation of the hard consonants: и – ни, и – ди, и – ти.

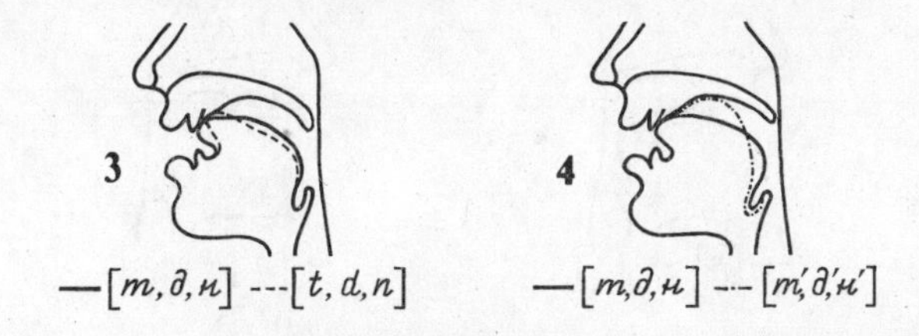

Nos 5 and 6. The English consonant represented by **l** in "lock" is softer than the hard Russian [л] and harder than the soft [л']. In the articulation of the English consonant the tip of the tongue forms an obstruction by pressing against the teethridge and the middle part of the centre of the tongue is raised. In the articulation of the Russian hard [л] the tongue assumes a spoonlike shape: the tip of the tongue together with the narrow part of the centre of the tongue forms an obstruction in the region between the upper teeth and the teethridge, the whole tongue is pulled back and its back part is raised towards the soft palate as in the pronunciation of the vowels [о] and [у]: о – ло, у – лу – лу.

In the articulation of the soft [л'] the tip of the tongue touches the edge of the lower teeth, the fore part of the centre of the tongue and the upper teeth form an obstruction and the middle part of the centre of the tongue is raised: и – ли – и – ли.

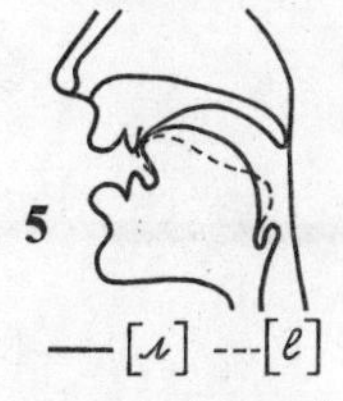

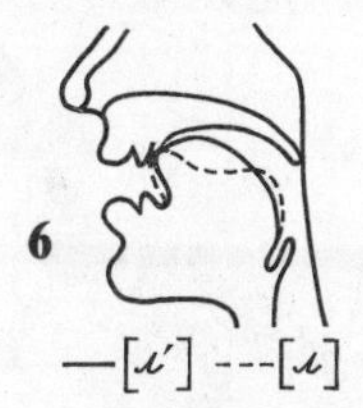

Nos 7 and 8. The articulation of the Russian [р] differs from that of the English sound represented by **r** in "rock". In the articulation of the English sound the tip of the tongue raised towards the teethridge is curled back and does not move. In the articulation of the Russian [р] the tip of the tongue is raised towards the teethridge and vibrates, touching the upper teeth and the edge of the teethridge as it does so. The tongue is pulled back, the middle part of the centre of the tongue is lowered, its back part is raised and the lips are slightly open: дра – ра, дро – ро, дру – ру.

In the articulation of the soft [р'] the whole tongue is moved forward, the tip of the tongue is brought near to the upper teeth, the middle part of the centre of the tongue is raised towards the hard palate, the fore part of the tongue being less tense than in the articulation of the hard [р]: и – ри – и – ри.

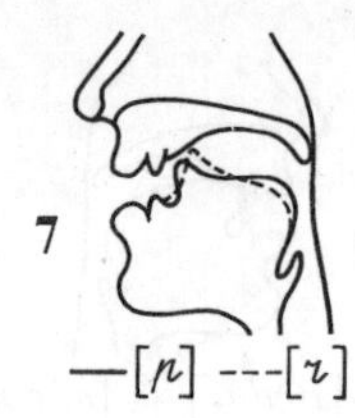

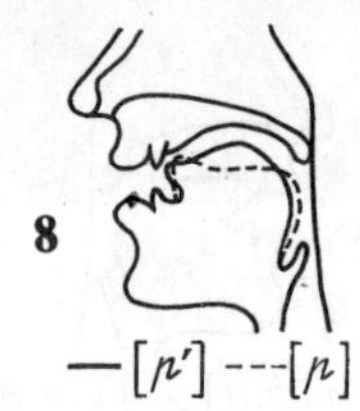

No. 9. The articulation of the Russian [х] differs from that of the English sound represented by **h** in "**h**ot" and is very similar to the articulation of the Scottish **ch** in "lo**ch**". In the articulation of the Russian [х] the back part of the centre of the tongue is raised and forms a narrow opening in the region between the hard and the soft palate, where [к] and [г] are articulated. The tip of the tongue is near the lower teeth, but does not touch them.

In the articulation of the soft [х'] the whole tongue is brought forward, and the narrow opening is formed by the raised middle part of the centre of the tongue. The tip of the tongue touches the lower teeth.

No. 10. The consonants [ж] and [ш] are similar to the English consonants represented by **s** in "plea**s**ure" and **sh** in "**sh**ell", respectively. The Russian [ж] and [ш] are hard consonants. In their articulation the tip of the tongue is raised and slightly turned back (thus forming a narrow opening in front), the back part of the centre of the tongue is raised high with the middle part of the centre of the tongue sagging. Thus the tongue assumes a spoonlike shape.

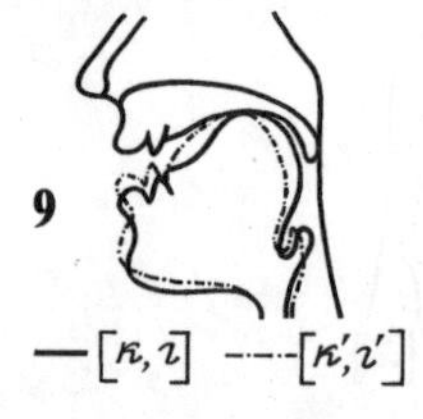

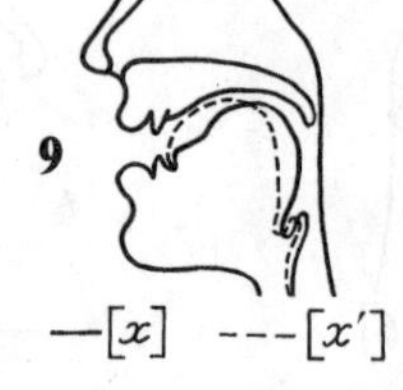

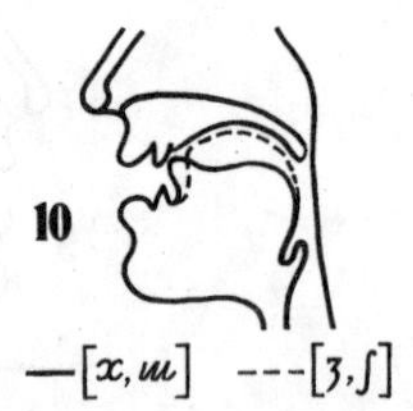

No. 11. The consonant [ц] has no English counterpart. It is similar to the consonant combination represented by **ts** in "boo**ts**" or by **tz** in "quar**tz**" and pronounced as one sound.

No. 12. The long soft consonant [ш'ш'] rendered in writing by the letter **щ** is pronounced softer than the English consonant combination represented by the letters **sh ch** in the phrase "Dani**sh** **ch**arter". In the articulation of [ш'ш'] the tip and the fore part of the centre of the tongue form a narrow opening near the teethridge. There is also a second narrow opening formed by the middle part of the centre of the tongue.

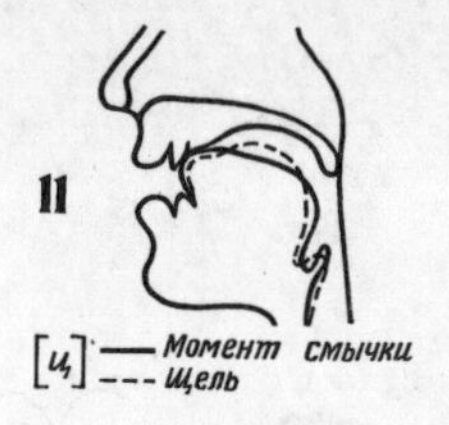

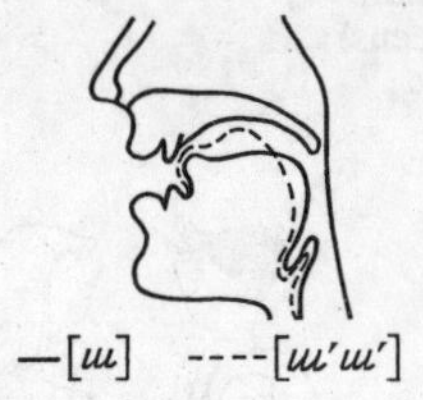

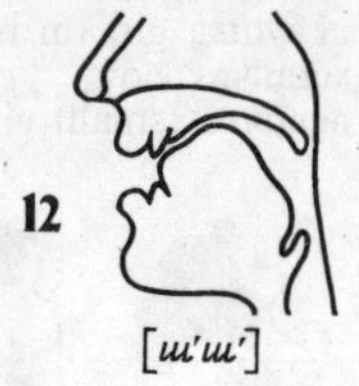

PICTORIAL VOCABULARY

Human Being

1 же́нщина woman
2 мужчи́на man
3 молодо́й челове́к young man
4 де́вушка girl (in her late teens)
5 ма́льчик boy
6 де́вочка (small) girl

Parts of the Body

1 голова́ head
2 лоб forehead
3 лицо́ face
4 глаз eye
5 нос nose
6 во́лосы *pl.* hair
7 зуб tooth
8 гу́бы *pl.* lips
9 у́хо ear
10 рука́ hand
11 па́лец finger
12 нога́ foot; leg

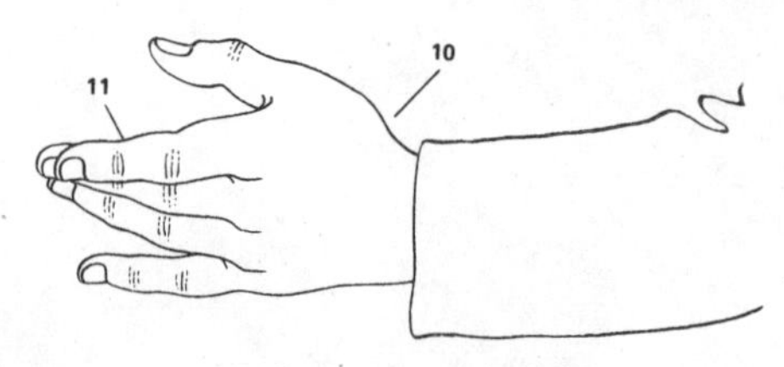

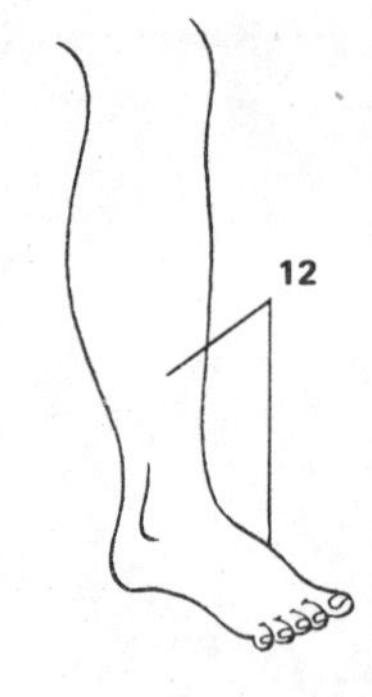

Family

1 жена́ wife
2 муж husband
3 мать mother
4 оте́ц father
5 дочь daughter
6 сын son
7 сестра́ sister
8 брат brother
9 роди́тели *pl.* parents
10 де́душка grandfather
11 ба́бушка grandmother
12 внук grandson
13 вну́чка granddaughter

House, Apartment, Room, Furniture, Household Utensils

1 дом block of flats
2 кварти́ра flat, apartment
3 балко́н balcony
4 коридо́р hall
5 кабине́т study
6 туале́т lavatory, toilet
7 ва́нная bathroom
8 ку́хня kitchen
9 столо́вая dining room
10 спа́льня bedroom

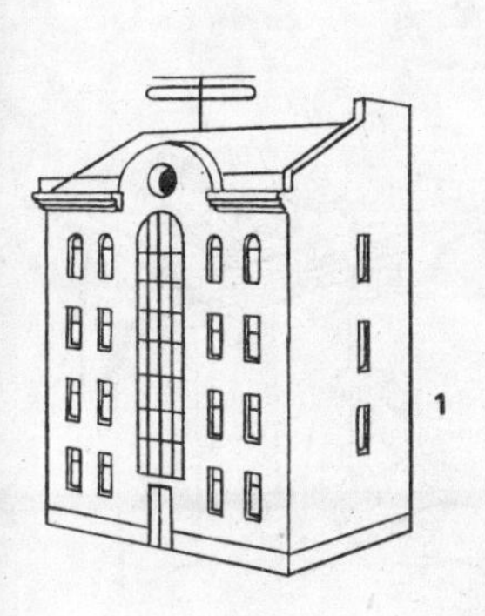

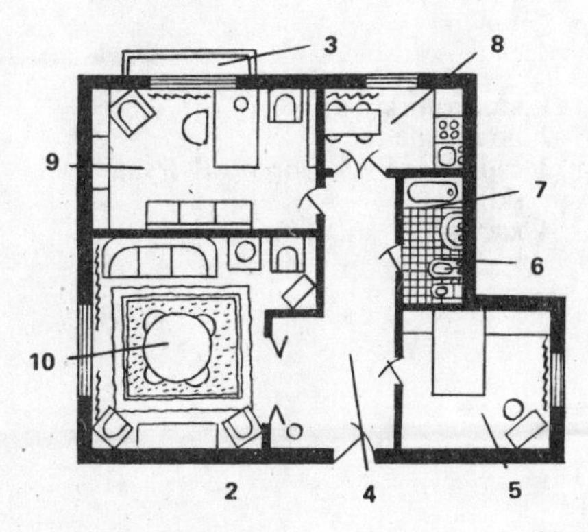

11 потоло́к ceiling
12 пол floor
13 стена́ wall
14 окно́ window
15 дверь *f.* door
16 стол writing desk
17 стул chair
18 кре́сло armchair
19 по́лка shelf
20 насто́льная ла́мпа desk lamp
21 дива́н settee
22 стол table
23 телеви́зор T.V. set
24 ра́дио radio
25 телефо́н telephone
26 буди́льник alarm-clock
27 часы́ clock
28 часы́ watch
29 су́мка handbag
30 портфе́ль bag
31 чемода́н suitcase
32 зонт umbrella
33 крова́ть *f.* bed
34 одея́ло quilt
35 простыня́ bed sheet
36 поду́шка pillow
37 на́волочка pillowcase
38 ковёр carpet, rug
39 ту́мбочка night-table
40 зе́ркало mirror
41 шкаф wardrobe
42 занаве́ска curtain

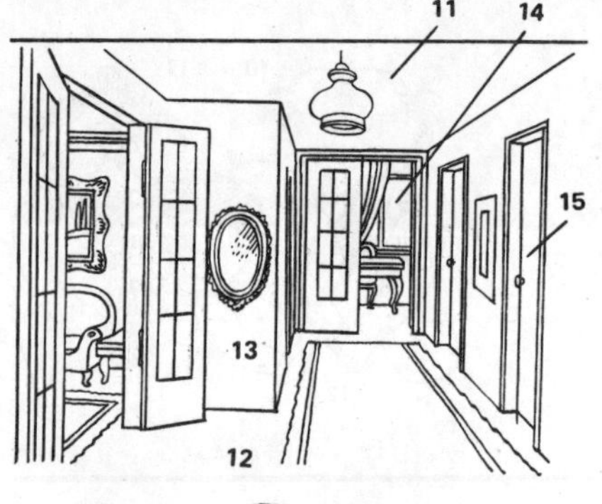

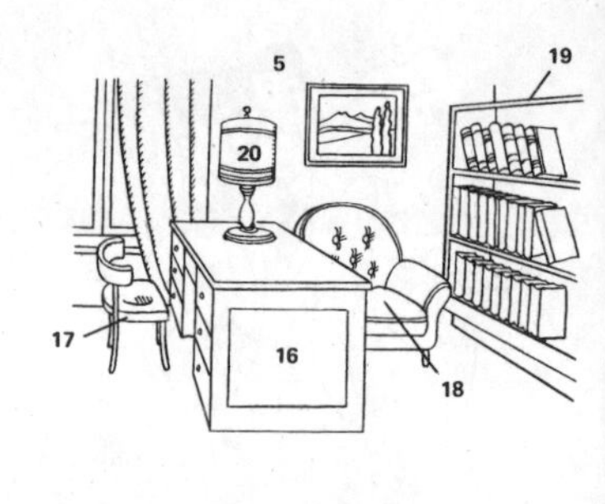

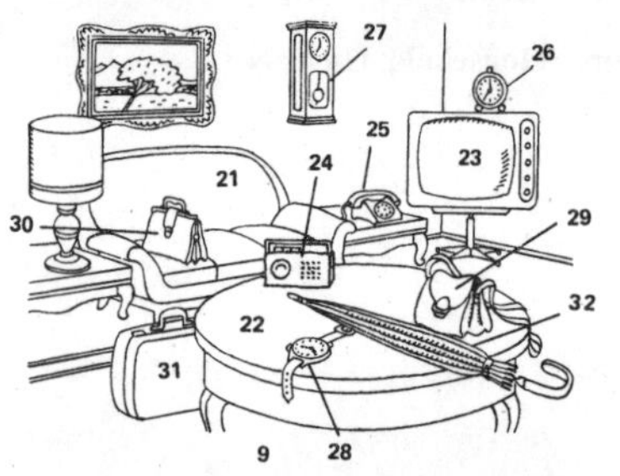

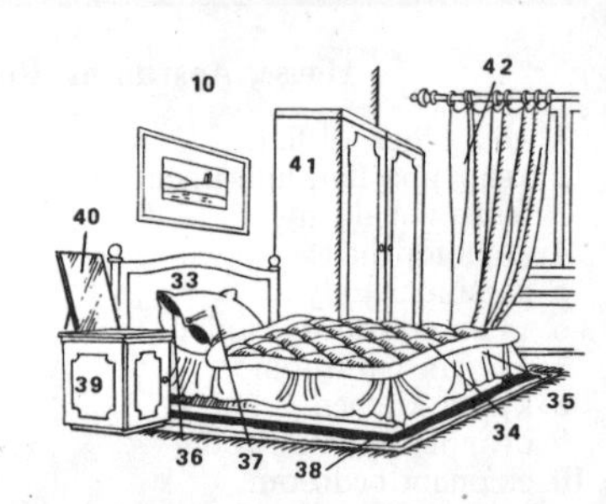

Table and Kitchenware

1 ви́лка fork
2 нож knife
3 сковорода́ (сковоро́дка) frying pan, skillet
4 кастрю́ля saucepan

5 стака́н glass
6 ча́шка cup
7 блю́дце saucer
8 таре́лка plate
9 ло́жка spoon
10 ча́йник teapot
11 салфе́тка (table) napkin, serviette
12 ска́терть *f.* tablecloth
12. стол table

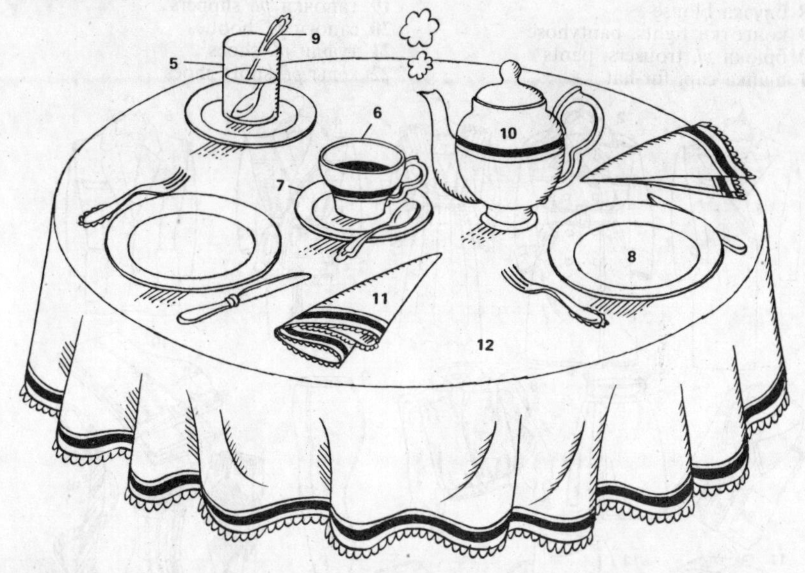

Bathroom

13 полоте́нце towel
14 зубна́я щётка toothbrush
15 зубна́я па́ста tooth paste
16 мы́ло soap

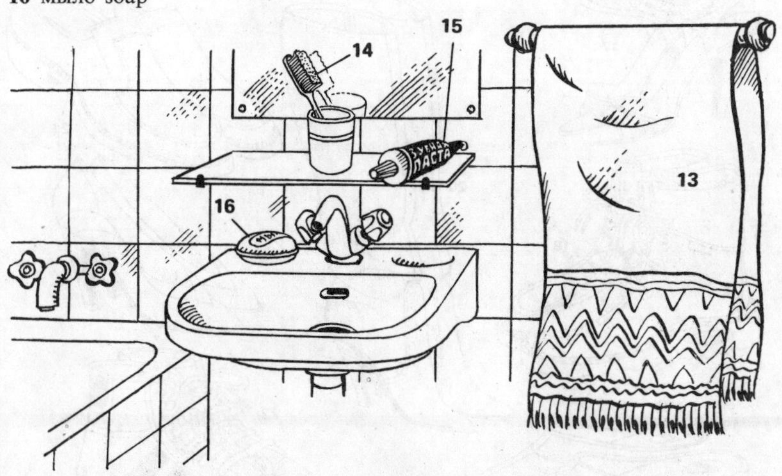

Clothes

1 пальто́ overcoat
2 плащ weathercoat, waterproof coat
3 пла́тье dress
4 костю́м suit
5 пиджа́к suit coat, jacket
6 руба́шка shirt
7 ю́бка skirt
8 блу́зка blouse
9 колго́тки tights, pantyhose
10 брю́ки *pl.* trousers, pants
11 ша́пка cap; fur-hat
12 шля́па hat
13 перча́тки gloves
14 го́льфы knee-length socks
15 носки́ *pl.* socks
16 га́лстук tie
17 босоно́жки *pl.* sandals
18 боти́нки *pl.* boots
19 та́почки *pl.* slippers
20 сапоги́ *pl.* booties
21 ту́фли *pl.* shoes
22 ке́ды *pl.* sport shoes

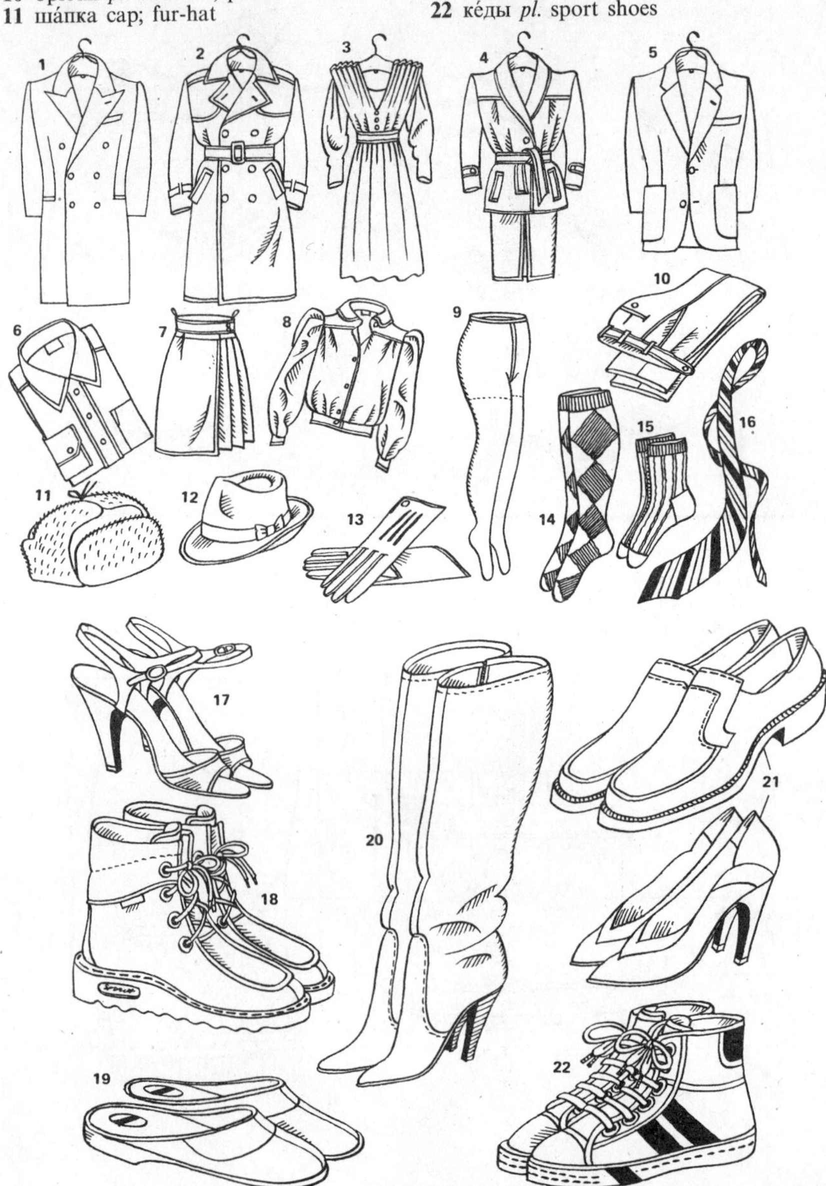

Food

1 соль *f.* salt
2 мя́со meat
3 ма́сло butter
4 кефи́р kefir
5 молоко́ milk
6 сок juice
7 колбаса́ sausage
8 сыр cheese
9 яйцо́ egg
10 ры́ба fish
11 карто́фель *m.* (*coll.* карто́шка) potatoes
12 лук onions
13 огурцы́ cucumbers
14 морко́вь *f.* carrots
15 свёкла beet, beetroot
16 помидо́р tomato
17 капу́ста cabbage
18 апельси́н orange
19 я́блоко apple
20 виногра́д grapes

21 конфе́ты sweets, candy
22 пиро́жные small cakes
23 чай tea
24 са́хар sugar
25 ко́фе coffee
26 торт cake, gâteau
27 бу́лочки buns
28 бато́н long loaf of bread

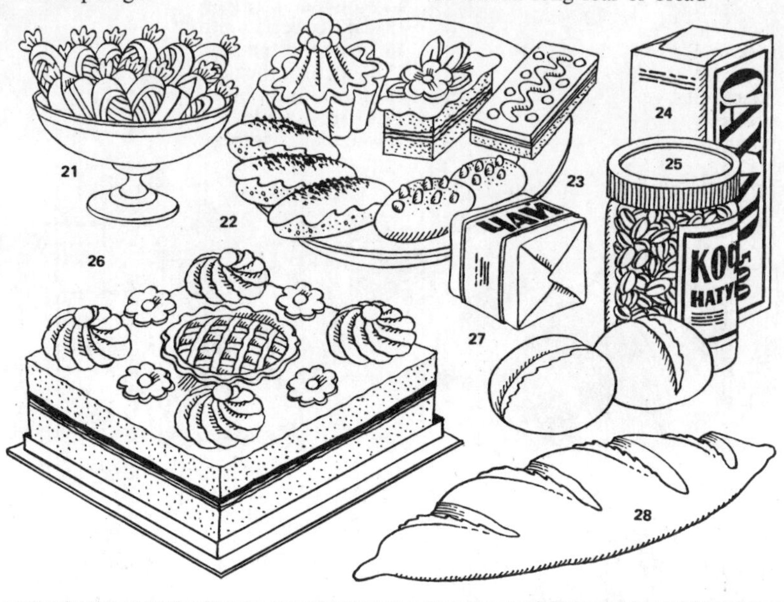

Reading and Writing

1 кни́га book
2 газе́та newspaper
3 уче́бник textbook
4 журна́л magazine
5 слова́рь *m.* dictionary
6 бу́ква letter

7 бума́га paper
8 конве́рт envelope
9 письмо́ letter
10 ру́чка pen
11 каранда́ш pencil
12 ма́рка stamp
13 откры́тка postcard
14 телегра́мма telegram

City

1 у́лица street
2 дом house, block of flats
3 зда́ние building
4 пло́щадь *f.* square
5 рестора́н restaurant
6 кафе́ café

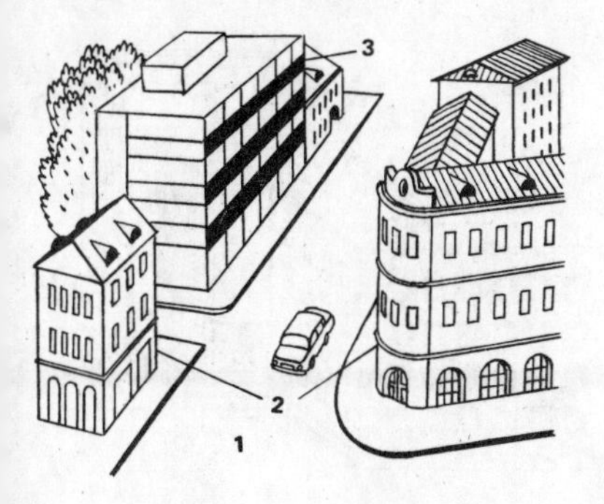

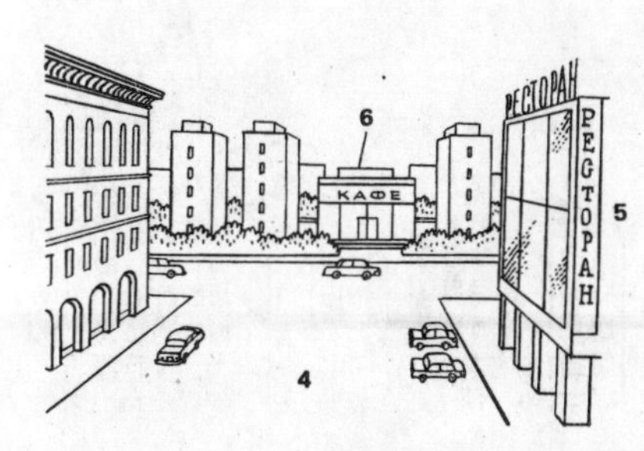

7 гости́ница hotel
8 кинотеа́тр cinema, movie palace
9 музе́й museum
10 теа́тр theatre
11 цирк circus
12 университе́т university
13 институ́т college
14 шко́ла school

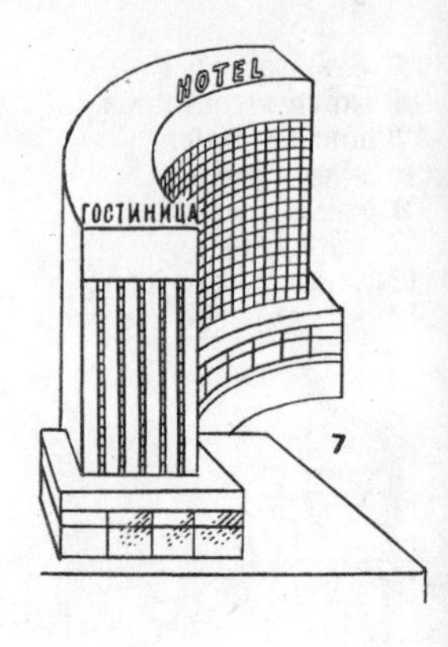

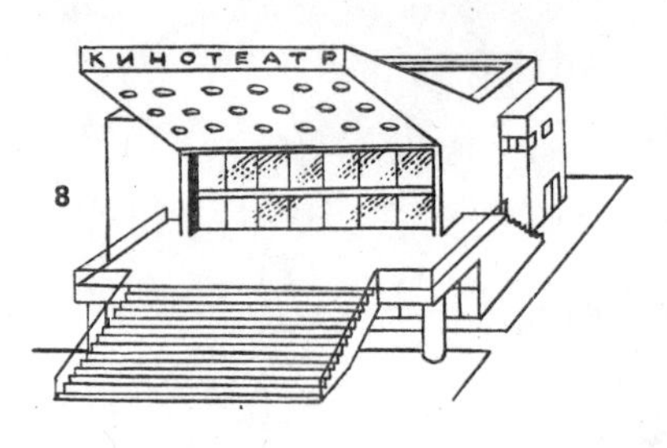

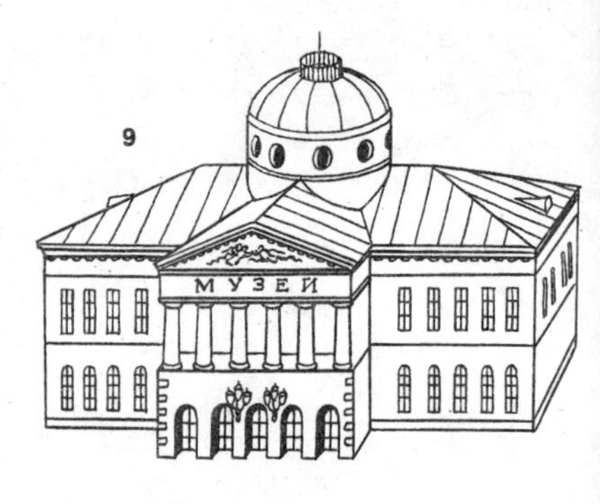

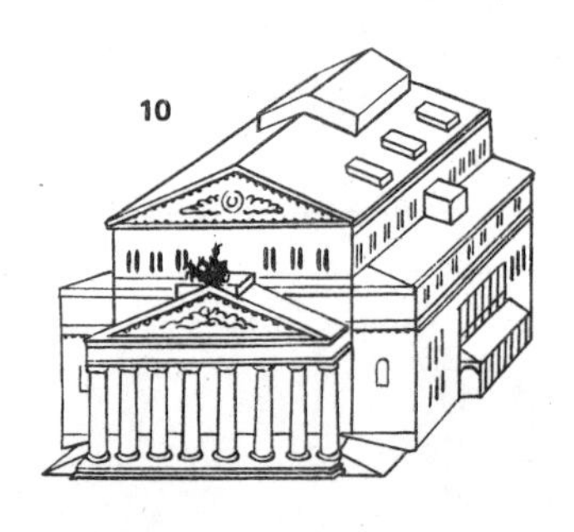

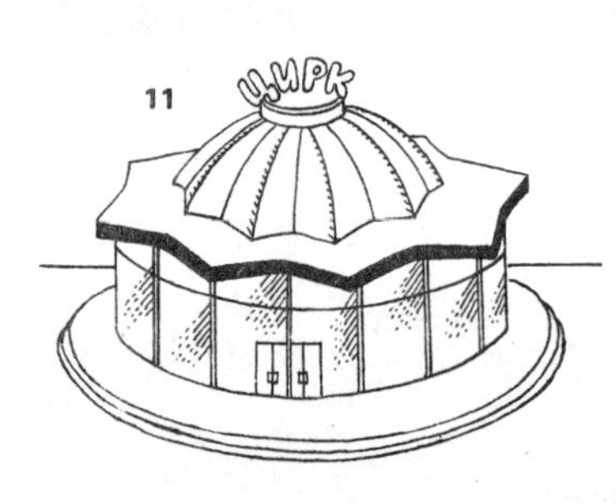

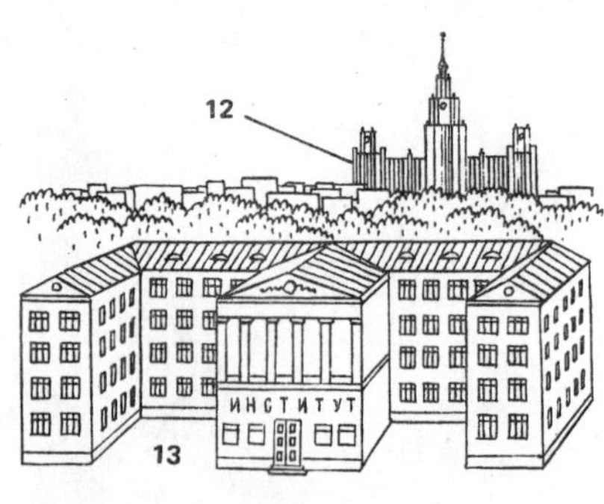

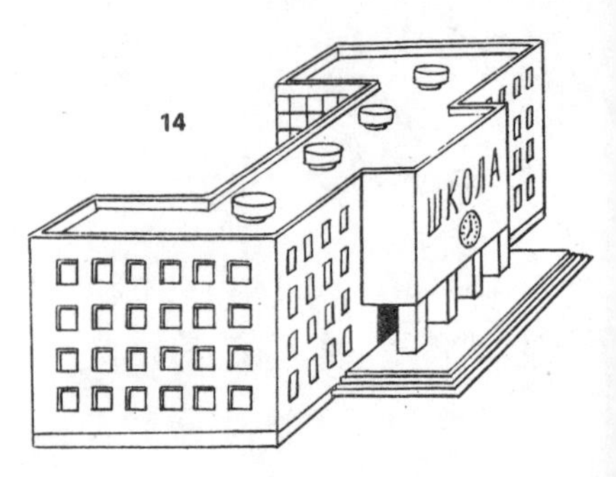

15 магази́н shop, store
16 кио́ск kiosk, stall
17 по́чта–телегра́ф post office; telegraph office
18 стадио́н stadium
19 ры́нок market
20 мост bridge
21 парк park
22 заво́д factory
23 фа́брика factory

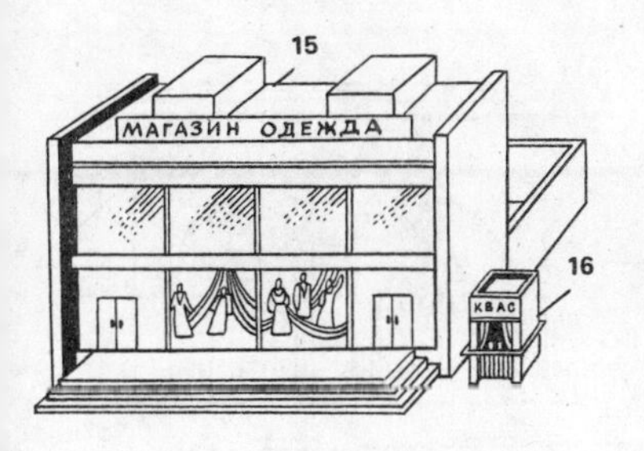

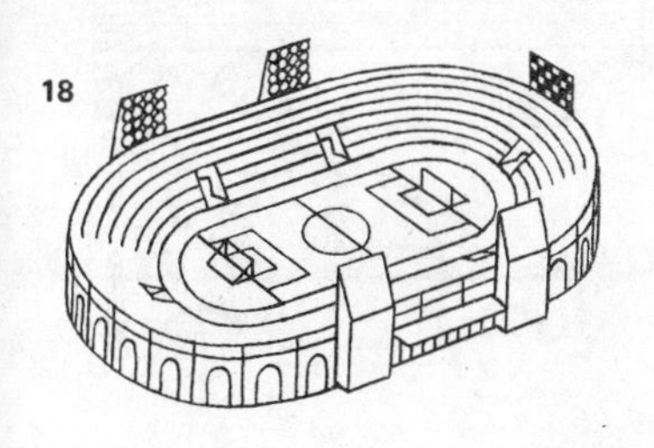

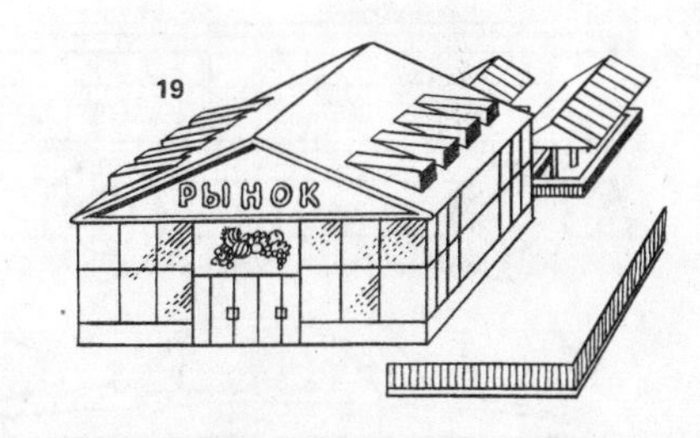

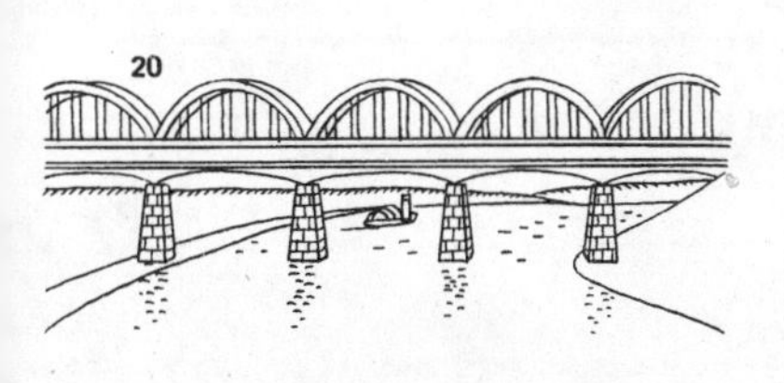

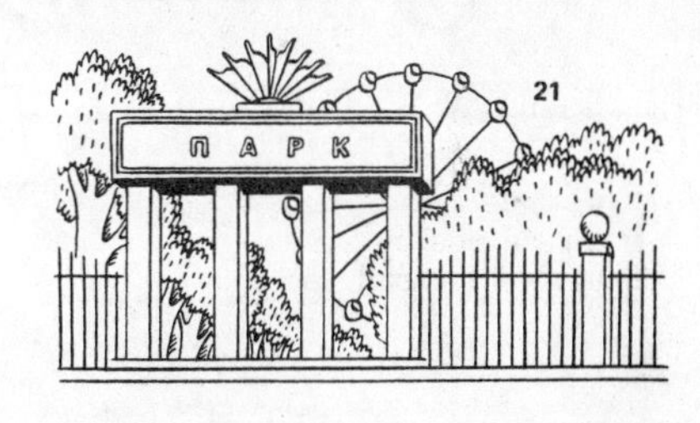

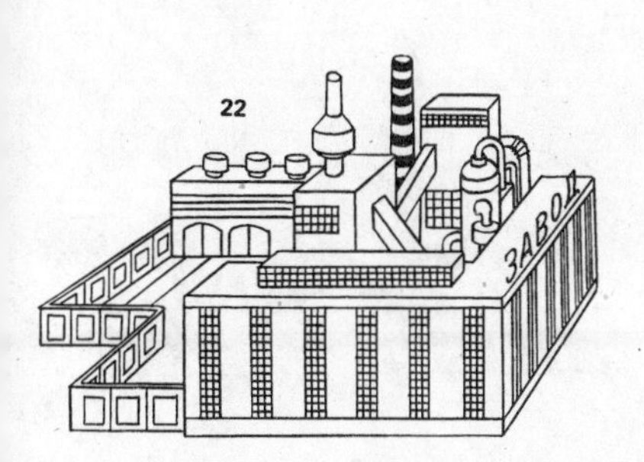

City Transport

1 трамва́й tram, streetcar
2 ме́тро Underground, subway
3 тролле́йбус trolleybus
4 авто́бус bus
5 такси́ taxi, cab
6 маши́на motor car, automobile

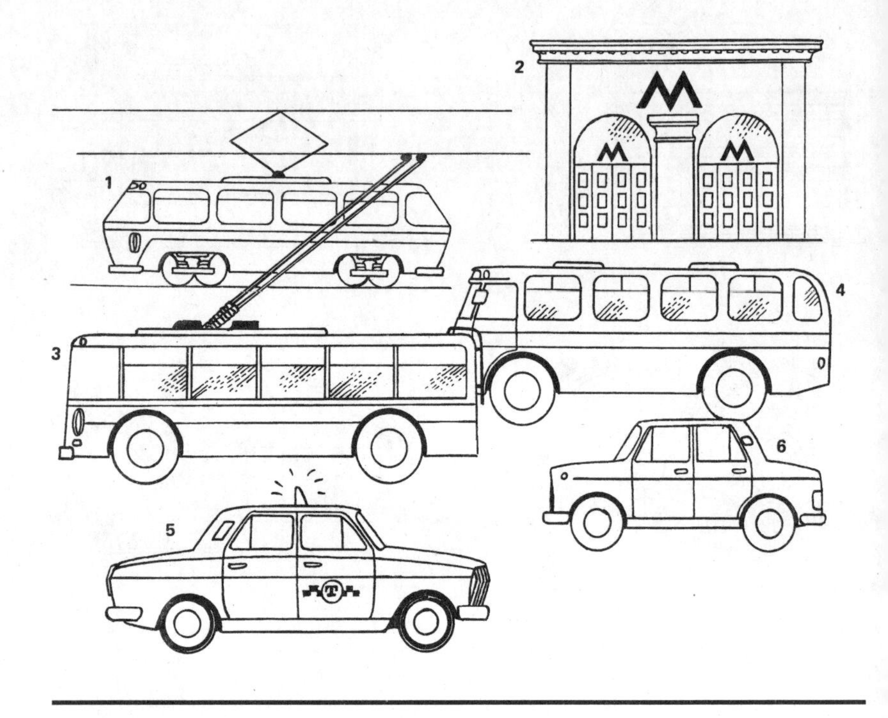

Sports

1 хокке́й hockey
2 футбо́л football, soccer

3 те́ннис tennis
4 волейбо́л volleyball

Nature. In the Country. Domestic Animals.

1 со́лнце sun
2 луна́ moon
3 не́бо sky
4 дере́вня village
5 сад orchard
6 лес wood
7 по́ле field
8 река́ river
9 де́рево tree
10 цвето́к flower
11 пти́ца bird

12 ко́шка cat
13 соба́ка dog
14 коро́ва cow
15 ло́шадь horse
16 ку́рица hen

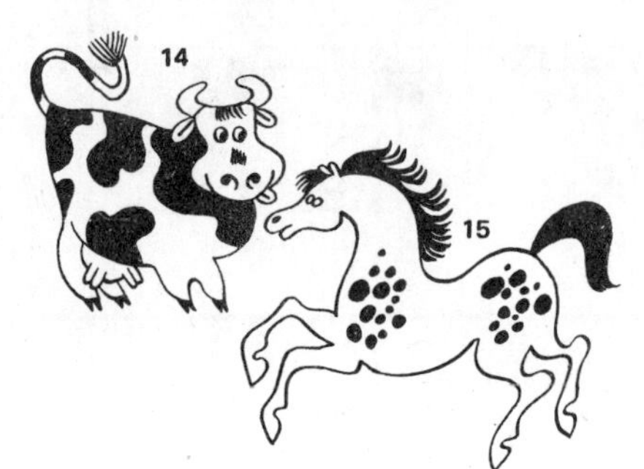

Time

1 у́тро morning
2 день day
3 ве́чер evening
4 ночь night

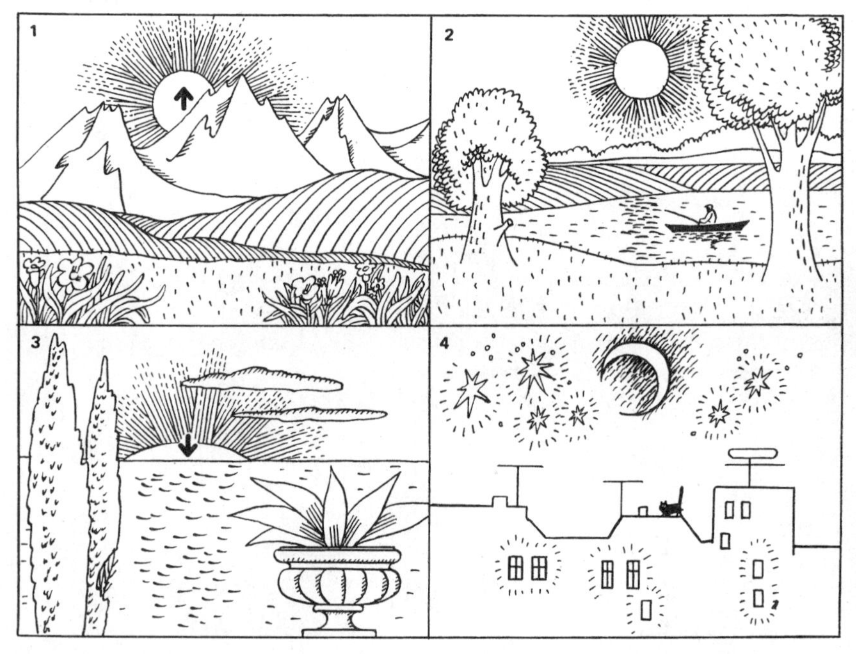

5 зимá winter
6 веснá spring
7 лéто summer
8 óсень autumn
9 дни недéли days of the week
понедéльник Monday
втóрник Tuesday
средá Wednesday
четвéрг Thursday
пя́тница Friday
суббóта Saturday
воскресéнье Sunday

10 мéсяцы months
янвáрь January
феврáль February
март March
апрéль April
май May
ию́нь June
ию́ль July
áвгуст August
сентя́брь September
октя́брь October
ноя́брь November
декáбрь December

ЯНВАРЬ

ПОНЕДЕЛЬНИК		4	11	18	25
ВТОРНИК		5	12	19	26
СРЕДА		6	13	20	27
ЧЕТВЕРГ		7	14	21	28
ПЯТНИЦА	1	8	15	22	29
СУББОТА	2	9	16	23	30
ВОСКРЕСЕНЬЕ	3	10	17	24	31

9

КАЛЕНДАРЬ 1988

ЯНВАРЬ ФЕВРАЛЬ МАРТ АПРЕЛЬ МАЙ ИЮНЬ
ПН ВТ СР ЧТ ПТ СБ ВС
ИЮЛЬ АВГУСТ СЕНТЯБРЬ ОКТЯБРЬ НОЯБРЬ ДЕКАБРЬ
ПН ВТ СР ЧТ ПТ СБ ВС

10

Numerals

Cardinals	Ordinals
1 – один one	пéрвый first
2 – два two	вторóй second
3 – три three	трéтий third
4 – четы́ре four	четвёртый fourth
5 – пять five	пя́тый fifth
6 – шесть six	шестóй sixth
7 – семь seven	седьмóй seventh
8 – вóсемь eight	восьмóй eighth
9 – дéвять nine	девя́тый ninth
10 – дéсять ten	деся́тый tenth
11 – оди́ннадцать eleven	оди́ннадцатый eleventh
12 – двенáдцать twelve	двенáдцатый twelfth
13 – тринáдцать thirteen	тринáдцатый thirteenth
14 – четы́рнадцать fourteen	четы́рнадцатый fourteenth
15 – пятнáдцать fifteen	пятнáдцатый fifteenth
16 – шестнáдцать sixteen	шестнáдцатый sixteenth
17 – семнáдцать seventeen	семнáдцатый seventeenth
18 – восемнáдцать eighteen	восемнáдцатый eighteenth
19 – девятнáдцать nineteen	девятнáдцатый nineteenth
20 – двáдцать twenty	двадцáтый twentieth
30 – тридцáть thirty	тридцáтый thirtieth
40 – сóрок fourty	сороковóй fortieth
50 – пятьдеся́т fifty	пятидеся́тый fiftieth
60 – шестьдеся́т sixty	шестидеся́тый sixtieth
70 – сéмьдесят seventy	семидеся́тый seventieth
80 – вóсемьдесят eighty	восьмидеся́тый eightieth
90 – девянóсто ninety	девянóстный ninetieth
100 – сто one hundred	сóтый one hundredth

MAIN COURSE

CONCENTRIC CYCLE I

UNIT 1

Это Та́ня, Ни́на Петро́вна, Ива́н Серге́евич, Оле́г. Это Джон.

Preparation for Reading

– Как вас (тебя́, его́, её) зову́т? "What is your (his, her) name?"
– Та́ня. "Tanya."
– Знако́мьтесь! (Познако́мьтесь!) "Please meet...".
– Очень прия́тно! "Pleased to meet you."
– Рад познако́миться. "Glad to meet you."

– Здра́вствуйте! "How do you do."
– До́брый день! "Good afternoon."
– До́брое у́тро! "Good morning."
– До́брый ве́чер! "Good evening."

– Ва́ша фами́лия, и́мя, о́тчество?[1]	"What is your family name, first name, patronymic?"[1]
– Соколо́в Ива́н Серге́евич.	"Sokolov Ivan Sergeyevich."

знако́мство getting acquainted
ру́сский Russian
инжене́р engineer
врач doctor
студе́нт student
студе́нтка student
био́лог biologist
ещё still
шко́льник pupil, high school student
шко́льница pupil, high school student
весь (вся, всё) all, whole
гость *m.* guest, visitor
Аме́рика America
америка́нец American
америка́нка American
друг friend
подру́га friend
то́же also

* * *

и́мя first (Christian) name
о́тчество patronymic
фами́лия last (family) name
чей? whose
санато́рий sanatorium, health centre
пе́сня song

* * *

у них есть... they have...
у нас (у них) гость we (they) have a visitor

TEXT

Знако́мство

Знако́мьтесь: э́то ру́сская семья́. Это Ива́н Серге́евич, а э́то Ни́на Петро́вна – его́ жена́. Ива́н Серге́евич – инжене́р, Ни́на Петро́вна – врач.

У них есть де́ти: сын Оле́г и дочь Та́ня. Оле́г – студе́нт-био́лог. Та́ня ещё шко́льница.

Сейча́с вся семья́ до́ма. Сего́дня у них гость, Джон, студе́нт-америка́нец, то́же био́лог.

DIALOGUE

Оле́г: Ма́ма, сего́дня у нас гость.
Ни́на Петро́вна: Кто?
Оле́г: Мой друг Джон, наш студе́нт.

(The doorbell rings.)

Оле́г: Это он. *(Opens the door.)*
Джон: Здра́вствуйте!
Оле́г: Здра́вствуй!
Ива́н Серге́евич: Ни́на Петро́вна: До́брый день!

[1] A question asked when arranging an appointment with an official, a doctor, etc. Russian first names are followed by a patronymic, which is derived from the father's name.

Оле́г: Знако́мьтесь: мой друг Джон, моя́ ма́ма.
Ни́на Петро́вна: Ни́на Петро́вна.
Джон: Очень прия́тно. Джон.
Оле́г: Мой оте́ц.
Ива́н Серге́евич: Рад познако́миться. Ива́н Серге́евич.
Джон: Очень прия́тно. Джон.
Оле́г: А э́то Та́ня, моя́ сестра́.
Та́ня: Та́ня.
Джон: Рад познако́миться. Джон.

DIALOGUE

– Как вас зову́т?
– Оле́г.
– Вы студе́нт?
– Да, студе́нт.
– Это ва́ша сестра́?
– Да.
– Как её зову́т?
– Та́ня.
– Она́ студе́нтка?
– Нет, не студе́нтка, она́ ещё шко́льница.
– А кто ваш друг?
– Он студе́нт.
– Он ру́сский?
– Нет, он америка́нец.

GRAMMAR

The Noun

Кто э́то? *Who is it?*	**Что э́то?** *What is it?*
Это Оле́г Это студе́нт	Это дом Это кни́га

The question **кто?** is asked about animate nouns (words denoting persons or animals); the question **что?** is asked about inanimate nouns (words denoting objects).

The Gender of Nouns

Russian nouns have gender, which is clearly expressed only in the singular. All the nouns belong to one of three genders: masculine, feminine or neuter. The gender of a noun is generally shown by its ending. The gender of nouns denoting persons or animals is generally determined by their sex. However, most nouns denoting members of a profession or trade are words of the common gender and apply to persons of either sex. Cf. Он студе́нт. Она́ студе́нтка, but: Он врач. Она́ врач.

Masculine Ending		Feminine Ending		Neuter Ending	
студе́нт	—	студе́нтк**а**	**-а**	окн**о́**	**-о**
музе́**й**	**-й**	пе́сн**я**	**-я**	по́л**е**	**-е**
санато́ри**й**		фами́ли**я**		зда́ни**е**	
слова́р**ь**	**-ь**	тетра́д**ь**	**-ь**		

Note.– Nouns which end in **-ь** (the soft mark) may be either masculine or feminine. Their gender must be memorised.

The Personal Pronouns он, она́, оно́

Masculine	Feminine	Neuter
он	**она́**	**оно́**

Unlike in English, the Russian pronouns **он** and **она́** may replace not only animate, but also inanimate nouns: Это Оле́г, он студе́нт. Это дом, он сле́ва.

Кто он? *What is he?*		**Кто она́?** *What is she?*	
Он ру́сский.	He is Russian.	Она́ ру́сская.	She is Russian.
Он англича́нин.	He is English.	Она́ англича́нка.	She is English.
Он студе́нт.	He is a student.	Она́ студе́нтка.	She is a student.
Он врач.	He is a doctor.	Она́ врач.	She is a doctor.

Possessive Pronouns

Personal Pronouns	Possessive Pronouns Singular			
	Masculine **чей?**	Feminine **чья?**	Neuter **чьё?**	
я I **ты** you	**мой** дом **твой**	**моя́** кварти́ра **твоя́**	**моё** окно́ **твоё**	my (mine) your(s)
он he **она́** she **оно́** it	**его, её** (for all the genders and numbers)			his her(s) its
мы we **вы** you	**наш** дом **ваш**	**на́ша** кварти́ра **ва́ша**	**на́ше** окно́ **ва́ше**	our(s) your(s)
они́ they	**их** (for all the genders and numbers)			their(s)

Note.– 1. A possessive pronoun takes the gender and number of the noun it qualifies.

2. The possessive pronouns **его́, её** and **их** do not change.

3. The pronouns **вы** and **ваш** are used with regard to several persons and to one person as a polite form of address.

4. The interrogative pronoun **чей** also changes for gender and number.

Masculine	Feminine	Neuter
– **Чей** э́то дом? – Это **мой** дом.	– **Чья** э́то кварти́ра? – Это **моя́** кварти́ра.	– **Чьё** э́то окно́? – Это **моё** окно́.

Word-building

студе́нт – студе́нтка

шко́ла – шко́льник – шко́льница

EXERCISES

I. Ask the question **кто э́то?** or **что э́то?** about what you see in the picture and answer the question.

Model: – *Кто э́то? – Это ма́ма.*
– *Что э́то? – Это телеви́зор.*

II. Read the sentences, noting the changes in the possessive pronouns.

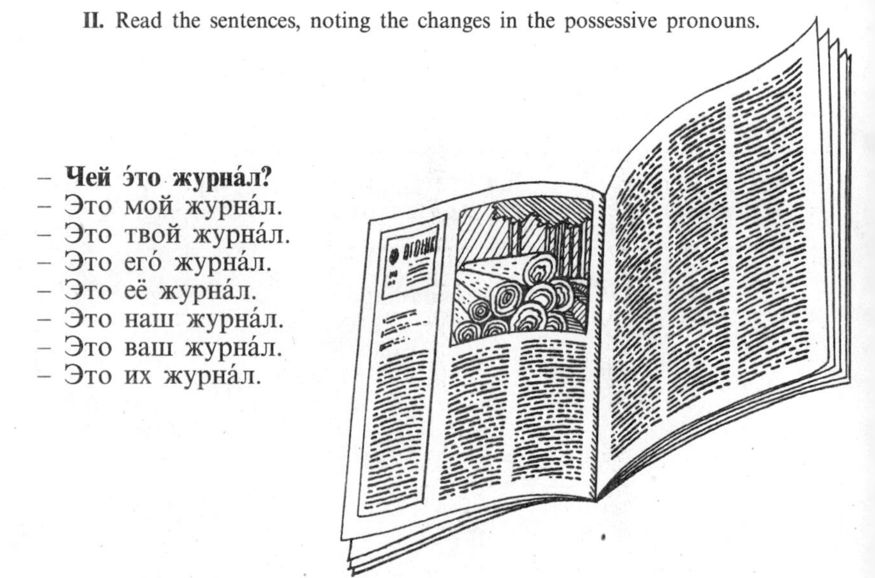

– **Чей э́то журна́л?**
– Это мой журна́л.
– Это твой журна́л.
– Это его́ журна́л.
– Это её журна́л.
– Это наш журна́л.
– Это ваш журна́л.
– Это их журна́л.

– **Чья э́то газе́та?**
– Это моя́ газе́та.
– Это твоя́ газе́та.
– Это его́ газе́та.
– Это её газе́та.
– Это на́ша газе́та.
– Это ва́ша газе́та.
– Это их газе́та.

– **Чьё э́то письмо́?**
– Это моё письмо́.
– Это твоё письмо́.
– Это его́ письмо́.
– Это её письмо́.
– Это на́ше письмо́.
– Это ва́ше письмо́.
– Это их письмо́.

III. (a) Read the sentences and ask the question **чей? чья?** or **чьё?**

Model: *Это <u>мой</u> друг.– Чей э́то друг?*

1. Это **моя́** семья́. Это **мой** брат, а э́то **моя́** сестра́. 2. Это **его́** стол. Это **его́** уче́бник, **его́** кни́га и **его́** тетра́дь. 3. Это **её** пальто́. А э́то **её** костю́м и **её** пла́тье. 4. Это **наш** дом. Это **на́ша** кварти́ра. Это **на́ше** окно́.

(b) Answer the questions, using the possessive pronouns **мой** [1], **его́** [2], **наш** [3].

Model: *Чей э́то костю́м? – Это мой костю́м.*

1. Чей э́то чемода́н? Чьё э́то полоте́нце? Чья э́то руба́шка? 2. Чей э́то портфе́ль? Чья э́то ру́чка? Чьё э́то письмо́? 3. Чья э́то шко́ла? Чей э́то клуб? Чей э́то стадио́н?

IV. Complete the dialogues.

1. – ...? – Меня́ зову́т Оле́г.
– ...? – Я студе́нт.

4–1350

2. – ...? – Да, э́то моя́ сестра́.
– ...? – Её зову́т Та́ня.
– ...? – Она́ шко́льница.
3. – ...? – Это моя́ ма́ма.
– ...? – Она́ врач.

V. Read the sentences, paying attention to IC-1 and IC-3.

(a) Это заво́д. — Это заво́д?
Это шко́ла. — Это шко́ла?
Это институ́т. — Это институ́т?
(b) Это её сын. — Это её сын?
Это его́ дочь. — Это его́ дочь?
Это его́ друг. — Это его́ друг?

VI. Read the sentences, paying attention to the intonation of the question and the answer (IC-1, IC-2 and IC-3).

(a) – Кто его́ брат? – Он инжене́р.
– Кто его́ сестра́? – Она́ врач.

(b) – Она́ студе́нтка? – Да, студе́нтка.
– Он студе́нт? – Да, студе́нт.

(c) – Чей э́то га́лстук? – Это его́ га́лстук.
– Чья э́то ко́фта? – Это её ко́фта.
– Чьё э́то пла́тье? – Это её пла́тье.

(d) – Это ваш зо́нтик? – Да, мой.
– Это ва́ша ша́пка? – Нет, не моя́.
– Это ва́ше полоте́нце? – Да, моё.

VII. (a) Your friend visits you for the first time. Introduce him (her) to the members of your family. Your family consists of yourself and your father, mother, brother, sister, wife (husband) and a son.

Model: – *Знако́мьтесь! Это мой друг Джон, а э́то моя́ ма́ма.*
– *Очень прия́тно. Ни́на Петро́вна.*
– *Рад познако́миться. Джон.*

(b) Speak about the members of your family.

Model: *Это моя́ ма́ма. Её зову́т Ни́на Петро́вна, она́ врач.*

VIII. Translate into Russian.

1. "What is your name?"
"Oleg."
"Are you a student?"
"Yes, I am."

2. "What is your friend?"
"He is an engineer."
"Is he Russian?"
"Yes, he is."

3. "Hello, Oleg."
"Hello, John. Please meet my friend John. (This is) my sister Tanya."
"Pleased to meet you. (My name is) Tanya."
"Glad to meet you. (My name is) John."

Assignment on the Text

I. Answer the questions.

1. Это Ива́н Серге́евич. Кто он?
2. Это Ни́на Петро́вна. Кто она́?
3. Это Оле́г. Кто он?
4. Это́ Та́ня. Кто она́?
5. Это Джон. Кто он?

II. Speak about yourself.

Как вас зову́т? Кто вы? Кто ва́ши роди́тели (оте́ц и мать)?

UNIT 2

Это ру́сская семья́.

Preparation for Reading

– Вы уже́ знако́мы?	"Have you already met?"
– Коне́чно, знако́мы.	"Of course, we have."

У меня́ (у него́, у неё) есть слова́рь. "I (he, she) have (has) a dictionary."

уже́ already
знако́м (знако́мы, знако́ма) (is, are) acquainted; (has, have) met
посреди́не in the middle
мла́дший younger
ста́рший elder
вот here is (are)
фотогра́фия photograph
коне́чно of course
пра́вильно right, correct
ма́ленький small, little
большо́й big, large

TEXTS

Оле́г

Меня́ зову́т Оле́г. Я студе́нт. У меня́ есть друг Джон, он то́же студе́нт. А э́то моя́ сестра́. Её зову́т Та́ня, она́ шко́льница. Это моя́ ма́ма, она́ врач, а э́то па́па, он инжене́р.

До́ма

Вы уже́ знако́мы. Это ру́сская семья́. Спра́ва Ива́н Серге́евич, сле́ва его́ жена́ Ни́на Петро́вна, посреди́не их роди́тели. А э́то их де́ти Оле́г и его́ мла́дшая сестра́ Та́ня.

Ста́рший сын Оле́г уже́ студе́нт. Он био́лог. У него́ есть друг Джон, то́же био́лог.

Сего́дня ве́чером вся семья́ до́ма. Сейча́с у них гость, Джон.

(Tanya shows John her family's album of photographs.)

DIALOGUE

Джон: Кто э́то?
Та́ня: Это на́ша ба́бушка.
Ни́на Петро́вна: Моя́ ма́ма.
Джон: А э́то кто?
Ни́на Петро́вна: Мой оте́ц.
Та́ня: Наш де́душка. А вот э́та фотогра́фия, здесь кто?
Джон: Ну, э́то, коне́чно, вы.
Та́ня: Пра́вильно. А кто э́то?
Джон: Это Оле́г?
Та́ня: Да, Оле́г. Здесь он ещё ма́ленький. А э́то вся на́ша семья́. Посреди́не де́душка и ба́бушка, спра́ва па́па и я, а сле́ва ма́ма и Оле́г.
Джон: Ва́ша ма́ма врач?
Та́ня: Да, врач.
Джон: А па́па то́же врач?
Та́ня: Нет, он инжене́р.

GRAMMAR

Adverbs of Place

– **Где** ваш дом?	"Where is your house?"
– Наш дом **спра́ва.**	"Our house is on the right."

To convey location, the adverbs **здесь** "here" (**тут** "here"), **там** "there", **спра́ва** "on the right", **сле́ва** "on the left", **ря́дом** "beside", **посреди́не** "in the middle" and **напро́тив** "opposite" are used in Russian.

Word Order in a Sentence

Word order in Russian is not so strict as in English. The subject of a sentence may stand at the beginning or the end of the sentence:

Subject **кто?** *who?* **где?** *where?* **что?** *what?*	**где?** *where?* Subject **кто?** *who?* **что?** *what?*
Заво́д спра́ва. The factory is on the right.	Сле́ва дом и музе́й. On the left are a house and a museum.

However, in an answer to a question the word containing the reply is invariably placed at the end of the sentence.

– Что э́то? – Это на́ша **шко́ла**.
– А там что? – Там **магази́н**.
– А где ваш дом? – Он **сле́ва**.

Complete and Short Answers

In conversational Russian short answers to questions are generally used.

– Вы врач?	"Are you a doctor?"
– Да. (Да, я врач.)	"Yes." ("Yes, I am a doctor.")
Да, врач.	"Yes, I am."
– Ты студе́нтка?	"Are you a student?"
– Нет. (Нет, я не студе́нтка.)	"No." ("No, I am not a student.")
Нет, не студе́нтка.	"No, I am not."

The Construction у меня есть "I have... ."

– У вас есть кни́га?	"Have you a book?"
– Да. (Да, у меня́ есть кни́га.)	"Yes." ("Yes, I have a book.")

У меня́ есть		I have	
У тебя́ есть		You have	
У него́ есть		He has	
У неё есть	кни́га.	She has	a book.
У нас есть		We have	
У вас есть		You have	
У них есть		They have	

EXERCISES

I. Complete the sentences, as in the model.

Model: – *Где журна́л? – Он там.*
– *Где ва́ше письмо́? – Вот оно́.*

1. – Где ваш дом? – ... здесь.
   – Это моё окно́. – ... сле́ва.
   – Где гости́ница? – ... спра́ва.
2. – Где ваш уче́бник? – Вот ...
   – Где ва́ша ру́чка? – Вот ...
   – Где ва́ше пальто́? – Вот ...
3. – Где Та́ня? – ... здесь.
   – Где Оле́г? – ... там.

II. Ask questions, as in the model.

Model: *По́чта там. – Где по́чта?*

1. Стадио́н здесь. 2. Парк там. 3. Шко́ла спра́ва. 4. Магази́н сле́ва.

III. Look at drawings (1) and (2) and answer the questions, using the words: **сле́ва, спра́ва, посреди́не, здесь.**

1. Где ма́ма? Где оте́ц? Где дочь? Где сын?

2. Где метро́? Где магази́н? Где шко́ла? Где кинотеа́тр?

IV. Read the dialogues, noting the short answers.

1. – Кто э́то?
   – Та́ня и Оле́г.
   – Где они́?
   – До́ма.

2. – Кто э́то?
   – Моя́ ма́ма.
   – Она́ врач?
   – Да.

3. – Как его́ зову́т?
   – Джон.
   – Кто он?
   – Наш студе́нт.

V. Give short answers to the questions.

(a) Model: – *Это ва́ша ба́бушка?*
– *Да, моя́.*

1. Это ваш де́душка?
2. Это его́ мать?
3. Это её оте́ц?
4. Это ва́ша сестра́?
5. Это его́ друг?
6. Это её подру́га?

(b) Model: – *Вы студе́нт?*
– *Да, студе́нт. (–Нет, не студе́нт.)*

1. Вы био́лог?
2. Её муж инжене́р?
3. Его́ жена́ врач?
4. Её дочь студе́нтка?
5. Его́ сын студе́нт?
6. Ва́ша сестра́ шко́льница?

VI. Read the sentences, using IC-1, IC-3 and IC-4.

1. У него́ есть сын.
   У неё есть дочь.
   У них есть де́ти.
   У него́ есть сестра́.

   У него́ есть сын?
   У неё есть дочь?
   У них есть де́ти?
   У него́ есть сестра́?

2. – Меня́ зову́т Джон, а вас?
– Я студе́нт, а вы?
– У меня́ есть сестра́, а у вас?

VII. (a) Say that you have these things.

Model: – *У меня́ есть телеви́зор.*

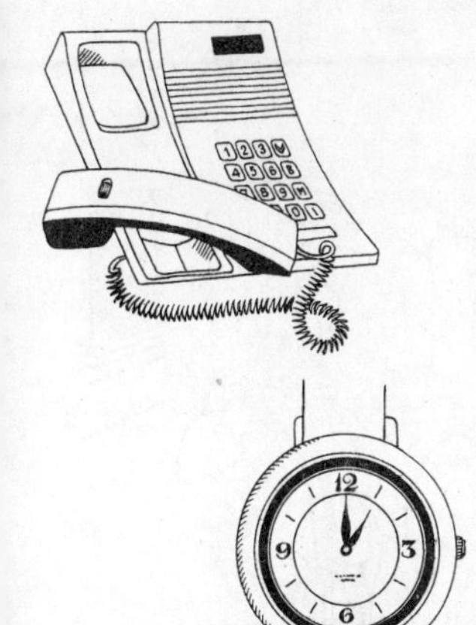

(b) Ask your friend whether he (she) has these things.

Model: – *У тебя́ есть телеви́зор?*

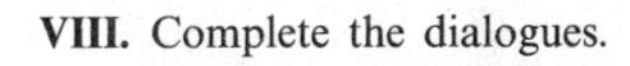

VIII. Complete the dialogues.

1. – ...?
– Да, у меня́ есть брат.
– ...?
– Его́ зову́т Оле́г.
– ...?
– Нет, он не врач, он био́лог.

2. – ...?
– Да, у меня́ есть друг.
– ...?
– Его́ зову́т Джон.
– ...?
– Он студе́нт.

IX. (a) Translate into Russian.

This is her family. These are her father and mother. And these are her sister and brother. Her sister is a high school student and her brother is already a (college) student. Her father is a doctor; her mother is also a doctor.

(b) Retell the text in the first person singular.

Model: *Это моя́ семья́.*

X. Translate into English.

1. – У меня́ есть брат.
   – А как его́ зову́т?
   – Оле́г.
   – Он студе́нт?
   – Нет, он инжене́р.

2. – У вас есть слова́рь?
   – Да, есть.
   – А уче́бник?
   – То́же есть.

Assignment on the Text

1. Speak about Oleg's family, using the photograph.
2. Show a photograph of your family. Speak about your family, using the photograph.
3. У вас есть брат? Как его́ зову́т? Кто он?
4. У вас есть сестра́? Как её зову́т? Кто она́?

UNIT 3

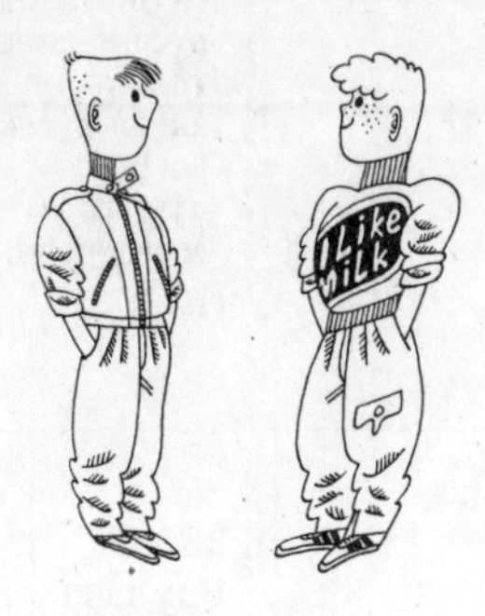

Preparation for Reading

– Как по-ру́сски "table"?
– Стол.
"What is the Russian for 'table'?"
"Стол."

– Что зна́чит сло́во «друг»?
– A friend.
"What does the word 'друг' mean?"
"A friend."

– Дава́й (дава́йте) чита́ть вме́сте.	"Let us read together."
– Хорошо́.	"All right."

– Мо́жно войти́?	"May I come in?"
– Да, пожа́луйста.	"Come in, please."

– Прости́те, у вас есть ру́сско-англи́йский слова́рь?	"Excuse me, have you a Russian-English dictionary?"
– Да.	"Yes, I have."
– Да́йте (дай) мне, пожа́луйста, слова́рь.	"Lend me the dictionary, please."
– Пожа́луйста!	"Here you are."
– Спаси́бо!	"Thank you."
– Пожа́луйста.	"Not at all."

изуча́ть to study
уро́к lesson, class
чита́ть to read
говори́ть to speak
по-ру́сски (in) Russian
по-англи́йски (in) English
снача́ла at first
пото́м then
текст text
диало́г dialogue
спра́шивать to ask
отвеча́ть to answer
немно́го a little
понима́ть to understand
сло́во word
упражне́ние exercise
пло́хо badly, poorly
хорошо́ well
знать to know
англи́йский English
ча́сто often
ре́дко rarely
рабо́тать to work
вме́сте together
де́лать to do
всё everything
слу́шать to listen
ру́сско-англи́йский Russian-English
то́лько only
а́нгло-ру́сский English-Russian
но but
ду́мать to think
сосе́д neighbour

чита́ть пони- ма́ть	**как?** *what?* **по**-ру́сски **по**-англи́йски	знать изуча́ть	**что?** *what?* ру́сск**ий** язы́к англи́йск**ий** язы́к

TEXT

Мы изуча́ем ру́сский язы́к

Мы изуча́ем ру́сский язы́к. Сейча́с уро́к. Мы чита́ем и говори́м по-ру́сски. Снача́ла мы чита́ем текст, пото́м Том и Джон чита́ют диало́г. Том спра́шивает, а Джон отвеча́ет. Они́ уже́ немно́го понима́ют по-ру́сски. Том спра́шивает:
– Как по-ру́сски *table*?
Джон отвеча́ет:
– Стол.
– А что зна́чит сло́во «упражне́ние»?
– *Exercise.*
Пото́м спра́шивает Джон:
– Что э́то?
Том отвеча́ет:
– Это кни́га.
– А э́то что?
– Это тетра́дь.

Ве́чером

Уже́ ве́чер. Джон до́ма. Сего́дня Оле́г его́ гость. Они́ чита́ют ру́сский журна́л. Джон ещё пло́хо понима́ет по-ру́сски. Оле́г немно́го зна́ет англи́йский. Они́ ча́сто рабо́тают вме́сте.

DIALOGUE

Олéг: Мóжно войтú?
Джон: Да, пожáлуйста.
Олéг: Дóбрый вéчер.
Джон: Дóбрый вéчер.
Олéг: Что ты дéлаешь?
Джон: Читáю рýсский журнáл.
Олéг: Всё понимáешь?
Джон: Нет, не всё, я ещё плóхо понимáю по-рýсски.
Олéг: Я немнóго знáю англúйский язы́к. Давáй читáть вмéсте. Сначáла читáю я, а ты слýшаешь и спрáшиваешь, потóм читáешь ты, а я спрáшиваю.
Джон: Хорошó.
Олéг: У тебя́ есть рýсско-англúйский словáрь?
Джон: Нет, тóлько áнгло-рýсский, но мой сосéд Андрéй изучáет англúйский, дýмаю, у негó есть.

* * *

Джон: Простúте, у вас есть рýсско-англúйский словáрь?
Андрéй: Да.
Джон: Дáйте, мне, пожáлуйста.
Андрéй: Пожáлуйста.
Джон: Спасúбо!
Андрéй: Пожáлуйста.

GRAMMAR

The Verb. The Present Tense. The 1st and 2nd Verb Conjugations

– Что ты **дéлаешь?**	"What are you doing?"
– **Читáю** журнáл.	"I am reading a journal."

The present tense of the Russian verb corresponds to the English Present Indefinite, Present Continuous and Present Perfect.

In the present tense verbs conjugate (change for person and number). Each person has its own ending. There are two types of personal verb endings, in accordance with which verbs fall into verbs of the 1st conjugation and verbs of the 2nd conjugation.

The Verbs **чита́ть** and **говори́ть**

Infinitive	
чита́-ть *(a)*	**говори́-ть** *(b)*
1st Conjugation	2nd Conjugation
я чита́**ю** **-ю** ты чита́**ешь** **-ешь** он / она́ чита́**ет** **-ет** мы чита́**ем** **-ем** вы чита́**ете** **-ете** они́ чита́**ют** **-ют**	я говор**ю́** **-ю** ты говор**и́шь** **-ишь** он / она́ говор**и́т** **-ит** мы говор**и́м** **-им** вы говор**и́те** **-ите** они́ говор**я́т** **-ят**

Note.– 1. Many Russian 1st conjugation verbs are conjugated on the pattern of **чита́ть**; many Russian 2nd conjugation verbs are conjugated on the pattern of **говори́ть**.

2. Russian verbs may have the stress fixed on the stem (we will agree to call them Type (a) verbs) or on the ending (Type (b) verbs) or they may belong to the mixed stress type: the stress falls on the ending in the 1st person singular and on the stem in all the other persons (Type (c) verbs).

3. In the following units the type of pattern in accordance with which the verbs change will be indicated and also the type of stress pattern (a, b or c).

– Что он де́лает?	"What is he doing?"
– Чита́ет текст.	"He's reading a text."
– Он понима́ет э́тот текст?	"Does he understand that text?"
– Ду́маю, да.	"I think so."

In sentences where the finite verb points to the subject quite unequivocally the latter may be omitted: **Ду́маю, да. (Я ду́маю, да.)**

Verb Group

чита́ть I (*a*)	
де́лать	**понима́ть**
ду́мать	**рабо́тать**
знать	**слу́шать**
изуча́ть	**спра́шивать**
отвеча́ть	

EXERCISES

I. Insert the required pronouns.

1. – ... говори́те по-ру́сски? – Да, ... немно́го говорю́ по-ру́сски.
2. – Что ... чита́ете? – ... чита́ем ру́сский журна́л.
3. – Что ... де́лает? – ... чита́ет.
4. – ... зна́ешь англи́йский язы́к?
5. – ... всё понима́ешь? – Нет, не всё.
   ... ещё пло́хо понима́ю по-ру́сски.

II. Insert the verb **чита́ть** in the correct form.

1. – Что ты де́лаешь? – ...
   – А что де́лает Оле́г? – То́же ...
2. – Мы ... по-ру́сски, они́ то́же ... по-ру́сски.
3. Я ... ру́сский журна́л, а что вы ... ?

III. Read the text and retell it in the first person singular and plural.

Model: *Я студе́нт. Я изуча́ю ру́сский язы́к.*
Мы студе́нты. Мы изуча́ем ру́сский язы́к.

Джон – студе́нт. Он изуча́ет ру́сский язы́к. Он уже́ немно́го зна́ет ру́сский язы́к. Сейча́с он чита́ет текст. Он чита́ет по-ру́сски. Джон ещё не всё понима́ет. У него́ есть ру́сско-англи́йский слова́рь.

IV. Complete the sentences, using the verbs **спра́шивать, де́лать, чита́ть, понима́ть, изуча́ть**.

1. Том ...: «Как по-ру́сски *table*?»
2. – Что вы сейча́с ...? – Мы ...
3. – Вы всё ...? – Нет, не всё.
4. – Что она́ ...? – Ру́сский язы́к.

V. Ask questions, as in the model.

Model: – *Я зна́ю англи́йский.*
– *Вы зна́ете англи́йский?*

1. Я изуча́ю ру́сский язы́к. 2. Она́ понима́ет по-ру́сски. 3. Он говори́т по-англи́йски. 4. Мы чита́ем по-ру́сски. 5. Вы хорошо́ зна́ете ру́сский язы́к. 6. Они́ рабо́тают вме́сте.

VI. (a) Ask a friend to lend you: слова́рь, уче́бник, журна́л, тетра́дь, каранда́ш.

Model: *Нож. Дай мне, пожа́луйста, нож.*

(b) You are in a store. Ask the salesclerk to hand you some са́хар, сыр, молоко́, кефи́р, сок.

Model: *Соль. Да́йте мне, пожа́луйста, соль.*

VII. Translate into Russian.

1. John is a (college) student. He studies Russian. He has a friend, Oleg. Oleg studies English. They often study (*lit.* work) together. John still does not understand Russian well.
2. "Have you an English-Russian dictionary?"
   "Yes, of course."
   "Lend (*lit.* give) me the dictionary, please."
   "Here you are."
   "Thank you."
   "Don't mention it."

Assignment on the Text

1. Что изуча́ет Джон? Он хорошо́ говори́т по-ру́сски? Он всё понима́ет?
2. Како́й язы́к вы изуча́ете? Вы уже́ хорошо́ говори́те и чита́ете по-ру́сски. Вы всё понима́ете?
3. У вас есть друг (подру́га). Как его́ (её) зову́т? Како́й язы́к он (она́) изуча́ет?

UNIT 4

Гости́ница «Тури́ст»

Preparation for Reading

райо́н district
жить to live
неда́вно recently
давно́ long ago
краси́вый beautiful
зелёный green
недалеко́ not far
далеко́ far
бли́зко near
гуля́ть to walk
но́вый new
ста́рый old
о́чень very
удо́бно (is) convenient
высо́кий tall
больни́ца hospital
учи́ться to study
учи́ться в шко́ле to go to school
иногда́ sometimes
быва́ть to visit; to be
э́тот this, that
тот that
това́рищ friend
ря́дом beside, next to
но́мер number

* * *

всё не́когда one never has the time
быва́ть у них to visit them
к сожале́нию unfortunately

TEXT

Наш райо́н и на́ша у́лица

Это наш райо́н, мы живём здесь неда́вно. Райо́н краси́вый, зелёный, недалеко́ лес, мы ча́сто гуля́ем там. Наш райо́н но́вый, но уже́ есть метро́ – э́то о́чень удо́бно.

5–1350

А э́то на́ша у́лица. Дома́ здесь но́вые, высо́кие. Вот больни́ца, где рабо́тает Ни́на Петро́вна. Сле́ва шко́ла, где у́чится Та́ня, спра́ва магази́ны и кинотеа́тр. Вот дом, где мы живём, а там дом, где живу́т мои́ друзья́. Я иногда́ быва́ю у них.

DIALOGUE

Д ж о н: Та́ня! Здра́вствуй!
Т а́ н я: Джон, до́брый день! Вы здесь живёте?
Д ж о н: Нет, здесь живу́т мои́ друзья́. А вы?
Т а́ н я: Я здесь учу́сь. Спра́ва э́ти дома́, а ря́дом шко́ла, где я учу́сь. А где живу́т ва́ши това́рищи?
Д ж о н: Вот кинотеа́тр, а ря́дом их дом.
Т а́ н я: Этот кра́сный?
Д ж о н: Да, дом № 3. Там живёт мой друг и его́ жена́.
Т а́ н я: Они́ то́же студе́нты?
Д ж о н: Нет, они́ врачи́.
Т а́ н я: И ча́сто вы быва́ете у них?
Д ж о н: К сожале́нию, ре́дко. Всё не́когда.

GRAMMAR

The Plural of Nouns

– **Чьи** э́то кни́ги?	"Whose books are these?"
– **Мои́.**	"Mine."

In the plural masculine and feminine nouns take the ending **-ы** or **-и**, and neuter nouns the ending **-а** or **-я**.

Gender	Singular	Plural	Ending
Masculine Feminine	студе́нт сестра́	студе́нт**ы** сёстр**ы**	**-ы**
Masculine	музе́й слова́рь нож	музе́**и** словар**и́** нож**и́**	**-и**
Feminine	студе́нтка пе́сня аудито́рия тетра́дь	студе́нтк**и** пе́сн**и** аудито́ри**и** тетра́д**и**	**-и**
Neuter	окно́ по́ле зда́ние	о́кн**а** пол**я́** зда́ни**я**	**-а** **-я**

Note.– 1. Some nouns are invariably used in the singular: **вода́, молоко́, ма́сло, дру́жба**, etc.

2. Some nouns are invariably used in the plural: **часы́, де́ньги**, etc.

3. The singular and the plural of some nouns are conveyed by different words: **ребёнок – де́ти, челове́к – лю́ди.**

4. Masculine nouns in **-ец** and **-ок** drop the vowel **-е-** or **-о-** in the plural: **оте́ц – отцы́, потоло́к – потолки́.**

Special Cases of the Formation of the Plural of Nouns

Masculine nouns taking the ending **-а** or **-я** in the plural:	Masculine and neuter nouns taking the ending **-ья** in the plural.
го́род – города́	сын – сыновья́
дом – дома́	брат – бра́т**ья**
но́мер – номера́	друг – друзья́
глаз – глаза́	стул – сту́**лья**
учи́тель – учителя́	де́рево – дере́в**ья**

Note.– The endings **-а** and **-я** are always stressed.

The Plural of Possessive Pronouns

Чьи э́то словари́, кни́ги, пи́сьма?	Whose dictionaries, books, letters are these?
мои́ / **твои́** / **ва́ши** / **на́ши** словари́, кни́ги, пи́сьма	my / your / your / our dictionaries, books, letters

The Demonstrative Pronouns э́тот, тот

The Use of э́то and э́тот

Это студе́нт. This is a student.	**Этот** студе́нт живёт здесь. This (that) student lives here.
Это студе́нтка. This is a student.	**Эта** студе́нтка говори́т по-ру́сски. This (that) student speaks Russian.
Это письмо́. This is a letter.	Он чита́ет **э́то** письмо́. He is reading that letter.
Это журна́лы. These are journals.	**Я** чита́ю **э́ти** журна́лы. I read these journals.

The Russian word **э́то** does not change for gender and number. Its English counterpart is the construction "this is", "it is", "that is" or "these (those) are".

The demonstrative pronoun **э́тот (э́та, э́то, э́ти)** changes for gender and number and its English counterpart is the pronoun "this" or "these".

Этот сту́дент чита́ет, а **тот** сту́дент слу́шает ра́дио. This student is reading and that one is listening to the radio.

The pronouns **э́тот** and **тот** take in same gender and number as the noun they qualify.

Like the pronoun **э́тот**, the pronoun **тот** changes for gender and number: **тот, та, то, те**.

The Conjunctions и , а , но

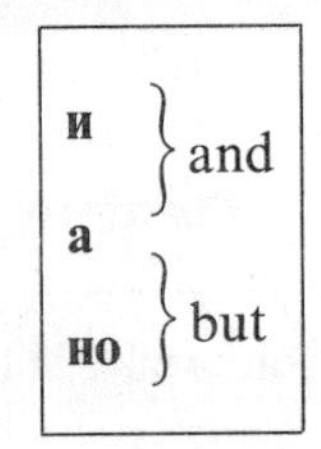

The English counterpart of the Russian conjunction **и** is "and": Оле́г и Джон друзья́. Oleg and John are friends. Мы чита́ем и говори́м по-ру́сски. We read and speak Russian.

The English counterpart of the Russian conjunction **но** is "but": Я слу́шаю, **но** не понима́ю. I am listening, but I don't understand.

The English counterpart of the Russian conjunction **а** is either "and" or "but": Я говорю́ по-ру́сски, **а** ты?. I can speak Russian, and you? Ни́на чита́ет, **а** я слу́шаю. Nina is reading and I'm listening. Это кни́га, а э́то журна́л. This is a book and that is a journal. Он не студе́нт, а инжене́р. He is not a student, but an engineer.

Complex Sentences

Вот дом, **где** я живу́.	This is the house I live in.
Это шко́ла, **где** я рабо́таю.	This is the school I work at.
Это заво́д, **где** рабо́тает брат.	This is the factory my brother works at.

In the subordinate clause the subject which is a pronoun precedes the predicate verb, while the subject which is a noun follows the verb.

The Verb **жить**

жить I (*b*)	
я живу́	мы живём
ты живёшь	вы живёте
он, она́ живёт	они́ живу́т

чита́ть I (*a*)
быва́ть
гуля́ть

EXERCISES

I. Read the sentences. Change them, putting the nouns printed in bold-face type in the plural.

Model: *Это ко́мната. Здесь стол, стул, кре́сло.*
Это ко́мната. Здесь столы́, сту́лья и кре́сла.

1. Это стол. Здесь **ча́шка, стака́н, таре́лка, ло́жка, нож** и **ви́лка**.
2. Это шкаф. Здесь **плащ, костю́м, пла́тье, руба́шка, ша́пка** и **шарф**.
3. Это портфе́ль. Здесь **кни́га, тетра́дь, уче́бник, ру́чка** и **каранда́ш**.

II. Change the sentences, as in the model:

(a) Model: *Это мой слова́рь.– Это мои́ словари́.*

1. Это моя́ кни́га. 2. Это наш уче́бник. 3. Это ва́ша газе́та. 4. Это наш журна́л. 5. Это ва́ша тетра́дь. 6. Это моя́ ру́чка.

(b) Model: *Мой друг био́лог. Мои́ друзья́ био́логи.*

1. Мой брат инжене́р. 2. Мой друг врач. 3. Её подру́га студе́нтка. 4. Наш това́рищ студе́нт. 5. Моя́ сестра́ шко́льница. 6. Её сын спортсме́н.

III. Read through the text. Retell it in the 1st person plural.

Model: *Это наш райо́н. Мы здесь живём. Вот на́ши дома́.*

Это наш райо́н. Я здесь живу́. Вот наш дом, а э́то дом, где живёт мой друг. Напра́во заво́д, где рабо́тает мой брат, а здесь шко́ла, где рабо́тает моя́ сестра́. Это институ́т, где рабо́тает мой това́рищ. А там магази́н, кинотеа́тр и рестора́н.

IV. Insert the word **э́то** or the pronoun **э́тот, э́та, э́то** or **э́ти** in the correct form.

Model: *Это стадио́н. Этот стадио́н о́чень большо́й.*

1. ... гости́ница. ... гости́ница но́вая.
2. ... слова́рь. Да́йте мне, пожа́луйста, ... слова́рь.
3. ... наш студе́нт. ... студе́нт хорошо́ говори́т по-ру́сски.
4. ... студе́нтка. ... студе́нтка живёт здесь.
5. ...инжене́ры. ... инжене́ры рабо́тают здесь.

V. Change the sentences, as in the model.

Model: *Это салфéтки.– Дáйте, пожáлуйста, э́ти салфéтки.*

1. Это стакáны. 2. Это чáшки. 3. Это тарéлки. 4. Это лóжки. 5. Это ви́лки. 6. Это ножи́.

VI. Ask questions, as in the model.

Model: *Это кни́га. У тебя́ есть э́та кни́га?*

1. Это фотогрáфия. 2. Это ру́сские газéты. 3. Это англи́йские газéты. 4. Это учéбник. 5. Это тетрáдь.

VII. Give answers, as in the model.

Model: *Я читáю по-ру́сски, а вы?– Я тóже читáю по-ру́сски.*

1. Я студéнт, а вы? 2. Я изучáю ру́сский язы́к, а вы? 3. Я ужé немнóго понимáю по-ру́сски, а вы? 4. Я живу́ здесь, а вы? 5. Мы рабóтаем здесь, а они́?

VIII. Translate into Russian.

This is the district where I live. Our district is new and beautiful. Here is my house, and there is the hospital where my mother works. Here is the school my sister goes to. And this is the house where my friends live. I sometimes visit them.

Assignment on the Text

1. Look at the drawing and say what you see in the street. 2. В какóм райóне живёте вы? Что есть на вáшей у́лице? На вáшей у́лице есть шкóла, кинотеáтр, магази́ны и т. д.?

UNIT 5

Preparation for Reading

москви́ч Muscovite
москви́чка Muscovite
роди́ться to be born
ра́ньше before
писа́ть to write
конча́ть to end
моско́вский Moscow
медици́нский medical

* * *

шу́тка joke
пра́вило rule

* * *

конча́ть институ́т to graduate from college

	что?		где?
учи́ть	слова́ уро́к пра́вило	**учи́ться**	в шко́ле в институ́те в университе́те

TEXT

Оле́г и его́ семья́

Оле́г москви́ч, он роди́лся в Москве́. Сейча́с он у́чится в университе́те. Он студе́нт-био́лог. Его́ роди́тели живу́т в Москве́. Оте́ц Ива́н Серге́евич рабо́тает на заво́де, он инжене́р. Ма́ма, Ни́на Петро́вна, врач. Она́ рабо́тает в больни́це. Сестра́ Та́ня ещё у́чится в шко́ле.

Ни́на Петро́вна ра́ньше жила́ в Ленингра́де, её роди́тели и сейча́с живу́т там. Оле́г и Та́ня ча́сто быва́ют в Ленингра́де, а их де́душка и ба́бушка ча́сто пи́шут и иногда́ быва́ют в Москве́.

И в Москве́ и в Ленингра́де они́ все вме́сте ча́сто быва́ют в теа́тре, в ци́рке, в кино́.

DIALOGUE

Джон: Оле́г, ты москви́ч?
Оле́г: Да, я роди́лся в Москве́.
Джон: А твои́ роди́тели?
Оле́г: Па́па москви́ч, а ма́ма ра́ньше жила́ в Ленингра́де, её роди́тели, мои́ де́душка и ба́бушка, и сейча́с живу́т там.
Джон: А ма́ма давно́ живёт в Москве́?

Олéг: Ужé давнó, онá кóнчила Москóвский медици́нский институ́т.
Джон: Мáма рабóтает в больни́це?
Олéг: Да.
Джон: А пáпа?
Олéг: Пáпа на завóде, он инженéр.
Джон: Бáбушка и дéдушка чáсто бывáют у вас?
Олéг: Да, мы тóже чáсто бывáем в Ленингрáде. Это óчень краси́вый гóрод.

Шу́тка

– Мáма, где я роди́лся?
– В Москвé.
– А ты?
– В Ленингрáде.
– А пáпа?
– В Ки́еве.[1]
– А как же мы все познакóмились?

GRAMMAR

The Past Tense of the Verb

– **Где** они́ жи́ли?	"Where did they live?"
– **В Ленингрáде.**	"In Leningrad."

The English counterparts of the Russian past tense are the Past Indefinite, the Past Continuous, the Present Perfect, and the Past Perfect.

читá-ть → читá + л → читáл

The past tense of verbs whose infinitive ends in **-ть** is formed by adding the suffix **-л-** to the infinitive stem.

Я, ты, он читáл	Мы
Я, ты, онá читáла	Вы читáли
	Они́

Note. – In the past tense verbs do not change for person; they change for number (я читáл, мы читáли) and gender (он читáл, онá читáла).

[1] Ки́ев, the capital of the Ukraine (the Ukrainian Soviet Socialist Republic).

учи-ть-**ся** → учи́ + л + **ся** → учи́л**ся**

Он учи́лся	Мы
Она́ учи́лась	Вы учи́лись
	Они́

The Use of the Verb быть

Present Tense		Past Tense	
Он Она́ в ко́мнате. Они́	He is She is in the room. They are	Он был Она́ была́ в ко́мнате. Они́ бы́ли	He was She was in the room They were
Сего́дня конце́рт. Сейча́с уро́ки.	There is a concert today. Classes are in progress now.	Вчера́ был конце́рт Вчера́ бы́ли уро́ки.	There was a concert yesterday. Classes were in progress yesterday.

Note.–The verb **быть** is not used in the present tense.

The Prepositional of Nouns

In answers to the question *где?* adverbs of place are used (**Где** ма́ма?–Она́ **до́ма**) or nouns in the prepositional case with the preposition **в** or **на**.

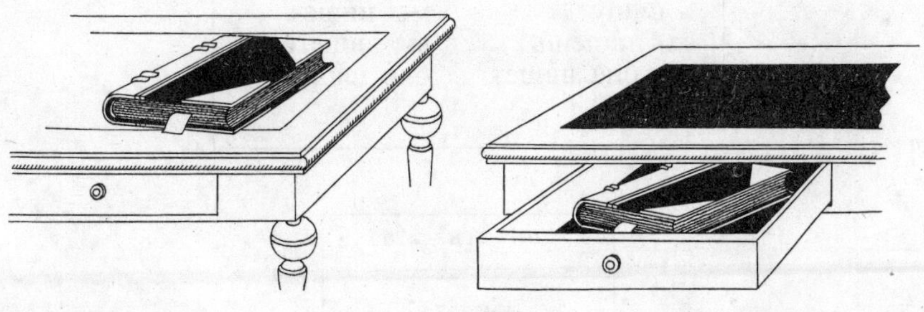

Кни́га на столе́. Кни́га в столе́.

Nominative **что?**	Prepositional **где?**	Ending
стол слова́р**ь** музе́**й** шко́л**а** семь**я́** по́л**е** окн**о́**	на стол**е́** в словар**е́** в музе́**е** в шко́л**е** в семь**е́** в по́л**е** на окн**е́**	**-е**
пло́щад**ь** санато́ри**й** аудито́ри**я** зда́ни**е**	на пло́щад**и** в санато́ри**и** в аудито́ри**и** в зда́ни**и**	**-и**

Note.–1. A small number of masculine nouns take the ending **-у** in the prepositional: **в шкафу́, на полу́, в углу́, в саду́, в лесу́, на мосту́,** etc.

2. The nouns **кино́, пальто́, метро́, кафе́, ко́фе** do not change for number and case.

Word Order in Questions (Interrogative Sentences)

interrogative word – verb – noun	interrogative word–pronoun–verb
Где живёт Оле́г?	Где он живёт?

The Verb **писа́ть**

писа́ть I *(c)*	
я пишу́ ты пи́шешь он, она́ пи́шет	мы пи́шем вы пи́шете они́ пи́шут

чита́ть I *(a)*
конча́ть

The Use of the Prepositions в and на with the Prepositional

где? *where?*			
в–in, at		в–at, in	
в стране́	in a country	в университе́те	at a university
в го́роде	in a city	в институ́те	at a college
в дере́вне	in a village	в лаборато́рии	at a laboratory
в аудито́рии	in a lecture-hall	в шко́ле	at school
в кла́ссе	in a classroom	в теа́тре	at a theatre
в клу́бе	in/at a club	в кино́	at the cinema
в больни́це	in/at a hospital	в ци́рке	at/in a circus
в кафе́	in a café	в библиоте́ке	at a library
в Сиби́ри	in Siberia	в поликли́нике	at/in a polyclinic
		в санато́рии	at a sanatorium
		в гости́нице	at a hotel
на–in		на–at	
на ро́дине	in onc's native country	на рабо́те	at work
на пло́щади	in (on) a square	на заво́де	at a factory
на у́лице	in (on) a street	на фа́брике	at a factory
на се́вере	in the north	на ста́нции	at a station
на ю́ге	in the south	на вокза́ле	at a station
на восто́ке	in the east	на остано́вке	at a stop
на за́паде	in the west	на по́чте	at a post office
на Украи́не	in the Ukraine[1]	на телегра́фе	at a telegraph office
на заня́тии	in class	на уро́ке	at a lesson
на–on			
на экску́рсии	on an excursion	на экза́мене	at an examination
		на ле́кции	at a lecture
		на спекта́кле	at a performance
		на конце́рте	at a concert
		на ве́чере	at an evening party
		на вы́ставке	at an exhibition
		на стадио́не	at a stadium

[1] **Украи́на**, the Ukraine, one of the 15 Soviet Socialist Republics; its capital is Kiev.

Words used in the table: *аудитóрия, библиотéка, востóк, вы́ставка, заня́тие, зáпад, концéрт, лаборатóрия, лéкция, остановка, поликли́ника, рóдина, сéвер, спектáкль, экзáмен, экскýрсия, юг.*

Note.–The use of the prepositions **в** and **на** with the words listed in the table must be memorised, since there is no rule regulating their use with this type of nouns.

Word-building

москви́ч – москви́чка

EXERCISES

I. Answer the questions, using the words on the right in the correct form with the appropriate preposition.

1. Где вы живёте?	*гóрод, дерéвня, Москвá, Ленингрáд, Кúев*
2. Где онá рабóтает?	*фáбрика, завóд, поликли́ника, пóчта, магази́н*
3. Где вы бы́ли?	*вы́ставка, музéй, вéчер, концéрт, спектáкль*
4. Где он ýчится?	*шкóла, институ́т, университéт*

II. Answer the question Где онá былá вчерá?, using the drawings.

Model: *Вчерá онá былá в библиотéке.*

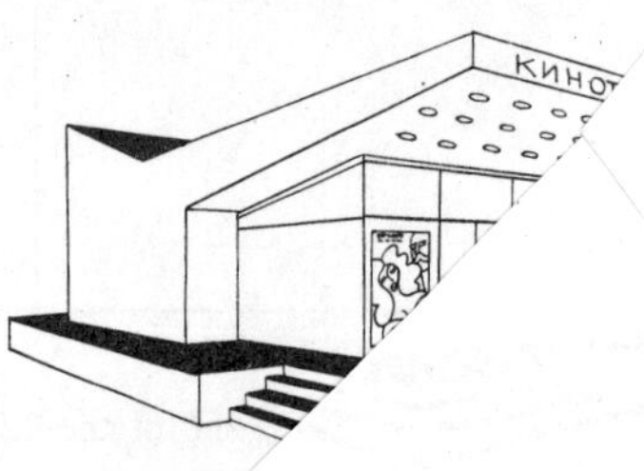

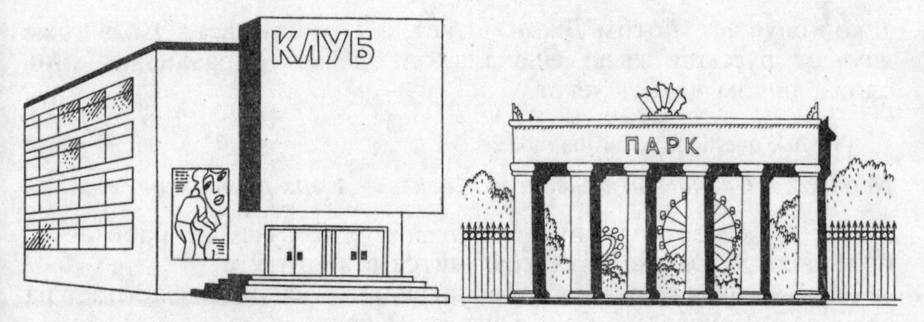

III. Complete the dialogues.

Model: *–Где она́ живёт?*
–Она́ живёт в Ки́еве.

1.– ...?
–Он живёт в Ленингра́де.
2.– ...?
–Его́ роди́тели сейча́с живу́т в Москве́.
3.– ...?
–Ра́ньше они́ жи́ли в Ленингра́де.
4.– ...?
–Я роди́лся в Москве́.
5.– ...?
–Я учу́сь в университе́те.
6.– ...?
–Моя́ сестра́ у́чится в шко́ле.
7.– ...?
–Мой оте́ц рабо́тает на заво́де.
8.– ...?
–Моя́ ма́ма рабо́тает в больни́це.

IV. Answer the questions, as in the model, using the words **ве́чер, клуб, по́чта, уро́к, теа́тр, музе́й.**

Model: *–Он был в кино́?*
–Нет, на конце́рте.

1. Вы бы́ли на экску́рсии? 2. Оле́г был на стадио́не? 3. Джон был в библиоте́ке? 4. Он был на ле́кции? 5. Та́ня была́ в ци́рке? 6. Ва́ши друзья́ бы́ли на вы́ставке?

V. Read the text, noting how the past tense verbs change for gender and number.

Моя́ семья́ ра́ньше жила́ в Ленингра́де. Роди́тели рабо́тали там. Ма́ма рабо́тала в шко́ле, па́па рабо́тал на заво́де. Брат и сестра́ учи́лись. Брат учи́лся в университе́те, сестра́ учи́лась в институ́те, она́ изуча́ла англи́йский язы́к.

VI. Read the text and retell it in the past tense.

Том и Джон изуча́ют ру́сский язы́к. Они́ ча́сто рабо́тают вме́сте, чита́ют и говоря́т по-ру́сски. Снача́ла Том чита́ет текст, а

Джон слу́шает, пото́м Джон чита́ет, а Том слу́шает. Эмма то́же изуча́ет ру́сский язы́к. Снача́ла она́ де́лает упражне́ние, у́чит слова́, пото́м чита́ет текст.

VII. Ask questions, as in the model.

Model: *– Сейча́с он живёт в Москве́. – А где он ра́ньше жил?*

(a) 1. Сейча́с она́ живёт в дере́вне. 2. Сейча́с она́ рабо́тает в больни́це. 3. Сейча́с её сестра́ у́чится в институ́те.

(b) 1. Сейча́с он живёт в Ленингра́де. 2. Сейча́с он рабо́тает на заво́де. 3. Сейча́с его́ брат у́чится в Ки́еве.

(c) 1. Сейча́с они́ живу́т в Москве́. 2. Сейча́с они́ у́чатся в университе́те. 3. Сейча́с они́ изуча́ют ру́сский язы́к.

VIII. Translate into Russian.

"Have you been living in Moscow a long time?" "Yes, I was born in Moscow, and my parents had lived in Leningrad before that." "Where does your father work?" "At a factory." "Does your mother work?" "Yes, she does." "Where does she work?" "At a hospital. She is a doctor."

Assignment on the Text

1. Где роди́лся Оле́г? Где сейча́с живу́т и рабо́тают его́ роди́тели? Где ра́ньше жила́ его́ ма́ма? Где сейча́с живу́т её роди́тели? Ча́сто и́ли ре́дко Оле́г быва́ет в Ленингра́де?

2. Расскажи́те о себе́. Где вы родили́сь? Где вы жи́ли ра́ньше? Где вы живёте сейча́с? Где живу́т ва́ши роди́тели? Где рабо́тает ваш оте́ц? Ва́ша ма́ма рабо́тает? Где она́ рабо́тает? Где вы учи́лись? Сейча́с вы у́читесь и́ли рабо́таете? Где вы у́читесь (рабо́таете)?

UNIT 6

Preparation for Reading

общежи́тие hall of residence, dormitory
гото́вить *что?* to prepare
зада́ние homework
до́лго for a long time
недо́лго for a short time
сиде́ть to sit
разгова́ривать *о ком? о чём?* to talk
расска́зывать *о ком? о чём?* to tell, to narrate
банк bank
колле́дж college
преподава́тель lecturer, instructor
люби́ть *что де́лать? что?* to like
расска́з story
забыва́ть *о ком? о чём?* to forget
присыла́ть *что?* to send
по́мнить *что? о ком? о чём?* to remember
опя́ть again
преподава́ть *что?* to teach
почему́ why
вот почему́ that is why
так so
учи́тель teacher, schoolmaster
учи́тельница teacher, schoolmistress

о ком? *about whom?*		**о чём?** *about what?*	
– О ком они́ говори́ли?	"Who did they speak about?"	– О чём э́тот фильм?	"What is this film about"?
– О дру́ге.	"About a friend."	– О ро́дине.	"About our country".

ду́мать говори́ть расска́зывать	о ро́дине, о дру́ге	кни́га расска́з фильм	о ро́дине, о дру́ге

что? *what?*	**что де́лать?** *what to do?*
Я люблю́ кни́ги. I like books.	Я люблю́ чита́ть. I like reading.

TEXT

Джон и его́ семья́.

Вчера́ ве́чером Джон и Оле́г бы́ли в общежи́тии МГУ[1], где живёт Джон. Они́ вме́сте гото́вили зада́ние, пото́м до́лго сиде́ли, разгова́ривали. Джон расска́зывал о семье́: об отце́, о ма́тери, о

[1] МГУ, *abbr. for* Моско́вский госуда́рственный университе́т, Moscow State University.

сестре́, о бра́те. Его́ семья́ живёт в Аме́рике, в шта́те Вермо́нт. Оте́ц рабо́тает в ба́нке, ста́ршая сестра́ рабо́тает в колле́дже, она́ преподава́тель, мла́дший брат ещё у́чится.

Сестра́ учи́лась в Москве́. Она́ хорошо́ зна́ет ру́сский язы́к. До́ма сестра́ ча́сто расска́зывала о Москве́, где она́ учи́лась, о Ленингра́де, где была́ на экску́рсии, о Со́чи[2], где она́ отдыха́ла ле́том. Джон люби́л слу́шать её расска́зы.

Ру́сские друзья́ не забыва́ют о ней, ча́сто пи́шут, присыла́ют кни́ги, фотогра́фии. Сестра́ то́же по́мнит о них, а неда́вно она́ опя́ть была́ в Москве́.

DIALOGUE

Оле́г: Зна́ешь, Джон вчера́ расска́зывал о семье́: об отце́, о ма́тери, о сестре́.
Та́ня: У него́ есть сестра́?
Оле́г: Да, она́ учи́лась в Москве́, хорошо́ зна́ет ру́сский язы́к.
Та́ня: Она́ рабо́тает?
Оле́г: Да, в колле́дже, она́ преподава́тель.
Та́ня: А что она́ преподаёт?
Оле́г: Ру́сский язы́к.
Та́ня: Вот почему́ Джон так хорошо́ говори́т по-ру́сски.
Оле́г: Да, он учи́л ру́сский язы́к на ро́дине.

GRAMMAR

The Prepositional with the Meaning of the Subject of a Thought or the Topic of a Conversation

– **О ком** он расска́зывал?	"Who did he speak about?"
– **О сестре́.**	"About his sister."

Note.–1. After a verb of thought or speech (**ду́мать, говори́ть, расска́зывать, спра́шивать,** etc.) in answer to the question **о ком?** or **о чём?** nouns are used in the prepositional with the preposition **о (об).** The preposition **о** is used before nouns beginning with a consonant or the vowel **е, ё, ю** or **я,** and the preposition **об** before nouns beginning with a vowel: **о ма́ме, о я́блоке,** but **об отце́.**

2. The stems of the nouns **мать** and **дочь** change in all the oblique cases (except the accusative): **о ма́тери, о до́чери.**

3. Masculine nouns ending in **-ец** or **-ок (оте́ц, потоло́к)** drop the vowel **-е-** or **-о-** in all the cases singular and plural: **об отце́, о потолке́.**

---

[2] Со́чи, Sochi, the largest Soviet health resort on the Black Sea coast.

Personal Pronouns in the Prepositional

Nominative	Prepositional
я	**обо мне́**
ты	**о тебе́**
он, оно́	**о нём**
она́	**о ней**
мы	**о нас**
вы	**о вас**
они́	**о них**

The Conjugation of the Verbs люби́ть, сиде́ть, гото́вить

Personal Pronouns	**люби́ть II** *(c)* **б → бл**	**сиде́ть II** *(b)* **д → ж**	**гото́вить II** *(a)* **в → вл**
я	люблю́	сижу́	гото́влю
ты	лю́бишь	сиди́шь	гото́вишь
он, она́	лю́бит	сиди́т	гото́вит
мы	лю́бим	сиди́м	гото́вим
вы	лю́бите	сиди́те	гото́вите
они́	лю́бят	сидя́т	гото́вят

Note.–1. Many verbs which follow the conjugation pattern of **говори́ть** have an alternation of consonants in the root in the lst person singular. The most common alternations are: **б → бл, в → вл, д → ж.**

2. We will call the type of stress shift when the stress shifts from the ending (in the lst person singular) to the stem Type (c): **я люблю́, ты лю́бишь.**

The Verb преподава́ть

преподава́ть I *(b)*	
я преподаю́	мы преподаём
ты преподаёшь	вы преподаёте
он, она́ преподаёт	они́ преподаю́т

Note.–In the present tense the verb **преподава́ть** drops the suffix **-ва-.**

6–1350

Verb Groups

чита́ть I *(a)*
забыва́ть **присыла́ть** **разгова́ривать** **расска́зывать**

говори́ть II
по́мнить *(a)* **учи́ть** *(c)*

Word-building

Учи́тель – учи́тельница

EXERCISES

I. Look at the drawings and answer the question **О чём они́ говоря́т?**

Model: *Они́ говоря́т о кни́ге.*

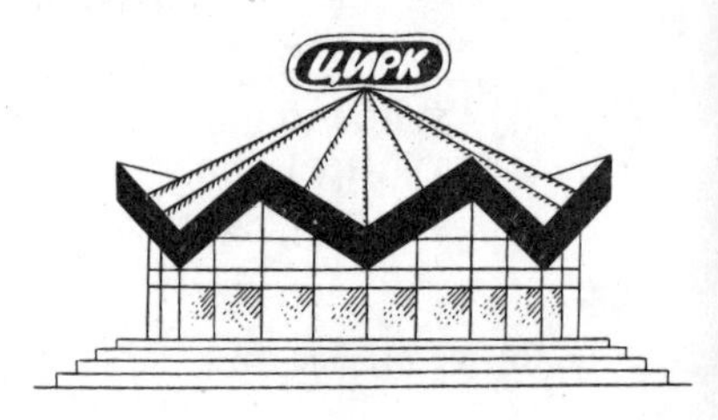

II. Complete the sentences, using the pronouns printed in bold-face type in the correct form with the appropriate preposition.

Model: *Я не́ был на экску́рсии. Джон спра́шивал обо мне́.*

1. – Где **ты** был? Та́ня спра́шивала ...
2. – Где **вы** бы́ли вчера́? – Джон спра́шивал ...
3. Я давно́ зна́ю **его́** и ча́сто ду́маю ...
4. **Она́** была́ у нас неда́вно, вчера́ мы говори́ли ...
5. **Они́** хорошо́ рабо́тают, я чита́л ...
6. Вчера́ **я** не́ был на ле́кции, преподава́тель спра́шивал ...

III. Complete the sentences, using the words printed in bold-face type in the correct form with the appropriate preposition.

1. Его́ **семья́** живёт в Англии, я спра́шивал его́ ... 2. Я зна́ю **его́ бра́та.** Вчера́ мы говори́ли ... 3. Это **его́ сестра́.** Я расска́зывал ... 4. **Его́ оте́ц** – хоро́ший инжене́р. Неда́вно в газе́те писа́ли ... 5. **Ма́ма** живёт в дере́вне. Я ча́сто ду́маю ... 6. **Её сын** у́чится в шко́ле. Вчера́ учи́тель говори́л ...

IV. Complete the sentences, using the words **Ки́ев, Москва́, Ленингра́д, Аме́рика, ро́дина** in the correct form with the appropriate preposition.

1. Неда́вно я чита́л ... 2. Том ча́сто расска́зывает ... 3. Он спра́шивал ... 4. Мы говори́ли ... 5. Джон расска́зывал ...

V. Complete the dialogues.

1.– ...?
– (Она́ расска́зывала) об экску́рсии.

2.– ...?
– (Этот фильм) об университе́те.

3.– ...?
– (Этот расска́з) о ма́тери.

4.– ...?
– (Эта кни́га) о Се́вере.

5.– ...?
– (Она́ ча́сто ду́мает) о до́чери.

6.– ...?
– (Он не забыва́ет) о дру́ге.

VI. Translate into Russian.

1. This is my room. There is a desk on the left. There are books and exercise-books on the desk. There is a wardrobe on the right. My things are in the wardrobe. There is a bed in a corner. There is a carpet on the floor. 2. Yesterday we walked in the wood. Tanya was in the park. My brother worked in the garden.

VII. Insert the following verbs in the correct form:

(1) писа́ть, (2) говори́ть, (3) люби́ть, (4) гото́вить, (5) расска́зывать, (6) спра́шивать

1.– Что он де́лает?
 –... письмо́.
 Они́ ... упражне́ние.
2.– О ком вы ...?
 – О ней.
 Они́ ... о Москве́.
3.– Вы ... чита́ть?
 –...
 – Я ... Ленингра́д.
 – А мы ... Ки́ев.

4.– Ты сам ... обе́д?
 – Да, сам.
 – Что ты де́лаешь?
 –... обе́д.
 – А что они́ де́лают?
 – То́же ...
5.– О чём он ...?
 – О семье́.
6.– Где ты был? Джон ... о тебе́.

VIII. Put the verbs in the past tense.

Model: *Друзья́ по́мнят о ней.*
Друзья́ по́мнили о ней.

1. Мои́ друзья́ живу́т в Москве́ и у́чатся в университе́те. Они́ по́мнят о ро́дине и ча́сто говоря́т о ней, расска́зывают о стране́, о семье́. Я люблю́ слу́шать их расска́зы.

2. Я сижу́ в кла́ссе, гото́влю зада́ние: пишу́ упражне́ния, чита́ю текст, учу́ но́вые слова́.

Assignment on the Text

1. О ком расска́зывал Джон? Что вы тепе́рь зна́ете о его́ семье́? Где учи́лась его́ сестра́? Где она́ сейча́с рабо́тает?

2. Ask your friend questions about his (her) family.

Где живёт его́ (её) семья́? Кто его́ (её) роди́тели? Где они́ живу́т и рабо́тают? У него́ (у неё) есть бра́тья и сёстры? Они́ у́чатся и́ли рабо́тают? Где они́ у́чатся (рабо́тают)?

Make up a dialogue on this topic.

Model: – *Где живёт твоя́ семья́?*
– *В Вермо́нте.*

3. Read through the Russian proverbs. How do you understand them?

Семья́ – э́то семь я.
Вся семья́ вме́сте – так и душа́ на ме́сте.

Remember some English proverbs about the family and translate them into Russian.

UNIT 7

Кинотеа́тр «Росси́я»

Preparation for Reading

Что идёт в кино́ (в теа́тре)? What is on at the cinema (theatre)? В кино́ идёт но́вый фильм. A new movie is on at the cinema.	Сего́дня на экра́не документа́льный (худо́жественный) фильм… Today the documentary (feature) movie ... is on.

находи́ться *где?* to be, to be situated (located)
центр centre
смотре́ть *что?* to see
фильм film, movie
худо́жественный фильм feature film
документа́льный фильм documentary film
мир peace
идти́ to be on
слы́шать *что? о ком? о чём?* to hear
соревнова́ние competition
междунаро́дный international
спорти́вный sport, sports
пра́здник festival
ви́деть *кого́? что?* to see
по́этому therefore, that is why
сам (сама́, са́ми) himself (herself, themselves)
непло́хо not so badly
ждать *кого́? что?* to expect
шко́льный school
игра́ть *на чём?* to play
гита́ра guitar
жаль (is) a pity
тру́дно (is) difficult
легко́ (is) easy

* * *

с интере́сом with interest
шко́льный това́рищ schoolmate
ну и как? well, how was it?
идёт фильм a movie is on

The Verbs слы́шать and слу́шать

Он не слу́шает. He is not listening.	Он не слы́шит. He does not hear.

слу́шать **кого́? что?** to listen (to)	слы́шать **что? о ком? о чём?** to hear
Он слу́шает преподава́теля. Он слу́шает ра́дио. Он слу́шает конце́рт.	Я слы́шал э́ти пе́сни. Я слы́шал, что э́то хоро́ший фильм. Я слы́шал о нём. Я слы́шал об э́том.

Я слу́шал ра́дио и не **слы́шал,** о чём говори́ли това́рищи. I was listening to the radio and did not hear what my friends were talking about.

The Verbs смотре́ть and ви́деть

Он не смо́трит.
He is not looking.

Он не ви́дит.
He does not see.

смотре́ть **что? на кого́? на что?** to watch, to look	ви́деть **что? кого́**? как? to see
Он смо́трит телеви́зор. фильм. спекта́кль. журна́л. Он смо́трит на преподава́теля. на до́ску. в окно́.	Он хорошо́ (пло́хо) ви́дит. Вчера́ я ви́дел бра́та.

Я смотрю́ в окно́ и ви́жу дру́га.

TEXT

В кино́

Это кинотеа́тр «Росси́я», он нахо́дится в це́нтре на пло́щади Пу́шкина. Здесь иду́т худо́жественные и документа́льные фи́льмы.

Вчера́ Джон был в кино́, смотре́л документа́льный фильм о спо́рте «О спорт, ты мир!». Когда́ Джон был на ро́дине, он слы́шал, что в Москве́ ча́сто быва́ют междунаро́дные спорти́вные соревнова́ния. Тепе́рь он с интере́сом смотре́л спорти́вный пра́здник на стадио́не «Лужники́»[1].

В кинотеа́тре он ви́дел То́ма. Том то́же студе́нт, он у́чится в университе́те второ́й год. Домо́й они́ шли вме́сте и говори́ли о фи́льме. Том ча́сто смо́трит ру́сские фи́льмы, мно́го чита́ет слу́шает ра́дио, и поэ́тому сам уже́ непло́хо говори́т по-ру́сски.

DIALOGUE

Оле́г: Джон, где ты был вчера́? Я тебя́ не ви́дел в университе́те.
Джон: Рабо́тал в библиоте́ке. А что?
Оле́г: Мы жда́ли тебя́ ве́чером. У нас был мой шко́льный това́рищ, он непло́хо игра́ет на гита́ре. Мы весь ве́чер слу́шали его́ пе́сни.
Джон: Жаль, я не знал. Ве́чером я был в кино́.
Оле́г: Что смотре́л?
Джон: Фильм «О спорт, ты мир!».
Оле́г: Ну и как?
Джон: Очень интере́сно. А ты смотре́л э́тот фильм?
Оле́г: Нет, не смотре́л, но слы́шал, что фильм хоро́ший. Ты всё понима́л?
Джон: Да, э́то бы́ло не тру́дно.

---

[1] Лужники́, the Central Lenin Stadium in Moscow, one of the world's largest sports complexes. It was built in 1956.

GRAMMAR

The Accusative Singular of Nouns

– **Кого́** он ви́дел?	"Whom did he see?"
– **Дру́га.**	"A friend."
– **Что́** он чита́л?	"What did he read?"
– **Кни́гу.**	"A book."

Nouns in the accusative without a preposition are used in answer to the question **кого́?** or **что?**

Gender	Nominative **кто? что?**	Accusative **кого́? что?**	Ending
Masculine	врач студе́нт оте́ц гость	врач**а́** студе́нт**а** отц**а́** го́ст**я**	**-а** **-я**
Feminine	студе́нтка сестра́ дере́вня аудито́рия	студе́нтк**у** сестр**у́** дере́вн**ю** аудито́ри**ю**	**-у** **-ю**

Feminine nouns in **-ь (тетра́дь, мать)** and inanimate masculine and neuter nouns take the same endings in the accusative as in nominative.

	кто? что?		**кого́? что?**
Это	музе́й санато́рий по́ле окно́ зда́ние тетра́дь мать	Я ви́жу	музе́й санато́рий по́ле окно́ зда́ние тетра́дь мать

Transitive Verbs

Verbs which require a noun in the accusative without a preposition are called transitive.

чита́ть писа́ть учи́ть изуча́ть гото́вить	**что?**	ви́деть знать люби́ть понима́ть слу́шать слы́шать спра́шивать	**кого?** **что?**

Я учу́ ру́сский язы́к. *Мы слу́шаем преподава́теля.*

An Object in the Prepositional or the Accusative

Accusative **кого́? что?**	Prepositional **о ком? о чём?**
– Кого́ ты ви́дел вчера́? "Whom did you see yesterday?" – Джо́на. "John." – Что ты чита́ешь? "What are you reading?" – Но́вый расска́з. "A new story."	– О ком они́ говори́ли? "Whom were they talking about?" – О Джо́не. "About John." – О чём э́тот расска́з? "What is this story about?" – О ро́дине. "About our country."

The Accusative of Personal Pronouns

Nominative	Accusative
я	**меня́**
ты	**тебя́**
он, оно́	**его́**
она́	**её**
мы	**нас**
вы	**вас**
они́	**их**

The Accusative in the меня́ зову́т ... Construction

– Как вас зову́т?	"What is your name?"
– Меня́ зову́т Андре́й.	"My name is Andrei."
– Как зову́т его́ сестру́?	"What is his sister's name?"
– Его́ сестру́ зову́т Ни́на.	"His sister's name is Nina."

The Constructions как зову́т...? and как называ́ется...?

Accusative		Nominative	
Как зову́т	бра́та? сестру́?	Как называ́ется	э́тот го́род? э́та дере́вня?

Note.– The construction **как зову́т...?** is used with animate nouns. The construction **как называ́ется**...? is used with inanimate nouns.

Complex Sentences

Я зна́ю,	что он хорошо́ рабо́тает. где он живёт. когда́ он роди́лся. как он лю́бит чита́ть. почему́ он не́ был на ве́чере. чья э́то кни́га.	I know	that he works well. where he lives. when he was born. how fond he is of reading. why he was not at the evening party. whose book it is.

The Verb идти́

идти I (*b*)		
Present Tense		Past Tense
я иду́ ты идёшь он, она́ идёт	мы идём вы идёте они́ иду́т	он шёл она́ шла они́ шли

Note.– The verb **идти́** has an irregular past tense form.

Они́ иду́т домо́й.
Они́ шли домо́й и говори́ли о фи́льме.

Verb Groups

чита́ть I (*a*)
игра́ть **называ́ть**

говори́ть II	alternation
ви́деть (*a*) **находи́ться** (*c*) **слы́шать** (*a*) **смотре́ть** (*c*)	**д → ж** **д → ж**

EXERCISES

I. Complete the sentences, using the words on the right in the correct form.

1. Я зна́ю э́тот ...	*го́род, райо́н, заво́д, магази́н.*
2. Вчера́ я ви́дела ...	*брат, оте́ц, друг, Андре́й, его́ сосе́д*
3. Я зна́ю его́ ...	*сестра́, жена́, ма́ма*
4. Они́ внима́тельно слу́шают ...	*преподава́тель, учи́тель, това́рищ*
5. Она́ чита́ет ...	*кни́га, газе́та*
6. Да́йте, пожа́луйста, ...	*слова́рь, тетра́дь, журна́л*

II. Complete the sentences, using the appropriate personal pronouns in the correct form.

Model: *Вы были в клу́бе? Я не ви́дел вас.*

1. Я был в буфе́те, ты не ви́дел ... 2. Где ты был вчера́? Я не ви́дел ... 3. Ты не зна́ешь, где Та́ня? Я жду ... 4. Том и Джон бы́ли на ве́чере, я ви́дел ... 5. Мы идём в кино́, Джон ждёт ... 6. В кино́ идёт но́вый фильм, я ещё не смотре́л ...

III. Use the verb **ви́деть** or **смотре́ть** in the correct form.

1. – Кого́ ты ... на ве́чере?
   – Оле́га и Ни́ну.
   – А То́ма ты ...?
   – Нет, не ...
2. – ... спра́ва дом?
   – Да, ...
   – Там живу́т мои́ друзья́.
3. – Ты ... Джо́на?
   – Да.
   – Что он де́лает?
   – ... телеви́зор.
4. – Ты ... э́тот спекта́кль?
   – Да.
5. Я ... на цветы́.
6. Он ... в окно́.

IV. Use the verb **слу́шать** or **слы́шать** in the correct form.

1. – Что ты де́лаешь?
   – ... ра́дио.
2. – Ты ..., что за́втра ве́чер?
   – Да, ...
3. – Ты смотре́л э́тот фильм?
   – Нет, но я ... о нём.
4. Весь ве́чер мы ... его́ пе́сни.

V. Use the words **кто, что, где, когда́, чей, чья, чьё, чьи.**

Я зна́ю,
... они́ сейча́с де́лают.
... э́тот челове́к.
... рабо́тают его́ бра́тья.
... была́ э́та ле́кция.

Я зна́ю,
... э́то ша́пка.
... э́то костю́м.
... э́то пальто́.
... э́то ве́щи.

VI. Read the texts, using the verbs **ви́деть, смотре́ть, слы́шать, слу́шать** in the correct form.

(a) Вчера́ Джон был в кино́, он ... фильм о спо́рте. В кинотеа́тре он ... То́ма. Том ча́сто ... ру́сские фи́льмы, ... ра́дио, мно́го чита́ет по-ру́сски.

(b) Это на́ша у́лица. Вы ... спра́ва дом. Там живёт моя́ семья́, ря́дом шко́ла, где рабо́тает моя́ ма́ма. Сле́ва вы ... заво́д, где рабо́тает мой оте́ц. А э́то клуб, здесь мы ... кинофи́льмы, ... конце́рты.

VII. Ask questions, as in the model.

Model: *Его́ оте́ц. Как зову́т его́ отца́?*

1. Его́ мать. 2. Его́ брат. 3. Его́ друг. 4. Её сестра́. 5. Её подру́га. 6. Её това́рищ.

VIII. Make up sentences, as in the model, using the words **ма́ма, па́па, ма́льчик, де́вочка, студе́нт, студе́нтка.**

Model: *Его́ сосе́д. Его́ сосе́да зову́т Андре́й.*

IX. Make up sentences, as in the model.

Model: *Этот фильм. Как называ́ется э́тот фильм?*

1. Этот го́род. 2. Эта дере́вня. 3. Эта пло́щадь. 4. Эта у́лица. 5. Эта фа́брика. 6. Этот стадио́н.

X. Translate into Russian.

John was at the cinema yesterday and saw a documentary movie about sports. John is fond of sports. He saw a student at the cinema. His name is Tom. Tom has been studying at the university for a long time. He often sees Russian movies. Today they saw an interesting English movie.

Assignment on the Text

1. Где нахо́дится кинотеа́тр «Росси́я»? Где был Джон? Что он смотрел? О чём был фильм? Кого́ Джон ви́дел в кинотеа́тре?
2. Вы или ваш друг смотре́ли ру́сские фи́льмы? Како́й фильм вы смотре́ли? Как он называ́ется?
3. Спроси́те ва́шего дру́га (подру́гу), где он (она́) был (была́) вчера́ ве́чером, что он (она́) смотре́л (смотре́ла). Соста́вьте диало́г на э́ту те́му.

Model: – *Где ты был вчера́?*
– *В кино́.*
– *А что ты смотре́л?*
– *Фильм «О спорт, ты мир!».*
– *О чём э́тот фильм?*
– *О дру́жбе, о спо́рте.*

UNIT 8

Preparation for Reading

До за́втра! See you tomorrow.

пого́да weather
хоро́ший good, fine
плохо́й bad
встава́ть to get up
ра́но early
по́здно late
е́хать to go
за́втракать to have breakfast
обе́дать to have dinner (lunch)
у́жинать to have supper (dinner)
брать *что?* to take
лы́жи skis
встреча́ться to meet
домо́й home
возвраща́ться to return
отдыха́ть to relax; to rest
занима́ться to study
переводи́ть *что?* to translate
заня́тие class
ка́ждый every
потому́ что because
обы́чно usually
тогда́ then
краси́во (is) beautiful
е́сли if

* * *

ката́ться на лы́жах to ski
ложи́ться спать to go to bed
как обы́чно as usual

Expressing Time (когда́? "When?")

в час		at one	o'clock
в два	часа́	at two	
в три		at three	
в четы́ре		at four	
в пять	часо́в	at five	
в шесть и т. д.		at six, etc.	

Days of the Week

в понеде́льник	on Monday
во вто́рник	on Tuesday
в сре́ду	on Wednesday
в четве́рг	on Thursday
в пя́тницу	on Friday
в суббо́ту	on Saturday
в воскресе́нье	on Sunday

TEXT

В воскресе́нье

Сего́дня воскресе́нье. Пого́да хоро́шая. Оле́г и Та́ня встаю́т ра́но. У́тром они́ е́дут ката́ться на лы́жах. Оле́г и Та́ня конча́ют за́втракать, беру́т лы́жи, и в де́вять часо́в они́ уже́ на остано́вке. Снача́ла они́ е́дут на авто́бусе, пото́м на метро́. Джон то́же е́дет ката́ться на лы́жах. Они́ встреча́ются в метро́ «Соко́льники». Там их ждут друзья́.

Домо́й они́ возвраща́ются в четы́ре часа́. Ве́чером Оле́г и Та́ня отдыха́ют, немно́го занима́ются, чита́ют, перево́дят. Они́ изуча́ют англи́йский язы́к. В де́сять часо́в они́ ложа́тся спать, в понеде́льник они́ ра́но начина́ют занима́ться.

Джон возвраща́ется домо́й то́же в четы́ре часа́. До́ма его́ ждёт Том. Ка́ждый ве́чер они́ вме́сте гото́вят зада́ние, пото́м смо́трят телеви́зор. В во́семь часо́в у́жинают. Они́ ра́но ложа́тся спать, потому́ что у́тром ра́но встаю́т. Заня́тия в университе́те начина́ются в де́вять часо́в.

DIALOGUE

Джон: Оле́г, что вы де́лаете в воскресе́нье?
Оле́г: Утром мы е́дем ката́ться на лы́жах.
Джон: Вы ра́но встаёте?
Оле́г: Как обы́чно, в во́семь часо́в. А ты ката́ешься на лы́жах?
Джон: Немно́го.
Оле́г: Тогда́ е́дем вме́сте. Мы ката́емся в па́рке, там о́чень краси́во.
Джон: А когда́ и где вы встреча́етесь?
Оле́г: В де́вять часо́в в метро́ «Соко́льники».
Джон: А когда́ вы возвраща́етесь?
Оле́г: Обы́чно не по́здно, в три и́ли в четы́ре часа́.
Джон: Это хорошо́, в шесть часо́в меня́ ждёт Том, мы вме́сте занима́емся. А что ты де́лаешь ве́чером?
Оле́г: Смотрю́ телеви́зор, е́сли идёт хоро́ший фильм, чита́ю, перевожу́. Ну, до за́втра!
Джон: До за́втра!

GRAMMAR

Verbs with the Particle -ся

что?	где?
Я учу́ ру́сский язы́к. I study Russian.	Я учу́сь в университе́те. I study at the university.

Many Russian verbs have the particle **-ся (-сь)** added after the ending **(учи́ться, занима́ться, встреча́ться, возвраща́ться,** etc.).

Verbs with the particle **-ся** are intransitive, i.e. no direct object (a noun or pronoun in the accusative without a preposition) is used after them.

The Verb занима́ться

занима́ться I (*a*)	
Present Tense	Past Tense
я занима́юсь ты занима́ешься он занима́ется она́ мы занима́емся вы занима́етесь они́ занима́ются	он занима́лся она́ занима́лась они́ занима́лись

Note.– The particle **-ся** is used after the ending and has two forms: **-ся** after a consonant and **-сь** after a vowel.

The Verbs начина́ть – начина́ться, конча́ть – конча́ться

Я начина́ю рабо́тать (рабо́ту) в де́вять часов.	Рабо́та начина́ется в де́вять часо́в.
Я конча́ю рабо́тать (рабо́ту) в де́вять часо́в.	Рабо́та конча́ется в де́вять часо́в.

Преподава́тель начина́ет (конча́ет) ле́кцию (уро́к).
The teacher begins (ends) the lecture (class).

Ле́кция (уро́к) начина́ется (конча́ется).
The lecture (class) begins (ends).

Note.– 1. The verbs **начина́ть** and **конча́ть** are followed either by an infinitive or by a direct object.

2. As a rule, the verbs **начина́ться** and **конча́ться** are not used with a subject expressing a person, therefore they mainly occur in the 3rd person singular or plural.

The Conjugation of the Verbs **е́хать, встава́ть, брать**

е́хать I (*a*)	
я е́ду	мы е́дем
ты е́дешь	вы е́дете
он, она́ е́дет	они́ е́дут

встава́ть I (*b*)	
я встаю́	мы встаём
ты встаёшь	вы встаёте
он, она́ встаёт	они́ встаю́т

Note.– **Ехать** to go in a conveyance: **на трамва́е, на авто́бусе, на тролле́йбусе, на по́езде, на метро́, на такси́** in a tram (streetcar), in a bus, in a trolleybus, in a train, by underground (by subway), in a taxi.

Note.– Verbs which follow the conjugation pattern of **встава́ть** drop the suffix **-ва-** in the present tense.

брать I (*b*)	
я беру́	мы берём
ты берёшь	вы берёте
он, она́ берёт	они́ беру́т

Verb Groups

читать I (*a*)	
возвраща́ться	**конча́ть**
встреча́ться	**конча́ться**
за́втракать	**обе́дать**
занима́ться	**отдыха́ть**
начина́ть	**у́жинать**
начина́ться	

говори́ть II	alternation
ложи́ться (*b*) **переводи́ть** (*c*) **учи́ться** (*c*)	**д → ж**

EXERCISES

I. (a) Read the sentences, noting the use of the verbs **начина́ть – начина́ться, конча́ть – конча́ться.**

1. Мы начина́ем занима́ться в де́вять часо́в, а конча́ем занима́ться в три часа́. 2. Оте́ц начина́ет рабо́тать в во́семь часо́в, а конча́ет рабо́тать в четы́ре часа́. 3. Спекта́кль начина́ется в семь часо́в и конча́ется в де́сять часо́в.

(b) Insert the verbs **начина́ть – начина́ться, конча́ть – конча́ться** in the correct form.

1. Когда́ ... заня́тия в университе́те? 2. Когда́ Джон ... занима́ться? 3. Когда́ его́ оте́ц ... и когда́ он ... рабо́тать?

4. Конце́рт в клу́бе ... в семь часо́в и ... в де́вять часо́в. 5. Ве́чер ... в семь часо́в. 6. Этот фильм ... по́здно. 7. Обы́чно она́ ... рабо́тать в де́вять часо́в и ... в четы́ре часа́.

II. (a) Look at the clock and say what time it is.

Model: *2 часа́. Сейча́с два часа́.*

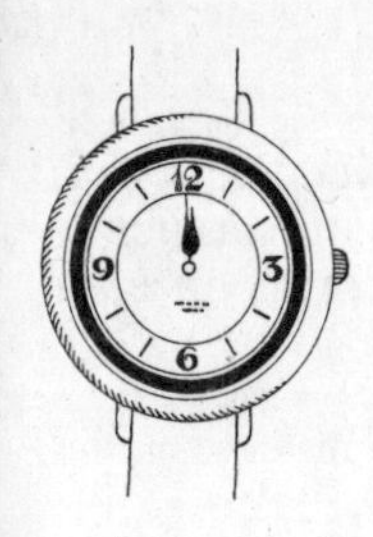
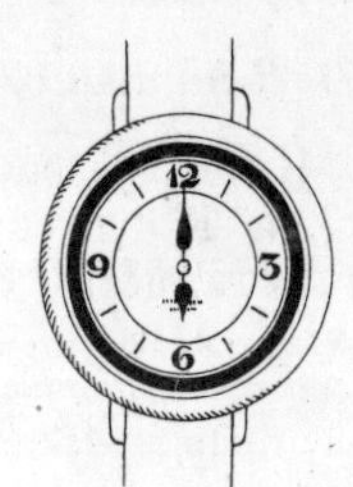
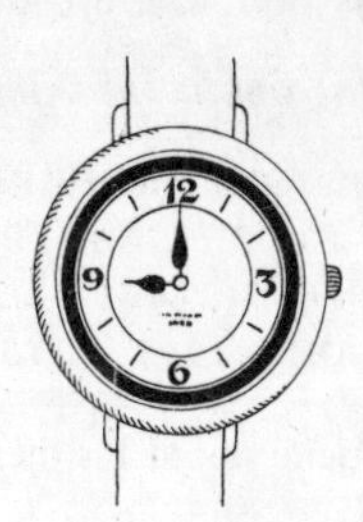
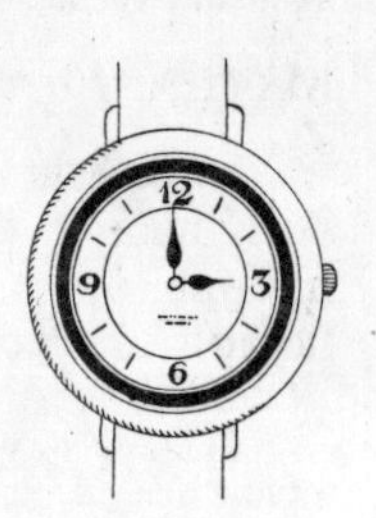

Двена́дцать часо́в. Шесть часо́в. Де́вять часо́в. Три часа́.

(b) Respond negatively.

Model: – *Она́ была́ в шко́ле в два часа́?*
– *Нет, в час.*

1. Джон был в университе́те в три часа́? *два*
2. Вы бы́ли на вокза́ле в четы́ре часа́? *пять*
3. Она́ была́ на рабо́те в де́сять часо́в? *де́вять*
4. Он был до́ма в семь часо́в? *шесть*

III. (a) Ask the questions, as in the model.

Model: *Я встаю в семь, а когда́ ты встаёшь?*

1. Я начина́ю рабо́тать в де́вять. *ты*
2. Я конча́ю рабо́тать в пять. *вы*
3. Я возвраща́юсь домо́й в шесть. *он*
4. Я у́жинаю в во́семь. *она́*
5. Я ложу́сь спать в оди́ннадцать. *они́*

(b) Answer the questions, as in the model.

Model: *Час. Когда́ вы обе́даете? – В час.*

1. Во́семь часо́в. Когда́ вы обы́чно встаёте?
2. Де́вять часо́в. Когда́ начина́ются заня́тия?
3. Три часа́. Когда́ конча́ются заня́тия?
4. Четы́ре часа́. Когда́ вы возвраща́етесь домо́й?
5. Семь часо́в. Когда́ вы у́жинаете?
6. Оди́ннадцать часо́в. Когда́ вы ложи́тесь спать?

IV. Answer the questions.

Model: *Он был на экску́рсии в понеде́льник и́ли в сре́ду? – В сре́ду.*

1. Вы бы́ли в кино́ во вто́рник и́ли в четве́рг? 2. Она́ была́ на конце́рте в пя́тницу и́ли в суббо́ту? 3. Вы бы́ли на вы́ставке в четве́рг и́ли в пя́тницу? 4. Они́ бы́ли в теа́тре в понеде́льник и́ли во вто́рник? 5. Когда́ они́ бы́ли на ве́чере: в суббо́ту и́ли в воскресе́нье?

V. Answer the questions, using the names of the days of the week: **понеде́льник, вто́рник, среда́, четве́рг, пя́тница, суббо́та, воскресе́нье.**

Model: *Когда́ они́ бы́ли на заво́де? – В пя́тницу.*

1. Когда́ была́ э́та ле́кция? 2. Когда́ у вас ру́сский язы́к? 3. Когда́ у него́ англи́йский язы́к? 4. Когда́ вы занима́лись в лаборато́рии? 5. Когда́ они́ бы́ли на стадио́не? 6. Когда́ он е́дет домо́й? 7. Когда́ они́ е́дут ката́ться на лы́жах?

VI. (a) Ask your friend about his (her) daily routine. Make up a dialogue on this topic.

(b) Your friend invites you to the cinema. Ask him when the movie begins and ends, when and where you are to meet. Make up a dialogue on this topic.

VII. Translate into Russian.
Today is Sunday. Tom and John get up early. In the morning they go skiing. They have breakfast, take their skis and at nine o'clock they are already at the (bus) stop. Oleg waits for them there. They go to the park together first by bus and then by Underground (by subway). They return home at four o'clock; they have supper, prepare their homework and at eleven o'clock they go to bed.

Assignment on the Text

1. Что де́лают в воскресе́нье Оле́г, Та́ня и Джон? Где они́ встреча́ются? Когда́ они́ возвраща́ются домо́й? Что они́ де́лают ве́чером? Когда́ они́ ложа́тся спать?
2. Расскажи́те о ва́шем режи́ме дня. Когда́ вы обы́чно встаёте? Когда́ у вас начина́ются и когда́ конча́ются заня́тия? Когда́ вы гото́вите зада́ния? Когда́ вы обы́чно ложи́тесь спать?
3. Расскажи́те, как вы отдыха́ете. Что вы обы́чно де́лаете в воскресе́нье?

Ⓢ READ WITH A DICTIONARY

Письмо́ домо́й

Дорого́й Дэн, извини́, что так до́лго не писа́л. Я о́чень мно́го рабо́тал. Ты спра́шиваешь, как иду́т мои́ дела́, как я живу́, как учу́сь. Сейча́с я изуча́ю ру́сский язы́к. Я уже́ немно́го говорю́ по-ру́сски. Я и мои́ това́рищи, иностра́нные студе́нты, мно́го рабо́таем: чита́ем, перево́дим. У меня́ есть ру́сский друг Оле́г, он москви́ч. Он то́же у́чится в университе́те. Оле́г изуча́ет англи́йский язы́к. Иногда́ мы гото́вим зада́ния вме́сте, вме́сте чита́ем, перево́дим.

В воскресе́нье мы ча́сто отдыха́ем вме́сте, слу́шаем му́зыку, у́чим ру́сские пе́сни. Я уже́ зна́ю пе́сню «Подмоско́вные вечера́»[1].

Всего́ до́брого, Дэн! Не забыва́й меня́, пиши́.

Твой Джон

Как иду́т дела́?	How are you getting on?
Как по-ру́сски (по-англи́йски) ...?	What is the Russian (English) for ...?
Всего́ до́брого!	All the best!

Assignment on the Text

1. Расскажи́те, о чём пи́шет Джон (как он живёт, как он у́чится).
2. Напиши́те письмо́ домо́й; расскажи́те, как вы живёте, как у́читесь (и́ли рабо́таете).

---

[1] «Подмоско́вные вечера́», *Moscow Evenings,* a popular lyrical song by the well-known Soviet composer, Vasily Solovyev-Sedoi, the lyrics by the poet, Mikhail Matusovsky.

UNIT 9

Preparation for Reading

– Прия́тного аппети́та!	“Have a nice breakfast (lunch, dinner, etc.).”
– Спаси́бо!	“Thank you.”

Ско́лько сто́ит...?	How much is...?
1 (одну́) копе́йку	1 (оди́н) рубль
2 (две) копе́йки	2 (два) рубля́
3 (три) копе́йки	3 (три) рубля́
4 (четы́ре) копе́йки	4 (четы́ре) рубля́
5 (пять) копе́ек	5 (пять) рубле́й
20 (два́дцать) копе́ек	20 (два́дцать) рубле́й
21 (два́дцать одну́) копе́йку	21 (двадцать оди́н) рубль
22 (два́дцать две) копе́йки	22 (два́дцать два) рубля́

Ру́сские де́ньги

открыва́ться to open
закрыва́ться to close
всегда́ always
непло́хо not badly
гото́вить *что?* to cook
сала́т salad
суп soup
борщ borshch (beetroot and cabbage soup)
компо́т stewed fruit
пить *что?* to drink
за́втрак breakfast
обе́д dinner, lunch
у́жин supper, dinner
и́ли or
творо́г cottage cheese
буфе́т buffet, snack bar
идти́ to go
хоте́ть *что де́лать?* to want
есть *что?* to eat
буфе́тчица barmaid
рубль rouble
копе́йка copeck
сто́ить to cost
сади́ться to sit (down)

* * *

бутербро́д с колбасо́й (с сы́ром) sausage (cheese) sandwich
я́блочный сок apple juice
ча́шка ко́фе cup of coffee
стака́н чая́ (со́ка) glass of tea (juice)
брать *что́-либо* **на обе́д (на у́жин)** to take something for lunch (dinner)

TEXT

На́ша столо́вая

Это на́ша столо́вая. Она́ открыва́ется ра́но у́тром, в 8 часо́в, и закрыва́ется ве́чером, то́же в 8 часо́в.

За́втракаю я обы́чно до́ма, а обе́даю всегда́ в столо́вой. Здесь непло́хо гото́вят. Обы́чно я беру́ сала́т, суп и́ли борщ, мя́со и компо́т. В буфе́те пью ко́фе, беру́ я́блоки и́ли апельси́ны. В буфе́те всегда́ есть фру́кты.

Иногда́ я у́жинаю то́же в столо́вой. На у́жин беру́ творо́г и́ли мя́со. Пью чай, кефи́р и́ли молоко́.

В столо́вой я ча́сто ви́жу Джо́на и То́ма. Они́ обы́чно обе́дают и у́жинают там. Сейча́с они́ иду́т в буфе́т.

DIALOGUE

Том: Джон, ты не хо́чешь есть?
Джон: Ты идёшь в буфе́т?
Том: Да.
Джон: Идём вме́сте. Есть я не хочу́, я уже́ обе́дал, но я хочу́ пить.

В буфе́те

Том: Да́йте, пожа́луйста, бутербро́д с колбасо́й, бутербро́д с сы́ром и ча́шку ко́фе.
Буфе́тчица: Пожа́луйста, 56 копе́ек.
Джон: Ско́лько сто́ит я́блочный сок?
Буфе́тчица: 12 копе́ек стака́н.
Джон: Пожа́луйста, оди́н стака́н.
Буфе́тчица: Всё?
Джон: Всё.
Буфе́тчица: 12 копе́ек.
Джон: Пожа́луйста.

(*They walk away, looking for vacant seats.*)

Андре́й: Джон! Том! Иди́те сюда́!
Том и Джон (*approaching*): Прия́тного аппети́та!
Андре́й: Спаси́бо! Сади́тесь!

GRAMMAR

Expression of Place and Direction

– Где он?
"Where is he?"

– Он до́ма.
"He is at home."

– Куда́ он идёт?
"Where is he going to?"

– Он идёт домо́й.
"He is going home."

Adverbs of Place and Direction	
где? *where*?	**куда́?** *where to*?
здесь, там, спра́ва, сле́ва, наверху́, внизу́, до́ма	сюда́, туда́, напра́во, нале́во, наве́рх, вниз, домо́й

– Где они́?
"Where are they?"

– Они́ в буфе́те.
"They are at the snack bar."

– Куда́ они́ иду́т?
"Where are they going to?"

– Они́ иду́т в буфе́т.
"They are going to the snack bar."

The Prepositional of Place and the Accusative of Direction

Prepositional	**где?** *where*?	Accusative	**куда́?** *where to*?
– **Где** она́ ра-бо́тает? – **В шко́ле**.	"Where does she work?" "At school."	– **Куда́** она́ идёт? – **В шко́лу**.	"Where is she going to?" "To the school."

где? Prepositional	**куда́?** Accusative
в институ́те, в музе́е, в шко́ле, в общежи́тии, в аудито́рии	в институ́т, в музе́й, в шко́лу, в общежи́тие, в аудито́рию

The Imperative of Verbs

Чита́йте текст! **Пиши́те** упражне́ния!	Read the text! Write the exercises!

Like in English, the imperative in Russian conveys a request, command or strong injunction.

Formation of the Imperative

Infinitive	Present Tense Stem	alterna-tion	Imperative	
			Singular	Plural
чита́ть писа́ть говори́ть гото́вить	чита́-ю пиш-у́ говор-ю́ гото́вл-ю гото́в-ишь	 **с → ш** **в → вл**	чита́**й**! пиши́! говори́! гото́в**ь**!	чита́**йте**! пиши́**те**! говори́**те**! гото́в**ьте**!

Note.– 1. The imperative of verbs whose stem ends in a vowel is formed with the help of the suffix **-й- (чита́ + й → чита́й),** and of verbs whose stem ends in a consonant with the help of the suffix **-и-** (if the stress in the 1st person singular falls on the ending: **говорю́ – говор + и́ → говори́!**) or the suffix **-ь-** (if the stress in the 1st person singular falls on the stem: **гото́влю – гото́в + ь → гото́вь!**).

2. The imperative of reflexive verbs is formed in the same way as that of non-reflexive ones. The particle **-ся (-сь)** is placed after the verb ending: **учи́ + сь → учи́сь! учи́те + сь → учи́тесь! занима́й + ся → занима́йся! занима́йте + сь → занима́йтесь!**

3. If a verb has an alternation only in the 1st person singular **(гото́вить – гото́влю)**, the imperative is formed from the 2nd person: **гото́вь! – гото́вьте!**

4. The imperative of verbs with the root **да- (дава́ть)** or **ста- (встава́ть)** is formed from the infinitive stem: **дава́й! – дава́йте! встава́й! – встава́йте!**

5. In Russian the plural imperative may be used in addressing a number of persons or one person (a polite form).

The Verbs идти́ and е́хать

The Russian verbs **идти́** and **е́хать** convey different modes of movement: **идти́ пешко́м** to walk, to go on foot, but: **е́хать на тра́нспорте** to go in a conveyance **(на авто́бусе** in a bus, by bus; **на тролле́йбусе** in a trolleybus, by trolleybus; **на трамва́е** in a tram, streetcar, by tram, streetcar; **на метро́** by underground, subway; **на такси́** by taxi, etc.).

Я иду́ в университе́т.

Я е́ду в университе́т.

The Verb хоте́ть

хоте́ть	
я хочу́	мы хоти́м
ты хо́чешь	вы хоти́те
он, она́, хо́чет	они́ хотя́т

Note.– 1. The verb **хоте́ть** is an irregular verb: in the singular it follows the 1st, and in the plural the 2nd conjugation.

2. The verb **хоте́ть** has no imperative.

3. The verb **хоте́ть** is generally used with an infinitive.

	есть.		hungry.
Я хочу́	пить.	I am	thirsty.
	спать.		sleepy.

The Verbs есть and пить

есть			
Present Tense		Past Tense	Imperative
я ем ты ешь он, она́ ест	мы еди́м вы еди́те они́ едя́т	он ел она́ е́ла они́ е́ли	ешь (-те)

Note.– The present and past tenses and the imperative of the verb **есть** are irregular.

пить I (*b*)		
Present Tense		Imperative
я пью ты пьёшь он, она́ пьёт	мы пьём вы пьёте они́ пьют	пе́й (-те)

Note.– The verb **пить** has an irregular imperative.

Verb Groups

чита́ть I (*a*)
открыва́ться **закрыва́ться**

Note.– The verbs **открыва́ться** and **закрыва́ться** are generally used in the 3rd person singular and plural: Утром столо́вая открыва́ется в 8 часо́в, а закрыва́ется ве́чером то́же в 8 часо́в. In the morning the canteen opens at 8 o'clock, and in the evening it closes also at 8 o'clock.

встава́ть I (*b*)
дава́ть

говори́ть II	alternation
сто́ить (*a*) **сади́ться** (*b*)	**д → ж**

EXERCISES

I. Situations. (a) 1. You enter a classroom. Ask the students who rose to greet you to sit down. 2. You are going to read a text to the students. Ask them to listen to you. 3. Now ask them to read. 4. Ask them to write. (b) Your brother studies Russian. Ask him 1. to prepare the homework. 2. to learn the new words. 3. to translate a text. (c) Your friend does not feel very well. Advise him (her) 1. not to work (study) too hard. 2. to relax. 3. to go to bed early.

II. Ask questions, as in the model.

(a) Model: – *Мы идём в теа́тр. А куда́ вы идёте?*

1. Мы идём в кино́. 2. Мы идём в музе́й. 3. Мы идём на конце́рт. 4. Мы идём в библиоте́ку. 5. Мы идём на заво́д.

(b) Model: – *Я е́ду в больни́цу. А куда́ ты е́дешь?*

1. Я е́ду в центр. 2. Я е́ду на экску́рсию. 3. Я е́ду в институ́т. 4. Я е́ду на стадио́н. 5. Ле́том я е́ду на юг.

III. Answer the questions, using the drawings.

Model: – *Где она́ рабо́тает? – На по́чте.*
– *Куда́ она́ идёт? – На по́чту.*

1. Где рабо́тает Ни́на Петро́вна? Куда́ она́ идёт? 2. Где рабо́тает Серге́й Ива́нович? Куда́ он идёт? 3. Где у́чатся Джон и Том? Куда́ они́ иду́т? 4. Где у́чится Та́ня? Куда́ она́ идёт?

IV. Insert the verb **идти́** or **е́хать** in the correct form.

Утро. Мы, как обы́чно, встаём в семь часо́в. В во́семь часо́в я ... в институ́т, а сестра́ ... в шко́лу. Институ́т далеко́. Я ... на тролле́йбусе и на метро́. А шко́ла ря́дом. Сестра́ ... пешко́м. Ве́чером я ... в библиоте́ку. Снача́ла я ... на авто́бусе, а пото́м на метро́. В де́сять часо́в я возвраща́юсь домо́й. Домо́й я ... на метро́, а пото́м ... пешко́м.

V. Insert the verb **пить** or **есть** in the correct form.

1. Утром я обы́чно ... ко́фе, Джон ... чай, а что вы ...? 2. Том и Джон в буфе́те, они́ ... сок. 3. – Ты ... кефи́р? – Нет, молоко́. 4. Я ... творо́г, Джон ... сала́т, Оле́г и Андре́й ... бутербро́ды с колбасо́й. 5. – Что вы обы́чно ... ве́чером? – Мя́со и́ли ры́бу.

VI. (a) Ask questions, as in the model.

Model: – *Ты хо́чешь я́блочный сок? – Ско́лько сто́ит я́блочный сок?*

1. Ты хо́чешь ча́шку ко́фе? 2. Ты хо́чешь бутербро́д с колбасо́й? 3. Ты хо́чешь бутербро́д с сы́ром?

(b) Answer the questions, as in the model.

Model: *Три копе́йки. – Ско́лько сто́ит чай? – Три копе́йки.*

1. Де́сять копе́ек. – Ско́лько сто́ит бутербро́д с сы́ром?
2. Двена́дцать копе́ек. – Ско́лько сто́ит я́блочный сок?
3. Два́дцать две копе́йки. – Ско́лько сто́ит бутербро́д с колбасо́й?

VII. (a) You are at a snack bar. Ask the barmaid to give you a cup of tea, coffee, etc.

Model: – *Да́йте, пожа́луйста, стака́н ча́я.*

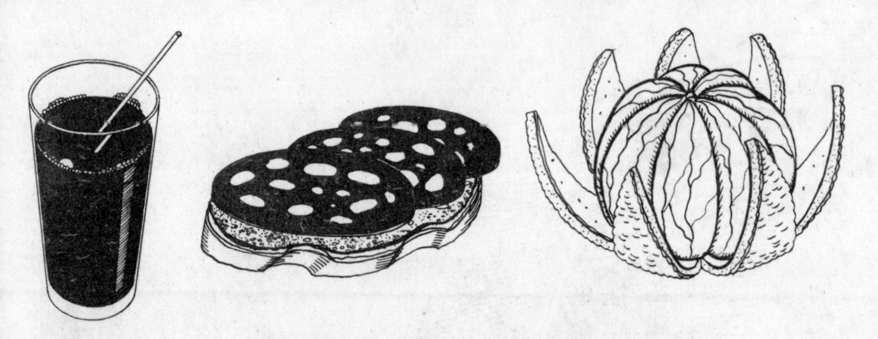

(b) You are at a newsagent's (newsdealer's). You want to buy a journal, magazine, newspaper, etc. Ask the newsagent for it.

Model: *Журна́л.– Да́йте, пожа́луйста, журна́л.*

VIII. Translate into Russian.

My Day

My day begins at seven o'clock. At seven I get up, at eight I have breakfast, and at nine my classes begin. My classes end at three o'clock. I go home. At four o'clock I have dinner at home or at a canteen. Then I do my homework, relax, listen to the radio and read. I usually have supper at a canteen. I eat cottage cheese or meat and drink tea or milk.

Assignment on the Text:

1. Куда́ иду́т Том и Джон? Что они́ беру́т в буфе́те? Кого́ они́ встреча́ют в буфе́те?
2. У вас в институ́те (университе́те, колле́дже и т. д.) есть столо́вая? Когда́ она́ открыва́ется? Когда́ закрыва́ется? Когда́ и где вы обы́чно за́втракаете, обе́даете, у́жинаете? Что вы обы́чно берёте на за́втрак, на обе́д, на у́жин?
3. Прочита́йте и расскажи́те текст «Его́ день».

Его́ день

У меня́ есть друг, его́ зову́т Са́ша. Са́ша студе́нт, он у́чится в университе́те и живёт в общежи́тии.

Вчера́ мы вме́сте занима́лись, пото́м до́лго разгова́ривали. Са́ша расска́зывал, как он живёт, как у́чится.

Обы́чно он встаёт ра́но, в 7 часо́в. В 8 часо́в он за́втракает иногда́ до́ма, иногда́ в столо́вой. Пото́м он идёт на заня́тия. Заня́тия в университе́те начина́ются в 9 часо́в, по́этому в 9 часо́в Са́ша уже́ в аудито́рии.

Са́ша изуча́ет англи́йский язы́к, он уже́ непло́хо говори́т по-англи́йски.

Заня́тия конча́ются в 3 часа́. Когда́ конча́ются заня́тия, Са́ша идёт обе́дать. Обы́чно он обе́дает в столо́вой. Пото́м он занима́ется в лаборато́рии.

В 7 и́ли в 8 часо́в Са́ша возвраща́ется в общежи́тие. Здесь он отдыха́ет: немно́го чита́ет по-ру́сски и по-англи́йски, слу́шает му́зыку, смо́трит телеви́зор. В 12 часо́в он обы́чно ложи́тся спать.

Ⓢ READ WITH A DICTIONARY

Второ́е письмо́ домо́й

До́брый день, Дэн, отвеча́ю на твоё после́днее письмо́.

Я ещё не писа́л тебе́ о Москве́. Москва́ – большо́й и краси́вый го́род. Райо́н, где мы живём, но́вый. Он называ́ется Юго-За́падный. Здесь есть кинотеа́тры, больши́е магази́ны, но́вая гости́ница «Тури́ст». Недалеко́ лес, мы ча́сто гуля́ем там.

Москва́. Кра́сная пло́щадь

Я уже́ был в це́нтре, ви́дел Кремль, Кра́сную пло́щадь, был в Мавзоле́е В. И. Ле́нина. Мой друг Том неда́вно был на экску́рсии в Кремле́. Экску́рсия была́ о́чень интере́сная.

Посыла́ю тебе́ в письме́ откры́тки. Это Моско́вский Кремль. И ещё посыла́ю фотогра́фию: здесь я и мои́ но́вые друзья́.

Всего́ хоро́шего, Дэн!

Пиши́. Твой Джон

Всего́ хоро́шего! All the best.

Assignment on the Text

1. Расскажи́те, где был Джон, что он ви́дел в Москве́.
2. Расскажи́те о го́роде, где вы живёте.

UNIT 10

Госуда́рственная библиоте́ка СССР им. В. И. Ле́нина

Preparation for Reading

Приве́т!	Hello! Hi!

библиоте́ка library
ти́хо (is) quiet
гро́мко (is) noisy; loudly
серьёзно in earnest
мо́жно (is) possible, (one) can; (one) may
францу́зский French
встреча́ть / **встре́тить** *кого?* to come across, to run into
взять *что?* to borrow
стихи́ verse, poetry
сказа́ть *что?* to say

одна́жды one day
интере́сный interesting
докла́д report
реша́ть / **реши́ть** *что (с)де́лать?* to decide
обяза́тельно without fail

* * *

чита́льный зал reading-room
заказа́ть кни́гу to order a book
посмотре́ть катало́г to go through a catalogue

TEXT

В библиоте́ке

Это на́ша библиоте́ка. Здесь мы обы́чно берём кни́ги, уче́бники, словари́. Ря́дом чита́льный зал, где я люблю́ занима́ться. Здесь всегда́ ти́хо: студе́нты серьёзно рабо́тают: чита́ют, перево́дят, пи́шут. Здесь всегда́ мо́жно прочита́ть но́вые журна́лы, мо́жно взять газе́ты: ру́сские, англи́йские, францу́зские.

Сего́дня я встре́тил в библиоте́ке То́ма и Джо́на. Джон взял стихи́ А. С. Пу́шкина[1] и расска́зы А. П. Че́хова[2]. На ро́дине он чита́л Пу́шкина и Че́хова по-англи́йски. Сейча́с он хо́чет прочита́ть их по-ру́сски.

Том взял ру́сский журна́л и ру́сско-англи́йский слова́рь. Домо́й мы пошли́ все вме́сте. Когда́ мы шли домо́й, Том сказа́л, что то́же хо́чет прочита́ть Пу́шкина по-ру́сски.

DIALOGUE

Оле́г: Джон, приве́т! Что э́то у тебя́?
Джон: Пу́шкин и Че́хов, взял сейча́с в библиоте́ке.
Оле́г: Хо́чешь прочита́ть их по-ру́сски?
Джон: Да. До́ма чита́л их по-англи́йски. Сейча́с хочу́ прочита́ть по-ру́сски.
Оле́г: А не тру́дно?
Джон: Тру́дно, коне́чно, но интере́сно. Моя́ сестра́ мно́го чита́ла по-ру́сски, о́чень лю́бит Пу́шкина. Одна́жды она́ сде́лала в колле́дже о́чень интере́сный докла́д о Пу́шкине. Я слу́шал её докла́д и реши́л обяза́тельно вы́учить ру́сский язы́к и прочита́ть Пу́шкина на его́ языке́.

GRAMMAR

Verbal Aspect

Russian verbs have two aspects: imperfective (реша́ть, чита́ть) and perfective (реши́ть, прочита́ть). Imperfective and perfective verbs go in aspectual pairs of verbs with the same lexical meaning.

---

[1] Пу́шкин Алекса́ндр Серге́евич, Alexander Pushkin (1799-1837), great Russian poet and writer, the author of the novel in verse *Eugene Onegin*, the poem *The Bronze Horseman* (about Peter I), the drama *Boris Godunov*, etc.

[2] Че́хов Анто́н Па́влович, Anton Chekhov (1860–1904), outstanding Russian short story writer and dramatist, the author of the plays *The Three Sisters, Uncle Vanya, The Seagull, The Cherry Orchard*, etc.

8–1350

The Meaning of Verbal Aspects

The Imperfective Aspect

1. **Она́ писа́ла письмо́.**
   She wrote a letter.
   Presents an action as a process, in its development, evolving in time.
2. **Обы́чно я встава́л в семь часо́в.**
   As a rule, I got up at seven o'clock. **Он ча́сто приглаша́л меня́ в кино́.** He often invited me to the cinema.
   Denotes habitual, repeated actions.
3. – **Ты чита́л э́тот расска́з?**
   "Have you read the story?"
   – **Да, чита́л.**
   "Yes, I have."
   – **Что ты де́лал ве́чером?**
   "What did you do yesterday?"
   – **Смотре́л телеви́зор.**
   "I watched television."
   States that the action merely took place.

Note.–1. Imperfective verbs are usually accompanied by the adverbs **всегда́, иногда́, ча́сто, ре́дко, обы́чно, до́лго.**

2. The verbs **начина́ть – нача́ть, продолжа́ть, конча́ть – ко́нчить** are followed by imperfective verbs.

The Perfective Aspect

1. **Она́ написа́ла письмо́.**
   She wrote a letter (to the end).
   Denotes the completion of an action, its result.
2. **Сего́дня я встал в де́вять часо́в.**
   Today I got up at nine o'clock. **Вчера́ он пригласи́л меня́ в кино́.** Yesterday he invited me to the cinema.
   Denotes a single specific action occurring at a specific moment.

Note.– The adverbs **вдруг, неожи́данно, сра́зу** are more often than not used with perfective verbs.

The English tense forms do not correspond to the Russian aspects. However, English verbs in the Past Continuous and the construction 'used to + an infinitive' are translated into Russian by imperfective verbs. Я чита́л текст, когда́ он писа́л упражне́ние. I was reading the text when he was writing the exercise. Мы обы́чно гуля́ли ка́ждый ве́чер. We usually went for a walk every evening.

The English verb 'to finish' followed either by a noun or a gerund is often translated into Russian by a perfective verb. Он написа́л письмо́. He finished writing a letter.

Formation of the Aspects

1. The verbs of most aspectual pairs differ from each other in their suffixes.

Imperfective	Perfective	Imperfective	Perfective
-ать, -ять	-ить	-ыва-, -ива-	
встреча́ть(ся) возвраща́ть(ся) изуча́ть конча́ть(ся) отвеча́ть реша́ть	встре́тить(ся) возврати́ть(ся) изучи́ть ко́нчить(ся) отве́тить реши́ть	забыва́ть закрыва́ть(ся) открыва́ть(ся) расска́зывать спра́шивать	забы́ть закры́ть(ся) откры́ть(ся) рассказа́ть спроси́ть
		-ва-	
		встава́ть дава́ть	встать дать

Note.–1. To convey the result of the action, the verb **верну́ться** is frequently used instead of **возврати́ться.**

2. The perfective aspect of many verbs is formed by the addition of a prefix.

вы-
пить – **вы́**пить
учи́ть – **вы́**учить

Note.–In perfective verbs with the prefix **вы-** the stress invariably falls on the prefix.

на-
писа́ть – **на**писа́ть

по-
ду́мать – **по**ду́мать
е́хать – **по**е́хать
за́втракать – **по**за́втракать
идти́ – **пойти́**

под(о)-
ждать – **под**ожда́ть

при-
гото́вить – **при**гото́вить

про-
жить – **прожи́ть**
чита́ть – **про**чита́ть

с-
де́лать – **с**де́лать
есть – **съ**есть
игра́ть – **сы**гра́ть

обе́дать – **по**обе́дать
слу́шать – **по**слу́шать
смотре́ть – **по**смотре́ть
у́жинать – **по**у́жинать

за-

хоте́ть – **за**хоте́ть

у-

ви́деть – **у**ви́деть
знать – **у**зна́ть
слы́шать – **у**слы́шать

Note.– Perfective verbs formed by means of prefixes follow the conjugation pattern of their imperfective counterparts. Thus, for example, the verbs **сде́лать** and **прочита́ть** are conjugated in the same way as the verbs **де́лать** and **чита́ть.** Therefore, these verbs are not given in the conjugation tables of this unit.

In some cases aspectual pairs consist of verbs with different stems.

Imperfective	Perfective
брать	взять
говори́ть	сказа́ть
ложи́ть(ся)	лечь
начина́ть(ся)	нача́ть(ся)
покупа́ть	купи́ть
понима́ть	поня́ть
сади́ться	сесть

Impersonal Sentences

The Construction мо́жно + an Infinitive

Impersonal sentences have no subject (performer). The English counterparts of such sentences must have a subject ("it", "one", "you") or are passive constructions.

Здесь **мо́жно почита́ть** но́вые журна́лы.	One can read new magazines here.
В библиоте́ке **мо́жно взять** учёбники и словари́.	One can borrow textbooks and dictionaries from the library.

Verb Groups

говори́ть II	alternation
изучи́ть (*с*)	
встре́титься (*а*)	**т → ч**
ко́нчить (*а*)	
отве́тить (*а*)	**т → ч**
спроси́ть (*с*)	**с → ш**

писа́ть I (*c*)	alternation
расказа́ть **сказа́ть**	**з → ж** **з → ж**

чита́ть I (*a*)
встреча́ть

EXERCISES

I. Read the text, noting the use of the verbal aspects.

Джон был в библиоте́ке. Он обы́чно берёт там кни́ги. Вчера́ он взял но́вый уче́бник. Ве́чером Джон до́лго занима́лся: писа́л упражне́ния, чита́л текст, учи́л но́вые слова́. Когда́ он сде́лал упражне́ния и прочита́л текст, он пошёл в буфе́т, вы́пил ча́шку ко́фе и съел бутербро́д.

Ве́чером он отдыха́л: смотре́л телеви́зор, слу́шал ра́дио.

II. Insert the appropriate verbs in the correct aspect.

1. Я всегда́ ... рабо́тать в де́вять часо́в. — *начина́ть*
   Вчера́ мы ... рабо́тать в де́сять. — *нача́ть*
2. – Когда́ обы́чно ... спекта́кли? — *конча́ться*
   – В де́сять часо́в. — *ко́нчиться*
   – А когда́ вчера́ ... э́тот спекта́кль?
   – В оди́ннадцать.
3. Он ... хоро́шие стихи́. — *писа́ть*
   Неда́вно он ... стихи́ о ми́ре. — *написа́ть*

III. Use the verbs of the appropriate aspect.

Обы́чно Ни́на (конча́ет – ко́нчит) рабо́тать в шесть часо́в, но вчера́ она́ (конча́ла – ко́нчила) ра́ньше. Она́ (возвраща́лась – верну́лась) домо́й в шесть часо́в. Ве́чером она́ (гото́вила – пригото́вила) у́жин, (у́жинала – поу́жинала), (смотре́ла – посмотре́ла) телеви́зор, (чита́ла – прочита́ла) но́вый расска́з.

IV. Complete the sentences, using the verb of the first clause in the past tense of the correct aspect.

1. Обы́чно я встаю́ в 8 часо́в, но сего́дня я ... 2. Обы́чно он идёт на рабо́ту в 9 часо́в, но сего́дня он ... 3. Оле́г обы́чно возвраща́ется домо́й в 6 часо́в, но вчера́ он ... 4. Ни́на лю́бит чита́ть. Э́тот журна́л она́ уже́ ... 5. Обы́чно я встреча́ю его́ в институ́те, вчера́ я то́же ...

V. Read the texts, noting the use of the verbal aspects.

1. Ка́ждый ве́чер, когда́ конча́ются заня́тия, я сижу́ в кла́ссе, гото́влю дома́шнее зада́ние. Я перевожу́ текст, пишу́ но́вые слова́, де́лаю упражне́ния.

2. Вчера́ ве́чером я был в теа́тре. Когда́ ко́нчились заня́тия, я бы́стро пригото́вил дома́шнее зада́ние: перевёл текст, написа́л но́вые слова́, сде́лал упражне́ния. Когда́ я ко́нчил гото́вить зада́ние, я пошёл в теа́тр.

VI. Express a request, wish or command.

Model: *Оле́г не прочита́л текст. – Оле́г, прочита́й текст!*

1. Ни́на не пригото́вила обе́д. 2. Та́ня не сде́лала уро́ки. 3. Том не написа́л письмо́. 4. Джон не вы́учил стихи́. 5. Оле́г не ко́нчил докла́д.

VII. (a) Make up dialogues, as in the model.

Model: – *Библиоте́ка открыва́ется в 10 часо́в.*
– *А сейча́с 11, зна́чит она́ уже́ откры́лась.*

1. Буфе́т открыва́ется в 8 часо́в. 2. Столо́вая закрыва́ется в 9 часо́в. 3. Фильм начина́ется в 11 часо́в. 4. Спекта́кль конча́ется в 10 часо́в. 5. Та́ня возвраща́ется домо́й в 3 часа́.

(b) Ask questions, as in the model.

Model: – *Вчера́ я написа́л домо́й.*
– *Ты ча́сто пи́шешь домо́й?*

1. Вчера́ я встре́тил Джо́на. 2. Он рассказа́л о ро́дине. 3. Она́ ко́нчила рабо́тать ра́но. 4. Мы встре́тились в воскресе́нье.

VIII. Complete the sentences, using the verbs printed in bold-face type in the correct form of the appropriate aspect.

Model: – *Что ты де́лаешь?* – *Перевожу́ текст.* – *А я уже́ перевёл.*

1. – Что де́лает Эмма? – **Чита́ет** журна́л. – А мы уже́ ... 2. – Что де́лает Джон? – **Пи́шет** упражне́ния. – А Том уже́ ... 3. – Что де́лают э́ти студе́нты? – **Гото́вят** дома́шнее зада́ние. – А мы уже́ ... 4. – Что де́лает Та́ня? – **Учит** но́вые слова́. – А Ни́на уже́ ... 5. – Что де́лает Оле́г? – **Обе́дает.** – А Андре́й уже́ ...

IX. Speak about what you did yesterday, using the following words and phrases in your account:

встать, пойти́, нача́ть (ко́нчить), рабо́тать, верну́ться домо́й, пойти в кино́, фильм начина́ется (конча́ется).

X. Make up sentences, using the following phrases.

1. В буфе́те 2. В библиоте́ке 3. В кио́ске 4. В магази́не	мо́жно	купи́ть э́тот уче́бник. купи́ть газе́ты. взять э́ти кни́ги. вы́пить ко́фе.

Assignment on the Text

1. Где обы́чно студе́нты беру́т кни́ги, уче́бники, журна́лы? Где они́ обы́чно занима́ются? Кого́ Оле́г встре́тил в библиоте́ке? Что взя́ли в библиоте́ке Том и Джон? Почему́ Джон хо́чет прочита́ть Пу́шкина по-ру́сски?

2. Где вы обы́чно занима́етесь? Где вы берёте кни́ги и журна́лы? Что вы неда́вно взя́ли в библиоте́ке?

Ⓢ READ WITH A DICTIONARY

Се́льский врач

Се́льский врач И́горь Петро́вич всю жизнь рабо́тает в дере́вне. Все колхо́зники лю́бят и уважа́ют И́горя Петро́вича. Э́то он организова́л рабо́ту в но́вой больни́це.

И́горь Петро́вич роди́лся здесь. Все зна́ют и по́мнят его отца́ и мать, кото́рые рабо́тали в колхо́зе. Когда́ И́горь Петро́вич, в то вре́мя его́ зва́ли про́сто И́горь, ко́нчил шко́лу, он пое́хал в Москву́ учи́ться. В Москве́ И́горь поступи́л в медици́нский институ́т. Учи́лся он хорошо́, и его́ рекомендова́ли в аспиранту́ру. Но И́горь реши́л верну́ться в свой родно́й колхо́з. Он счита́л, что се́льский врач – са́мая лу́чшая профе́ссия. И вот И́горь, тепе́рь уже́ И́горь Петро́вич, рабо́тает в дере́вне, где он роди́лся. Ра́ньше больни́ца в дере́вне была́ ма́ленькая, в ней рабо́тали то́лько фе́льдшер, медици́нская сестра́ и оди́н врач. И́горь Петро́вич мечта́л о но́вой совреме́нной больни́це.

Прошло́ вре́мя, в дере́вне постро́или но́вую больни́цу. Здесь есть всё, о чём мечта́л И́горь Петро́вич: и хоро́ший хиру́рг, и терапе́вты, свой рентге́новский кабине́т и мно́гое друго́е. Тепе́рь И́горь Петро́вич – гла́вный врач. Его́ больни́ца лу́чшая в райо́не. Пацие́нты говоря́т, что здесь помога́ют не то́лько лека́рства, здесь помога́ет до́брое сло́во, любо́вь и внима́ние.

се́льский врач rural doctor
колхо́з collective farm
колхо́зник collective farmer
медици́нская сестра́ (hospital) nurse
фе́льдшер doctor's assistant
хиру́рг surgeon
терапе́вт therapeutist
рентге́новский кабине́т X-ray unit
мно́гое друго́е many other things
гла́вный врач head physician
до́брое сло́во kind word

Assignment on the Text

1. Где роди́лся И́горь Петро́вич? Где он учи́лся?
2. Почему́ И́горь Петро́вич реши́л верну́ться в свой колхо́з, когда́ он ко́нчил институ́т?
3. О чём мечта́л И́горь Петро́вич? Как осуществи́лись его́ мечты́?

UNIT 11

Preparation for Reading

	в го́сти		to one's place
	на новосе́лье		to a housewarming party
Приглаша́ть	на день рожде́ния	To invite	to a birthday party
	на ве́чер		to an evening party
	в теа́тр		to a theatre
Приглаша́ю вас (тебя́) на новосе́лье!		I invite you to our housewarming party.	

получа́ть / **получи́ть** *что?* to get, to receive
све́тлый light
тёмный dark
удо́бный comfortable
стоя́ть to stand
висе́ть to hang
покупа́ть / **купи́ть** *что?* to buy
приглаша́ть *кого́?* / **пригласи́ть** *куда́?* to invite
е́здить to go
тёплый warm
холо́дный cold
како́й? what?, which?

эта́ж floor
ходи́ть to go
пешко́м on foot
пода́рок present

* * *

получи́ть кварти́ру to get a flat (apartment)
ко́мната с балко́ном room with a balcony
кни́жный шкаф bookcase
кни́жная по́лка bookshelf
пи́сьменный стол desk
журна́льный сто́лик occasional table
ну и как? well?

TEXT

Но́вая кварти́ра

Ната́ша и её ма́ма неда́вно получи́ли кварти́ру. Кварти́ра хоро́шая, све́тлая, удо́бная.

Нале́во больша́я ку́хня. В ку́хне стои́т стол, сту́лья, холоди́льник. На стене́ craft вися́т две по́лки.

Напра́во ко́мната, где живёт Ната́ша. Здесь стои́т дива́н, кни́жный шкаф, пи́сьменный стол. Ната́ша хо́чет купи́ть ещё кре́сла, журна́льный сто́лик и кни́жные по́лки.

А здесь живёт ма́ма. У неё больша́я све́тлая ко́мната с балко́ном. Сле́ва дива́н и ту́мбочка, спра́ва небольшо́й стол, кре́сло и телеви́зор. На стене́ краси́вый ковёр, на окне́ све́тлые занаве́ски.

Сейча́с Ната́ша и её ма́ма на ку́хне. Они́ вме́сте гото́вят: Ната́ша де́лает сала́т, ма́ма гото́вит мя́со. Сего́дня у них новосе́лье. Ната́ша пригласи́ла на новосе́лье Та́ню и Оле́га.

DIALOGUE

Та́ня: Оле́г, нас приглаша́ют на новосе́лье.
Оле́г: Кто?
Та́ня: Ната́ша. Они́ получи́ли кварти́ру.
Оле́г: Ты уже́ ви́дела кварти́ру?
Та́ня: Да, вчера́ е́здила туда́.
Оле́г: Ну и как?
Та́ня: Кварти́ра хоро́шая, све́тлая, тёплая. Две ко́мнаты, больша́я ку́хня, балко́н.
Оле́г: А како́й эта́ж?
Та́ня: Пя́тый. И, гла́вное, институ́т бли́зко. Тепе́рь Ната́ша хо́дит в институ́т пешко́м.
Оле́г: Ме́бель они́ уже́ купи́ли?
Та́ня: Купи́ли, но не всё. Купи́ли но́вый дива́н, о́чень хоро́ший кни́жный шкаф, пи́сьменный стол.
Оле́г: А како́й пода́рок ты хо́чешь купи́ть на новосе́лье?
Та́ня: Вчера́ ходи́ла в наш магази́н, там есть хоро́шие насто́льные ла́мпы. Мо́жно купи́ть ла́мпу.
Оле́г: Хорошо́. А когда́ они́ ждут нас?
Та́ня: В суббо́ту ве́чером.

GRAMMAR

The Adjective. The Nominative Singular and Plural of Adjectives

Он **хоро́ший** друг.	He is a good friend.
Это **удо́бная** кварти́ра.	It is a comfortable apartment.

Singular			Plural
Masculine **како́й?**	Feminine **кака́я?**	Neuter **како́е?**	For all the genders **каки́е?**
но́**вый** больш**о́й** дом хоро́ш**ий**	но́в**ая** больш**а́я** кварти́ра хоро́ш**ая**	но́в**ое** больш**о́е** кре́сло хоро́ш**ее**	но́в**ые** дома́ больш**и́е** кварти́ры хоро́ш**ие** кре́сла

Note.–1. In the nominative singular masculine adjectives have an unstressed ending **-ый** or a stressed ending **-ой**: **но́вый – большо́й.**

2. In the endings of masculine and plural adjectives **-и** is written after the consonants **г, к, х, ж, ш, ч, щ: ру́сский, хоро́ший – ру́сские, хоро́шие.**

3. After the hard consonants **ж** and **ш** the endings **-ий** and **-ие** are pronounced as **-ый** and **-ые,** respectively.

4. In the neuter the adjective **хоро́ший** has the unstressed ending **-ее: хоро́шее кре́сло.**

5. The English counterpart of the interrogative word **како́й** is "what" or "which"; it changes for gender and number like an adjective.

The Adjectives Denoting Colour

бе́лый white
чёрный black
кра́сный red
жёлтый yellow
си́ний dark blue
зелёный green
голубо́й light blue
се́рый grey
кори́чневый brown

The Numeral. Ordinal Numerals

Ordinal numerals change for gender and number like adjectives.

Singular			Plural
Masculine	Feminine	Neuter	For all the genders
пе́рв ый втор о́й дом тре́т ий	пе́рв ая втор а́я кварти́- тре́ть я ра	пе́рв ое втор о́е окно́ тре́т ье	пе́рв ые дома́ втор ы́е кварти́- тре́т ьи ры о́кна

Adjective	Adverb
како́й?	**как?**
Он **хоро́ший** друг. He is a good friend.	Он **хорошо́** говори́т по-ру́сски. He speaks Russian well.

Simple and Complex Sentences

Какóй у них дом? What (kind of) house do they have?	Я не знáю, какóй у них дом. I don't know what house they have.
Какáя у них квартира? What (kind of) apartment do they have?	Я не знáю, какáя у них квар-ти́ра. I don't know what apartment they have.
Какúе кóмнаты в квартúре? What rooms are there in the apartment?	Я не знáю, какúе у них кóм-наты. I don't know what rooms they have.

Ⓟ Indefinite-Personal Sentences

Нас **приглашáют** на новосéлье.	We are invited to a housewarm-ing party.
Менá **пригласúли** в кинó.	I was invited to the movies.

In an indefinite-personal sentence the subject is not mentioned, but is implied. The predicate verb is used in the 3rd person plural (the present or future tense) or in the plural in the past tense:– Нас приглашáют на новосéлье.– Кто?– Натáша. "We are invited to a housewarming party." "By whom?" "By Natasha."

The Verbs ходúть and éздить

ходúть II (*c*)	
я хожý	мы хóдим
ты хóдишь	вы хóдите
он, онá хóдит	онú хóдят

éздить II (*a*)	
я éзжу	мы éздим
ты éздишь	вы éздите
он, онá éздит	онú éздят

Note.–The verb **éздить** has no imperative.

Ходúть пешкóм. To walk, to go on foot.	Ездить на трáнспорте. To go in a conveyance.
На рабóту я всегдá хожý пеш-кóм. I always walk to my work.	Обы́чно я éзжу в институ́т на метрó. I usually go to my college by underground (subway).

Verbs идти́, е́хать and ходи́ть, е́здить

Он идёт.

Он е́дет.

Он хо́дит.

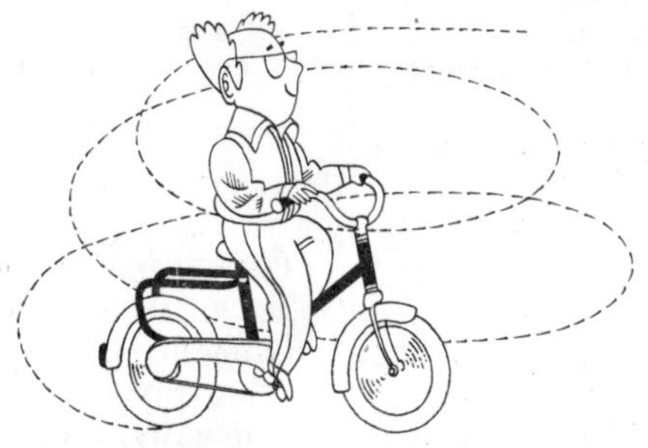

Он е́здит.

The verbs **идти́** and **е́хать** convey a movement proceeding in a definite direction and at a definite time.

1. Утром он идёт в институ́т.
   In the morning he goes to the college.
2. Сего́дня она́ е́дет в центр.
   She is going downtown today.

The verbs **ходи́ть** and **е́здить** convey:

1. A movement without a definite direction or proceeding in different directions.
2. A repeated, habitual, regular movement.
3. A movement there and back.

1. Он хо́дит по ко́мнате.
   He is walking about the room.
2. Ка́ждое утро я хожу́ на рабо́ту.
   Every morning I go to work.
   Ка́ждое ле́то мы е́здим на юг.
   Every summer we go to the south.
3. – Где ты был? "Where were you?"
   – Ходи́л в магази́н. "I went to the store."

The Use of the Verb висе́ть

As a rule, the verb **висе́ть** is used only in the 3rd person singular or plural: Пальто́ виси́т в шкафу́. The coat is in the wardrobe. Костю́мы вися́т в шкафу́. The suits are in the wardrobe.

Verb Groups

чита́ть I (*a*)
покупа́ть **получа́ть** **приглаша́ть**

говори́ть II	alternation
купи́ть (*c*) **получи́ть** (*c*) **пригласи́ть** (*b*) **стоя́ть** (*b*)	**п → пл** **с → ш**

EXERCISES

I. Ask questions about the adjectives.

Model: *Та́ня ви́дела хоро́шие насто́льные ла́мпы.– Каки́е ла́мпы ви́дела Та́ня?*

1. У них хоро́шая кварти́ра: све́тлые ко́мнаты, больша́я ку́хня, ма́ленький балко́н. 2. В ко́мнате но́вая ме́бель: краси́вый дива́н, кни́жный шкаф, пи́сьменный стол.

II. Qualify each of the nouns on the left with suitable adjectives chosen from those on the right. Use the adjectives in the correct form.

Model: *Больша́я, све́тлая кварти́ра.*

Кварти́ра, ку́хня, ко́мната, балко́н, ме́бель, шкаф, стол, дива́н, крова́ть, по́лка, кре́сло, сту́лья.	*большо́й, ма́ленький, све́тлый, тёмный, краси́вый, но́вый, ста́рый, тёплый, удо́бный, хоро́ший, кни́жный, пи́сьменный.*

III. Insert **како́й, кака́я, како́е, каки́е.**

1. Вы не зна́ете, ... тролле́йбус идёт в центр? 2. Вы не зна́ете, ... э́то остано́вка? 3. Ты не зна́ешь, ... э́то кафе́? 4. Ты ви́дел, ... пода́рок они́ купи́ли? 5. Та́ня, ... журна́лы ты смо́тришь?

IV. Complete the dialogues.

1. – Како́й язы́к изуча́ет Джон?
   – ...
   – А ... язы́к изуча́ет Оле́г?
   – Англи́йский.
   – ... он говори́т по-англи́йски?
   – Ещё не о́чень хорошо́.

2. – ... у вас кни́га?
   – Ру́сская.
   – А ... э́то журна́л?
   – То́же ру́сский.

3. – ... называ́ется э́та кни́га?

V. Ask questions, as in the model.

(a) Model: *Вчера́ я смотре́л фильм.– Како́й?*

1. Я купи́л пальто́. 2. Он хо́чет купи́ть костю́м. 3. У неё но́вое пла́тье. 4. Здесь его́ ве́щи. 5. Где твоя́ ша́пка? 6. Я хочу́ купи́ть ту́фли.

(b) Model: *У них но́вая кварти́ра.–Кака́я у них кварти́ра?*

1. У них хоро́шая кварти́ра. 2. В кварти́ре больши́е ко́мнаты. 3. В ку́хне большо́е окно́. 4. В ко́мнате но́вая ме́бель. 5. Сле́ва краси́вый дива́н. 6. Спра́ва удо́бный но́вый пи́сьменный стол и удо́бное кре́сло.

VI. Situation. You have a new apartment. Describe it and the furniture. What have you bought for it?

VII. Read the text, noting the verbs of motion.

Неда́вно Ната́ша получи́ла кварти́ру. Кварти́ра хоро́шая. И институ́т бли́зко, тепе́рь Ната́ша **хо́дит** в институ́т пешко́м. Ра́ньше она́ **е́здила** на метро́ и на авто́бусе.

У́тро. Ната́ша **идёт** в институ́т. Ве́чером она́ возвраща́ется домо́й то́же пешко́м, иногда́ **е́дет** две остано́вки на авто́бусе.

VIII. Change the sentences, as in the model.

(a) Model: *Та́ня была́ в магази́не.*
Та́ня ходи́ла в магази́н.

1. Ната́ша была́ в библиоте́ке. 2. Оте́ц был на заво́де. 3. Брат был в шко́ле. 4. Они́ бы́ли на вы́ставке. 5. Мы бы́ли в теа́тре.

(b) Model: *Мы бы́ли в санато́рии.*
Мы е́здили в санато́рий.

1. Они́ бы́ли в це́нтре. 2. Сестра́ была́ на вокза́ле. 3. Ма́ма была́ в дере́вне. 4. Роди́тели бы́ли на ю́ге. 5. Джон был на ро́дине.

IX. Make up dialogues, as in the model, using the following words and phrases: **(a) конце́рт, вы́ставка, ве́чер; (b) обы́чно на авто́бусе, но сего́дня на тролле́йбусе; обы́чно на трамва́е, но сего́дня на такси́.**

(a) Model: *– Где ты был вчера́ весь ве́чер?*
– Я ходи́л в кино́.

(b) Model: *– Вы е́дете домо́й на метро́?*
– Обы́чно е́зжу на метро́, но сего́дня е́ду на авто́бусе.

X. Translate into Russian.

Recently our friends got an apartment and invited us to the housewarming party. They have a large, light and warm apartment. They have already bought the furniture: a bookcase, a desk, and chairs. We bought a nice present for the occasion: a tablecloth and (some) nice table napkins (serviettes).

Assignment on the Text

1. Кто неда́вно получи́л кварти́ру? Кака́я э́то кварти́ра? Что уже́ купи́ли Ната́ша и её ма́ма. Кого́ они́ пригласи́ли на новосе́лье? Како́й пода́рок хо́чет купи́ть Та́ня?
2. Расскажи́те о свое́й кварти́ре. Кака́я у вас кварти́ра? Кака́я у вас ко́мната? Кака́я ме́бель в ко́мнате?

Ⓢ READ WITH A DICTIONARY

Мы получи́ли кварти́ру

Москва́ растёт, меня́ется, появля́ются но́вые райо́ны.

Мы живём в Конько́во. Это но́вый райо́н. Неда́вно мы получи́ли здесь кварти́ру. Наш дом постро́ил заво́д, где рабо́тают роди́тели.

Но́вая кварти́ра – э́то но́вые прия́тные забо́ты. Ма́ма купи́ла но́вый дива́н, ба́бушка – шкаф, я купи́л велосипе́д. Райо́н наш зелёный, ря́дом лес. В лесу́ я могу́ зимо́й ката́ться на лы́жах, а ле́том на велосипе́де.

У нас в райо́не большо́й спорти́вный ко́мплекс и хоро́ший бассе́йн. И я, и роди́тели, и да́же ба́бушка хо́дим ка́ждое воскресе́нье в бассе́йн.

Ра́ньше мы жи́ли в це́нтре. Когда́ роди́тели получи́ли э́ту кварти́ру, я не хоте́л е́хать в но́вый райо́н. Ведь в це́нтре шко́ла, где я учи́лся семь лет, в це́нтре живу́т мои́ шко́льные друзья́.

Сейча́с я учу́сь в друго́й шко́ле, у меня́ появи́лись но́вые друзья́. В шко́ле есть ша́хматный кружо́к. Я люблю́ ша́хматы и занима́юсь в кружке́.

Мои́ ста́рые друзья́ не забыва́ют меня́. Мы ча́сто встреча́емся, вме́сте хо́дим на стадио́н, в бассе́йн, игра́ем в ша́хматы.

Зна́ете ли вы?

Что то́лько в Москве́ ежего́дно почти́ полмиллио́на челове́к получа́ют но́вые кварти́ры.

Что большинство́ получа́ет кварти́ры беспла́тно, но есть и кооперати́вные кварти́ры. Таки́е кварти́ры семья́ покупа́ет в креди́т. Госуда́рство даёт креди́т на два́дцать пять лет.

спорти́вный ко́мплекс sports complex
ша́хматный кружо́к group of amateur chess-players
зна́ете ли вы?.. do you know ...?
кооперати́вная кварти́ра apartment in a cooperative house
покупа́ть *что́-либо* **в креди́т** to buy something on an instalment plan

Assignment on the Text

Что вы узна́ли о райо́не, где сове́тская семья́ получи́ла кварти́ру?

UNIT 12

Большо́й теа́тр

Preparation for Reading

До за́втра!	See you tomorrow!
До ве́чера!	See you in the evening!
До воскресе́нья!	See you on Sunday!

бале́т ballet
бо́льше more
ме́ньше less, not so much
пье́са play
помога́ть / **помо́чь** to help
понима́ть *что?* / **поня́ть** *кого́?* to understand

платфо́рма platform
внутри́ inside

* * *

мо́жет быть perhaps, maybe
с удово́льствием with pleasure
драмати́ческий теа́тр theatre
ста́нция метро́ Underground station; subway station

9–1350

TEXT

В театре

Та́ня и Оле́г о́чень лю́бят теа́тр, хорошо́ зна́ют моско́вские теа́тры. Та́ня лю́бит бале́т, она́ ча́сто хо́дит в Большо́й теа́тр[1], смо́трит все но́вые спекта́кли. Оле́г бо́льше лю́бит драмати́ческий теа́тр.

Сего́дня Та́ня и Оле́г иду́т в теа́тр «Совреме́нник»[2] на спекта́кль «Три сестры́»[3]. Они́ пригласи́ли Джо́на. Та́ня уже́ приглаша́ла Джо́на в Большо́й теа́тр, они́ смотре́ли бале́т «Лебеди́ное о́зеро»[4]. Тепе́рь Джон пойдёт в драмати́ческий теа́тр. Он прочита́л пье́су А. П. Че́хова «Три сестры́» по-англи́йски и ду́мает, что всё поймёт. Но е́сли бу́дет тру́дно, Оле́г и Та́ня, коне́чно, помо́гут.

DIALOGUE

Оле́г: Джон, что ты бу́дешь де́лать ве́чером?
Джон: Ещё не зна́ю, мо́жет быть, пойду́ в кино́.
Оле́г: Хо́чешь пойти́ в теа́тр?
Джон: На како́й спекта́кль?
Оле́г: На «Три сестры́».
Джон: Пойду́ с удово́льствием. Я чита́л «Три сестры́» по-англи́йски. Ду́маю, что всё пойму́.
Оле́г: Если не поймёшь, помо́жем. Та́ня то́же пойдёт.
Джон: А когда́ начина́ется спекта́кль?
Оле́г: В семь часо́в. Когда́ у вас конча́ются заня́тия?
Джон: В три часа́. Я пообе́даю и в пять обяза́тельно бу́ду до́ма. Где мы встре́тимся?
Оле́г: На ста́нции метро́ «Ки́ровская», внутри́ на платфо́рме. Бу́дем ждать тебя́ в шесть три́дцать.
Джон: Хорошо́. До ве́чера!
Оле́г: До ве́чера.

---

[1] Большо́й теа́тр, the Bolshoi Theatre, the oldest Russian theatre of opera and ballet, founded in 1776, the largest centre of Soviet musical culture.
[2] «Совреме́нник», the Contemporary Theatre, a Moscow theatre, founded in 1957.
[3] «Три сестры́», *The Three Sisters*, a play by Chekhov.
[4] «Лебеди́ное о́зеро», *Swan Lake*, a ballet by Tchaikovsky (1840-1893).

GRAMMAR

Correlations Between Verbal Aspect and Tense

		Imperfective	Perfective
Infinitive		чита́ть	прочита́ть
Present Tense		я чита́ю	
Future Tense	Simple		я прочита́ю
	Compound	я бу́ду чита́ть	
Past Tense		(он) чита́л	(он) прочита́л
Imperative		чита́й! чита́йте!	прочита́й! прочита́йте!

Imperfective verbs are used in the present, past and future tenses. Perfective verbs are used only in the past and future tenses. They are never used in the present tense.

The imperative is formed from verbs of either aspect.

The Future Tense of the Verb
Formation of the Future Tense

Сего́дня ве́чером я **бу́ду чита́ть**, а мо́жет быть, **пойду́** в кино́.
I will read tonight or, perhaps, I will go to the movies.

Russian verbs have two forms of the future tense: the simple future and the compound future.

Only perfective verbs have the simple future. The conjugated forms of perfective verbs are future tense forms.

Я прочита́ю	мы прочита́ем
ты прочита́ешь	вы прочита́ете
он, она́ прочита́ет	они́ прочита́ют

Only imperfective verbs have the compound future. The compound future is formed with the help of the conjugated forms of the verb **быть** and the infinitive of the principal verb.

Я бу́ду чита́ть	мы бу́дем чита́ть
ты бу́дешь чита́ть	вы бу́дете чита́ть
он, она́ бу́дет чита́ть	они́ бу́дут чита́ть

Conjugation of Some Perfective Verbs

дать		
Future Tense		Imperative
я дам ты дашь он, она́ даст	мы дади́м вы дади́те они́ даду́т	дай! да́йте!

Note.–The verb **дать** follows a special conjugation pattern and has an irregular form of the imperative.

лечь I (*a*)			
Future Tense		Past Tense	Imperative
я ля́гу ты ля́жешь он, она́ ля́жет	мы ля́жем вы ля́жете они́ ля́гут	он лёг она́ легла́ они́ легли́	ляг! ля́гте!

Note.–The verb **лечь** has an irregular past tense and an irregular imperative.

помо́чь I (*c*)		
Future Tense		Past Tense
я помогу́ ты помо́жешь он, она́ помо́жет	мы помо́жем вы помо́жете они́ помо́гут	он помо́г она́ помогла́ они́ помогли́

Note.–The verb **помо́чь** has an irregular past tense.

перевести́ I (*b*)		
Future Tense		Past Tense
я переведу́ ты переведёшь он, она́ переведёт	мы переведём вы переведёте они́ переведу́т	он перевёл она́ перевела́ они́ перевели́

Note.–The verb **перевести́** has an irregular past tense.

сесть I (*a*)		
Future Tense		Past Tense
я ся́ду ты ся́дешь он, она́ ся́дет	мы ся́дем вы ся́дете они́ ся́дут	он сел она́ се́ла они́ се́ли

Note.–The verb **сесть** has an irregular past tense.

встать I (*a*)	
я вста́ну ты вста́нешь он, она́ вста́нет	мы вста́нем вы вста́нете они́ вста́нут

нача́ть I (*b*)	
я начну́ ты начнёшь он, она́ начнёт	мы начнём вы начнёте они́ начну́т

взять I (*b*)	
я возьму́ ты возьмёшь он, она́ возьмёт	мы возьмём вы возьмёте они́ возьму́т

поня́ть I (*b*)	
я пойму́ ты поймёшь он, она́ поймёт	мы поймём вы поймёте они́ пойму́т

верну́ться I (*b*)	
я верну́сь ты вернёшься он, она́ вернётся	мы вернёмся вы вернётесь они́ верну́тся

закры́ть I (*a*)	
я закро́ю ты закро́ешь он, она́ закро́ет	мы закро́ем вы закро́ете они́ закро́ют

Verb Groups

чита́ть I (*a*)	говори́ть II (*b*)	закры́ть I (*a*)
помога́ть **реша́ть**	**реши́ть**	**откры́ть**

EXERCISES

I. Answer the questions, as in the model.

(a) M o d e l: – *Она́ пошла́ в магази́н?*
– *Нет, но ско́ро пойдёт.*

1. Он пое́хал в Ленингра́д? 2. Они́ получи́ли кварти́ру? 3. Вы купи́ли холоди́льник? 4. Та́ня верну́лась в Москву́? 5. Они́ уже́ вста́ли? 6. Де́ти легли́ спать? 7. Магази́н уже́ откры́лся? 8. Библиоте́ка уже́ закры́лась? 9. Конце́рт уже́ начался́? 10. Ле́кция ко́нчилась?

(b) M o d e l: – *Ты купи́л слова́рь?*
– *Нет ещё, но обяза́тельно куплю́.*

1. Ты пригласи́л Оле́га на новосе́лье? 2. Ты написа́л письмо́ домо́й? 3. Ты купи́л учё́бник? 4. Ты прочита́л э́тот расска́з? 5. Ты перевёл текст? 6. Ты пригото́вила зада́ние?

II. Answer the questions, as in the model.

M o d e l: – *Ты бу́дешь до́ма в пять часо́в?*
– *Коне́чно, бу́ду.*

1. Ты пригласи́шь его́ на докла́д? 2. Ты вы́ступишь на ве́чере? 3. Ты пригото́вишь у́жин? 4. Ты ку́пишь биле́ты в кино́? 5. Ты ля́жешь спать в оди́ннадцать часо́в?

III. Retell the text, saying that

(a) the events described in it will take place tomorrow;
(b) the events described in it take place daily. Replace the adverb **вчера́** by another adverb to suit the sense.

Вчера́ я встал в 8 часо́в, вы́пил ко́фе и пошёл на рабо́ту. В 9 часо́в я на́чал рабо́тать. В 2 часа́ я пообе́дал. В 5 часо́в я ко́нчил рабо́тать и верну́лся домо́й. Я пригласи́л дру́га в кино́. Мы встре́тились в 7 часо́в и пошли́ в кино́. Домо́й я верну́лся в 9 часо́в, поу́жинал, послу́шал ра́дио и лёг спать.

IV. Change the sentences, as in the model.

M o d e l: – *Джон купи́л англи́йские журна́лы.*
– *Я зна́ю, что он покупа́ет англи́йские журна́лы.*

1. Оле́г **встал** о́чень ра́но. 2. Они́ ра́но **на́чали** рабо́тать. 3. Он **написа́л** хоро́шие стихи́. 4. Она́ хорошо́ **перевела́** расска́з. 5. Андре́й **взял** кни́ги в библиоте́ке. 6. Столо́вая **откры́лась** ра́но.

V. Insert the verbs in the correct form of the appropriate aspect.

1. – Где Ни́на и Ната́ша?
– . . . в кино́. *идти́*
– А куда́ ты . . .? *пойти́*
– В магази́н.

2. Я о́чень хочу́ ... бале́т «Лебеди́ное о́зеро».	*смотре́ть* *посмотре́ть*
3. В воскресе́нье я обы́чно ... ра́но.	*встава́ть* *встать*
4. Андре́й, когда́ пойдёшь в магази́н, не забу́дь ... ко́фе.	*покупа́ть* *купи́ть*
5. Если я уви́жу Та́ню, я ..., что ты ждёшь её.	*говори́ть* *сказа́ть*
6. Ни́на сказа́ла, что ско́ро ...	*возвраща́ться* *верну́ться*
7. Оле́г сказа́л, что хоте́л ... его́ в теа́тр.	*приглаша́ть* *пригласи́ть*
8. Ната́ша сказа́ла, что дива́н они́ уже́ ...	*покупа́ть* *купи́ть*

VI. Speak about your daily routine, using verbs of the appropriate aspect in your account.

(a) Когда́ вы обы́чно встаёте, когда́ начина́ете рабо́тать, когда́ возвраща́етесь домо́й, когда́ ложи́тесь спать?

(b) Когда́ вы вста́ли вчера́, когда́ пошли́ на рабо́ту, когда́ верну́лись домо́й, когда́ легли́ спать?

VII. Describe your plans for tomorrow, answering the following questions.

1. Когда́ вы вста́нете? 2. Когда́ вы начнёте рабо́тать? 3. Когда́ ко́нчите рабо́тать? 4. Когда́ вы вернётесь домо́й? 5. Что вы бу́дете де́лать ве́чером? 6. Когда́ вы ля́жете спать?

VIII. Translate into Russian.

Tanya and Oleg have invited John to a theatre. They often invite him to a theatre or the cinema. Today they will see the play *The Three Sisters*. John has read *The Three Sisters* in English.

Today, when John finishes his studies, he will have lunch and go uptown. Tanya and Oleg will meet him there.

IX. Translate into English.

Я о́чень люблю́ теа́тр. Я люблю́ драмати́ческий теа́тр, а моя́ сестра́ лю́бит бале́т. Сего́дня мы идём в Большо́й теа́тр на бале́т «Лебеди́ное о́зеро». Мы пригласи́ли дру́га. Мы встре́тимся с ним в метро́.

Assignment on the Text

Куда́ приглаша́ет Оле́г Джо́на? На како́й спекта́кль они́ хотя́т пойти́? Когда́ начина́ется э́тот спекта́кль? Когда́ и где Оле́г и Джон встре́тятся?

Ⓢ READ WITH A DICTIONARY

Де́тский музыка́льный теа́тр

В Москве́ на проспе́кте Верна́дского[1] стои́т краси́вое зда́ние. Это Моско́вский госуда́рственный де́тский музыка́льный теа́тр. Де́ти смо́трят и слу́шают здесь музыка́льные спекта́кли. Са́мые ма́ленькие де́ти слу́шают о́перы-ска́зки, смо́трят бале́ты-ска́зки. Это ру́сские наро́дные ска́зки, ска́зка М. Метерли́нка «Си́няя пти́ца»[2], ска́зка Р. Ки́плинга «Ма́угли» и мно́гие други́е.

Моско́вский госуда́рственный де́тский музыка́льный теа́тр

Организова́ла э́тот уника́льный теа́тр тала́нтливый режиссёр-энтузиа́ст Ната́лья Ильи́нична Сац. Ната́лья Ильи́нична родила́сь в музыка́льной семье́: её оте́ц был компози́тор, ма́ма хорошо́ пе́ла. Ната́ша ра́но полюби́ла му́зыку, теа́тр. Она́ мечта́ла о рабо́те в теа́тре.

В 1918 году́ в Москве́ Ната́лья Ильи́нична создала́ пе́рвый де́тский теа́тр. В её теа́тре ча́сто выступа́ли изве́стные сове́тские арти́сты. Пото́м бы́ли други́е де́тские теа́тры. Но Ната́лья Ильи́-

---

[1] Проспе́кт Верна́дского, Vernadsky Avenue, a wide avenue in south-western Moscow.

[2] «Си́няя пти́ца», *The Blue Bird*, a play by Maurice Maeterlinck (1862-1949).

ничнa мечтáла создáть музыкáльный дéтский теáтр. Когдá Натáлья Ильи́нична создавáла э́тот теáтр, мно́гие не вéрили, что дéти бу́дут ходи́ть в него́, бу́дут слу́шать о́перу. Но Натáлья Ильи́нична вéрила: дéти полю́бят музыкáльный теáтр. Здесь, в э́том теáтре, бу́дут идти́ дéтские музыкáльные спектáкли.

Сейчáс э́то о́чень популя́рный дéтский теáтр. Дéти лю́бят свой музыкáльный теáтр. И дéти, и их роди́тели с удово́льствием слу́шают о́перы, смо́трят балéты.

Но́вое здáние теáтра постро́или в 1979 году́. Здесь всё удиви́тельно краси́во и интерéсно. В фойé вас встречáют люби́мые геро́и: деревя́нный мáльчик Бурати́но[1], обезья́нка, кло́уны.

А вот свéтлый дворéц, здесь живёт скáзочная Си́няя пти́ца[2] и пою́т живы́е пти́цы. А вот ко́мната, где дéти мо́гут послу́шать люби́мые скáзки.

Здесь бывáют и инострáнные журнали́сты. Они́ смо́трят музыкáльные спектáкли, пи́шут о теáтре, ведь э́тот теáтр покá еди́нственный в странé.

скáзка *n.* fairy tale
скáзочный *adj.* fairy-tale
о́пера opera
балéт ballet
режиссёр-энтузиáст enthusiastic theatre director
еди́нственный в странé the only one in the country

Assignment on the Text

1. Како́й теáтр нахо́дится в Москвé на проспéкте Вернáдского? Каки́е спектáкли иду́т в э́том теáтре?
2. Кто организовáл теáтр? Что вы узнáли о Натáлье Ильи́ничне Сац?
3. Каки́е теáтры есть в вáшем го́роде? Каки́е спектáкли вы смотрéли?

---

[1] Бурати́но, Buratino, a little wooden man, the hero of the tale *The Gold Key* by the Soviet novelist and short story writer, Alexei Tolstoy.

[2] Си́няя пти́ца, the Blue Bird, a character from *The Blue Bird.* It symbolises happiness.

UNIT 13

Preparation for Reading

Быть в гостя́х у кого́-либо.	To visit smb.
Приглаша́ть в го́сти кого́-либо.	To invite smb. as a guest.

приходи́ть
прийти́ to come
приезжа́ть
прие́хать to come
мочь
смочь *что (с)делать?* to be able, can
звони́ть
позвони́ть to ring up, to telephone
поздравля́ть
поздра́вить *кого́?* to congratulate, to wish smb. well
му́зыка music
петь
спеть *что?* to sing
выступа́ть
вы́ступить to perform
мно́го much, a lot
ма́ло little
танцева́ть to dance

* * *

день рожде́ния birthday
накрыва́ть
накры́ть **на стол** to lay the table

TEXT

День рожде́ния

Сего́дня день рожде́ния Та́ни. Пришли́ её друзья́ и друзья́ Оле́га. Де́душка и ба́бушка Та́ни не смогли́ прие́хать, но ве́чером они́ позвони́ли из Ленингра́да, поздра́вили вну́чку, сказа́ли, что ско́ро прие́дут в Москву́.

Сейча́с го́сти сидя́т в ко́мнате Оле́га, слу́шают му́зыку. Ни́на Петро́вна, Та́ня и её подру́га накрыва́ют на стол.

Ве́чером, когда́ го́сти поу́жинают, Ива́н Серге́евич возьмёт гита́ру. Он и Та́ня бу́дут петь. У Та́ни краси́вый го́лос. Она́ ча́сто выступа́ет в шко́ле. И до́ма лю́бят слу́шать, как она́ поёт.

DIALOGUE

Андре́й: Джон, до́брый ве́чер! Что́-то я давно́ не ви́дел тебя́. Хоте́л вчера́ пригласи́ть тебя́ в кино́, но тебя́ не́ было до́ма.
Джон: Я был в гостя́х у дру́га.
Андре́й: Я его́ зна́ю?
Джон: Да, коне́чно, э́то Оле́г. Вчера́ был день рожде́ния...
Андре́й: Оле́га?
Джон: Нет, Та́ни, его́ сестры́.

Андре́й: А кто ещё там был?
Джон: Роди́тели Та́ни и Оле́га, подру́ги Та́ни, друзья́ Оле́га. Та́ня ещё ждала́ ба́бушку и де́душку из Ленингра́да, но их не́ было, они́ не смогли́ прие́хать.
Андре́й: И до́лго ты был у Оле́га?
Джон: Да, весь ве́чер. Мы мно́го танцева́ли, пе́ли. Зна́ешь, у Тани о́чень краси́вый го́лос.
Андре́й: Она́ поёт?
Джон: Да, и о́чень хорошо́, а оте́ц Оле́га игра́ет на гита́ре.

GRAMMAR

The Genitive Case of Nouns

– **Чьи** э́то роди́тели?	"Whose parents are these?"
– Это роди́тели **Та́ни**.	"They are Tanya's parents."

Nominative **кто? что?**	Genitive **кого́? чего́?**	Ending
студе́нт оте́ц врач дом окно́	студе́нт**а** отц**а́** врач**а́** до́м**а** окн**а́**	**-а**
гость музе́й санато́рий по́ле зда́ние	го́ст**я** музе́**я** санато́ри**я** по́л**я** зда́ни**я**	**-я**
сестра́	сестр**ы́**	**-ы**
студе́нтка кни́га пе́сня аудито́рия тетра́дь мать	студентк**и** кни́г**и** пе́сн**и** аудито́ри**и** тетра́д**и** ма́тер**и**	**-и**

Note.–1. In the genitive masculine and neuter nouns take the ending **-а** if their stem ends in a hard consonant and the ending **-я** if it ends in a soft consonant or a vowel. However, nouns whose stem ends in a soft **-ч** or **-щ** take the ending **-а**, since **я** is never written after **ч** or **щ**.

2. Feminine nouns take the ending **-ы** if their stem ends in a hard consonant and the ending **-и** if it ends in a soft consonant or a vowel. Nouns whose stem ends in **г, к, х, ж** or **ш** take the ending **-и**, since **ы** is never written after **г, к, х, ж** or **ш**.

3. Note the stress in the genitive of the masculine and neuter nouns following the declension pattern of **дом** and **окно́**; do not confuse their genitive with their nominative plural: **о́кна, дома́** (nominative plural), but **окна́, до́ма** (genitive singular).

Masculine nouns ending in **-а, -я**. A small group of masculine nouns ending in **-а, -я (па́па, дя́дя)** have the same endings in all the cases as the corresponding feminine nouns ending in **-а, -я**; cf. **кни́га сестры́ – кни́га па́пы (дя́ди)**

Personal Pronouns in the Genitive

Nominative	Genitive
я	**меня́**
ты	**тебя́**
он, оно́	**его́**
она́	**её**
мы	**нас**
вы	**вас**
они́	**их**

The Use of the Personal 3rd Person Pronouns in the Genitive with and without a Preposition

Его́ **Её** **Их**	не́ было до́ма.	**У него́** **У неё** **У них**	есть э́та кни́га.
He was She They were	not at home.	He has She They have	this book.

Note.–In all the oblique cases singular and plural the pronouns of the 3rd person have **н** added when they follow a preposition: **его́ – у него́.**

The genitive conveys:

(a) possession:

Жена́ бра́та.	Чья жена́?
Брат жены́.	Чей брат?
Письмо́ Оле́га.	Чьё письмо́?
Роди́тели Та́ни.	Чьи роди́тели?

(b) part of a whole:
Улица го́рода.
Лаборато́рия университе́та.
Стака́н ча́я.

The Genitive in Impersonal Sentences after the Negatives нет, не́ было and не бу́дет

Affirmative Sentence (Personal)	Negative Sentence (Impersonal)
Сего́дня оте́ц до́ма. был Сего́дня оте́ц до́ма. бу́дет	Сего́дня отца́ нет до́ма. не́ было Сего́дня отца́ до́ма. не бу́дет
есть В го́роде был стадио́н. бу́дет	нет В го́роде не́ было стадио́на. не бу́дет
есть У меня́ была́ её кни́га. бу́дет	нет У меня́ не́ было её кни́ги. не бу́дет

Note.–1. In impersonal sentences the predicate **нет, не́ было** or **не бу́дет** does not change.

У меня́	был слова́рь. была́ кни́га. бы́ло письмо́.	У меня́	не́ было словаря́. не́ было кни́ги. не́ было письма́.
I had	a dictionary. a book. a letter.	I had no	dictionary. book. letter.

2. In the predicate **не́ было** the stress invariably falls on the particle **не**.

The Verb мочь

мочь I (*c*)		
Present Tense		Past Tense
я могу́ ты мо́жешь он, она́ мо́жет	мы мо́жем вы мо́жете они́ мо́гут	он мог она́ могла́ они́ могли́

мочь I (*c*)
смочь

Note.–The verb **мочь**, which changes in the same way as the verb **лечь**, has an irregular past tense and is never used in the imperative.

The Construction мочь + an Infinitive

Я могу́ пригласи́ть его́ на ве́чер.	I may invite him to the evening party.
Вы мо́жете перевести́ э́тот текст?	Can you translate this text?

Verb Conjugation

прийти́ I (*b*)		
Future Tense		Past Tense
я приду́ ты придёшь он, она́ придёт	мы придём вы придёте они́ приду́т	он пришёл она́ пришла́ они́ пришли́

Note.–The verb **прийти́**, which changes in the same way as the verb **идти́**, has an irregular past tense.

танцева́ть I (*a*)	
я танцу́ю ты танцу́ешь он, она́ танцу́ет	мы танцу́ем вы танцу́ете они́ танцу́ют

Note.–In the present tense the suffix **-ова-** or **-ева-** of verbs which follow this conjugation pattern is replaced with the suffix **-у-**.

петь I (*b*)	
я пою́ ты поёшь он, она́ поёт	мы поём вы поёте они́ пою́т

петь I (*b*)
спеть

Verb Groups

чита́ть I (a)
выступа́ть **накрыва́ть** **поздравля́ть** **приезжа́ть**

говори́ть II	alternation
вы́ступить (*a*) **звони́ть** (*b*) **позвони́ть** (*b*) **поздра́вить** (*a*) **приходи́ть** (*c*)	**п → пл** **в → вл** **д → ж**

откры́ть I (*a*)
накры́ть

е́хать I (*a*)
прие́хать

EXERCISES

I. Answer the questions, as in the model.

Model: – *Это де́ти бра́та и́ли сестры́?*
– *Это де́ти бра́та.*

1. Это роди́тели му́жа и́ли жены́? 2. Это ко́мната отца́ и́ли ма́тери? 3. Это кни́га до́чери и́ли сы́на? 4. Он студе́нт институ́та и́ли университе́та? 5. Это клуб фа́брики и́ли заво́да?

II. Insert the words on the right in the correct form.

Model: *Я читáю письмó дрýга (подрýги).*

1. На столé лежáт кни́ги ...	*студéнт, студéнтка, Тáня, Олéг, Джон*
2. Он слýшал доклáд ...	*учи́тель, преподавáтель, врач, инженéр*
3. В шкафý вися́т вéщи ...	*муж, женá, сын, дочь*
4. Онá пригласи́ла нас на день рождéния ...	*мать, отéц, брат, сестрá*
5. Это общежи́тие ...	*институ́т, университéт, фáбрика, завóд*

III. Answer the questions, as in the model.

Model: *Тáня и Олéг – брат и сестрá.*
– Чей брат Олéг? – Олéг – брат Тáни.
– Чья сестрá Тáня? – Тáня – сестрá Олéга.

1. Ни́на и Андрéй – муж и женá.
   – Чей муж Андрéй?
   – Чья женá Ни́на?

2. Оля и Натáша – подрýги.
   – Чья подрýга Оля?
   – Чья подрýга Натáша?

3. Том и Джон – друзья́.
   – Чей друг Том?
   – Чей друг Джон?

IV. Your sister has married. She has a new apartment. Your parents are discussing what they should buy for the newlyweds. Make up sentences, as in the model.

Model: *У них нет коврá. Кýпим ковёр.*

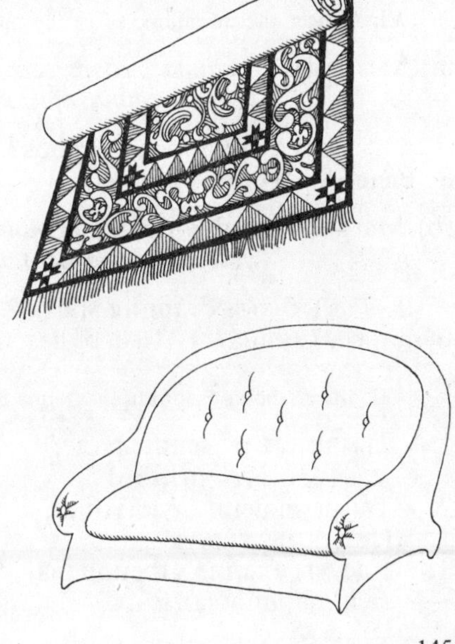

10–1350

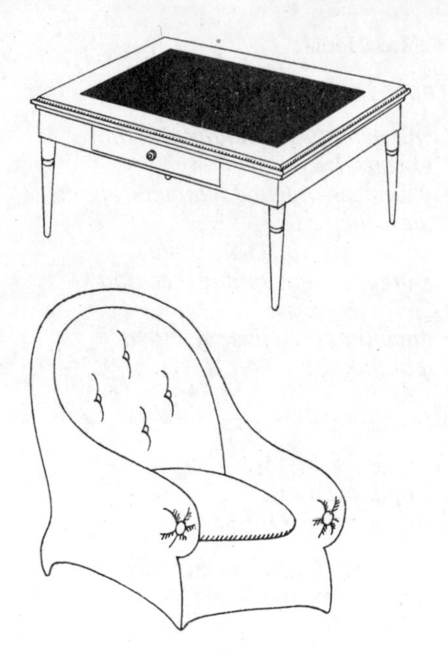

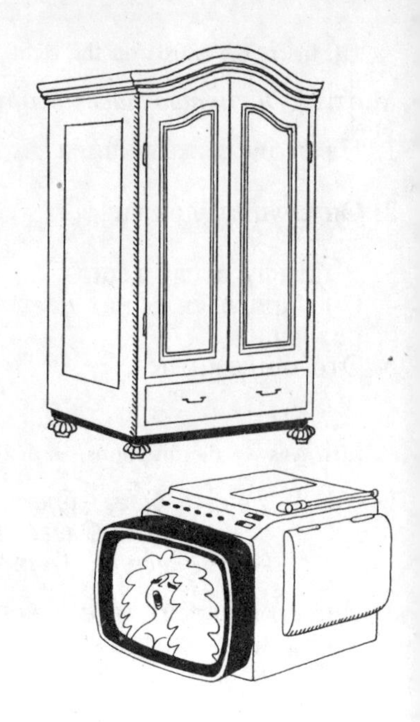

V. Give negative answers to the questions.

Model: – *Вчера́ в клу́бе был спекта́кль?*
– *Нет, спекта́кля не́ было.*

1. В суббо́ту в институ́те был ве́чер? 2. Уже́ была́ ле́кция? 3. Вчера́ был экза́мен? 4. У неё бы́ло новосе́лье? 5. У тебя́ был биле́т в кино́? 6. Его́ расска́з был в журна́ле? 7. Ни́на была́ на ве́чере?

VI. Answer the questions, as in the model.

(a) Model: – *За́втра бу́дет его́ докла́д?*
– *Ду́маю, что докла́да не бу́дет.*

1. За́втра бу́дет его́ уро́к? 2. Сего́дня бу́дет экску́рсия? 3. Ве́чером бу́дет конце́рт?

(b) Model: – *Здесь бу́дет остано́вка авто́буса?*
– *Ду́маю, что остано́вки здесь не бу́дет.*

1. Здесь бу́дет ста́нция метро́? 2. Здесь бу́дет стадио́н? 3. Ря́дом бу́дет гости́ница? 4. Там бу́дет библиоте́ка?

VII. Insert the appropriate pronouns in the correct form.

1. – Ты чита́л о Ленингра́де?
   – Да, я мно́го чита́л о ...
2. – Ты не зна́ешь, где Ни́на?
   – Нет, я не ви́дела ...
3. – Где вы бы́ли? Преподава́тель спра́шивал о ...
4. – Ты не ви́дел Оле́га?
   – Нет. ... не́ было в институ́те.
5. – Ты идёшь в буфе́т? Я жду ...

VIII. (a) Insert the word **оте́ц** in the correct form.

Это фотогра́фия ... Он живёт в Ки́еве. Ле́том я был у ... Неда́вно оте́ц написа́л, что он ско́ро бу́дет в Москве́. Я о́чень жду ...

(b) Insert the word **сестра́** in the correct form.

Это моя́ ... Она́ живёт в Ленингра́де. Я о́чень люблю́ ... и ча́сто быва́ю у ... Вчера́ я получи́л письмо́, сестра́ приглаша́ет меня́ в Ленингра́д. Ско́ро я уви́жу ...

IX. (a) Insert the verb **мочь** in the correct form.

1. – Ты ... пойти́ сего́дня в теа́тр?
   – Ду́маю, что ...
2. – Вы ... пригласи́ть их?
   – Нет, не ...
3. – Он ... сде́лать докла́д?
   – Коне́чно, ...
4. – Они́ ... пое́хать на экску́рсию?
   – Да, ...

(b) Put the sentences in the past tense.

1. Оле́г мо́жет перевести́ э́тот текст. 2. Ни́на мо́жет подожда́ть нас. 3. Они́ мо́гут вы́ступить на ве́чере.

X. Insert the appropriate verb in the correct form.

1. – Где вы хоти́те ...?	*сади́ться*
– ... сюда́, пожа́луйста.	*сесть*
2. – Вчера́, когда́ я е́хал в институ́т, я ... не в тот авто́бус.	
3. – Когда́ ты обы́чно ... спать?	*ложи́ться*
– В 11 часо́в, но вчера́ я ... по́здно.	*лечь*
4. – Когда́ ... столо́вая?	*открыва́ться*
– В 9 часо́в. Сейча́с она́ уже́ ...	*откры́ться*
5. – Когда́ ... ле́кция?	*начина́ться*
– Она́ уже́ ...	*нача́ться*

XI. (a) Translate into Russian.

Yesterday was the birthday of Tanya, Oleg's sister. Tanya's and Oleg's friends had been invited (*lit.* were the guests). Tanya's grandfather and grandmother could not come. They telephoned from Leningrad and wished Tanya a happy birthday (*lit.* congratulated Tanya). The guests sang and danced. Tanya's father played the guitar.

(b) Translate into English.

– Где ты был вчера́?
– В гостя́х у дру́га. Он пригласи́л меня́ на день рожде́ния.
– А кто ещё там был?
– На́ши студе́нты Джон и Том.
– А како́й пода́рок вы купи́ли?
– Часы́.

Assignment on the Text

1. Куда́ Андре́й хоте́л пригласи́ть Джо́на? Почему́ Джо́на не́ было до́ма? У кого́ был Джон? Кто ещё был в гостя́х у Та́ни?

2. Ско́ро у вас день рожде́ния. Что вы бу́дете де́лать в э́тот день? Кого́ вы пригласи́те в го́сти?

Ⓢ READ WITH A DICTIONARY

Москва́

Москва́ ... как мно́го в э́том зву́ке
Для се́рдца ру́сского слило́сь!

А. С. Пу́шкин

Москва́ – столи́ца на́шей страны́, мой родно́й го́род. Я люблю́ Москву́ и хочу́ немно́го рассказа́ть о ней. Дава́йте соверши́м небольшо́е путеше́ствие и посмо́трим наш го́род.

Снача́ла мы отпра́вимся в центр. Вот Кра́сная пло́щадь, Мавзоле́й В. И. Ле́нина, Моско́вский Кремль. Я расскажу́ о них, когда́ бу́ду говори́ть об исто́рии Москвы́.

Продо́лжим путеше́ствие. Это Большо́й теа́тр – старе́йший ру́сский теа́тр о́перы и бале́та. В 1976 году́ Большо́й теа́тр пра́здновал свой двухсотле́тний юбиле́й. Теа́тр э́тот зна́ют и лю́бят не то́лько у нас в стране́. Его́ спекта́кли смотре́ли зри́тели Евро́пы и Азии, Австра́лии и Аме́рики.

А тепе́рь мы на проспе́кте Ма́ркса. Вот Моско́вский университе́т. Он осно́ван в 1755 году́. Это ста́рое зда́ние университе́та, а но́вый университе́тский городо́к постро́или на Юго-За́паде Москвы́. Зде́сь, на проспе́кте Ма́ркса, нахо́дятся ста́рое и но́вое зда́ния Библиоте́ки и́мени В. И. Ле́нина – са́мой кру́пной библиоте́ки Сове́тского Сою́за. Эта старе́йшая библиоте́ка Сою́за уже́ отме́тила свой стодвадцатипятиле́тний юбиле́й.

Перейдём на другу́ю сто́рону Москвы́-реки. Отсю́да открыва́ется о́чень краси́вая панора́ма Кремля́. Недалеко́ – Лавру́шинский переу́лок. В э́том переу́лке нахо́дится знамени́тый ру́сский музе́й – Третьяко́вская галере́я. Основа́л галере́ю в 1892 году́ Па́вел Миха́йлович Третьяко́в, кото́рый почти́ 40 лет собира́л карти́ны для музе́я. Сейча́с э́то са́мый большо́й в ми́ре музе́й ру́сского и сове́тского иску́сства.

А тепе́рь поéдем на Ле́нинские го́ры. Посмо́трим отсю́да панора́му го́рода. Вы ви́дите на берегу́ Москвы́-реки́ спорти́вный ко́мплекс, его́ постро́или в 1956 году́. Это Центра́льный стадио́н и́мени В. И. Ле́нина.

Здесь же недалеко́ от стадио́на на друго́м берегу́ реки́ нахо́дятся но́вые зда́ния МГУ. Это це́лый городо́к: учéбные корпуса́, спорти́вные площа́дки, обсервато́рия, Ботани́ческий сад. Пе́рвые зда́ния но́вого университе́тского городка́ постро́или в 1953 году́.

Университе́т дру́жбы наро́дов им. Патри́са Луму́мбы

Москва́ всё вре́мя растёт. Ка́жется, совсе́м неда́вно появи́лись Но́вые Черёмушки и Юго-За́падный райо́н, сейча́с э́то уже́ не са́мые молоды́е райо́ны Москвы́.

В но́вом райо́не недалеко́ от метро́ «Юго-За́падная» нахо́дится ещё оди́н университе́тский городо́к – э́то уче́бные зда́ния и общежи́тия Университе́та дру́жбы наро́дов и́мени Патри́са Луму́мбы, где обуча́ются студе́нты из Азии, Африки, Лати́нской Аме́рики. Этот интернациона́льный университе́т совсе́м молодо́й: пе́рвые студе́нты на́чали учи́ться в нём в 1960 году́.

К сожале́нию, вре́мя на́шей экску́рсии конча́ется. Мы смогли́ рассказа́ть совсе́м немно́го.

А сейча́с мы соверши́м ещё одно́ путеше́ствие – путеше́ствие в исто́рию Москвы́.

соверша́ть / соверши́ть путеше́ствие to make a trip
дре́вний old, ancient
старе́йший oldest
столе́тний centennial
двухсотле́тний bicentennial
осно́ва́н (was) founded
университе́тский городо́к university campus, university township
ботани́ческий сад botanical gardens
спорти́вный ко́мплекс sports complex
Ле́нинские го́ры name of the high right bank of the Moscow River

Но́вые зда́ния университе́та постро́или на Ю́го-За́паде Москвы́. The new buildings of the university have been built in south-western Moscow.

Немно́го из исто́рии Москвы́

Москва́, Москва́!.. Люблю́ тебя́, как сын,
Как ру́сский,– си́льно, пла́менно и не́жно!

М. Ю. Ле́рмонтов [1].

Храм Васи́лия Блаже́нного

Зна́ете ли вы, что назва́ние «Москва́» впервы́е упомина́ется в ле́тописи в 1147 году́.

Что са́мая ста́рая пло́щадь Москвы́ – Собо́рная пло́щадь в Кремле́, она́ существова́ла уже́ в 1326 году́.

Что Кра́сная пло́щадь получи́ла своё назва́ние от сло́ва «кра́сный», что в древнеру́сском языке́ зна́чило: краси́вый, прекра́сный.

Кра́сная пло́щадь – ме́сто истори́ческое. Здесь проходи́ли наро́дные пра́здники и гуля́нья, здесь был торго́вый центр, здесь зачи́тывались ца́рские ука́зы.

По́сле револю́ции здесь, на Кра́сной пло́щади, прохо́дят пра́здничные демонстра́ции, отмеча́ются ва́жные истори́ческие собы́тия.

Здесь в ию́не 1945 го́да состоя́лся Пара́д Побе́ды. Здесь 12 апре́ля 1961 го́да сове́тский наро́д встреча́л пе́рвого в ми́ре космона́вта Ю́рия Гага́рина.

Зна́ете ли вы, что Моско́вский Кремль – замеча́тельный па́мятник древнеру́сской архитекту́ры. Музе́и Кремля́ храня́т богате́йшую колле́кцию древнеру́сского иску́сства.

---

[1] Ле́рмонтов Михаи́л Ю́рьевич, Mikhail Lermontov (1814-1841), renowned Russian poet and novelist, author of the poem *Demon*, the poems *The Death of a Poet* and *Borodino*, the novel *A Hero of Our Time*, the play *The Masquerade*, etc.

Что на Кра́сной пло́щади нахо́дится Мавзоле́й В. И. Ле́нина. Первонача́льно, в 1924 году́, Мавзоле́й В. И. Ле́нина был постро́ен из де́рева по прое́кту архите́ктора А. В. Щу́сева, а в 1930 году́ постро́или Мавзоле́й из грани́та и лабрадо́ра. Именно э́то зда́ние вы ви́дите сейча́с на Кра́сной пло́щади у Кремлёвской стены.

немно́го a few words
зна́ете ли вы do you know
ле́топись *f.* chronicle
древнеру́сский Old Russian
ца́рский ука́з tsar's edict
по прое́кту *кого́-либо* according to smb.'s plan
грани́т granite
лабрадо́р labradorite

Assignment on the Text

1. Расскажи́те, что вы зна́ете о Москве́? Когда́ впервы́е упомина́ется назва́ние Москва́? Что нахо́дится в це́нтре Москвы́? Как называ́ется центра́льная пло́щадь Москвы́? Что нахо́дится на э́той пло́щади?
2. Быва́ли ли вы в Москве́? Что вы ви́дели в э́том го́роде?
3. Каки́е ещё города́ в СССР вы зна́ете?

UNIT 14

Госуда́рственный универса́льный магази́н (ГУМ)

Preparation for Reading

– Слу́шаю! (Да, алло́!)	"Hello." ("Yes.")
– Бу́дьте добры́, попроси́те Ни́ну.	"May I speak to Nina, please?"
– Её нет. Что́-нибудь переда́ть ей?	"She's out. Can I give her a message?"
– Переда́йте, пожа́луйста, что звони́ла Та́ня.	"Please tell her that Tanya has telephoned."

	исполня́ется is	
Ему́ (ей) He (she)	испо́лнилось was	20 лет. 20.
	испо́лнится will be	

Ему́ (ей) идёт (пойдёт)	э́то пальто́. эта́ руба́шка. э́тот цвет.	This coat This shirt becomes (will become) This colour him (her).

– Како́й у вас разме́р?	"What is your size?"
– У меня́ со́рок восьмо́й.	"Forty-eight."

дари́ть *что?* / **подари́ть** *кому́?* to give
фотоаппара́т camera
портфе́ль briefcase
отдел department
продава́ть *что?* / **прода́ть** *кому́?* to sell
разгово́р conversation
свобо́ден (is) free
за́нят (is) busy
универма́г department store
пока́зывать *что?* / **показа́ть** *кому́?* to show
продаве́ц shop-assistant, salesclerk
разме́р size
нра́виться / **понра́виться** *кому́?* to like
передава́ть *что?* / **переда́ть** *кому́?* to give a message

* * *

разгово́р по телефо́ну telephone conversation
говори́ть по телефо́ну to speak by telephone

TEXT

Пода́рок Оле́гу

За́втра Оле́гу исполня́ется 20 лет. Роди́тели хотя́т подари́ть сы́ну фотоаппара́т. Та́ня то́же хо́чет купи́ть пода́рок бра́ту. Когда́ был день рожде́ния Та́ни, Оле́г подари́л ей о́чень краси́вый портфе́ль, а Та́ня ещё не реши́ла, како́й пода́рок она́ ку́пит Оле́гу.

Та́ня позвони́ла Ната́ше, они́ встре́тились и вме́сте пошли́ в ГУМ [1].

В ГУМе они́ снача́ла хоте́ли купи́ть шарф, а пото́м пошли́ в отде́л, где продаю́т руба́шки и купи́ли Оле́гу руба́шку.

DIALOGUE

Разгово́р по телефо́ну

Ната́ша: Алло́!
Та́ня: Бу́дьте добры́, попроси́те Ната́шу!
Ната́ша: Я слу́шаю. Это ты, Та́ня?
Та́ня: Да, до́брый день! Ты свобо́дна сего́дня?
Ната́ша: Да. А что?
Та́ня: Я хочу́ купи́ть Оле́гу пода́рок. Пойдём вме́сте в ГУМ?
Ната́ша: Хорошо́.

[1] ГУМ, *abbr. for* Госуда́рственный универса́льный магази́н, one of Moscow's department stores, facing Red Square.

В универмáге

Натáша: Что ты хóчешь подарúть емý?
Тáня: Ещё не решúла. Сначáла посмóтрим рубáшки. (*To the shop-assistant.*) Бýдьте добры́, покажúте нам бéлые рубáшки.
Продавéц: Размéр?
Тáня: Трúдцать девя́тый.
Продавéц: Пожáлуйста.
Тáня: Тебé нрáвится э́та рубáшка?
Натáша: Нрáвится.
Тáня: Как ты дýмаешь, онá пойдёт емý?
Натáша: Дýмаю, да.
Тáня: Скóлько онá стóит?
Продавéц: Семь рублéй. Возьмёте?
Тáня: Да.

GRAMMAR

The Dative Case of Nouns

– **Комý** ты звонúл? — "Whom did you telephone?"
– **Брáту.** — "My brother."

Nominative **кто?** *who?* **что?** *what?*	Dative **комý?** *to whom?* **чемý?** *to what?*	Ending
студéнт отéц врач окнó	студéнт**у** отц**ý** врач**ý** окн**ý**	**-у**
гость музéй санатóрий пóле здáние	гóст**ю** музé**ю** санатóри**ю** пóл**ю** здáни**ю**	**-ю**
сестрá студéнтка пéсня	сестр**é** студéнтк**е** пéсн**е**	**-е**
аудитóрия тетрáдь мать	аудитóри**и** тетрáд**и** мáтер**и**	**-и**

Personal Pronouns in the Dative

Nominative	Dative
я ты он она́ мы вы они́	**мне** **тебе́** **ему́** **ей** **нам** **вам** **им**

The Dative Used to Indicate Age

Ско́лько вам / ему́ / ей лет?	Мне / Ему́ / Ей 20 лет.
Ско́лько лет отцу́ / ма́тери / сестре́?	Отцу́ / Ма́тери / Сестре́ 40 лет.

The Construction with the Verb нра́виться

кому́?		**кто?**	**who?**		**whom?**
Мне	нра́вится	**она́**.	**I**	like	**her**.
Ей	нра́влюсь	**я**.	**She**	likes	**me**.
кому́?		**что?**	**who?**		**what?**
Мне	понра́вился э́тот	**фильм.**	**I**	liked that	**film.**
Ей	нра́вятся э́ти	**пе́сни.**	**She**	likes these	**songs.**

Note.– The direct object of the English construction "I like smb./smth." is expressed in Russian by the nominative case and is the subject of the sentence. The subject of the English construction is conveyed in Russian by the dative.

who?	**whom?**	**кому́?**	**кто?**
I like this	girl.	**Мне** нра́вится э́та	**де́вушка**.

Ⓟ Personal and Indefinite-Personal Sentences

Здесь продаю́т руба́шки.	They sell shirts here.
В магази́не продава́ли новые учéбники.	New textbooks were sold in the store.

Они́ пока́жут (показа́ли) нам но́вый фильм.	Нам пока́жут (показа́ли) но́вый фильм.
They will show (showed) us a new movie. (*Personal sentence.*)	A new movie will be shown (was shown) to us. (*Indefinite-personal sentence.*)

Verbs Used with the Dative

говори́ть (сказа́ть)
дава́ть (дать)
дари́ть (подари́ть)
отвеча́ть (отве́тить)
передава́ть (переда́ть) (acc) — *что*? *кому*?
писа́ть (написа́ть)
пока́зывать (показа́ть)
покупа́ть (купи́ть)
продава́ть (прода́ть)
чита́ть (прочита́ть)

звони́ть (позвони́ть)
меша́ть (помеша́ть)[1]
нра́виться (понра́виться) *кому*?
помога́ть (помо́чь)

---

[1]меша́ть *кому*?
помеша́ть *что (с)де́лать*?
to hinder

Verb Groups

чита́ть I (*а*)
меша́ть **помеша́ть** **пока́зывать**

говори́ть II	alternation
дари́ть (*с*) **подари́ть** (*с*) **нра́вится** (*а*) **понра́виться** (*а*)	 **в → вл** **в → вл**

сказа́ть I (*с*)	alternation
показа́ть	**з → ж**

дава́ть I (*б*)
передава́ть

дать
переда́ть **прода́ть**

EXERCISES

I. Answer the questions, using the words given on the right in the correct form.

Model: – *Кому́ он помога́ет?*
– *Он помога́ет студе́нту (студе́нтке).*

1. Кому́ она́ подари́ла руба́шку?	*оте́ц, брат*
2. Кому́ вы помога́ете?	*ма́ма, па́па*
3. Кому́ он пи́шет?	*мать, дочь*
4. Кому́ она́ купи́ла пода́рки?	*сестра́, подру́га*
5. Кому́ вы пока́зывали фотогра́фии?	*друг, това́рищ*
6. Кому́ ты звони́л вчера́?	*преподава́тель, учи́тель*

II. Answer the questions, using the words given below.

Model: *Та́ня купи́ла шарф Оле́гу.*

	что?	**кому́?**
Ната́ша купи́ла	*ла́мпа*	*брат*
	ска́терть	*сестра́*
	ша́пка	*Та́ня*
	га́лстук	*Андре́й*

III. Change the sentences, as in the model.

(a) Model: *Брат помога́ет сестре́. Сестра́ помога́ет бра́ту.*

1. Муж написа́л жене́. 2. Мать помога́ет до́чери. 3. Сын купи́л пода́рок отцу́. 4. Андре́й позвони́л Ни́не. 5. Оле́г подари́л портфе́ль дру́гу. 6. Та́ня купи́ла биле́т в теа́тр подру́ге.

(b) Model: *Я дам уче́бник тебе́. Ты дашь уче́бник мне.*

1. Она́ даст вам слова́рь. 2. Мы ска́жем вам о ве́чере. 3. Я куплю́ тебе́ газе́ту. 4. Он помо́жет им.

IV. Answer the questions, as in the model.

Model: – *Мне понра́вилась э́та по́лка, а тебе́?*
– *Мне то́же понра́вилась.*

1. Мне нра́вится э́тот дива́н, а тебе́? 2. Оле́гу понра́вилось э́то кре́сло, а Андре́ю? 3. Ната́ше понра́вился э́тот ковёр, а Ни́не? 4. Та́не понра́вились э́ти занаве́ски, а Оле? 5. Нам понра́вились э́ти сту́лья, а вам? 6. То́му понра́вилась э́та ла́мпа, а Джо́ну?

V. Replace the pronouns with the appropriate nouns.

Model: *Та́ня и Оле́г бы́ли у Ната́ши. Им понра́вилась кварти́ра Ната́ши.*
Та́не и Оле́гу понра́вилась кварти́ра Ната́ши.

1. Оте́ц и мать ча́сто быва́ют в Ленингра́де. Им о́чень нра́вится э́тот го́род. 2. Андре́й и Ната́ша посмотре́ли но́вый

бале́т. Им понра́вился э́тот бале́т. 3. Вы и Джон бы́ли на экску́рсии. Вам понра́вилась экску́рсия. 4. Том посмотре́л но́вый спекта́кль. Спекта́кль понра́вился ему́. 5. Я и Оле́г слу́шали ле́кцию. Нам понра́вилась э́та ле́кция. 6. Преподава́тель слу́шал докла́д Джо́на. Ему́ понра́вился докла́д.

VI. You have bought a shirt for your brother, a weathercoat for your sister, a suit for your mother, an overcoat for your father, a tie for a friend, a cap for a friend, a scarf for a friend. These things become them. How will you say it in Russian?

Model: *Подру́ге идёт э́та ша́пка.*

VII. Insert the appropriate pronouns in the correct form.

1. Вчера́ Ната́ша пригласи́ла нас. Она́ показа́ла ... кварти́ру.
2. – Ты не бу́дешь сего́дня у неё?
   – Нет, но я позвоню́ ...
3. – Ты свобо́ден сего́дня? Андре́й хоте́л купи́ть ... биле́т в кино́.
   – Скажи́..., что я сего́дня за́нят.
4. Я купи́ла кра́сный костю́м. Посмотри́, идёт ... э́тот цвет.
5. Я давно́ не ви́дела Та́ню и Оле́га. Дай ... мой но́вый телефо́н.
6. Если вы не смо́жете перевести́ э́тот текст, я могу́ помо́чь ...

VIII. You are in a store to choose a present for a friend. What questions will you ask the salesclerk? What is he (she) likely to say to you? Make up a dialogue on this topic.

IX. Complete the dialogues.

1. – Покажи́те, пожа́луйста, бе́лый костю́м.
   – ...?
   – Со́рок шесто́й.
   – ...
   – Ско́лько он сто́ит?
   – ...
2. – Слу́шаю.
   – ...
   – Её нет до́ма. Что ей переда́ть?
3. – Попроси́те, пожа́луйста, Андре́я.
   – ...
   – Передайте, пожа́луйста, что звони́л Оле́г. Я позвоню́ ему́ ве́чером.

X. Ring up a friend and invite him (her) to a theatre or the movies. Make up dialogues on the following situations: (a) he (she) is not at home; (b) he (she) is free and accepts your invitation with pleasure; (c) he (she) is busy and cannot accept your invitation.

XI. Insert the appropriate verbs in the correct form.

1. Когда́ я возвраща́юсь по́здно, Оле́г ... меня́. Если я ко́нчу рабо́тать по́здно, ... меня́. — *встреча́ть, встре́тить*
2. Если ты пойдёшь в магази́н, ... мне хлеб. Я всегда́ ... здесь газе́ты. — *покупа́ть, купи́ть*
3. Бу́дьте добры́, ... нам э́тот зо́нтик. — *пока́зывать, показа́ть*

4. Что ты реши́ла ... ему́?

5. Я ча́сто ... кни́ги в библиоте́ке.
Этот уче́бник я ... вчера́.

дари́ть
подари́ть
брать
взять

XII. Translate into Russian.

Nina is 20. Tanya wants to buy a present for her. In the morning Tanya went to a department store. She liked a blue scarf in the store. Tanya bought it. Then she bought some flowers. Nina liked the presents very much. Nina's mother gave Nina a bag. Nina liked the bag, too.

Assignment on the Text

1. Ско́лько лет исполня́ется Оле́гу? Что реши́ла Та́ня подари́ть бра́ту? Кому́ она́ позвони́ла? Куда́ пошли́ Та́ня и Ната́ша? Что они́ купи́ли?

2. Read the text and retell it (a) as though you were John; (b) in the third person: «Познако́мьтесь, его́ зову́т ..., он прие́хал ...».

Как я купи́л пода́рок дру́гу

Дава́йте познако́мимся. Меня́ зову́т Том. Я прие́хал из Англии. Сейча́с я живу́ в Москве́ и учу́сь в университе́те. У меня́ есть друг Джон, он прие́хал из Аме́рики. Мы живём и у́чимся вме́сте.

Неда́вно Джон пригласи́л меня́ на день рожде́ния. Я до́лго ду́мал, что подари́ть Джо́ну, и, наконе́ц, реши́л купи́ть ему́ шарф. Я пое́хал в универма́г «Москва́». Я уже́ знал, что э́то хоро́ший универма́г на Ле́нинском проспе́кте. Я е́здил туда́, когда́ покупа́л пода́рки ма́ме, отцу́, сестре́.

Когда́ я вошёл в универма́г, я спроси́л, где мо́жно купи́ть шарф. Мне отве́тили: «На второ́м этаже́». На второ́м этаже́ я уви́дел отде́л, где продаю́т ша́рфы и га́лстуки. Мне понра́вился краси́вый си́ний шарф, и я спроси́л продавца́, ско́лько он сто́ит.

– 8 рубле́й,– отве́тил продаве́ц.

Я купи́л э́тот шарф и верну́лся домо́й. Джон уже́ ждал меня́. Я помо́г ему́ пригото́вить у́жин. Ве́чером пришли́ на́ши друзья́ Са́ша и Оле́г. Они́ поздра́вили Джо́на и подари́ли ему́ кни́ги: стихи́ Пу́шкина и расска́зы Че́хова.

(S) READ WITH A DICTIONARY

Образова́ние в СССР

Зна́ете ли вы, что в СССР у́чится ка́ждый тре́тий челове́к.
Что в СССР всео́бщее обяза́тельное сре́днее образова́ние.
Что обуче́ние в шко́ле, те́хникуме, институ́те беспла́тное.
Что студе́нты, кото́рые занима́ются успе́шно, получа́ют стипе́ндию.

Что квалифици́рованные рабо́чие ка́дры гото́вят СПТУ (сре́дние профессиона́льно-техни́ческие учи́лища), где ученики́ получа́ют не то́лько профе́ссию, но и сре́днее образова́ние.

Сове́тская шко́ла

В СССР существу́ет еди́ный тип общеобразова́тельной сре́дней шко́лы.

В настоя́щее вре́мя осуществля́ется шко́льная рефо́рма. Улу́чшить систе́му воспита́ния и образова́ния молодёжи – гла́вная зада́ча рефо́рмы шко́лы.

Мно́гие шко́лы уже́ перешли́ на но́вую систе́му рабо́ты. Это шко́лы-одиннадцатиле́тки. Шестиле́тние ученики́ поступа́ют в подготови́тельный (нулево́й) класс, где они́ у́чатся оди́н год. Образование в шко́ле-одиннадцатиле́тке продолжа́ется оди́ннадцать лет. Учени́к конча́ет шко́лу в семна́дцать лет.

Шко́лы, кото́рые ещё не перешли́ на но́вую систе́му рабо́ты,– э́то шко́лы-десятиле́тки. В них отсу́тствует нулево́й (подготови́тельный) класс. Учени́к у́чится здесь де́сять лет.

По́лная сре́дняя шко́ла – э́то шко́ла-десятиле́тка и́ли одиннадцатиле́тка. Непо́лная сре́дняя шко́ла – это восьмиле́тка и́ли девятиле́тка.

Докуме́нт об оконча́нии восьмиле́тки (девятиле́тки) даёт пра́во поступа́ть в сре́дние специа́льные учёбные заведе́ния (те́хникумы, СПТУ). Докуме́нт об оконча́нии десятиле́тки (одиннадцатиле́тки) – аттеста́т зре́лости – и́ли докуме́нт об оконча́нии те́хникума, СПТУ даёт пра́во поступа́ть в вы́сшие учёбные заведе́ния (институ́ты, университе́ты).

сре́днее образова́ние secondary education
вы́сшее образова́ние higher education
рабо́чие ка́дры work force
те́хникум technical secondary school
СПТУ (сре́днее профессиона́льно-техни́ческое учи́лище) vocational school
не то́лько…, но и… not only…, but also…
еди́ный тип single type
общеобразова́тельная шко́ла general educational school
осуществля́ется is being carried out
шко́льная рефо́рма (secondary) school reform
систе́ма воспита́ния (образова́ния) educational system
око́нчить шко́лу (институ́т) to finish school (to graduate from college)
восьмиле́тка eight-year school
девятиле́тка nine-year school
десятиле́тка ten-year school
одиннадцатиле́тка eleven-year school
аттеста́т зре́лости school-leaving certificate

Ученики́ получа́ют здесь не то́лько профе́ссию, но и сре́днее образова́ние. The students do not only master a trade there, but receive a secondary education as well.

Са́мые молоды́е студе́нты

Обы́чно сове́тский шко́льник конча́ет шко́лу, когда́ ему́ исполня́ется семна́дцать лет. В семна́дцать лет ю́ноши и де́вушки, кото́рые око́нчили шко́лу, поступа́ют в институ́т и́ли университе́т.

Неда́вно в Моско́вский университе́т на физи́ческий факульте́т поступи́л Серёжа Гри́шин. Студе́нту двена́дцать лет. А в Моско́вский фи́зико-техни́ческий институ́т поступи́л Сла́ва Чебуко́в. Сла́ве то́же двена́дцать лет.

Сейча́с э́то са́мые молоды́е студе́нты в СССР.

Серёжа Гри́шин роди́лся в го́роде Криво́й Рог[1]. Ему́ бы́ло четы́ре ме́сяца, когда́ он на́чал говори́ть. Когда́ Серёже испо́лнилось два го́да и четы́ре ме́сяца, он уже́ свобо́дно чита́л. В во́семь лет он хорошо́ игра́л в ша́хматы. В шко́лу Серёжа пошёл не в пе́рвый класс, а сра́зу в тре́тий. В двена́дцать лет Серёжа око́нчил шко́лу. Тепе́рь Серёжа студе́нт.

Что же лю́бит студе́нт Серёжа? Серёжа лю́бит му́зыку, ша́хматы, но, гла́вное, фи́зику. Люби́мый учёный Серёжи – Альбе́рт Эйнште́йн.

Сла́ва Чебуко́в прие́хал в Москву́ из Симферо́поля[2]. Он то́же око́нчил шко́лу в двена́дцать лет. Люби́мые предме́ты Сла́вы – фи́зика и матема́тика, по́этому он поступи́л в фи́зико-техни́ческий институ́т.

У Сла́вы есть ста́ршая сестра́ Ли́за. Ей четы́рнадцать лет, она́ у́чится в деся́том кла́ссе. В пятна́дцать лет Ли́за око́нчит шко́лу.

Assignment on the Text

1. Расскажи́те, что вы узна́ли о систе́ме образова́ния в СССР.
2. Расскажи́те о систе́ме образова́ния в ва́шей стране́.
3. Расскажи́те о студе́нте Серёже Гри́шине и студе́нте Сла́ве Чебуко́ве. Где они́ у́чатся? Где Серёжа и Сла́ва ко́нчили шко́лу? Что ещё вы мо́жете сказа́ть о них?

---

[1] Криво́й Рог, Krivoi Rog, a city in the Ukraine.
[2] Симферо́поль, Simferopol, a city in the Crimea.

11–1350

UNIT 15

г. Яросла́вль

Preparation for Reading

Проводи́ть Провести́	вре́мя, ве́чер, воскресе́нье и т. д.	To spend time, an evening, Sunday, etc.

Одну́ мину́ту! (Мину́тку!)	Just a minute (a moment)!

стари́нный old
организова́ть *что?* to organise
проводи́ть, **провести́** *что?* to spend
вре́мя time
космона́вт cosmonaut
космона́втика cosmonautics
бе́рег bank
перее́хать *отку́да? куда́?* to move
кото́рый which, who
дежу́рная receptionist
но́мер room
заполня́ть, **запо́лнить** *что?* to fill in, to fill out
листо́к form
ключ key
ста́вить *что?*, **поста́вить** *куда́?* to put
ка́жется it seems
тепло́ (is) warm
хо́лодно (is) cold
ве́шать *что?*, **пове́сить** *куда́?* to hang
кла́сть *что?*, **положи́ть** *куда́?* to put, to place
лежа́ть *где?* to be, to lie
совсе́м quite
до́лжен (one) must
проси́ть *кого́?*, **попроси́ть** *что (с)де́лать?* to ask

* * *

но́мер на одного́ (на двои́х) single (double) room

запо́лнить листо́к (бланк) to fill in (out) a form

ключ от но́мера key to a room

TEXT

На экску́рсии

За́втра Джон и Оле́г е́дут в Яросла́вль – стари́нный ру́сский го́род на Во́лге[1]. Университе́т организова́л экску́рсию в Яросла́вль. Жить студе́нты бу́дут в гости́нице. Они́ интере́сно проведу́т вре́мя.

Здесь в Яросла́вле жила́ и рабо́тала пе́рвая же́нщина-космона́вт Валенти́на Терешко́ва. Семья́ Ва́ли[2] жила́ в дере́вне на берегу́ Во́лги, пото́м перее́хала в Яросла́вль. Здесь мать Ва́ли, а пото́м и Ва́ля рабо́тали на фа́брике, кото́рая называ́ется «Кра́сный Переко́п»[3].

Джон и Оле́г обяза́тельно пойду́т на экску́рсию на фа́брику, где рабо́тала Терешко́ва.

DIALOGUE

В гости́нице

Д е ж у́ р н а я: Вам но́мер на двои́х?
О л е́ г: Да.
Д е ж у́ р н а я: Пожа́луйста, запо́лните э́ти листки́. Ваш но́мер два́дцать пя́тый. Вот ключ от но́мера.
О л е́ г: Спаси́бо. А како́й э́то эта́ж?
Д е ж у́ р н а я: Второ́й.

В но́мере

О л е́ г: Дава́й поста́вим су́мки и пойдём в го́род.
Д ж о н: Хорошо́. Сейча́с, ка́жется, тепло́, пове́сим пальто́ и пойдём.
О л е́ г: Куда́ ты положи́л ключ от но́мера?
Д ж о н: Он лежи́т на столе́.
О л е́ г: Одну́ мину́ту, совсе́м забы́л, я до́лжен позвони́ть в Москву́. Ма́ма проси́ла меня́ позвони́ть, когда́ мы прие́дем. Е́сли мо́жешь, подожди́ меня́.
Д ж о н: Коне́чно, подожду́.

---

[1] Во́лга, the Volga, a river in the European part of the Soviet Union. It is the largest river in Europe.

[2] Ва́ля, Valya, diminutive of the feminine (fore)name Валенти́на and the masculine (fore)name Валенти́н.

[3] «Кра́сный Переко́п», name of a textile factory in Yaroslavl.

GRAMMAR

The Use of the Verbs ста́вить (поста́вить) – стоя́ть, etc.

– **Куда́** ты положи́л ключ?	“Where did you put the key?”
– **На стол.** Он лежи́т **на столе́.**	“On the table. It’s on the table.”

куда́? *where to?*		**где?** *where*
Imperfective	Perfective	Imperfective
ста́вить класть ве́шать	поста́вить положи́ть пове́сить *что? куда́?*	стоя́ть лежа́ть висе́ть
сади́ться ложи́ться	сесть лечь *куда́?*	сиде́ть лежа́ть

Он ста́вит кни́гу на по́лку.

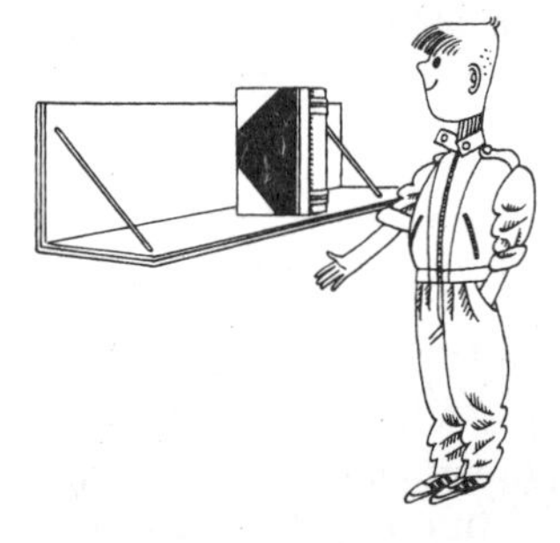

Он поста́вил кни́гу на по́лку.

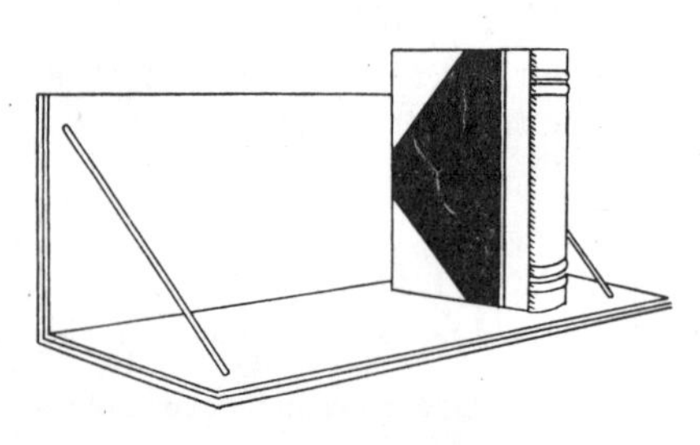

Кни́га стои́т на по́лке.

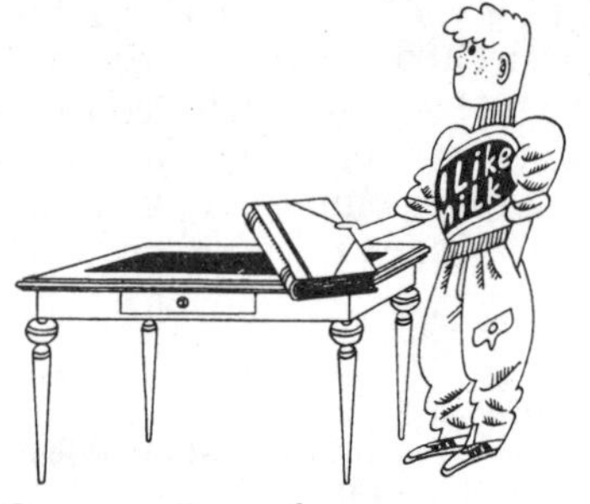

Он кладёт кни́гу на стол.

Он положи́л кни́гу на стол.

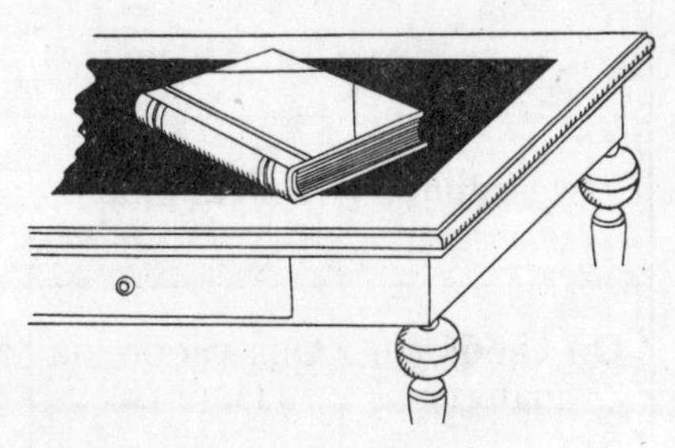

Кни́га лежи́т на столе́.

Он ве́шает пальто́. Он пове́сил пальто́. Пальто́ виси́т.

The Short Form of Adjectives

За́втра у меня́ бу́дет **свобо́дный** день.	За́втра я бу́ду **свобо́ден.**
I'll have a free day tomorrow.	I'll be free tomorrow.

Qualitative adjectives have a long and short forms: **свобо́дный – свобо́ден, за́нятый – за́нят**. In a sentence the long form is used as an attribute, and the short form as the predicate.

Both the long and the short form of adjectives change for gender and number.

Singular			Plural
Masculine	Feminine	Neuter	For All the Genders
Он свобо́ден (за́нят)	Она́ свобо́дна (занята́)	Ме́сто свобо́дно (за́нято)	Мы свобо́дны (за́няты)

Note.– If there is a cluster of consonants at the end of an adjectival stem, there appears the vowel **-е-** in the masculine short form: **свобо́дна,** but **свобо́ден.**

Present Tense	Future Tense	Past Tense
Он свобо́ден	Он бу́дет свобо́ден	Он был свобо́ден

Note.– In such constructions the tense is indicated by the verb **быть** placed before the short-form adjective. This verb is omitted in the present tense.

The Construction до́лжен + an Infinitive

	Masculine	Feminine	Plural
Present Tense	Он до́лжен рабо́тать	Она́ должна́ рабо́тать	Мы должны́ рабо́тать
Past Tense	Он до́лжен был рабо́тать	Она́ должна́ была́ рабо́тать	Мы должны́ бы́ли рабо́тать

Note.– 1. The construction **до́лжен** + an infinitive is used with the meaning of the present and future tenses: За́втра он до́лжен рабо́тать. "He must work tomorrow." = За́втра он до́лжен бу́дет рабо́тать. "He will have to work tomorrow."

2. The verb **быть,** which indicates the tense, is placed after the word **до́лжен** and is omitted in the present tense.

The Verbs **спра́шивать – спроси́ть , проси́ть – попроси́ть**

спра́шивать – спроси́ть *кого́? о ком? о чём?*	**проси́ть – попроси́ть** *кого́? что (с) де́лать?*
Он спроси́л меня́ о мое́й семье́. Он спроси́л меня́, где я живу́.	Он попроси́л меня́ купи́ть ему́ газе́ту.

Note.– The verb **спра́шивать** conveys a question and is never used with an infinitive. The verb **проси́ть** conveys a request and is frequently used with an infinitive.

Он спроси́л,	как её зовут.	He asked	what her name was.
	где я живу́.		where I lived.
	куда́ я иду́.		where I was going to.
	что я де́лал вчера́.		what I had been doing the day before.
	чьи э́то кни́ги и т. д.		whose books they were, etc.

Verb Groups

чита́ть I (*a*)
ве́шать

говори́ть II	alternation
лежа́ть (*b*)	
ста́вить (*a*)	**в → вл**
поста́вить (*a*)	**в → вл**
пове́сить (*a*)	**с → ш**
положи́ть (*c*)	
проси́ть (*c*)	**с → ш**
попроси́ть (*c*)	**с → ш**
проводи́ть (*c*)	**д → ж**

е́хать I (*a*)
перее́хать

танцева́ть I (*a*)
организова́ть

перевести́ (*b*)	alternation
провести́	**ст → д**
класть	**ст → д**

EXERCISES

I. Insert the correct form of the verbs **ста́вить (поста́вить), класть (положи́ть), ве́шать (пове́сить)** or **стоя́ть, лежа́ть.**

1. Пи́сьменный стол мы ... в кабине́т. Стол ... в кабине́те.
2. – Куда́ ты ... ве́щи?
   – Они́ ... в чемода́не.
3. Он ... плащ в шкаф. Плащ... в шкафу́.
4. – Куда́ ты ... цветы́?
   – Они́ ... на окне́.
5. – ..., пожа́луйста, фру́кты на таре́лку.
   – Они́ ... на таре́лке.
6. – Ты ... слова́рь на по́лку?
   – Да, он ... на по́лке.

II. Answer the questions, as in the model.

Model: – *Куда́ вы поста́вили холоди́льник? – На ку́хню.*
– *Где стои́т холоди́льник? – На ку́хне.*

1. – Куда́ вы поста́вили дива́н?
   – Где стои́т дива́н?

2. – Куда́ вы пове́сили пальто́?
   – Где виси́т пальто́?

3.– Куда́ вы поста́вили кни́ги?
– Где стоя́т кни́ги?

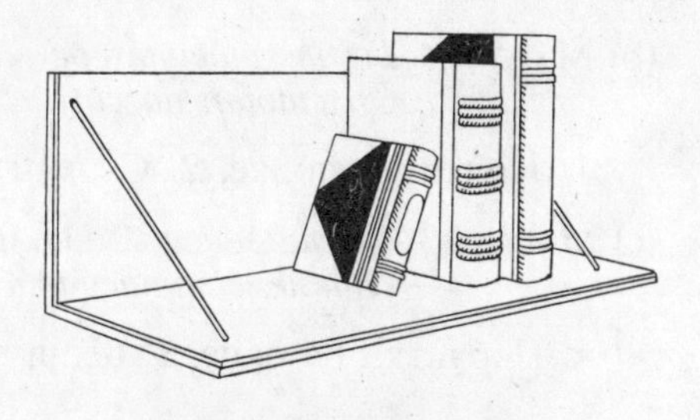

4.– Куда́ вы положи́ли газе́ты и журна́лы?
– Где лежа́т газе́ты и журна́лы?

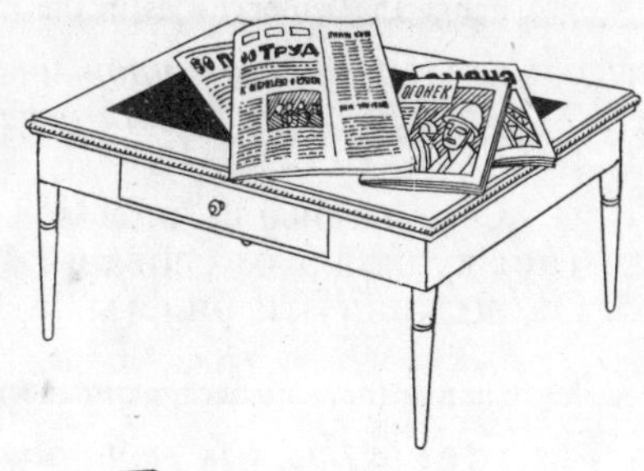

5.– Куда́ вы положи́ли сыр?
– Где лежи́т сыр?

III. Insert the verbs given on the right in the correct form.

1. (a) – Куда́ ты ... ключ от но́мера?	*класть*
– Он ... на столе́.	*положи́ть*
(b) – Куда́ ты обы́чно ... э́ти ве́щи?	*лежа́ть*
– В ту́мбочку.	
2.– Ты не зна́ешь, где мой слова́рь?	*ста́вить*
– Ты, ка́жется, ... его́ на по́лку.	*поста́вить*
– Да, он ... на по́лке.	*стоя́ть*
3.– Когда́ вы обы́чно ... спать?	*ложи́ться*
– В оди́ннадцать, но вчера́ мы ... спать	*лечь*
о́чень по́здно.	*лежа́ть*
4. (a) – Где вы ... в теа́тре? Я вас не ви́дел.	*сади́ться*
(b) – Здесь свобо́дно?	*сесть*
– Да, ..., пожа́луйста.	*сиде́ть*

IV. Make up short dialogues, as in the model.

(a) Model: – *Ты не зна́ешь, где мой плащ?*
– *Он виси́т в шкафу́. Ты сам пове́сил его́ в шкаф.*

1. Пальто́ в шкафу́. 2. Костю́м в шкафу́. 3. Га́лстук на сту́ле.

(b) Model: – *Ты не зна́ешь, где мой портфе́ль?*
– *Он стои́т на сту́ле, ты сам поста́вил его́ на стул.*

1. Кни́ги на по́лке. 2. Стака́н на столе́. 3. Кре́сло в ко́мнате.

(c) Model: – *Ты не зна́ешь, где мои́ тетра́ди?*
– *Они́ лежа́т на столе́, ты сама́ положи́ла их на стол.*

1. Перча́тки на окне́. 2. Ве́щи на дива́не. 3. Ша́пка в чемода́не.

V. Change the sentences, as in the model.

Model: – *Он перевёл э́тот текст?*
– *Он до́лжен был перевести́ его́ ещё вчера́.*

1. Она́ написа́ла письмо́? 2. Оле́г прочита́л э́тот журна́л? 3. Та́ня купи́ла э́тот слова́рь? 4. Они́ пригласи́ли Джо́на на ве́чер? 5. Он получи́л э́ти биле́ты? 6. Она́ ко́нчила рабо́ту?

VI. Change the sentences, as in the model.

(a) Model: – *Брат не взял э́тот журна́л.*
– *Он до́лжен взять э́тот журна́л.*

1. Оле́г не пошёл в институ́т. 2. Она́ не пое́хала на фа́брику. 3. Он не встре́тил сестру́. 4. Ни́на не дала́ мне уче́бник. 5. Они́ не поздра́вили Та́ню. 6. Мы не пригласи́ли Джо́на.

(b) Model: – *Она́ не пока́жет мне фотогра́фии?*
– *Она́ должна́ показа́ть тебе́ фотогра́фии.*

1. Андре́й не позвони́т мне? 2. Та́ня не вернётся в семь часо́в? 3. Они́ пригото́вят зада́ние? 4. Он помо́жет мне? 5. Она́ бу́дет занима́ться?

VII. Insert either the long or the short-form adjective.

1. – Ты бу́дешь ... сего́дня?	*свобо́дный*
– Да, у меня́ бу́дет ... ве́чер.	*свобо́ден*
2. Сего́дня он о́чень ...	*занято́й*
Он о́чень ... челове́к.	*за́нят*
3. Мы смотре́ли ... фильм.	*интере́сный*
	интере́сен

VIII. Change the sentences, as in the model.

(a) Model: *Ве́чером она́ занята́. Ве́чером она́ была́ занята́.*

1. Сего́дня он за́нят. 2. В пять часо́в она́ свобо́дна. 3. В суббо́ту мы свобо́дны.

(b) Model: *В воскресе́нье он свобо́ден. В воскресе́нье он бу́дет свобо́ден.*

1. В понеде́льник она́ занята́. 2. В сре́ду я свобо́ден. 3. Ве́чером они́ свобо́дны.

IX. Insert the verbs **спра́шивать – спроси́ть** or **проси́ть – попроси́ть** in the correct form.

1. Та́ня ..., ско́лько сто́ит э́та ко́фта. Та́ня ... Оле́га встре́тить её. 2. Джон давно́ не ви́дел Оле́га и ... меня́ о нём. Джон ... меня́ перевести́ э́тот текст. 3. Ната́ша ... меня́, како́й язы́к я изуча́ю. Ната́ша ... меня́ купи́ть ей конве́рты.

X. Answer the questions, using the verb **спроси́ть** or **попроси́ть** as required by the sense.

Model: *1. Нина́: Ско́лько сто́ит сок? (Что сде́лала Ни́на?) Она́ спроси́ла, ско́лько сто́ит сок.*
2. Оле́г: Та́ня, купи́, пожа́луйста, тетра́ди. (Что сде́лал Оле́г?) Он попроси́л Та́ню купи́ть тетра́ди.

1. Та́ня: Оле́г, купи́, пожа́луйста, биле́ты в кино́.
2. Оле́г: Когда́ начина́ется конце́рт?
3. Ни́на: Ната́ша, прочита́й э́тот расска́з.
4. Ната́ша: Как называ́ется э́тот расска́з?
5. Та́ня: Оле́г, откро́й, пожа́луйста, окно́.
6. Джон: Том, когда́ открыва́ется библиоте́ка?

XI. Translate into Russian.

1. Oleg put the suitcase on the floor, hung the coat and the suit in the wardrode and put the key on the table. Oleg's things are in the wardrobe, his suitcase is on the floor and the key is on the table.

2. "Where did you put the dictionary?"
"On the shelf. It is on the shelf."
"And where did you put the exercise-book?"
"In the briefcase. It is in the briefcase."

Assignment on the Text

1. Куда́ пое́хали Оле́г и Джон? Где нахо́дится го́род Яросла́вль? Кто жил и рабо́тал в Яросла́вле?
2. Каки́е изве́стные лю́ди жи́ли в ва́шем го́роде? Расскажи́те о них.
3. Что вы зна́ете о реке́ Во́лге? Где она́ нахо́дится? Каки́е города́ стоя́т на Во́лге? Каки́е пе́сни и́ли стихи́ вы слы́шали о Во́лге?

(S) READ WITH A DICTIONARY

Яросла́вль

Яросла́вль – стари́нный ру́сский го́род. Го́роду почти́ ты́сяча лет. Это большо́й речно́й порт на берегу́ Во́лги. Яросла́вль – культу́рный и администрати́вный центр. Здесь есть институ́ты и университе́т, два теа́тра. Яросла́вский драмати́ческий теа́тр и́мени Фёдора Во́лкова – старе́йший ру́сский теа́тр. Яросла́вский актёр Фёдор Во́лков почти́ 240 лет наза́д основа́л пе́рвый ру́сский теа́тр.

Мно́гие тури́сты зна́ют интере́сный туристи́ческий маршру́т, он называ́ется «Золото́е кольцо́ Росси́и». Тури́сты, кото́рые е́дут по э́тому маршру́ту, посеща́ют дре́вние ру́сские города́, в том числе́ Яросла́вль. Здесь в Яросла́вле они́ мо́гут посмотре́ть древнеру́сские па́мятники архитекту́ры: стари́нный монасты́рь, ру́сские це́ркви.

Но Яросла́вль не то́лько культу́рный и истори́ческий центр. Это большо́й промы́шленный го́род. Здесь совреме́нные заво́ды и фа́брики, тексти́льный комбина́т «Кра́сный Переко́п».

И, наконе́ц, Яросла́вль – э́то го́род, где жила́ и рабо́тала пе́рвая же́нщина-космона́вт Валенти́на Терешко́ва.

В. В. Терешко́ва. Пе́рвая же́нщина-космона́вт

Валенти́на Терешко́ва родила́сь в дере́вне недалеко́ от го́рода Яросла́вля. Роди́тели Ва́ли рабо́тали в колхо́зе. В 1941 году́ начала́сь Вели́кая Оте́чественная война́[1]. Оте́ц Ва́ли, колхо́зный тракторист, ушёл на фронт. Он поги́б на фро́нте.

В конце́ войны́ семья́ Ва́ли перее́хала в Яросла́вль. Здесь мать Ва́ли, а пото́м и Ва́ля рабо́тали на фа́брике «Кра́сный Переко́п».

На фа́брике Ва́ля занима́лась в парашю́тном кружке́. Уже́ тогда́ она́ мечта́ла о полёте в ко́смос.

И вот 1963 год. На корабле́ «Восто́к-6» в ко́смос полете́ла пе́рвая же́нщина-космона́вт Валенти́на Терешко́ва. Весь мир узна́л э́то и́мя. Мно́гие газе́ты писа́ли о ней: «Ру́сская хозя́йка не́ба».

Сейча́с тури́сты, кото́рые быва́ют в Яросла́вле, с интере́сом посеща́ют фа́брику, где рабо́тала Валенти́на Терешко́ва.

администрати́вный центр administrative centre
яросла́вский (of) Yaroslavl
старе́йший oldest
па́мятник архитекту́ры monument of architecture
идти́ (е́хать) по маршру́ту to follow an itinerary
в том числе́ including
«Золото́е кольцо́ Росси́и» Russia's "Golden Ring"
древнеру́сский Old Russian
монасты́рь monastery
тексти́льный textile
комбина́т group of enterprises
колхо́з collective farm
колхо́зный collective-farm

Assignment on the Text

1. Расскажи́те, что вы узна́ли о го́роде Яросла́вле? Где он нахо́дится? Ско́лько лет го́роду?
2. Кто жил и рабо́тал в Яросла́вле?
3. Расскажи́те о своём го́роде. Как называ́ется ваш го́род? Где он нахо́дится? Ско́лько лет го́роду? Что ещё вы мо́жете рассказа́ть о своём го́роде?

---

[1] Вели́кая Оте́чественная война́ Сове́тского Сою́за, the Great Patriotic War, the just liberation war waged in 1941-1945 by the Soviet Union against Nazi Germany and its allies. It was part of the Second World War.

UNIT 16

Preparation for Reading

– Как вы себя́ чу́вствуете?	"How are you?"
– На что жа́луетесь?	"What is your trouble?"
– Я чу́вствую себя́ пло́хо (хорошо́, лу́чше, ху́же).	"I feel bad (well, better, worse)."

– Что у вас боли́т?	"What is your trouble?"
– У меня́ боли́т голова́.	"I have a headache."

– До свида́ния!	"Good-bye."
– Всего́ до́брого!	"All the best!"
– Всего́ хоро́шего!	"All the best!"

боле́ть to be ill, to be sick
заболе́ть to fall ill
чу́вствовать / почу́вствовать себя́ хорошо́ (пло́хо) to feel well (bad)
сове́товать / посове́товать *кому́? что (с) де́лать?* to advise
остава́ться / оста́ться *где?* to stay
дыша́ть to breathe
переры́в interval
грипп flu
анги́на quinsy, sore throat
ну́жно (one) must, (is) necessary
раздева́ться / разде́ться to take off one's clothes, to undress
бо́лен (is) ill, (is) sick
боле́знь illness, sickness
здоро́вье health
реце́пт prescription
лека́рство medicine
лу́чше better
ху́же worse
температу́ра temperature
вызыва́ть / вы́звать *кого́? куда́?* to call
до́ктор doctor
поправля́ться / попра́виться to get well again, to recover

* * *

высо́кая температу́ра high temperature, fever
норма́льная температу́ра normal temperature
вы́звать врача́ на́ дом to call a doctor

* * *

бога́тство wealth, riches
здоро́вый sound, healthy
больно́й unsound, unhealthy
те́ло body
дух spirit

The Use of the Words бо́лен (больна́, больны́), боли́т, боле́ть (заболе́ть)

Он бо́лен (он боле́ет). He is ill.	Он был бо́лен (он боле́л). He was ill.
Она́ больна́ (она́ боле́ет). She is ill.	Она́ была́ больна́ (она́ боле́ла). She was ill.
Они́ больны́ (они́ боле́ют). They are ill.	Они́ бы́ли больны́ (они́ боле́ли). They were ill.

У меня́ боли́т голова́ (рука́, нога́ и т. д.). I have a headache (My hand, foot, etc. hurts me).	У меня́	боле́л глаз, зуб, желу́док. My eye hurt me, I had a toothache, stomachache.
У него́ боля́т зу́бы (глаза́, у́ши и т. д.). He has a toothache (His eyes hurt him, he has an earache, etc.).		боле́ла голова́, рука́, нога́. I had a headache, my hand, foot hurt me.
		боле́ло го́рло, у́хо, се́рдце. I had a sore throat, an earache, a pain in my heart.
		боле́ли глаза́, зу́бы. My eyes hurt me, I had a toothache.
У него́ грипп. He has the flu.		У него́ был грипп. He had the flu.

TEXT

Оле́г заболе́л

Вчера́ Оле́г до́лго ката́лся на лы́жах. Бы́ло хо́лодно, но Оле́г не хоте́л возвраща́ться домо́й: давно́ не́ был в лесу́. Он верну́лся домо́й по́здно, а у́тром почу́вствовал себя́ пло́хо. Ма́ма сове́товала ему́ оста́ться до́ма, но Оле́г пошёл в университе́т. На ле́кции у него́ си́льно боле́ла голова́, бы́ло тру́дно дыша́ть. В переры́ве Оле́г реши́л пойти́ к врачу́.

Врач осмотре́л Оле́га и сказа́л, что у него́ грипп и ему́ ну́жно пойти́ домо́й и лечь.

DIALOGUE

В поликли́нике

Оле́г: Здра́вствуйте!
Врач: Здра́вствуйте! Сади́тесь, пожа́луйста. На что жа́луетесь?
Оле́г: Я пло́хо себя́ чу́вствую: у меня́ боли́т голова́, мне трудно дыша́ть.
Врач: Давно́ вы почу́вствовали себя́ пло́хо?
Оле́г: То́лько сего́дня.

Врач: Пожа́луйста, разде́ньтесь. Так, дыши́те! Мо́жете оде́ться. Вы больны́, у вас грипп. Вот реце́пт, купи́те лека́рство. Если в пя́тницу бу́дете чу́вствовать себя́ лу́чше, придёте ко мне в поликли́нику. Если температу́ра бу́дет высо́кая, вы́зовите врача́ на́ дом[1]. А сейча́с вам ну́жно пойти́ домо́й и лечь.

Оле́г: Спаси́бо, до́ктор! До свида́ния!

Врач: Всего́ до́брого! Поправля́йтесь!

Proverbs about Health

Здоро́вье – пе́рвое бога́тство. Health is the greatest wealth.
В здоро́вом те́ле – здоро́вый дух. There is a healthy spirit in a sound body.

GRAMMAR

The Dative in Impersonal Constructions

Вам ну́жно пойти́ домо́й.	You must go home.
Ему́ тру́дно э́то сде́лать.	It is difficult for him to do that.

The Construction the Dative + ну́жно (мо́жно, нельзя́) + an Infinitive

Ему́ ну́жно пойти́ к врачу́. He must go to the doctor's.	Ему́ ну́жно было / бу́дет пойти́ к врачу́. He had / will have to go to the doctor's.

The Constructions the Dative + тру́дно (легко́) + an Infinitive and the Dative + ве́село (интере́сно, etc.)

Мне тру́дно э́то сде́лать. It i s difficult for me to do that.	Мне бы́ло / бу́дет тру́дно э́то сде́лать. It was / will be difficult for me to do that.
На ве́чере нам ве́село. We enjoy ourselves at the evening party.	На ве́чере нам бы́ло / бу́дет ве́село. We enjoyed / will enjoy ourselves at the evening party.

[1] Вы́зов врача́ на́ дом, calling a doctor. To call a doctor, one telephones to his local (district) polyclinic and gives his address and some other particulars. The doctor visits during the day. There are also clinics working round the clock.

The Dative with Verbs of Motion

The Accusative of Direction	The Dative of Direction

Он идёт в университе́т.

Note.–His destination is the university. He will reach the university.

Он идёт к университе́ту.

Note.–He may or may not reach the university. The university is not his destination, but merely the direction of his movement.

In answer to the question **к кому́? (куда́?)** only the dative with the preposition **к** is used in the case of animate nouns.

Я иду́ к врачу́. Я е́ду к бра́ту.

The Use of the Personal 3rd Person Pronouns with and without a Preposition in the Dative

Я помога́ю **ему́** / **ей** / **им**	Я иду́ **к нему́** / **к ней** / **к ним**

The preposition **к** preceding the personal pronoun of the 1st person singular takes the form **ко: мне – ко мне.**

The Use of the Words ли and е́сли

(a) – Бу́дешь **ли** ты свобо́ден ве́чером?
"Will you be free tonight?"

(b) – Ещё не зна́ю, бу́ду **ли** я свобо́ден.
"I don't know yet if I'll be free."

(a) – **Если** ты бу́дешь свобо́ден, пойдём в кино́.
"If you are free, let's go to the movies."

(b) – С удово́льствием пойду́, **е́сли** буду свобо́ден.
"I'll go with pleasure if I'm free."

Note.– The word **ли** is used to express a question or uncertainty. When it occurs in a simple sentence, it is not translated into English (a). When it occurs in a complex sentence, it is rendered in English by "whether" or "if" (b).

Note.– The English counterpart of the Russian word **е́сли** is "if". **Если** introduces conditional clases, which may either precede (a) or follow (b) the main clause. Unlike the English "if", the Russian **е́сли** expresses only condition and is never used to convey a question.

Word Order in Sentences with the Word ли

Хоро́ший **ли** он челове́к? Is he a good man?	(The speaker wants to know whether he is a good man or a bad one.)
Придёт **ли** он за́втра? Will he come tomorrow?	(The speaker wants to know whether he will come tomorrow or not.)

The word **ли** immediately follows the word which expresses the question or uncertainty.

Verb Conjugation

боле́ть I (*a*)	
я боле́ю	мы боле́ем
ты боле́ешь	вы боле́ете
он, она́ боле́ет	они́ боле́ют

боле́ть I (*a*)
заболе́ть

вы́звать I (*a*)	
я вы́зову	мы вы́зовем
ты вы́зовешь	вы вы́зовете
он, она́ вы́зовет	они́ вы́зовут

оде́ться I (*a*)	
я оде́нусь	мы оде́немся
ты оде́нешься	вы оде́нетесь
он, она́ оде́нется	они́ оде́нутся

12–1350

остава́ться I (*a*)	
я остаю́сь ты остаёшься он, она́ остаётся	мы остаёмся вы остаётесь они́ остаю́тся

оста́ться I (*a*)	
я оста́нусь ты оста́нешься он, она́ оста́нется	мы оста́немся вы оста́нетесь они́ оста́нутся

Verb Groups

чита́ть I (*a*)
вызыва́ть **одева́ться** **осма́тривать** **поправля́ться** **раздева́ться**

говори́ть II	alternation
дыша́ть (*c*) **осмотре́ть** (*c*) **попра́виться** (*a*)	**в → вл**

танцева́ть I (*a*)
чу́вствовать **почу́вствовать** **сове́товать** **посове́товать**

оде́ться I (*a*)
разде́ться

EXERCISES

I. Insert personal pronouns in the correct form.

1. Оле́г заболе́л, ... ну́жно лежа́ть. 2. Вы пло́хо себя́ чу́вствуете, ... ну́жно пойти́ к врачу́. 3.– На что жа́луетесь?–... тру́дно дыша́ть. 4. Сестра́ заболе́ла, ... нельзя́ встава́ть. 5. Джон не придёт к нам, ... ну́жно рабо́тать. 6. Мы бы́ли вчера́ на ве́чере, ... бы́ло́ о́чень ве́село. 7. Они́ ещё не смотре́ли э́тот фильм. Ду́маю, что ... бу́дет интере́сно посмотре́ть его́.

II. Put the sentences into the past tense.

Model: *Джон бо́лен, у него́ боли́т го́рло. Джон был бо́лен, у него́ боле́ло го́рло.*

1. Оле́г пло́хо себя́ чу́вствует. У него́ боли́т голова́, ему́ тру́дно дыша́ть. 2. У сестры́ грипп. Ей ну́жно лежа́ть. 3. Та́ня больна́. В пя́тницу она́ должна́ пойти́ в поликли́нику. 4. Её сын бо́лен; ему́ нельзя́ ходи́ть в шко́лу. 5. Мне ну́жно получи́ть лека́рство.

III. Complete the dialogues.

1.– Как вы себя́ чу́вствуете?
– . . .
– Кака́я у вас температу́ра?
– . . .
– Когда́ вы почу́вствовали себя́ пло́хо?
– . . .

2.– . . .?
– У меня́ боли́т го́рло.
– . . .?
– Утром была́ высо́кая температу́ра.
– . . .?
– Я заболе́л вчера́.

IV. Change the sentences, as in the model.

Model: *Она́ должна́ лежа́ть. Ей ну́жно лежа́ть.*

1. Ната́ша должна́ пое́хать в санато́рий. 2. Ма́ма должна́ пое́хать на юг. 3. Он до́лжен пойти́ на рабо́ту. 4. Сын до́лжен мно́го занима́ться. 5. Дочь должна́ учи́ть англи́йский язы́к. 6. Джон до́лжен сде́лать докла́д.

V. Give answers, as in the model.

Model: *– Он позвони́т Андре́ю?*
– Да, ему́ ну́жно позвони́ть Андре́ю.

1. Та́ня оста́нется до́ма? 2. Ты напи́шешь отцу́? 3. Вы ку́пите пода́рок Ната́ше? 4. Джон пригласи́т их на докла́д? 5. Андре́й помо́жет им? 6. Мари́я пойдёт в библиоте́ку? 7. Они́ переведу́т э́тот текст?

VI. Insert the appropriate pronouns in the correct form.

1. Друзья́ Джо́на не забыва́ют . . . и ча́сто пи́шут . . . 2. Где ты был? Я давно́ не ви́дел . . . Вчера́ мы говори́ли . . . 3. Ни́на и Та́ня, мы ждём . . . здесь. Мы хоти́м показа́ть . . . наш го́род. Я ду́маю, что наш го́род . . . понра́вится. 4. Ты зна́ешь, Андре́й вчера́ до́лго ждал . . . Он купи́л . . . биле́ты в кино́. 5. Ни́на больна́, я иду́ . . ., я хочу́ . . . помо́чь. 6. Если уви́дишь Оле́га и Та́ню, скажи́ . . ., что я жду . . .

VII. Answer the questions, as in the model.

Model: *Мать живёт в Москве́.*
– Куда́ он е́здил?
– К ма́тери в Москву́.

1. Оте́ц живёт в Ки́еве.
– Куда́ он е́здил?
2. Де́душка живёт на ю́ге.
– Куда́ пое́хал брат?
3. Ба́бушка живёт в дере́вне.
– Куда́ вы пое́дете?
4. Брат живёт на се́вере.
– Куда́ она́ е́здила?
5. Андре́й рабо́тает на заво́де.
– Куда пошла́ Ни́на?
6. Сестра́ рабо́тает на по́чте.
– Куда́ ты ходи́ла?

VIII. (a) Answer the question **Ско́лько вам лет?**
(b) Ask the question **Ско́лько лет ...?** and answer it, using the words **оте́ц, мать, сестра́, брат, друг, подру́га.**

Model: *Ско́лько лет его́ до́чери?*
Ей оди́ннадцать лет.

IX. Use the word **ли** or **е́сли.**

1.– Не зна́ешь, бу́дет ... Оле́г за́втра в институ́те?
– ... Оле́г бу́дет за́втра в институ́те, переда́й ему́, пожа́луйста, э́тот журна́л.
2.– Придёшь ... ты за́втра?
– Ещё не зна́ю, приду́ ... я за́втра.
3.– Здоро́ва ... Та́ня?
– ... Та́ня заболе́ла, я пое́ду к ней.
4.– Купи́л ... ты лека́рство?
– ... ты не купи́л лека́рство, дай мне реце́пт, я пойду́ в апте́ку.
5.– Хорошо́ ... он себя чу́вствует?
– ... он чу́вствует себя́ пло́хо, ну́жно вы́звать врача́.

X. Change the sentences, as in the model.

Model: *Она́ до́ма? До́ма ли она́?*

1. Ни́на ко́нчила рабо́тать? 2. Ле́кция уже́ начала́сь? 3. Он бу́дет на экску́рсии? 4. Ната́ша смо́жет прийти́ ве́чером? 5. Оле́г смо́жет помо́чь вам? 6. Та́ня зна́ет англи́йский? 7. Джон хорошо́ говори́т по-ру́сски?

XI. Answer the questions, as in the model.

(a) Model: – *Ты пойдёшь на ве́чер?*
– *Пойду́, е́сли бу́ду свобо́ден.*

1. Ни́на пойдёт на конце́рт? 2. Они́ пое́дут на вы́ставку? 3. Джон придёт к вам? 4. Оля пое́дет на экску́рсию? 5. Он пойдёт в кино́?

(b) Model: – *Ты переведёшь э́ти стихи́?*
– *Переведу́, е́сли смогу́.*

1. Вы помо́жете ей? 2. Ты ку́пишь ему́ э́тот уче́бник? 3. Он переда́ст Та́не моё письмо́? 4. Ты встре́тишь Оле́га?

XII. Translate into Russian.

(a) On Monday Oleg fell ill. He had a sore throat, he had difficulty in breathing and he had a high temperature. He did not go to the college. His mother called the doctor. The doctor examined Oleg and said that he had the flu. The doctor gave the mother a prescription and said that they must buy the medicine. Oleg's sister went to the drugstore and bought the medicine. Oleg stayed at home for a week. On Saturday he felt better and went to college.

(b) Retell the preceding story in the 1st person.

Model: *В понеде́льник я заболе́л...*

Assignment on the Text

1. Почему́ Оле́г заболе́л? Куда́ он пошёл? Что сказа́л ему́ врач? 2. Ваш друг пло́хо себя́ чу́вствует. Что вы посове́туете ему́? 3. Вы пло́хо себя́ чу́вствуете, вы пришли́ в поликли́нику. О чём спро́сит вас врач? Что вы отве́тите ему́? Соста́вьте диало́г «В поликли́нике».

4. Прочита́йте ру́сские посло́вицы о здоро́вье. Как вы понима́ете их? Зна́ете ли вы англи́йские посло́вицы о здоро́вье? Переведи́те их на ру́сский язы́к.

Ⓢ READ WITH A DICTIONARY

Театра́льный двор

Де́вочку зва́ли Али́са. Ей бы́ло шесть лет, у неё был взро́слый друг – театра́льный худо́жник. Ка́ждый день Али́са ждала́ дру́га во дворе́ теа́тра, она́ помога́ла ему́ рисова́ть декора́ции.

Театра́льный двор охраня́л ста́рый сто́рож, он был стро́гий, и де́ти не могли́ попа́сть в э́тот интере́сный мир. То́лько Али́са могла́ свобо́дно войти́ туда́, ведь она́ была́ не про́сто де́вочка, она́ – помо́щник худо́жника.

Одна́жды в театра́льном дворе́ Али́са уви́дела па́рня, она́ ви́дела его́ пе́рвый раз и сра́зу поняла́, что он не арти́ст.

– Кто ты? – спроси́ла она́ па́рня.

– Шофёр, – отве́тил па́рень.

– А что ты здесь де́лаешь?

– Жду.

– Кого́?

– Викто́рию Серге́еву.

Серге́ева – арти́стка теа́тра, молода́я и краси́вая же́нщина. И Али́са задала́ па́рню «взро́слый» вопро́с:

– Ты её лю́бишь?

– Нет, – улыбну́лся па́рень. – Я одна́жды спас её.

– Как спас? Где?

– В на́шем го́роде, ваш теа́тр тогда́ был у нас. Это бы́ло весно́й, в конце́ ма́рта. Ребя́та ката́лись на са́нках у реки́. Серге́ева то́же захоте́ла поката́ться. Ребя́та да́ли ей са́нки. Она се́ла и пое́хала, са́ни случа́йно вы́ехали на лёд. Лёд был то́нкий и че́рез мину́ту Серге́ева оказа́лась в ледяно́й воде́. Ребя́та закрича́ли, я был недалеко́ и услы́шал.

– И ты пры́гнул в ледяну́ю во́ду?

– Пры́гнул.

– Не испуга́лся?
– Не успе́л испуга́ться.
– И не заболе́л?
– Заболе́л немно́жко.

Али́са и незнако́мый па́рень разгова́ривали и не сра́зу заме́тили, как во двор вошла́ Серге́ева. Па́рень пе́рвый уви́дел её и сказа́л:

– Здра́вствуйте, Викто́рия! Вы не по́мните меня́? Я Наза́ров.

Серге́ева внима́тельно посмотре́ла на па́рня, она́ не могла́ вспо́мнить его́.

– Ну по́мните наш го́род? Вы ката́лись на са́нках, а я... Вы ещё пригласи́ли меня́ в Москву́.

– Ах, да,– вспо́мнила Серге́ева,– Коне́чно, коне́чно. Я сейча́с организу́ю Вам биле́ты.

– Спаси́бо,– сказа́л Наза́ров,– но я не могу́ пойти́ в теа́тр. У меня́ бо́лен оте́ц. Мы прие́хали в Москву́, но в Москве́ мы зна́ем то́лько Вас. Мо́жем мы пожи́ть у Вас неде́лю?

– Нет, нет,– поспе́шно сказа́ла Серге́ева.– Это неудо́бно. У меня́ совсе́м ма́ленькая кварти́ра.

– Что же де́лать?– спроси́л па́рень.

– Не зна́ю.

И тут Али́са взяла́ па́рня за́ руку: «Пойдём»,– сказа́ла она́.– «Куда́?»– удиви́лся па́рень.– «К нам»,– сказа́ла Али́са.

Она́ не ду́мала, что ска́жут до́ма. Она́ спаса́ла па́рня, спаса́ла его́ от позо́ра и неблагода́рности. А когда́ спаса́ют, то до́лго не ду́мают, а раз – и в холо́дную во́ду!

«Пойдём»,– ещё раз сказа́ла Али́са. Па́рень взял чемода́н, кото́рый он поста́вил на зе́млю, и они́ пошли́ вме́сте.

– Нехорошо́ как,– сказа́л худо́жник,– ведь он Вам жизнь спас.

– Что же я тепе́рь па́мятник ему́ должна́ поста́вить,– отве́тила Серге́ева.

И тут ста́рый сто́рож вдруг закрича́л: «Вон! Вон отсю́да!»

Он де́лал вид, что кричи́т на ма́льчика, кото́рый тихо́нько вошёл в театра́льный двор, но крича́л он на Серге́еву. Он не мог прогна́ть её из теа́тра, из го́рода, из страны́... В большо́м ми́ре он был ма́ленький челове́к, но здесь, на театра́льном дворе́, он был хозя́ин. И он крича́л: «Вон! Вон отсю́да!»

По Ю. Яковлеву

пе́рвый раз for the first time
зада́ть вопро́с to ask a question
ката́ться на са́нках to toboggan
поста́вить па́мятник кому́-либо to set up a monument to smb.
вон отсю́да! get out of here!
де́лать вид to pretend

Она́ не ду́мала, что ска́жут до́ма.	She did not think about what they would say at home.
Когда́ спаса́ют, то до́лго не ду́мают, а раз – и в холо́дную во́ду!	When saving others, people do not take time thinking, they just jump into the cold water there and then.

Assignment on the Text

1. Расскажи́те исто́рию де́вочки Али́сы.
2. Что вы мо́жете сказа́ть об актри́се Викто́рии Серге́евой и об Али́се?
3. Понра́вился ли вам расска́з? Как вы ду́маете, о чём э́тот расска́з.

UNIT 17

Москва́. Комсомо́льская пло́щадь

Preparation for Reading

Как пройти́ (прое́хать) к ...?	How can I get to ...?
Как дое́хать до ...?	How can I get to ...?
Де́лать (сде́лать) переса́дку.	To change (trains, buses, etc.).

С прие́здом! Welcome!

встреча́ть / **встре́тить** *кого́? что?* to meet
для for
го́стья guest, visitor
опозда́ть / **опа́здывать** *куда́?* to be late
что́-то for some reason or other
почти́ almost, nearly
полчаса́ half an hour

о́коло near
ваго́н carriage, coach, (passenger) car
коне́ц end
нача́ло beginning
по́езд train
ведь didn't you?
како́й-то some
оши́бка mistake
тепе́рь now

навéрное most likely; must
волновáться to be worried
пожáлуй (one) may
пересáдка change (of trains)
прохóжий passer-by
доéхать *до чегó? до когó?* to reach (in a vehicle)
дойти́ *до чегó? до когó?* to reach (on foot)
уезжáть / **уéхать** to leave (in a vehicle)
уходи́ть / **уйти́** to leave (on foot)
отходи́ть / **отойти́** to move away, to leave
подходи́ть / **подойти́** *к комý? к чемý?* to approach
входи́ть / **войти́** to go in, to come in, to enter
выходи́ть / **вы́йти** to go out, to come out, to leave
чтó-нибудь something

* * *

дéлать / **сдéлать** **пересáдку** to change (trains, buses, etc.)
стоя́нка такси́ taxi rank, cab stand
проспéкт Мáркса Marx Avenue

TEXT

Гость из Ленингрáда

Сегóдня приезжáет из Ленингрáда мáма Ни́ны Петрóвны. Олéг поéхал встречáть бáбушку. Ни́на Петрóвна готóвит обéд для гóстьи. Тáня помогáет мáме накрывáть на стол. Онá óчень рáда, что скóро уви́дит бáбушку. Вчерá они́ говори́ли по телефóну и Тáня сказáла бáбушке, что в суббóту они́ пойдýт в теáтр. Когдá приезжáет бáбушка, они́ обязáтельно хóдят вмéсте в теáтр, на вы́ставку, в музéй. Когдá Тáня éдет к бáбушке в Ленингрáд, онá знáет, что её всегдá ждут билéты на интерéсный спектáкль.

Ни́на Петрóвна смóтрит на часы́: чтó-то гóсти опáздывают.

DIALOGUE

На вокзáле

Олéг: Бáбушка, дóбрый день! С приéздом! Я ужé дýмал, что ты не приéхала.
Елéна Дми́триевна: Олéг! А я реши́ла, что ты не смог встрéтить меня́. Я почти́ полчасá ждалá тебя́ óколо вагóна.
Олéг: Я тóже ждал, но в концé пóезда, ведь ты написáла в телегрáмме вагóн № 12.
Елéна Дми́триевна: Что ты говори́шь? Это какáя-то оши́бка. Вагóн № 2.
Олéг: Ну, всё хорошó, что хорошó кончáется. Тепéрь домóй. Мáма, навéрное, ужé волнýется.
Елéна Дми́триевна: Мóжет быть, позвони́ть ей, что мы встрéтились и éдем?
Олéг: Да, пожáлуй.

На стоя́нке такси́

Елéна Дми́триевна: Олéг, мóжет быть, поéдем на метрó?
Олéг: Нет, лýчше на такси́. На метрó нам нýжно дéлать пересáдку в цéнтре.

Прохо́жий: Прости́те, вы не ска́жете, как прое́хать к гости́нице «Москва́»?
Оле́г: На метро́ до ста́нции «Проспе́кт Ма́ркса».
Прохо́жий: Спаси́бо.
Оле́г: Пожа́луйста.

Шу́тка

На вокза́ле

Мать и ма́ленький сын провожа́ют отца́, кото́рый уезжа́ет на юг.

Когда́ по́езд отошёл, ма́льчик уви́дел, что к платфо́рме подошёл но́вый по́езд.

– Смотри́, ма́ма, – сказа́л ма́льчик, – по́езд возвраща́ется. Наве́рное, па́па опя́ть что́-нибудь забы́л.

GRAMMAR

The Genitive of Nouns (Continued)

– **Где** ты был?	"Where were you?"
– **У сестры́.**	"At my sister's".
– **Отку́да** ты идёшь?	"Where are you coming from?"
– **От сестры́.**	"From my sister's."

до		as far as	у		at
у		at	о́коло		near
о́коло		near	напро́тив	**кого́?**	opposite **whom?**
напро́тив		opposite	от		from
из	**чего́?**	out of **what?**	для		for
от		from			
с		from			
для		for			

Prefixes Used with Verbs of Motion

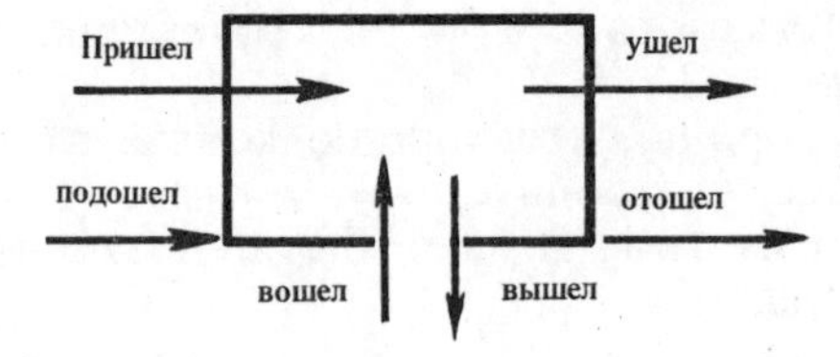

Antonymous Prepositions

в – из	into – out of
на – с	onto – off
к – от	to – from

Antonymous Prefixes

при- – у-
в-(о-) – вы-
под-(о-) – от-(о-)

The Use of Prepositions and Cases in Answer to the Questions где? куда́? отку́да?

Inanimate Nouns

Prepositional **где?** *where?*	Accusative **куда́?** *where to?*	Genitive **отку́да?** *where from?*
в институ́те на фа́брике	в институ́т на фа́брику	из институ́та с фа́брики

Animate Nouns

Genitive **где? (у кого́?)** *where?*	Dative **куда́? к кому́?** *where to?*	Genitive **отку́да? (от кого́?)** *where from?*
у дру́га	к дру́гу	от дру́га

где? *where?*	**куда́?** *where to?*	**отку́да?** *where from?*
Он был в поликли́нике у врача́.	Он ходи́л в поликли́нику к врачу́.	Он пришёл из поликли́ники от врача́.

Complex Sentences with the Word кото́рый

Он роди́лся в го́роде, **кото́рый** нахо́дится на ю́ге страны́.	He was born in a town which is situated in the south of the country.

The word **кото́рый** corresponds to the English "which", "who" and "that". Its gender and number depend on the noun it qualifies.

Singular			Plural
Masculine	Feminine	Neuter	For All the Genders
Это **студе́нт, кото́рый** живёт здесь.	Это **студе́нтка, которая** живёт здесь.	Это **письмо, кото́рое** я получи́л вчера́.	Это **стихи́, кото́рые** я перевёл.

Verb Groups

чита́ть I (*a*)
встреча́ть **опа́здывать** **опозда́ть** **провожа́ть** **уезжа́ть**

говори́ть II	alternation
встре́тить (*a*)	**т → ч**
входи́ть (*c*)	**д → ж**
выходи́ть (*c*)	**д → ж**
отходи́ть (*c*)	**д → ж**
подходи́ть (*c*)	**д → ж**
проводи́ть (*c*)	**д → ж**
уходи́ть (*c*)	**д → ж**

идти́ I
войти́ (*b*) **вы́йти** (*a*) **дойти́** (*b*) **отойти́** (*b*) **подойти́** (*b*) **уйти́** (*b*)

е́хать I (*a*)
дое́хать **уе́хать**

танцева́ть I (*a*)
волнова́ться

EXERCISES

I. Use the preposition **у, о́коло, до, к** or **из** as required by the sense.

– Сего́дня ве́чером я бу́ду ... бра́та, он живёт ... метро́ «Белору́сская». Утром мы пое́дем за́ город (to the country). Хо́чешь пое́хать?

– Коне́чно.

– Встре́тимся ... метро́ «Белору́сская».

– Как туда́ прое́хать?

– На метро́ ... «Проспе́кта Ма́ркса», а там, сде́лаешь переса́дку на «Пло́щадь Свердло́ва». От «Пло́щади Свердло́ва» дое́дешь ... ста́нции «Белору́сская». Вы́йдешь ... метро́, уви́дишь сле́ва кио́ск, подойди́ ... кио́ску и жди нас ... кио́ска.

II. Change the sentences, as in the model.

Model: *Та́ня вошла́ в ко́мнату. Та́ня вы́шла из ко́мнаты.*

1. Они́ уе́хали с вокза́ла в 7 часо́в. 2. Мы подошли́ к по́езду. 3. Все вы́шли из ваго́на. 4. Джон прие́хал на ста́нцию «Белору́сская». 5. Он подошёл к кио́ску. 6. Я пришёл к бра́ту ве́чером. 7. Мы вошли́ в метро́.

III. Answer the questions.

(a) Model: *Его́ роди́тели е́здили на се́вер.*
– Где они́ бы́ли? – На се́вере.
– Отку́да верну́лись? – С се́вера.

1. Её оте́ц е́здил в санато́рий.
– Где он был?
– Отку́да верну́лся?
2. Они́ пое́дут на экску́рсию.
– Где они́ бу́дут?
– Отку́да прие́дут?
3. Та́ня пое́хала на вокза́л.
– Где она́ сейча́с?
– Отку́да вернётся?
4. Они́ пошли́ на вы́ставку.
– Где они́ сейча́с?
– Отку́да верну́тся?
5. Джон ходи́л в буфе́т.
– Где он был?
– Отку́да пришёл?
6. Она́ ходи́ла на по́чту?
– Где она́ была́?
– Отку́да пришла́?

(b) Model: *Оле́г ходи́л к врачу́.*
– Где он был? – У врача́.

1. Она́ е́здила к сестре́.
– Где она́ была́?
2. Ни́на е́здила к ма́тери.
– Где она́ была́?
3. Джон ходи́л к Андре́ю.
– Где он был?
4. Он ходи́л к преподава́телю.
– Где он был?
5. Он ходи́л к това́рищу.
– Где он был?
6. Она́ ходи́ла к Та́не.
– Где она́ была́?

(c) Model: *Он ходи́л к отцу́ на фа́брику.*
– Где он был? – У отца́ на фа́брике.
– Отку́да верну́лся? – От отца́ с фа́брики.

1. Де́ти е́здили к ба́бушке в дере́вню.
– Где они́ бы́ли?
– Отку́да прие́хали?
2. Та́ня е́здила к бра́ту на се́вер.
– Где она́ была́?
– Отку́да верну́лась?
3. Ни́на е́здила в Ки́ев к подру́ге.
– Где она́ была́?
– Отку́да прие́хала?
4. Они́ ходи́ли в больни́цу к дру́гу.
– Где они́ бы́ли?
– Отку́да пришли́?

5. Оле́г ходи́л к Джо́ну в общежи́тие.
– Где он был?
– Отку́да пришёл?

IV. Answer the questions.

(a) Где он был? Куда́ ходи́л? Отку́да пришёл?

Model: *Он был в поликли́нике.*
Он ходи́л в поликли́нику.
Он пришёл из поликли́ники.

(b) Где он живёт?

Model: *Он живёт о́коло поликли́ники.*
Он живёт напро́тив поликли́ники.

V. Use the verb **идти́** or **е́хать** with the appropriate prefix.

1. – Оле́г, почему́ ты вчера́ не ... ко мне?
– Я не мог: ве́чером ко мне ... сестра́ из Ленингра́да.
– А сего́дня смо́жешь ... ко мне?

2. Та́ня до́лго занима́лась в библиоте́ке. Когда́ она́ ... из библиоте́ки, бы́ло уже́ 9 часо́в. Домо́й она́ ... по́здно.

3. Мы ... до ста́нции «Университе́т», ... из метро́ и се́ли на авто́бус.

4. До́брый день, Андре́й. Ты уже́ в Москве́? А я ду́мал, что ты в Ки́еве. Когда́ ты ...?

5. За́втра они́ ... в Ленингра́д.

VI. You want to invite a friend to the cinema (a theatre, etc.). Agree about the time and place when and where you will meet and explain to him (her) how to get there. Make up a dialogue on this topic.

VII. (a) Insert the word **кото́рый** in the correct form.

1. Я зна́ю студе́нта, ... живёт здесь. 2. Меня́ пригласи́л друг, ... рабо́тает на заво́де. 3. Это её подру́га, ... у́чится в университе́те. 4. Это письмо́, ... я написа́л до́мой. 5. Это журна́лы, ... я уже́ прочита́л.

(b) Make up complex sentences, using the word **кото́рый** in the correct form.

Model: *Это её бра́тья. Они́ рабо́тают на фа́брике.*
Это её бра́тья, кото́рые рабо́тают на фа́брике.

1. Это моя́ сестра́. Она́ живёт в Ки́еве. 2. Это наш студе́нт. Он сде́лал интере́сный докла́д. 3. На столе́ лежа́т кни́ги. Я взял их в библиоте́ке. 4. У Та́ни но́вое пальто́. Она́ купи́ла его́ вчера́.

VIII. Make up dialogues, as in the model, using the words given on the right.

(a) Model: – *Возьми́ я́блоки.* – *Каки́е?* – *Кото́рые лежа́т в холоди́льнике.*	1. апельси́ны 2. сыр 3. молоко́
(b) Model: – *Дай, пожа́луйста, очки́.* – *Каки́е?* – *Кото́рые лежа́т на столе́.*	1. письмо́ 2. каранда́ш 3. журна́лы.
(c) Model: – *Где биле́т?* – *Како́й?* – *Кото́рый здесь лежа́л.*	1. ру́чка 2. ло́жка 3. ви́лки.

IX. Make up sentences, as in the model.

(a) Model: *Вокза́л. Скажи́те, пожа́луйста, как прое́хать к вокза́лу?*

1. Кремль. 2. Кинотеа́тр «Росси́я». 3. Гости́ница «Тури́ст».

(b) Model: *Пло́щадь Свердло́ва. Вы не зна́ете, как прое́хать на пло́щадь Свердло́ва?*

1. Проспе́кт Ми́ра. 2. Ле́нинский проспе́кт. 3. Пло́щадь Револю́ции.

X. Translate into Russian.

1. "Oleg is waiting for me at Byelorusskaya Underground (Subway) Station. How can I get there?"

"By Underground as far as Marx Avenue (Prospekt Marksa); change to Sverdlov Square (Ploshchad Sverdlova) there. From Sverdlov Square you'll go to Byelorusskaya Station."

2. "How can I get to the Moskva Hotel?"

"By Underground as far as Marx Avenue Station."

3. "How can I get to GUM?"

"By bus or trolleybus to the centre (of the town) or by Underground as far as Revolution Square (Ploshchad Revolyutsii) Station."

Assignment on the Text

1. Кого́ Оле́г пое́хал встреча́ть? Отку́да прие́хала ба́бушка? Почему́ она́ до́лго ждала́ Оле́га?

2. Куда́ пойдёт Та́ня в суббо́ту? Где она́ обы́чно быва́ет, когда́ приезжа́ет ба́бушка?

3. Переведи́те на англи́йский язы́к посло́вицу: «Всё хорошо́, что хорошо́ конча́ется». Как вы её понима́ете?

Ⓢ READ WITH A DICTIONARY

На ро́дине Серге́я Есе́нина

С. Есе́нин

Если кри́кнет рать свята́я:
«Кинь ты Русь, живи́ в раю́!»
Я скажу́: «Не на́до ра́я,
Да́йте ро́дину мою́».

С. Есе́нин

Прекра́сна и поэти́чна приро́да Сре́дней Росси́и. Неповтори́мую красоту́ её не забу́дет тот, кто побыва́л южне́е Москвы́ на реке́ Оке́.

Мно́гие ру́сские писа́тели и худо́жники люби́ли э́ти живопи́сные места́. Здесь, на Оке́, жи́ли худо́жники И. Левита́н и В. Поле́нов. В го́роде Тару́се на берегу́ Оки́ прожи́л после́дние го́ды свое́й жи́зни замеча́тельный сове́тский писа́тель Константи́н Паусто́вский.

На высо́ком пра́вом берегу́ Оки́ нахо́дится село́ Константи́ново – ро́дина одно́го из са́мых ру́сских поэ́тов, Серге́я Есе́нина.

Серге́й Есе́нин роди́лся в 1895 году́ в семье́ крестья́нина. «У меня́ оте́ц – крестья́нин, Ну, а я – крестья́нский сын», – писа́л поздне́е о себе́ Есе́нин.

Де́тские и ю́ные го́ды поэ́та прошли́ в селе́ Константи́ново. Серге́й, как и други́е дереве́нские ма́льчики, пла́вал в реке́, собира́л в лесу́ грибы́ и я́годы, помога́л в рабо́те ма́тери и де́душке. Сестра́ Есе́нина Шу́ра вспомина́ла, что Серге́й о́чень люби́л сеноко́с. На сеноко́с жи́тели дере́вни выходи́ли как на пра́здник. В э́том нелёгком, но ра́достном труде́ всегда́ уча́ствовал Серге́й Есе́нин.

Живопи́сные берега́ Оки́, широ́кие поля́ и луга́, берёзовые ро́щи – всё э́то с де́тства полюби́л поэ́т. Любо́вь к родно́му кра́ю он сохрани́л на всю жизнь.

Спитковы́ль. Равни́на дорога́я,
И свинцо́вой све́жести полы́нь.
Никака́я ро́дина друга́я
Не вольёт мне в грудь мою́ теплы́нь.

Всё здесь, на его́ земле́, бли́зко и до́рого поэ́ту.

Непригля́дная доро́га,
Да люби́мая наве́к,
По кото́рой е́здил мно́го
Вся́кий ру́сский челове́к.

В семна́дцать лет, по́сле оконча́ния церко́вно-учи́тельской шко́лы[1], Есе́нин уезжа́ет из дере́вни снача́ла в Москву́, пото́м в Петербу́рг. Но не раз вспо́мнит поэ́т родну́ю зе́млю, мать, кото́рая оста́лась в дере́вне, люби́мую сестру́ Шу́ру. Не раз вернётся сюда́.

Карти́ны родно́й ру́сской приро́ды найду́т отраже́ние в его́ поэ́зии.

В село́ Константи́ново приезжа́ет мно́го госте́й. Здесь, на ро́дине поэ́та, откры́т музе́й Есе́нина. Сюда́ прихо́дят земляки́ поэ́та, приезжа́ют многочи́сленные тури́сты. Здесь четвёртого октября́ в день рожде́ния поэ́та быва́ют поэти́ческие пра́здники. Наро́д лю́бит и по́мнит своего́ сы́на.

рать свята́я holy host
сеноко́с haymaking
берёзовая ро́ща birch grove
ковы́ль *m.* feather-grass
полы́нь *f.* wormwood
теплы́нь *f.* warmth
найти́ отраже́ние в чём-либо to be reflected in smth.

Assignment on the Text.

1. Расскажи́те, что вы узна́ли о поэ́те Серге́е Есе́нине. Зна́ли ли вы э́того поэ́та ра́ньше? Чита́ли ли его́ стихи́?
2. Расскажи́те о ро́дине поэ́та. Где нахо́дится родно́е село́ Серге́я Есе́нина? Как оно́ называ́ется сейча́с?

[1] церко́вно-учи́тельские шко́лы, in pre-revolutionary Russia three-year teacher-training schools which prepared teachers for schools run by parishes.

13–1350

UNIT 18

Па́мятник А. С. Пу́шкину

Preparation for Reading

Отмеча́ть пра́здник Отме́тить (день рожде́ния и т. д.)	To celebrate a holiday (one's birthday, etc.)

станови́ться
стать *кем?* to become
отмеча́ть
отме́тить *что?* to celebrate
па́мятник *кому́?* monument
собира́ться
собра́ться *где?* to gather (together)
поэ́т poet
писа́тель writer
поэ́зия poetry
с кем? with whom

* * *

изве́стный well-known, renowned
учёный scientist

матема́тика mathematics
де́тство childhood
интересова́ться *кем?*
заинтересова́ться *чем?* to be interested
серьёзно in earnest, seriously
литерату́ра literature
рома́н novel
дра́ма drama, play
счита́ть to consider, to believe
нау́ка science
тре́бовать
потре́бовать *чего́?* to demand, to require
фанта́зия fantasy, imagination
нельзя́ (is) impossible, (one) cannot
душа́ soul, heart

* * *

пра́здник поэ́зии festival of poetry
ско́ро год it'll be a year soon
не то́лько..., но и... not only..., but also...
в де́тстве in one's childhood
в душе́ in one's heart

TEXT

На Пу́шкинский пра́здник

Сего́дня шесто́е ию́ня – день рожде́ния Алекса́ндра Серге́евича Пу́шкина. День э́тот стал пра́здником, кото́рый отмеча́ет вся страна́.

Джон е́дет в центр на пло́щадь Пу́шкина. Здесь у па́мятника Пу́шкину, как всегда́ в день рожде́ния поэ́та, соберу́тся москвичи́ и го́сти Москвы́. Здесь бу́дут выступа́ть поэ́ты и писа́тели, бу́дут чита́ть стихи́ Пу́шкина и стихи́ о Пу́шкине. Джон е́дет на э́тот пра́здник поэ́зии пе́рвый раз.

В це́нтре, на ста́нции метро́ «Пу́шкинская», его́ ждут Оле́г и Та́ня с Ната́шей, они́ все вме́сте пойду́т к па́мятнику Пу́шкину.

DIALOGUE

Та́ня: Джон, здра́вствуйте! Ната́ша, э́то Джон! Джон, знако́мьтесь, моя́ подру́га.
Джон: Очень прия́тно, Джон.
Ната́ша: Ната́ша.
Джон: А где же Оле́г?
Та́ня: Сейча́с подойдёт. Подождём его́ здесь.
Ната́ша: Вы давно́ в Москве́?
Джон: Ско́ро год.
Ната́ша: Вы хорошо́ говори́те по-ру́сски.
Та́ня: Сестра́ Джо́на преподаёт ру́сский язы́к.
Ната́ша: Да?
Джон: Она́ сама́ начала́ учи́ть ру́сский язы́к, когда́ была́ де́вочкой. Роди́тели её подру́ги бы́ли ру́сские.
Ната́ша: А когда́ вы на́чали учи́ть ру́сский язы́к?
Джон: Когда́ стал студе́нтом колле́джа.
Ната́ша: А учи́тельницей была́ сестра́?
Джон: Да, она́ в э́то вре́мя была́ уже́ преподава́тельницей колле́джа. Сестра́ хоте́ла, что́бы я то́же знал ру́сский язы́к.
Та́ня: А вот и Оле́г! Идёмте!

Зна́ете ли вы?

Зна́ете ли вы, что изве́стный учёный, пе́рвая ру́сская же́нщина-матема́тик Со́фья Ковале́вская была́ не то́лько матема́тиком, но и поэ́том и писа́телем.

Уже́ в де́тстве она́ серьёзно интересова́лась литерату́рой, о́чень мно́го чита́ла. Пото́м начала́ писа́ть сама́. Она́ писа́ла рома́ны, дра́мы, стихи́. Со́фья Ковале́вская счита́ла, что матема́тика – э́то нау́ка, кото́рая тре́бует фанта́зии. Нельзя́ быть математи́ком и не быть в то же вре́мя поэ́том в душе́.

GRAMMAR

The Instrumental of Nouns

– **Кем** был его́ оте́ц?	"What was his father?"
– **Врачо́м.**	"A doctor."
– **Кем** ста́ла его́ сестра́?	"What did his sister become?"
– **Учи́тельницей.**	"A teacher."

Nominative **кто?** *who?* **что?** *what?*	Instrumental **кем?** *by whom?* **чем?** *with what?*	Ending
студе́нт оте́ц врач дом окно́	студе́н**том** отц**о́м** врач**о́м** до́**мом** окн**о́м**	**-ом**
гость това́рищ слова́рь музе́й санато́рий по́ле зда́ние	го́ст**ем** това́рищ**ем** словар**ём** музе́**ем** санато́ри**ем** по́л**ем** зда́ни**ем**	**-ем (-ём)**
сестра́ студе́нтка	сестр**о́й** студе́нтк**ой**	**-ой**
учи́тельница пе́сня аудито́рия	учи́тельниц**ей** пе́сн**ей** аудито́ри**ей**	**-ей**
мать тетра́дь	ма́тер**ью** тетра́д**ью**	**-ью**

The Endings of Nouns with the Stem in ж, ш, щ, ч and ц

Stressed Ending		Unstressed Ending	
врач – врачóм отéц – отцóм	-ом	товáрищ – товáрищем муж – мýжем	-ем
душá – душóй	-ой	учи́тельница – учи́тельницей	-ей

The Instrumental after the Verbs станови́ться (стать), быть, рабóтать

The verbs **станови́ться (стать), быть** and **рабóтать** are followed by the instrumental without a preposition.

– **Кем стал** егó брат?	"What did his brother become?"	– Он **стал инженéром.**	"He became an engineer."
– **Кем был** егó отéц?	"What was his father?"	– Егó отéц **был математи́ком.**	"His father was a mathematician?"
– **Кем** он **рабóтает?**	"What does he do?"	Он **рабóтает учи́телем.**	"He works as a teacher."

Ⓟ The Declension of the Noun врéмя

The stem of a small group of neuter nouns in **-мя**, for example **врéмя**, changes in all the cases (except the nominative and the accusative) and their endings differ from those of neuter nouns in **-о, -е** and **-ие**.

Nom.	*что?*	врéмя
Gen.	*чегó?*	врéм**ени**
Dat.	*чемý?*	врéм**ени**
Acc.	*что?*	врéмя
Instr.	*чем?*	врéм**енем**
Prep.	*о чём?*	о врéм**ени**

The Use of the Pronoun сам

The Russian pronoun **сам** does not change for person, but it changes for gender and number; **я (ты, он) сам, онá самá, мы (вы, они́) сáми. Я сам** позвоню́ ей. I will telephone her myself. **Ты сам** позвони́шь ей? Will you telephone her yourself? **Он сам** позвони́т ей. He will telephone her himself.

The Constructions **хоте́ть** + an Infinitive and **хоте́ть, что́бы...** in Complex Sentences

хоте́ть + Infinitive	хоте́ть, что́бы + Past Tense
Сестра́ **хо́чет прие́хать** у́тром. The sister wants to come in the morning. The construction **хоте́ть + an infinitive** is used when both the actions are performed by the same doer (the sister).	Сестра́ **хо́чет, что́бы** Та́ня **прие́хала** у́тром. The sister wants Tanya to come in the morning. The construction **хоте́ть, что́бы + the past tense** is used when the two actions are performed by two different doers (the sister and Tanya). This construction corresponds to the English construction "the Accusative with the Infinitive".

Verb Conjugation

собра́ться I (*b*)	
я соберу́сь	мы соберёмся
ты соберёшься	вы соберётесь
он, она́ соберётся	они́ соберу́тся

говори́ть II	alternation
отме́тить (*a*) **станови́ться** (*c*)	**т → ч** **в → вл**

встать I (*a*)
стать

Verb Groups

чита́ть I (*a*)
отмеча́ть **собира́ться** **счита́ть**

танцева́ть I (*a*)
интересова́ться **заинтересова́ться** **тре́бовать** **потре́бовать**

Word-building

преподава́тель – преподава́тельница

EXERCISES

I. Change the sentences, as in the model.

Model: *Джон студе́нт.*
Джон был студе́нтом. Джон бу́дет студе́нтом.

1. Ни́на врач. 2. Его́ сестра́ студе́нтка. 3. Он писа́тель. 4. Оле́г его́ друг. 5. Та́ня её подру́га.

II. Change the sentences, as in the model.

(a) Model: *Оте́ц Андре́я матема́тик.*
Андре́й то́же хо́чет стать матема́тиком.

1. Мать Ната́ши учи́тельница. 2. Брат Оле́га био́лог. 3. Сестра́ Ни́ны преподава́тельница.

(b) Model: *Он продаве́ц.*
Я то́же бу́ду продавцо́м.

1. Он инжене́р. 2. Он врач. 3. Он преподава́тель. 4. Он учи́тель. 5. Он космона́вт.

III. Answer in the affirmative.

Model: *– Ты пое́дешь за́втра к нему́?*
– Коне́чно, пое́ду.

1. Ты уви́дишь ве́чером Оле́га? 2. Ты пригласи́шь его́ на день рожде́ния? 3. Ты вы́ступишь на ве́чере? 4. Ты помо́жешь мне перевести́ текст? 5. Ты ку́пишь э́тот уче́бник? 6. Ты смо́жешь прийти́ к нам? 7. Ты расска́жешь нам об экску́рсии? 8. Ты не забу́дешь мой телефо́н? 9. Ты пригото́вишь докла́д?

IV. (a) These events will take place in the future. Change the sentences accordingly.

В воскресе́нье я встал ра́но. Я бы́стро поза́втракал и вы́шел из до́ма. Я пошёл к метро́, там меня́ ждал това́рищ. Около метро́ я купи́л цветы́, встре́тил това́рища, и мы вме́сте пое́хали на пло́щадь Пу́шкина.

(b) Put the sentences in the past tense.

1. Та́ня хорошо́ поёт и танцу́ет. 2. Его́ брат преподаёт матема́тику. 3. Он ча́сто даёт мне кни́ги. 4. Мы берём уче́бники в библиоте́ке. 5. Оле́г пло́хо себя́ чу́вствует, у него́ боли́т голова́, ему ну́жно пойти́ к врачу́.

V. Use the verbs given on the right in the correct form.

Model: *Я хочу́ посмотре́ть э́тот фильм.*
Я хочу́, что́бы ты посмотре́л э́тот фильм.

1. Ната́ша хо́чет ... у́тром. — *прие́хать*
Та́ня хо́чет, что́бы Ната́ша ... у́тром.
2. Ты хо́чешь ... биле́ты в кино́? — *купи́ть*
Ты хо́чешь, что́бы он ... биле́ты в кино́?
3. Она́ хо́чет ... нас к себе́. — *пригласи́ть*
Она́ хо́чет, что́бы мы ... её к себе́.

4. Я хочу́ ... бра́ту письмо́. *написа́ть*
Брат хо́чет, что́бы я ... ему́ письмо́.

VI. (a) Complete the sentences.

1. Я хочу́, что́бы ты ... 2. Роди́тели хотя́т, что́бы я ... 3. Вы хоти́те, что́бы мы ... 4. Оте́ц хо́чет, что́бы сын ... 5. Я не хочу́, что́бы вы ...

(b) Make up sentences, using the constructions **хоте́ть** + an infinitive and **хоте́ть, что́бы ...**

VII. Decline the following offers.

(a) Model: – *Ты хо́чешь, что́бы я встре́тил отца́?*
– *Нет, я хочу́ сам встре́тить его́.*

1. Ты хо́чешь, что́бы я встре́тил сестру́? 2. Ты хо́чешь, что́бы я позвони́л бра́ту? 3. Ты хо́чешь, что́бы я проводи́л ба́бушку? 4. Ты хо́чешь, что́бы я помо́г ей?

(b) Model: – *Ты хо́чешь показа́ть им наш го́род?*
– *Нет, я хочу́, что́бы ты показа́л им наш го́род.*

1. Ты хо́чешь пригласи́ть их? 2. Ты хо́чешь пойти́ в магази́н? 3. Ты хо́чешь пое́хать к нему́? 4. Ты хо́чешь взять э́тот журна́л? 5. Ты хо́чешь перевести́ э́тот текст?

VIII. Translate into Russian.

John's sister works as a college teacher. She began learning Russian a long time ago when still a girl. John began learning Russian when he became a student. His teacher was his sister.

IX. Read through the text. Tell it (write it down) (a) in the 3rd person, (b) as Natasha would tell it.

Она́ бу́дет учи́тельницей

Ната́ша жила́ в го́роде на се́вере страны́. Оте́ц Ната́ши был инжене́ром, ма́ма учи́тельницей. Ста́рший брат Ната́ши неда́вно ко́нчил моско́вский институ́т и верну́лся домо́й. Тепе́рь он инжене́р, рабо́тает вме́сте с отцо́м.

Ната́ша до́лго не могла́ реши́ть, кем быть. Ей нра́вилась специа́льность отца́, она́ ду́мала, что мо́жет стать инжене́ром, как брат и оте́ц. Но и специа́льность ма́мы ей то́же нра́вилась. В шко́ле, где учи́лась Ната́ша, ма́ма преподава́ла литерату́ру и ру́сский язы́к. Интере́сные уро́ки ма́мы люби́ли все, а подру́га Ната́ши говори́ла, что ста́нет учи́тельницей, как её ма́ма. Но Ната́ша не могла́ реши́ть, кем она́ бу́дет.

Одна́жды, когда́ Ната́ша учи́лась в деся́том кла́ссе, тяжело́ заболе́ла её подру́га. Три ме́сяца она́ не ходи́ла в шко́лу. И почти́ ка́ждый день к ней, снача́ла в больни́цу, а пото́м домо́й, приходи́ла Ната́ша. Она́ занима́лась с подру́гой не то́лько исто́рией и литерату́рой, но и фи́зикой и матема́тикой. Подру́га называ́ла Ната́шу: «Моя́ учи́тельница».

Наступи́ла весна́, вре́мя сдава́ть экза́мены. Подру́га Ната́ши уже́ ходи́ла в шко́лу, но де́вушки продолжа́ли занима́ться вме́сте. Как сча́стлива была́ Ната́ша, когда́ её подру́га, кото́рая почти́ год была́ её учени́цей, сдала́ все экза́мены. В э́тот день Ната́ша поняла́, кем она́ должна́ стать: учи́тельницей и то́лько учи́тельницей.

специа́льность profession
тяжело́ seriously
исто́рия history
фи́зика physics
учени́ца pupil
экза́мен examination
весна́ spring
сдава́ть экза́мен to take an examination
сдать экза́мен to pass an examination
наступи́ла весна́ spring came

X. Tell your friend how you (your brother, your sister) chose your (his, her) profession (trade). For example:

Я хоте́л быть (стать) ... кем? Я стал ... кем?

Assignment on the Text

1. Куда́ е́дет Джон и его́ друзья́? Почему́ они́ е́дут на пло́щадь Пу́шкина? Как отмеча́ют в Москве́ день рожде́ния Пу́шкина?
2. Бы́ли ли вы в СССР? Зна́ете ли вы, как отмеча́ют в стране́ день рожде́ния поэ́та?
3. Кем ста́ла сестра́ Джо́на? Когда́ она́ начала́ учи́ть ру́сский язы́к? Когда́ Джон на́чал учи́ть ру́сский язы́к?
4. Кем рабо́тают ва́ши роди́тели? Кем стал и́ли кем ста́нет ваш брат? Кем ста́ла и́ли кем ста́нет ва́ша сестра́? Кем был ваш друг (ва́ша подру́га)?

READ WITH A DICTIONARY

Я без перево́дчика

Когда́ я впервы́е прие́хал в Сове́тский Сою́з, я не говори́л по-ру́сски. Я знал, что «да» зна́чит "Yes" и что «нет» – "No". И э́то бы́ло всё. Пе́рвый мой разгово́р по-ру́сски был о́чень коро́ткий. Слу́жащий в аэропорту́ сказа́л: «Па́спор-р-рт». Я дал ему́ свой докуме́нт. Разгово́р ко́нчился. Я поду́мал, что ру́сский язы́к похо́ж на англи́йский – на́до то́лько научи́ться произноси́ть бу́кву «р».

В Москве́ мне да́ли перево́дчика, и я стал его́ пле́нником. Все, с кем я разгова́ривал, говори́ли со мной го́лосом моего́ перево́дчика. Быть го́стем страны́ и не знать её языка́ о́чень тру́дно.

Когда́ я верну́лся в Нью-Йорк, я твёрдо реши́л изуча́ть ру́сский язы́к. И вот я занима́юсь ру́сским языко́м: падежи́, оконча́ния, глаго́льные приста́вки – как э́то всё запо́мнить? Как запо́мнить тако́й, наприме́р, текст из уче́бника: «Я вы́шел из до́ма и пешко́м дошёл до па́рка, вошёл в парк, перешёл мост, подошёл к па́мятнику, а когда́ вы́шел из па́рка, встре́тил дру́га, кото́рый повёз меня́ на маши́не. Мы дое́хали до вокза́ла, там я сел в по́езд и уе́хал». Э́тот текст я учи́л наизу́сть, и все э́ти «пошёл», «вошёл», «дошёл», «пришёл» я повторя́л да́же но́чью во сне.

В сле́дующий мой прие́зд в Москву́ я реши́л, что уже́ могу́ говори́ть по-ру́сски. И вот я без перево́дчика. Когда́ я вы́шел из гости́ницы, како́й-то челове́к спроси́л меня́, как пройти́ на у́лицу Го́рького. Я сказа́л: «Вот!» и показа́л па́льцем. Кто-то неча́янно толкну́л меня́ и извини́лся. Я сказа́л: «Пожа́луйста».

Если ру́сское «пожа́луйста» перевести́ на англи́йский язы́к сло́вом "please", то у нас э́то бу́дет зна́чить, что вы приглаша́ете челове́ка, кото́рый толкну́л вас, повтори́ть э́то ещё раз. Но я знал, что прохо́жий не сде́лает э́того: я уже́ немно́го понима́л по-ру́сски.

Обы́чно в словаре́ сло́во «пожа́луйста» перево́дят как "please". Но «пожа́луйста» так же похо́же на "please", как фра́за «Я люблю́ вас, дорога́я» на фра́зу «Бу́дьте мое́й жено́й».

Америка́нец-фило́лог, кото́рый изуча́ет ру́сский язы́к, не сра́зу поймёт, что же зна́чит э́то сло́во. Предполо́жим, что э́тот филолог вы́брал ме́стом для наблюде́ния о́чередь на телегра́фе. Он слу́шает разгово́р и запи́сывает, что ка́ждое деся́тое ру́сское сло́во – э́то сло́во «пожа́луйста». Вот како́й-то челове́к о́чень спеши́т, он смо́трит на о́чередь и про́сит: «Пожа́луйста», и о́чередь отвеча́ет ему́: «Пожа́луйста». Телеграфи́стка даёт ему́ бланк для телегра́ммы и говори́т: «Пожа́луйста», челове́к благодари́т её и начина́ет иска́ть ру́чку. Кто́-то из о́череди даёт ему́ ру́чку и говори́т: «Пожа́луйста». Америка́нец уже́ ничего́ не понима́ет, но продолжа́ет наблюде́ние. Челове́к отдаёт телегра́мму телеграфи́стке. Телеграфи́стка говори́т: «Пожа́луйста, оди́н рубль». Челове́к протя́гивает де́ньги и говори́т: «Пожа́луйста».

Наш фило́лог бледне́ет и па́дает на́ пол. Лю́ди помога́ют ему́ встать и спра́шивают: «Вам пло́хо? Мо́жет быть вы́звать врача́?» «Пожа́луйста»,– говори́т америка́нец по-ру́сски и чу́вствует, что по́нял, наконе́ц, настоя́щее значе́ние сло́ва «пожа́луйста».

По М. Уи́лсону

Я без перево́дчика I try to manage without an interpreter
ме́сто наблюде́ния observation point
во сне in one's sleep
похо́ж (похо́жа, похо́же, похо́жи) *на кого́? на что?* (is) like

Быть го́стем страны́ и не знать её языка́ о́чень тру́дно.	It is very difficult to be a visitor to a country without knowing its language.

Assignment on the Text

1. Каку́ю исто́рию рассказа́л америка́нский писа́тель Ми́тчел Уи́лсон?
2. Давно́ ли вы изуча́ете ру́сский язы́к? Смо́жете ли разгова́ривать с ру́сскими без перево́дчика?

3. Прочита́йте ру́сские посло́вицы о языке́, о сло́ве. Как вы их понима́ете? Зна́ете ли вы аналоги́чные посло́вицы на ва́шем языке́?

Язы́к мой – враг мой.
Язы́к до Ки́ева доведёт.
Снача́ла поду́май, пото́м говори́.
Сло́во – не воробе́й: вы́летит – не пойма́ешь.

4. Прочита́йте отры́вок из стихотворе́ния ру́сского поэ́та XIX ве́ка Петра́ Вя́земского о языке́.

Язы́к есть и́споведь наро́да:
В нём слы́шится его́ приро́да,
Его́ душа́ и быт родно́й.

Как вы понима́ете э́то стихотворе́ние?

UNIT 19

Центра́льный стадио́н им. В. И. Ле́нина

Preparation for Reading

Смотре́ть что́-либо по телеви́зору.	To watch smth. on television.
Слу́шать что́-либо по ра́дио.	To listen to smth. on the radio.
Слы́шать что́-либо по ра́дио.	To hear smth. on the radio.

пла́вать to swim
осо́бенно particularly
серьёзно seriously, in earnest
увлека́ться *кем?* / **увле́чься** *чем?* to be keen (on)
да́же even
мечта́ть *о чём? о ком? что де́лать? что сде́лать?* to dream
мечта́ dream
футболи́ст football player, soccer player
по́этому therefore, that is why
потому́ что because
матч match
знако́м *с кем?* (one) knows (smb.)
кома́нда team
ведь for
люби́мый favourite
вы́ход exit
вход entrance

* * *

вели́кий great
мо́лодость youth

ста́рость old age
бе́гать to run, to jog
гимна́стика gymnastics
уме́ть *что де́лать?* to be able, can
суме́ть *что сде́лать?* to be able, can
велоси́пед bicycle
специа́льность speciality, profession
профе́ссия profession, trade

* * *

игра́ть в те́ннис (в футбо́л и т. д.) to play tennis (football, etc.)
футбо́льная кома́нда football team
в мо́лодости in one's youth
в ста́рости in one's old age
е́здить верхо́м to ride on horseback

The Uses of the Verb игра́ть

игра́ть во что? to play smth. (a game)				**игра́ть на чём?** to perform (on a musical instrument)			
(Accusative)				(Prepositional)			
игра́ть	в волейбо́л	to play	volleyball	игра́ть	на гита́ре	to play	the guitar
	в те́ннис		tennis		на пиани́но		the piano
	в футбо́л		football (soccer)		на скри́пке		the violin
	в ша́хматы		chess				

Nouns and Adverbs with the Meaning of Time

что?		когда́?	
у́тро	зима́	у́тром	зимо́й
день	весна́	днём	весно́й
ве́чер	ле́то	ве́чером	ле́том
ночь	о́сень	но́чью	о́сенью

TEXT

Джон идёт на футбо́л

Джон лю́бит спорт. Он хорошо́ пла́вает, игра́ет в те́ннис, зимо́й хо́дит на лы́жах, но осо́бенно лю́бит футбо́л. В де́тстве Джон серьёзно увлека́лся футбо́лом и сам непло́хо игра́л. Когда́ был ма́льчиком, да́же мечта́л стать футболи́стом. Он и сейча́с лю́бит футбо́л, поэ́тому хо́дит на все интере́сные ма́тчи.

Вот и сего́дня Оле́г пригласи́л Джо́на на стадио́н. В шесть часо́в Оле́г с това́рищем бу́дут ждать Джо́на у метро́ «Спорти́вная».

DIALOGUE

Оле́г: Приве́т, Джон!
Джон: До́брый день!
Оле́г: Ты когда́ сего́дня конча́ешь занима́ться?
Джон: В четы́ре. А что?
Оле́г: Ты не хо́чешь пойти́ с на́ми на футбо́л?
Джон: Ты идёшь с Та́ней?
Оле́г: Нет, с това́рищем.
Джон: Я его́ зна́ю?
Оле́г: Ка́жется, ты с ним знако́м. Это Са́ша. Мы с ним вме́сте учи́лись в шко́ле.
Джон: Да, я встреча́л его́ у вас. А кто игра́ет?
Оле́г: «Дина́мо» (Ки́ев) – «Спарта́к» (Москва́). Ты уже́ ви́дел э́ти кома́нды?
Джон: Коне́чно. И на стадио́не и по телеви́зору, ведь футбо́л – мой люби́мый спорт. В де́тстве я сам непло́хо игра́л.
Оле́г: А сейча́с?
Джон: Футбо́лом я уже́ не занима́юсь, но спорт люблю́.Так когда́ мы встре́тимся?
Оле́г: В шесть часо́в у метро́ «Спорти́вная», о́коло вы́хода на стадио́н.
Джон: Хорошо́. До ве́чера!
Оле́г: До ве́чера!

Зна́ете ли вы?

Что вели́кий ру́сский писа́тель Лев Никола́евич Толсто́й люби́л спорт и занима́лся спо́ртом и в мо́лодости и в ста́рости.

В 70 лет он непло́хо бе́гал, занима́лся гимна́стикой, хорошо́ е́здил верхо́м, ката́лся на велосипе́де.

GRAMMAR

The Instrumental of Joint Action

– **С кем** он идёт на стадио́н?	"Who is he going to the stadium with?"
– **С това́рищем.**	"With a friend."

In answer to the question **с кем**? the instrumental is used: – **С кем** она́ отдыха́ла? – **С сестро́й.**

Personal Pronouns in the Instrumental

Nominative	Instrumental
я	**мной (мнóю)**
ты	**тобóй (тобóю)**
он	**им**
онá	**éю (ей)**
мы	**нáми**
вы	**вáми**
онú	**úми**

The Use of the Personal 3rd Person Pronouns with and without a Preposition

Олéг интересовáлся	**им** **éю (ей)** **úми**	Он рабóтал	**с ним** **с ней (с нéю)** **с нúми**

The Use of the Prepositions к, с, об with the Pronoun of the 1st Person Singular

ко мне
со мной (мнóю)
обо мне

The Constructions мы с сестрóй..., мать с отцóм....

Мы с сестрóй пошлú в кинó.	My sister and I went to the cinema.
Мать с отцóм поéхали отдыхáть.	The mother and the father went on a holiday.

Note.–1. The construction **мы с сестрóй** corresponds to the English construction "my sister and I", and the construction **мать с отцóм** to the English construction "the mother and the father".

2. In these constructions the predicate is in the plural.

Verbs Used with Nouns in the Instrumental

быть рабóтать стать	**кем?**	быть встречáться говорúть жить	**с кем?**

занимáться интересовáться увлекáться	**кем? чем?**	занимáться знакóмиться рабóтать танцевáть учи́ться	**с кем?**

The Use of the Verbs мочь, умéть, знать

мочь + Infinitive		**уметь** + Infinitive	
Я не могý читáть: у меня́ боли́т головá.	I cannot read: I've a headache.	Мой брат ещё не умéет ходи́ть.	My brother cannot walk yet.
Я могý помóчь тебé.	I can help you.	Я не умéю плáвать.	I cannot swim.

Note.–The verb **мочь** expresses a physical or mental ability to do smth.

Note.–The verb **умéть** expresses an ability which is due to the acquired knowledge or skill.

знать *когó? что?*	
Я знáю рýсский язы́к.	I know Russian.
Я знáю егó брáта.	I know his brother.

Note.–The Russian verb **знать** is never used with an infinitive.

Complex Sentences with Clauses of Cause or Result

почемý?		*why?*	
потомý что (тáк как) *because*		**поэ́тому** *that is why, therefore*	
Он не пришёл в инститýт, *потомý что (так как)* заболéл.	He did not come to the institute because he had fallen ill.	Он заболéл, *поэ́тому* не пришёл в инститýт.	He fell ill and therefore did not come to the institute.

Verb Conjugation

увле́чься I (*b*)		
Future Tense		Past Tense
я увлеку́сь ты увлечёшься он, она́ увлечётся	мы увлечёмся вы увлечётесь они́ увлеку́тся	он увлёкся она́ увлекла́сь они́ увлекли́сь

Note.–The verb **увле́чься** has an irregular past tense.

Verb Groups

чита́ть I (*b*)
бе́гать **мечта́ть** **пла́вать** **увлека́ться**

боле́ть I (*b*)
уме́ть **суме́ть**

Word-building

мо́лодость специа́льность
ста́рость

Note.–Words with the suffix **-ость** are invariably feminine.

EXERCISES

I. Change the sentences, as in the model.

(a) Model: *Она́ лю́бит те́ннис.*
Она́ увлека́ется те́ннисом.

1. Джон лю́бит спорт. 2. Её сын лю́бит волейбо́л. 3. Дочь лю́бит гимна́стику. 4. Оле́г лю́бит футбо́л. 5. Он лю́бит бокс.

(b) Model: *Он лю́бит биоло́гию.*
Он интересу́ется биоло́гией.

1. Я люблю́ матема́тику. 2. Сестра́ лю́бит литерату́ру. 3. Вы лю́бите му́зыку. 4. Ты лю́бишь бале́т. 5. Они́ лю́бят теа́тр.

II. Answer the question **с кем вы бы́ли в теа́тре?**, using the words: **Та́ня, Ната́ша, Алексе́й, Джон, друг, това́рищ, подру́га.**

Model: *Я был(а́) в теа́тре с Ни́ной.*

14–1350

III. Complete the sentences, as in the model.

Model: *Это друг Олéга. Тáня знакóма ...*
Тáня знакóма с дрýгом Олéга.

1. Натáша подрýга Нúны. Нúна давнó знакóма ... 2. Это брат Андрéя. Я учúлся в шкóле ... 3. Сáша лю́бит математúку. Он ужé с дéтства увлекáлся ... 4. В Москвý приéхала сестрá Джóна. Мы познакóмились ... 5. Вчерá Нúне звонúл отéц. Нúна дóлго разговáривала ... 6. Мáма Тáни учúтельница. Тáня тóже хóчет стать ... 7. Мой друг врач. Я тóже решúл стать ... 8. Я не люблю́ футбóл, а Джон увлекáется ... 9. Друг Джóна футболúст, и Джон мечтáл стать ... 10. Олéг лю́бит спорт. Он давнó занимáется ...

IV. Complete the sentences, using the appropriate pronouns in the correct form.

1. – Это Джон. Ты знакóм с ...?
   – Да, мы встречáлись у Олéга.
2. – Ты вúдишь Тáню?
   – Да, я чáсто встречáюсь с ...
3. – Где ты был вчерá? Звонúл Андрéй, он хотéл встрéтиться с ...
4. – Ты знáешь их?
   – Да, я познакóмился с ... на ю́ге.
5. – Ты знáешь Сáшу?
   – Да, он рабóтает со ...
6. – Говоря́т, Олéг твой друг. Он учúлся с ... в шкóле?
   – Да, мы учúлись с ... вмéсте.
7. – Джон, мы идём на стадиóн. Не хóчешь пойтú с ...?
   – С удовóльствием.

V. Change the words, printed in bold-face type, as in the model.

(a) Model: *Я и брат встрéтились у метрó.*
Мы с брáтом встрéтились у метрó.

1. В воскресéнье **я и Джон** ходúли в кинó. 2. Вчерá **я и Тáня** игрáли в тéннис. 3. Вéчером **я и Олéг** дóлго игрáли в шáхматы. 4. **Я и Сáша** не смоглú перевестú э́тот расскáз.

(b) Model: *В аудитóрию вошлú студéнт и студéнтка.*
В аудитóрию вошлú студéнт со студéнткой.

1. Зимóй ко мне приéдут **мать и отéц.** 2. **Брат и сестрá** всегдá отдыхáют вмéсте. 3. Веснóй ко мне приезжáли **дéдушка и бáбушка.** 4. Недáвно у неё бы́ли **Олéг и Андрéй.**

VI. Read through the text. Use the words in brackets in the correct form. Use prepositions wherever necessary.

Кем быть?

Мой отéц был (*инженéр*), а мать (*учúтельница*). Брат, котóрый любúл математúку, хотéл стать (*математúк*), тóлько я не знал, кем быть.

Ле́том я пое́хал к (*ба́бушка*) (*дере́вня*). Там я познако́мился с (*врач*), кото́рый рабо́тал (*дере́вня*) уже́ три́дцать лет. Я люби́л разгова́ривать (*он*), слу́шать расска́зы (*его́ рабо́та*). Я узна́л, как мно́го сде́лал э́тот челове́к и кака́я интере́сная его́ специа́льность. Тепе́рь я зна́ю, кем я бу́ду. Я бу́ду (*врач*).

VII. Use the verb **мочь, уме́ть** or **знать** as required by the sense, putting it in the correct form.

1. Оле́г хорошо́ ... англи́йский язы́к. 2. Вы ... игра́ть в ша́хматы? 3. Он ... игра́ть на гита́ре? 4. Ты ..., когда́ начина́ется э́тот матч? 5. Мы ... дое́хать до стадио́на на метро́? 6. Ты встре́тился с ним вчера́? – Нет, я не ... 7. Я не ... откры́ть дверь, я забы́л ключи́.

VIII. Change the sentences, using the verb **мочь** or **уме́ть**.

Model: *Его́ брат ма́ленький, он ещё не чита́ет.*
Он ещё не уме́ет чита́ть.

1. Мой сын ма́ленький, он ещё **не хо́дит**. 2. Её сестре́ год, она́ ещё **не говори́т**. 3. Я пло́хо себя́ чу́вствую, поэ́тому **не танцу́ю**. 4. Он сего́дня **не игра́ет** в футбо́л, он о́чень за́нят. 5. Вы **подождёте** меня́? 6. Ты **позвони́шь** мне сего́дня? 7. Она́ **даст мне** э́тот журна́л?

IX. Change the sentences, as in the model.

Model: *Она́ лю́бит отдыха́ть на реке́, потому́ что хорошо́ пла́вает.*
Она́ хорошо́ пла́вает, поэ́тому лю́бит отдыха́ть на реке́.

1. Оле́г ча́сто хо́дит на стадио́н, **потому́ что** лю́бит футбо́л. 2. Ната́ша е́дет в Ки́ев, **та́к как** давно́ не ви́дела сестру́. 3. Он пое́хал на вокза́л, **та́к как** ему́ ну́жно встре́тить отца́. 4. Ле́том Ни́на пое́дет в Ленингра́д, **потому́ что** там живу́т её роди́тели. 5. Мы знако́мы с ним, **потому́ что** вме́сте отдыха́ли на ю́ге.

X. Answer the questions, as in the model.

Model: *Оле́г не́ был сего́дня в институ́те.*
Он заболе́л.
– Почему́ Оле́г не́ был в институ́те?
– Потому́ что он заболе́л.

1. Мы хоти́м пойти́ на вы́ставку, говоря́т, что э́та вы́ставка о́чень интере́сная.
– Почему́ вы хоти́те пойти́ на вы́ставку?
2. Та́ня о́чень лю́бит бале́т, она́ ча́сто хо́дит в Большо́й теа́тр.
– Почему́ Та́ня ча́сто хо́дит в Большо́й теа́тр?
3. Друзья́ до́лго не писа́ли мне, они́ бы́ли о́чень за́няты.
– Почему́ друзья́ до́лго не писа́ли вам?

4. Джон ча́сто хо́дит на стадио́н, он игра́ет в те́ннис.

– Почему́ Джон ча́сто хо́дит на стадио́н?

5. Са́ша не пошёл с на́ми в лес, он не уме́ет ката́ться на лы́жах.

– Почему́ Са́ша не пошёл с ва́ми в лес?

XI. Use the words **(a) оте́ц, (b) мать, (c) сестра́** in the required form with the appropriate preposition.

(a) Мой оте́ц живёт в Ки́еве. Ле́том я обы́чно е́зжу ..., а зимо́й он иногда́ приезжа́ет ко мне. Неда́вно я получи́л письмо́ ... . Он пи́шет, что ско́ро прие́дет в Москву́. Я бу́ду о́чень рад уви́деть ... . Когда́ я встре́чусь ..., я расскажу́ ему́, как я живу́, как рабо́таю.

(b) Мать Ни́ны живёт в Ленингра́де. Ни́на о́чень лю́бит ..., ча́сто пи́шет ..., иногда́ звони́т ей. Неда́вно Ни́на была́ ... в Ленингра́де. Когда́ Ни́на уезжа́ла из Ленингра́да, ... пообеща́ла ей прие́хать в Москву́. Ни́на ждёт, что ско́ро встре́тится ... .

(c) Сестра́ Ната́ши живёт в Ки́еве. Ната́ша учи́лась в шко́ле вме́сте ... . Сейча́с Ната́ша у́чится в институ́те в Москве́, а ... в Ки́еве. Ната́ша ча́сто пи́шет ... . Неда́вно Ната́ша позвони́ла ... и пригласи́ла её в Москву́. Ско́ро Ната́ша уви́дит ... . Оле́г хо́чет познако́миться ... Ната́ши. Он спра́шивал Ната́шу, как зову́т ... и ско́лько лет ... . Ната́ша сказа́ла ему́, что ско́ро он смо́жет познако́миться с её ... .

XII. (a) Use the personal pronoun of the 1st person singular in the required form and with a preposition wherever necessary.

Я студе́нт

Дава́йте познако́мимся. Я студе́нт. ... зову́т Андре́й. ... 20 лет. Я живу́ и учу́сь в Москве́. ... есть друг, его́ зову́т Оле́г, он у́чится вме́сте ... в университе́те. Оле́г ча́сто прихо́дит ..., иногда́ звони́т ... Мы вме́сте занима́емся, вме́сте отдыха́ем. Вчера́ Оле́г сказа́л, что его́ брат хо́чет познако́миться ..., потому́ что мно́го слы́шал ... Я то́же бу́ду рад познако́миться с бра́том Оле́га.

(b) Use the personal pronoun of the 3rd person singular in the required form and with a preposition wherever necessary.

Та́ня студе́нтка

Знако́мьтесь! Это студе́нтка. ... зову́т Та́ня. ... 20 лет. Она́ живёт и у́чится в Москве́. ... есть подру́га Ни́на, они́ вме́сте у́чатся в университе́те. Та́ня ча́сто прихо́дит к Ни́не, иногда́ звони́т ... . Брат Та́ни не зна́ет Ни́ну, но мно́го слы́шал ..., поэ́тому хо́чет познако́миться ... .

Assignment on the Text

1. Чем в де́тстве увлека́лся Джон? Кем он хоте́л стать и кем стал? Куда́ иду́т Джон с Оле́гом? Каки́е кома́нды бу́дут игра́ть? Ви́дел ли Джон э́ти кома́нды?
2. Чем вы увлека́лись в де́тстве? Чем вы интересу́етесь сейча́с? Чем интересу́ется ваш друг (ва́ша подру́га)?
3. Вы занима́етесь спо́ртом? Вы игра́ете в волейбо́л, в те́ннис, в футбо́л? Вы уме́ете пла́вать, ката́ться на лы́жах? Ча́сто ли вы быва́ете на стадио́не? Лю́бите ли вы футбо́л (хокке́й)? Кака́я ва́ша люби́мая кома́нда?

Ⓢ READ WITH A DICTIONARY

Михаи́л Васи́льевич Ломоно́сов – основа́тель пе́рвого ру́сского университе́та

Моско́вский госуда́рственный университе́т но́сит и́мя замеча́тельного ру́сского учёного Михаи́ла Васи́льевича Ломоно́сова.

Михаи́л Васи́льевич Ломоно́сов роди́лся в 1711 году́ в се́верной дере́вне недалеко́ от Бе́лого мо́ря.

Оте́ц Ломоно́сова Васи́лий Дорофе́евич был рыбако́м. С де́тства Ми́ша помога́л отцу́ в его́ нелёгкой рабо́те.

Сын рыбака́, Михаи́л Ломоно́сов с больши́м трудо́м смог получи́ть образова́ние. В 10 лет он научи́лся чита́ть и писа́ть, пото́м самостоя́тельно стал изуча́ть грамма́тику и арифме́тику. Жела́ние учи́ться бы́ло велико́, и Михаи́л, когда́ ему́ испо́лнилось 19 лет, отпра́вился в Москву́, чтобы поступи́ть в шко́лу. Он прошёл пешко́м дли́нный путь от Бе́лого мо́ря до Москвы́.

Учи́лся Ломоно́сов снача́ла в Москве́, пото́м в Петербу́рге, пото́м в Герма́нии. В то вре́мя вы́сшее образова́ние мо́жно бы́ло получи́ть то́лько за грани́цей. Вот почему́ гла́вной иде́ей Ломоно́сова была́ иде́я созда́ния ру́сского университе́та.

Учёный и поэ́т Михаи́л Васи́льевич Ломоно́сов занима́лся хи́мией, фи́зикой, геоло́гией, астроно́мией, ру́сской грамма́тикой. Он сде́лал ва́жные откры́тия в о́бласти хи́мии и фи́зики. Но гла́вная его́ заслу́га пе́ред нау́кой – основа́ние пе́рвого ру́сского университе́та, кото́рый откры́лся в Москве́ в ма́е 1755 го́да.

М. В. Ломоно́сов

Первонача́льно в Моско́вском университе́те бы́ло три факульте́та: филосо́фский, юриди́ческий и медици́нский, а сейча́с шестна́дцать.

С ты́сяча девятьсо́т сорокового́ го́да Моско́вский университе́т но́сит и́мя своего́ основа́теля Миха́йла Васи́льевича Ломоно́сова.

О значе́нии Ломоно́сова для ру́сской нау́ки хорошо́ сказа́л Алекса́ндр Серге́евич Пу́шкин: «Ломоно́сов был вели́кий челове́к... Он со́здал пе́рвый университе́т, он, лу́чше сказа́ть, сам был пе́рвым на́шим университе́том».

носи́ть и́мя *кого́? чьё?* to be named after
с трудо́м with difficulty
получа́ть / получи́ть образова́ние to receive an education
вы́сшее образова́ние higher education
пое́хать за грани́цу to go abroad
быть за грани́цей to be abroad
де́лать / сде́лать откры́тие to make a discovery
откры́тие в о́бласти фи́зики, хи́мии и т. д. a discovery in the field of physics, chemistry, etc.

Assignment on the Text

1. Почему́ Моско́вский университе́т но́сит и́мя Миха́йла Васи́льевича Ломоно́сова?
2. Что вы зна́ете о М. В. Ломоно́сове?
3. Что сказа́л о значе́нии М. В. Ломоно́сова для ру́сской нау́ки Алекса́ндр Серге́евич Пу́шкин?

Summing-Up Grammatical Tables

Special Cases of Formation of the Plural of Nouns

No. 1

Masculine		
áдрес – адресá бéрег – берегá вéчер – вечерá **-а** глаз – глазá гóлос – голосá	город – городá дóктор – доктора́ дом – домá **-а** дирéктор – директорá нóмер – номерá	óстров – островá **-а** пáспорт – паспортá пóезд – поездá профéссор – профессорá учи́тель – учителя́ **-я**

Masculine		Neuter
брат – брá**тья** друг – друз**ья́** **-ья** сын – сынов**ья́**	лист – ли́ст**ья** (лист дéрева – ли́ст**ья** but лист бумáги – листы́) **-ья** стул – стý**лья**	дéрево – дерéв**ья** крылó – кры́**лья** **-ья** перó – пéр**ья**

Masculine
англичáнин – англичáн**е** граждани́н – грáждан**е** **-е** крестья́нин – крестья́н**е**

Isolated Cases of Irregular Formation of the Plural	
сосéд – сосéд**и** я́блоко – я́блок**и**	ребёнок – дéт**и** человéк – лю́д**и** цветóк – цвет**ы́**

Declension of Nouns in the Singular

No. 2

Case	Question	Masculine		Feminine		Neuter	
Nom.	**кто?**	студе́нт		сестра́			
		врач		учи́тельни-	**-а**		
		това́рищ		ца			
		гость		студе́нтка			
	что?	музе́й		пе́сня	**-я**	окно́	**-о**
		санато́рий		аудито́рия		по́ле	**-е**
				тетра́дь		зда́ние	
Gen.	**кого́?**	студе́нта	**-а**	сестры́	**-ы**		
		врача́		учи́тельни-			
		това́рища		цы			
		го́стя	**-я**	студе́нтки	**-и**		
	чего́?	музе́я		пе́сни			
		санато́рия		аудито́рии		окна́	**-а**
				тетра́ди		по́ля	**-я**
						зда́ния	
Dat.	**кому́?**	студе́нту	**-у**	сестре́	**-е**		
		врачу́		учи́тельни-			
		това́рищу		це			
		го́стю	**-ю**	студе́нтке			
	чему́?	музе́ю		пе́сне			
		санато́рию		аудито́рии	**-и**	окну́	**-у**
				тетра́ди		по́лю	**-ю**
						зда́нию	
Acc.	**кого́?**	студе́нта	**-а**	сестру́	**-у**		
		врача́		учи́тельни-			
		това́рища		цу			
		го́стя	**-я**	студе́нтку			
	что?	музе́й	(as	пе́сню	**-ю**		
		санато́рий		аудито́рию		окно́	(as
			nom.)	тетра́дь	(as	по́ле	nom.)
					nom.)	зда́ние	

Instr.	кем? чем?	студéнтом -ом врачóм товáрищем -ем гóстем музéем санатóрием	сестрóй -ой студéнткой учи́тельницей -ей пéсней аудитóрией тетрáдью -ью	 окнóм -ом пóлем -ем здáнием
Prep.	о ком? о чём?	о студéнте -е о врачé о товáрище о гóсте о музéе о санатóрии -и	о сестрé -е об учи́тельнице о студéнтке о пéсне об аудитóрии -и о тетрáди	 об окнé -е о пóле о здáнии -и

Declension of Masculine Nouns in -а, -я

No. 3

Case	Noun	
Nom.	пáпа Ми́ша дя́дя, Волóдя	-а -я
Gen.	пáпы Ми́ши дя́ди, Волóди	-ы -и
Dat.	пáпе Ми́ше дя́де, Волóде	 -е
Acc.	пáпу Ми́шу дя́дю, Волóдю	-у -ю

Case	Noun	
Instr.	пáпой Мúшей дя́дей, Волóдей	-ой -ей
Prep.	о пáпе о Мúше о дя́де, Волóде	-е

Declension of Neuter Nouns in -мя

No. 4

Case	Noun	
Nom.	врéмя, и́мя	
Gen.	врéмени, и́мени	-и
Dat.	врéмени, и́мени	-и
Acc.	врéмя, и́мя (as nom.)	
Instr.	врéменем, и́менем	-ем
Prep.	о врéмени, об и́мени	-и

Indeclinable Nouns

No. 5

бюрó	метрó
кафé	пальтó
кинó	рáдио
кóфе	таксú

The Prepositional Ending -у of a Group of Nouns Expressing Place or Position

No. 6

Где?	
в лесý	на берегý
в портý	на льду
в садý	на мостý
в углý (кóмнаты)	на углý (ýлицы)
в шкафý	на снегý

The Use of the Prepositions на and с in the Prepositional, Accusative and Genitive Expressing Place and Direction

No. 7

на	на	с
где? (Prepositional)	куда́? (Accusative)	отку́да? (Genitive)
на ро́дине	на ро́дину	с ро́дины
на се́вере	на се́вер	с се́вера
на ю́ге	на юг	с ю́га
на за́паде	на за́пад	с за́пада
на восто́ке	на восто́к	с восто́ка
на рабо́те	на рабо́ту	с рабо́ты
на заво́де	на заво́д	с заво́да
на фа́брике	на фа́брику	с фа́брики
на факульте́те	на факульте́т	с факульте́та
на ку́рсе	на курс	с ку́рса
на заня́тии	на заня́тие	с заня́тия
на уро́ке	на уро́к	с уро́ка
на ле́кции	на ле́кцию	с ле́кции
на докла́де	на докла́д	с докла́да
на экза́мене	на экза́мен	с экза́мена
на зачёте	на зачёт	с зачёта
на собра́нии	на собра́ние	с собра́ния
на ми́тинге	на ми́тинг	с ми́тинга
на конфере́нции	на конфере́нцию	с конфере́нции
на конгре́ссе	на конгре́сс	с конгре́сса
на съе́зде	на съезд	со съе́зда
на ве́чере	на ве́чер	с ве́чера
на экску́рсии	на экску́рсию	с экску́рсии
на вы́ставке	на вы́ставку	с вы́ставки
на конце́рте	на конце́рт	с конце́рта
на спекта́кле	на спекта́кль	со спекта́кля
на бале́те	на бале́т	с бале́та
на футбо́ле	на футбо́л	с футбо́ла
на стадио́не	на стадио́н	со стадио́на
на по́чте	на по́чту	с по́чты
на телегра́фе	на телегра́ф	с телегра́фа
на ста́нции	на ста́нцию	со ста́нции
на остано́вке	на остано́вку	с остано́вки
на вокза́ле	на вокза́л	с вокза́ла
на аэродро́ме	на аэродро́м	с аэродро́ма
на у́лице	на у́лицу	с у́лицы
на пло́щади	на пло́щадь	с пло́щади
на ры́нке	на ры́нок	с ры́нка

The Use of Prepositions **в** and **из** in the Prepositional, Accusative and Genitive Expressing Place and Direction

No. 8

в	**в**	**из**
где? (Prepositional)	**куда́?** (Accusative)	**отку́да?** (Genitive)
в стране́	в страну́	из страны́
в райо́не	в райо́н	из райо́на
в го́роде	в го́род	из го́рода
в дере́вне	в дере́вню	из дере́вни
в це́нтре	в центр	из це́нтра
в аэропорту́	в аэропо́рт	из аэропо́рта
в университе́те	в университе́т	из университе́та
в институ́те	в институ́т	из институ́та
в аудито́рии	в аудито́рию	из аудито́рии
в лаборато́рии	в лаборато́рию	из лаборато́рии
в шко́ле	в шко́лу	из шко́лы
в кла́ссе	в класс	из кла́сса
в теа́тре	в теа́тр	из теа́тра
в кино́	в кино́	из кино́
в консервато́рии	в консервато́рию	из консервато́рии
в ци́рке	в цирк	из ци́рка
в клу́бе	в клуб	из клу́ба
в музе́е	в музе́й	из музе́я
в библиоте́ке	в библиоте́ку	из библиоте́ки
в общежи́тии	в общежи́тие	из общежи́тия
в гости́нице	в гости́ницу	из гости́ницы
в больни́це	в больни́цу	из больни́цы
в поликли́нике	в поликли́нику	из поликли́ники
в апте́ке	в апте́ку	из апте́ки
в магази́не	в магази́н	из магази́на

The Use of the Prepositions у, к and от in Answers to the Questions где? куда́? отку́да?

No. 9.

у (Genitive)		к (Dative)		от (Genitive)	
Где был?	у отца́ у бра́та у сестры́ у ма́тери	Куда́ ходи́л?	к отцу́ к бра́ту к сестре́ к ма́тери	Отку́да верну́лся?	от отца́ от бра́та от сестры́ от ма́тери

Declension of Personal Pronouns
Singular

No. 10

Case	1st Person	2nd Person	3rd Person	
Nom.	я	ты	он, оно́	она́
Gen.	меня́	тебя́	его́ (у него́)	её (у неё)
Dat.	мне	тебе́	ему́ (к нему́)	ей (к ней)
Acc.	меня́	тебя́	его́ (на него́)	её (на неё)
Instr.	мной (мно́ю)	тобо́й (тобо́ю)	им (с ним)	ей, е́ю (с ней, с не́ю)
Prep.	обо мне́	о тебе́	о нём	о ней

Plural

No. 11

Case	1st Person	2nd Person	3rd Person
Nom.	мы	вы	они́
Gen.	нас	вас	их (у них)
Dat.	нам	вам	им (к ним)
Acc.	нас	вас	их (на них)
Instr.	на́ми	ва́ми	и́ми (с ни́ми)
Prep.	о нас	о вас	о них

Time as Shown by a Clock

No. 12

 Де́вять часо́в Nine o'clock (a) Де́вять часо́в[1] Nine hours (b) Два́дцать оди́н час[2] Twenty-one hours	 Пять мину́т деся́того Five minutes past nine (a) Де́вять часо́в пять мину́т Nine-o-five (b) Два́дцать оди́н час пять мину́т Twenty-one-o-five
 Пятна́дцать мину́т деся́того (че́тверть деся́того) Fifteen minutes past nine (a quarter past nine) (a) Де́вять часо́в пятна́дцать мину́т Nine-fifteen (b) Два́дцать оди́н час пятна́дцать мину́т Twenty-one-fifteen	 Полови́на девя́того Half-past eight (a) Во́семь часо́в три́дцать мину́т Eight-thirty (b) Два́дцать часо́в три́дцать мину́т Twenty-thirty
 Без двадцати́ де́вять Twenty minutes to nine (a) Во́семь часо́в со́рок мину́т Eight-forty (b) Два́дцать часо́в со́рок мину́т Twenty-forty	 Без пятна́дцати де́вять (без че́тверти де́вять) Fifteen minutes to nine (a quarter to nine) (a) Во́семь часо́в со́рок пять мину́т Eight-forty-five (b) Два́дцать часо́в со́рок пять мину́т Twenty-forty-five

[1] (a) From 00 in the morning till 12 at noon.
[2] (b) After 12 at noon.

Adverbs of Time and Place

No. 13

Adverbs of Time		Adverbs of Place	
когда́?		**где?**	**куда́?**
сего́дня за́втра вчера́ сейча́с всегда́ никогда́ ра́но по́здно давно́	неда́вно днём у́тром ве́чером но́чью зимо́й весно́й ле́том о́сенью	здесь там сле́ва спра́ва наверху́ внизу́ до́ма	сюда́ туда́ нале́во напра́во наве́рх вниз домо́й

CONCENTRIC CYCLE II

UNIT 20

Тайга́

Preparation for Reading

Дари́ть что́-либо	на день рожде́ния.	To give smth. on one's birthday.
	ко дню рожде́ния.	
Пода́рок	к пра́зднику.	A present on the occasion of a celebration.

Что случи́лось (что произошло́)?	What has happened?
Это случи́лось ... (э́то произошло́...)	It happened... (It took place...)

ле́тний summer
зи́мний winter
осе́нний autumn
весе́нний spring
кани́кулы holidays, vacation
стройотря́д building detachment
стро́ить / **постро́ить** *что*? to build
доро́га way; road
приро́да countryside; nature
тайга́ taiga
заблуди́ться to lose one's way
ребя́та boys and girls
счастли́вый happy
сча́стлив (is) happy, (is) glad
крича́ть *кому́*? to shout
лу́чший best
ху́дший worst
мир world
пра́здничный festive
ка́рта map
ко́мпас compass
сле́дующий next

* * *

не́сколько раз several times
оди́н раз once
лу́чший в ми́ре the best in the world

ДИАЛОГ

Джон: Оле́г, ты был в Сиби́ри?
Оле́г: Не́сколько раз. Ездил в ле́тние кани́кулы со стройотря́дом[1].
Джон: Что вы там де́лали?
Оле́г: Стро́или доро́гу.
Джон: Тру́дно?
Оле́г: Тру́дно, коне́чно, но интере́сно. Приро́да там о́чень краси́вая. Мы рабо́тали в тайге́. Одна́жды я заблуди́лся: три часа́ иска́л доро́гу, не мог найти́. Нашли́ меня́ ребя́та. Как я был сча́стлив, когда́ услы́шал их голоса́. Они́ крича́ли: «Оле́г ...Оле́г!» Я слу́шал э́то, как лу́чшую в ми́ре му́зыку. Ве́чером де́вушки пригото́вили нам пра́здничный у́жин. Мы до́лго не ложи́лись спать в э́тот день.
В ту зи́му на день рожде́ния мне подари́ли ка́рту Сиби́ри и ко́мпас, что́бы в сле́дующий раз смог найти́ доро́гу.
Джон: А где ещё ты был?
Оле́г: Со стройотря́дом?
Джон: Да.
Оле́г: Был на Се́вере. Очень хоте́л пое́хать на Дальний Восто́к[2]. Но не смог.

Задание к тексту

1. Был ли Оле́г в Сиби́ри? Расскажи́те, кака́я исто́рия одна́жды произошла́ с ним.
2. Что подари́ли друзья́ Оле́гу на день рожде́ния и почему́?

Preparation for Reading

сме́лый brave
исто́рия case
происходи́ть / **произойти́** to happen

---

[1] Стройотря́д. *abbr. for* стро́ительный отря́д, a building detachment. Such detachments are formed at colleges and universities during the students' summer holidays from volunteers who go to work in various parts of the country.
[2] Да́льний Восто́к, the Far East, the extreme eastern part of the Soviet Union.

15–1350

о́стров island
тяжело́ seriously, gravely
молодо́й young
ста́рый old
мо́ре sea
лета́ть
лете́ть to fly
вертолёт helicopter
дуть to blow
си́льный strong
сла́бый light, weak
ве́тер wind
дождь rain
снег snow
рыба́к fisherman
по *чему́?* across
ме́лкий shallow
глубо́кий deep
боя́ться *кого́? чего́?* to be afraid
тру́дный difficult
лёгкий easy
наконе́ц at last
по́мощь *f.* help
во́время in time

* * *

си́льный (ве́тер) strong (wind)
сла́бый (ве́тер) light (wind)
ду́ет ве́тер a wind blows
идёт дождь (снег) it rains (snows)
по́мощь пришла́ во́время help arrived in time

ТЕКСТ

Сме́лые лю́ди

Эта исто́рия произошла́ на се́вере страны́. В ма́ленькой дере́вне на о́строве тяжело́ заболе́ла же́нщина. Молодо́й врач не мог помо́чь больно́й. Он вы́звал врача́ из го́рода, кото́рый находи́лся на берегу́ мо́ря. В хоро́шую пого́ду на о́стров лета́л вертолёт. Но сего́дня он не мог лете́ть: дул си́льный ве́тер, шёл дождь со сне́гом.

Там, на о́строве, была́ больна́я же́нщина, а врач не мог помо́чь ей. Тогда́ оди́н ста́рый рыба́к сказа́л, что есть доро́га по воде́. Он зна́ет ме́лкие места́, где мо́жно пройти́ пешко́м, и е́сли врач не бои́тся, они́ мо́гут пойти́ по э́той доро́ге. И врач пошёл.

До́лго шли сме́лые лю́ди по холо́дной воде́. Доро́га была́ тру́дной. Си́льный ве́тер меша́л идти́. Наконе́ц они́ уви́дели бе́рег. На берегу́ их жда́ли лю́ди ма́ленькой дере́вни. По́мощь больно́й же́нщине пришла́ во́время.

Зада́ние к те́ксту

1. Расскажи́те исто́рию, кото́рая произошла́ на се́вере страны́.
2. Почему́ врач из го́рода пошёл по тру́дной доро́ге на о́стров? Мог ли он не пойти́?

GRAMMAR

Declension of Feminine Adjectives in the Singular

– **От кого́** э́то письмо́?	“Who is this letter from?”
– **От ста́ршей сестры́.**	“From the elder (eldest) sister.”

Feminine Adjectives with the Stem in a Hard or Soft Consonant

Case	Question	Hard Stem	Soft Stem	Ending
Nom.	кака́я?	но́**вая**	си́**няя**	**-ая, -яя**
Gen.	како́й?	но́**вой**	си́**ней**	**-ой, -ей**
Dat.	како́й?	но́**вой**	си́**ней**	**-ой, -ей**
Acc.	каку́ю?	но́**вую**	си́**нюю**	**-ую, -юю**
Instr.	како́й?	но́**вой**	си́**ней**	**-ой, -ей**
Prep.	о како́й?	о но́**вой**	о си́**ней**	**-ой, -ей**

Feminine Adjectives with the Stem in ж, ш, ч, щ

Case	Question	Adjectives with Stress on Stem	Adjectives with Stress on Ending	Ending
Nom.	кака́я?	хоро́ш**ая**	больш**а́я**	**-ая**
Gen.	како́й?	хоро́ш**ей**	больш**о́й**	**-ей, -ой**
Dat.	како́й?	хоро́ш**ей**	больш**о́й**	**-ей, -ой**
Acc.	каку́ю?	хоро́ш**ую**	больш**у́ю**	**-ую**
Instr.	како́й?	хоро́ш**ей**	больш**о́й**	**-ей, -ой**
Prep.	о како́й?	о хоро́ш**ей**	о больш**о́й**	**-ей, -ой**

Declension of Feminine Possessive Pronouns in the Singular

Nom.	чья?	мо**я́**	тво**я́**	**-я**	на́ш**а**	ва́ш**а**	**-а**
Gen.	чьей?	мо**е́й**	тво**е́й**	**-ей**	на́ш**ей**	ва́ш**ей**	**-ей**
Dat.	чьей?	мо**е́й**	тво**е́й**	**-ей**	на́ш**ей**	ва́ш**ей**	**-ей**
Acc.	чью?	мо**ю́**	тво**ю́**	**-ю**	на́ш**у**	ва́ш**у**	**-у**
Instr.	чьей?	мо**е́й**	тво**е́й**	**-ей**	на́ш**ей**	ва́ш**ей**	**-ей**
Prep.	о чьей?	о мо**е́й**	о тво**е́й**	**-ей**	о на́ш**ей**	о ва́ш**ей**	**-ей**

Declension of Feminine Demonstrative Pronouns in the Singular

Nom.	кака́я?	э́та	та
Gen.	како́й?	э́той	той
Dat.	како́й?	э́той	той
Acc.	каку́ю?	э́ту	ту
Instr.	како́й?	э́той	той
Prep.	о како́й?	об э́той	о той

Adjectives with the Stem in a Soft Consonant

ле́тний зи́мний весе́нний осе́нний у́тренний вече́рний ра́нний по́здний вчера́шний сего́дняшний за́втрашний	ве́рхний ни́жний бли́жний да́льний сосе́дний сре́дний после́дний дре́вний дома́шний ли́шний си́ний

The Use of the Conjunctions что and чтобы

что		**чтобы** + Past Tense	
Това́рищ спроси́л, *что* я де́лал вчера́.	The friend asked (me) what I had been doing the day before.	Това́рищ попроси́л, *что́бы* я пришёл к нему.	The friend asked (me) to come to see him.
Сестра́ написа́ла, *что* ско́ро прие́дет.	The sister wrote that she would come soon.	Сестра́ написа́ла, *что́бы* я прие́хал.	The sister wrote that I should come.
Оте́ц сказа́л, *что* он позвони́т мне.	The father said that he would phone me.	Оте́ц сказа́л, *что́бы* я позвони́л ему́.	The father said that I should phone him.

Note.– **Что** is used after verbs which express a question or introduce a statement.

Note.– **Что́бы** is used after verbs which express a wish, advice, request or command.

Always:

спра́шивать спроси́ть **что?**	проси́ть попроси́ть **что́бы** хоте́ть тре́бовать

The Use of the Verbs происходи́ть – произойти́, случа́ться – случи́ться

The verbs **происходи́ть (произойти́), случа́ться (случи́ться)** correspond to the English verb "to happen" and are generally used in the 3rd person singular.

Это **произошло́ (случи́лось)** неда́вно на се́вере страны́. It happened recently in the north of the country. Вот кака́я исто́рия **произошла́ (случи́лась)** со мной (с кем?). This is what happened to me.

Verb Conjugation

боя́ться II (*b*)	
я бою́сь	мы бои́мся
ты бои́шься	вы бои́тесь
он (она́) бои́тся	они́ боя́тся

лете́ть II (*b*)	
я лечу́	мы лети́м
ты лети́шь	вы лети́те
он, она́ лети́т	они́ летя́т

Verb Groups

чита́ть I (*b*)
лета́ть

говори́ть II	alternation
заблуди́ться (*c*)	**д → ж**
крича́ть (*b*)	
стро́ить (*a*)	
постро́ить (*b*)	

EXERCISES

I. Use the adjectives **у́тренний, вече́рний, ле́тний, зи́мний, осе́нний, сего́дняшний, по́здний, ни́жний, си́ний** with the nouns **у́тро, ве́чер, день, час, спекта́кль, газе́та, пальто́, ча́шка, каранда́ш, эта́ж, по́лка.**

Model: *Вече́рний спекта́кль, вече́рняя газе́та, etc.*

II. Use the adjectives given on the right in the correct form.

1. – Куда́ ты поста́вила слова́рь?
   – На ... по́лку. *ве́рхний*
   – А где стои́т уче́бник?
   – То́же на ... по́лке.
2. Я взял ... газе́ту. *вече́рний*
   Она́ купи́ла биле́ты на ... спекта́кль.
3. Он был в Сиби́ри со стройотря́дом в ... кани́кулы *ле́тний.*
   Я хочу́ купи́ть ... руба́шку.

4. – Скажи́те, пожа́луйста, как дое́хать до больни́цы? *после́дний*
   – Вам ну́жно вы́йти на ... остано́вке.
5. – Прости́те, пожа́луйста, здесь живу́т Ива́новы?
   – Нет, в ... кварти́ре. *сосе́дний*
6. – Мо́жно ви́деть това́рища Петро́ва?
   – Да, пройди́те, пожа́луйста, в ... ко́мнату.

III. Introduce the adjective **ста́рший** in the required form.

Model: *Я был у сестры́.*
Я был у ста́ршей сестры́.

1. Неда́вно он получи́л письмо́ от сестры́. 2. Он интересова́лся твое́й сестро́й. 3. Он хоте́л познако́миться с твое́й сестро́й. 4. Я давно́ не ви́дел твою́ сестру́. 5. Она́ спра́шивала о его́ сестре́. 6. Моя́ сестра́ у́чится в институ́те. 7. Ле́том я отдыха́л на ю́ге у сестры́. 8. За́втра я пойду́ на новосе́лье к сестре́.

IV. Answer the questions, as in the model.

(a) Model: *Они́ бы́ли на Кра́сной пло́щади.*
– Куда́ они́ ходи́ли? – На Кра́сную пло́щадь.
– Отку́да пришли́? – С Кра́сной пло́щади.

1. Они́ бы́ли на э́той вы́ставке. 2. Они́ бы́ли на большо́й фа́брике. 3. Они́ бы́ли в сосе́дней шко́ле.
– Куда́ они́ ходи́ли? – Отку́да пришли́?

(b) Model: *Они́ ходи́ли в но́вую гости́ницу.*
– Где они́ бы́ли? – В но́вой гости́нице.
– Отку́да верну́лись? – Из но́вой гости́ницы.

1. Они́ ходи́ли в на́шу библиоте́ку. 2. Они́ ходи́ли на интере́сную вы́ставку. 3. Они́ ходи́ли в ту дере́вню.
– Где они́ бы́ли? – Отку́да верну́лись?

(c) Model: *Они́ бы́ли у мла́дшей сестры́.*
– Куда́ они́ ходи́ли? – К мла́дшей сестре́.
– Отку́да пришли́? – От мла́дшей сестры́.

1. Они́ бы́ли у на́шей преподава́тельницы. 2. Они́ бы́ли у э́той студе́нтки. 3. Они́ бы́ли у моеё подру́ги.
– Куда́ они́ ходи́ли? – Отку́да пришли́?

V. Ask questions, as in the model.

Model: *– Он у́чится в шко́ле.*
– В како́й?

1. Мы стро́или доро́гу. 2. Друзья́ подари́ли мне ка́рту. 3. Его́ мать рабо́тает на фа́брике. 4. Он бу́дет ждать нас на ста́нции. 5. Она́ живёт в гости́нице. 6. Мы подошли́ к остано́вке. 7. Я е́ду в

больни́цу. 8. Я ви́дел его́ на экску́рсии. 9. Ты зна́ешь слова́ э́той пе́сни? 10. Он спра́шивал меня́ о ле́кции. 11. Оле́г познако́мился с де́вушкой.

VI. Read through the text, inserting the adjectives required by the sense and taken from the text «Сме́лые лю́ди».

Это произошло́ в ... дере́вне на се́вере страны́. В дере́вне тяжело́ заболе́ла же́нщина. ... врач не мог помо́чь ... же́нщине. Он вы́звал врача́ из го́рода. Когда́ пого́да была́ ..., на о́стров лета́л вертолёт. Но сего́дня дул ... ве́тер и вертолёт не мог лете́ть. Тогда́ врач из го́рода с рыбако́м, кото́рый знал ... места́, пошли́ пешко́м по ... воде́. По́мощь ... же́нщине пришла́ во́время.

VII. Answer the questions in the negative, using antonymous adjectives.

Model: – *Он взял но́вый чемода́н?*
– *Нет, ста́рый.*

1. На о́строве рабо́тал ста́рый врач? 2. Пого́да в тот день была́ хоро́шая? 3. Оле́г е́здил в Сиби́рь в зи́мние кани́кулы? 4. Ты смо́тришь у́тренние газе́ты? 5. Журна́лы стоя́т на ни́жней по́лке? 6. Они́ стро́ят пе́рвые этажи́ до́ма?

VIII. Read through the text. Note the use of the conjunctions **что** and **что́бы.**

Письмо́ сестры́

Сестра́ **написа́ла, что** она́ хо́чет прие́хать в Москву́. Она́ **проси́ла, что́бы** мы написа́ли ей, как до́лго бу́дем в Москве́. В письме́ она́ **спра́шивала, что** мы бу́дем де́лать ле́том. Мы **отве́тили, что** бу́дем в Москве́ всё ле́то и о́чень **хоти́м, что́бы** она́ прие́хала.

IX. Insert **что** or **что́бы.**

1. Ната́ша спроси́ла Та́ню, ... она́ хо́чет купи́ть Оле́гу. Та́ня попроси́ла Ната́шу, ... она́ помогла́ ей купи́ть пода́рок. 2. Врач сказа́л Оле́гу, ... у него́ грипп. Он сказа́л ему́, ... в пя́тницу он пришёл в поликли́нику. 3. Та́ня сказа́ла Оле́гу, ... он купи́л биле́ты в кино́. 4. Оле́г сказа́л, ... он позвони́т Ни́не. Ни́на сказа́ла Оле́гу, ... он позвони́л ей. 5. Сестра́ написа́ла, ... ле́том прие́дет в Москву́. Сестра́ написа́ла, ... Ната́ша с Ни́ной прие́хали к ней ле́том. 6. Оле́г сказа́л, ... ле́том он пое́дет в Сиби́рь со стройотрядо́м. Оле́г сказа́л Андре́ю, ... он пое́хал в Сиби́рь со стройотря́дом.

X. (a) Complete the sentences.

1. Джон сказа́л, что ... 2. Джон сказа́л, что́бы ... 3. Роди́тели написа́ли, что ... 4. Оте́ц написа́л, что́бы ...

(b) Complete the sentences, using **что** or **что́бы.**

1. Сестра́ попроси́ла меня́, ... 2. Брат хо́чет, ... 3. Он спроси́л, ... 4. Я отве́тил, ...

Ⓢ **ЧИТАЙТЕ СО СЛОВАРЁМ**

Алле́я жи́зни

Го́род был так же мо́лод, как и лю́ди, кото́рые в нём жи́ли. Он вы́рос в жа́ркой каза́хской степи́ и называ́лся «Юность».

Ста́рый Емелья́н прие́хал сюда́ со свое́й до́черью. Па́рни и де́вушки, когда́ встреча́ли его́ на у́лице, шути́ли:

– Ты как, дед, то́же по комсомо́льской путёвке?[1]

Одна́жды стари́к услы́шал, что оди́н молодо́й оте́ц предложи́л ка́ждой семье́ сажа́ть де́рево в честь ребёнка, кото́рый роди́лся. Снача́ла Емелья́н удиви́лся: сажа́ть дере́вья в честь челове́ка, кото́рый то́лько роди́лся … А како́й он бу́дет, кто зна́ет? Но его́ дочь сказа́ла:

– Ты посмотри́, каки́е у нас па́рни и де́вушки, ду́маешь, у них мо́гут быть плохи́е де́ти?

Алле́ю реши́ли сажа́ть в це́нтре го́рода: пусть все ви́дят ра́дость ка́ждой молодо́й семьи́. Пе́рвое де́рево появи́лось незаме́тно. На ме́сте бу́дущей алле́и молодо́й оте́ц посади́л пе́рвую берёзку.

Пришло́ жа́ркое ле́то. Емелья́ну, кото́рый не мог привы́кнуть к кли́мату, тру́дно бы́ло дыша́ть. Тру́дно бы́ло и берёзке. Емелья́н уви́дел э́то и заволнова́лся. Ка́ждый ве́чер он на́чал носи́ть берёзке во́ду. Он говори́л ей:

– Пей! Пей! Пей!

И берёзка пила́. Она́ ста́ла зелёной и све́жей.

Пришла́ о́сень – вре́мя сажа́ть дере́вья. И ря́дом с пе́рвой берёзкой появи́лись други́е молоды́е дере́вья. Постепе́нно алле́я вы́шла за го́род, в степь. А ста́рый Емелья́н стал хозя́ином и садо́вником алле́и. Он с любо́вью смотре́л на молоды́е дере́вья. Дере́вья росли́, а вме́сте с ни́ми росли́ и де́ти. Де́ти появля́лись в алле́е таки́е же ю́ные и таки́е же ра́зные, как дере́вья. И разгово́р их был похо́ж на весёлое пе́ние птиц.

Молоды́е отцы́, когда́ шли на рабо́ту, всегда́ здоро́вались с Емелья́ном и ве́село спра́шивали его́:

– Ну, как там дере́вья, стоя́т?

Стари́к улыба́лся и отвеча́л:

– Стоя́т. Ско́ро в шко́лу пойду́т.

в честь кого́-либо in honour of

Задание к тексту

1. Почему́ го́род, кото́рый постро́или в каза́хской степи́, называ́ется «Юность»?
2. Расскажи́те исто́рию, кото́рая произошла́ в го́роде «Юность».
3. Как вы ду́маете, почему́ расска́з называ́ется «Алле́я жи́зни».

---

[1] е́хать по комсомо́льской путёвке, to go to get a job (at a construction site, building project, etc.) in compliance with the recommendation of the local Young Communist League organisation.

UNIT 21

Зи́мнее купа́ние

Preparation for Reading

бассе́йн swimming-pool
откры́тый open-air
закры́тый indoor
люби́тель lover

* * *

откры́тый бассе́йн open-air swimming-pool
как пра́вило as a rule
зи́мнее пла́вание swimming in winter
вид спо́рта kind of sport

ДИАЛОГ

Джон: Оле́г, ты хо́дишь в бассе́йн?
Оле́г: Да, в бассе́йн «Москва́».
Джон: А где э́то?
Оле́г: Э́то откры́тый бассе́йн в це́нтре Москвы́.
Джон: И зимо́й хо́дишь в откры́тый бассе́йн?
Оле́г: Да. Пла́вать не хо́лодно, вода́ тёплая. Осенью я е́зжу на́ реку ка́ждое воскресе́нье, но обы́чно в октябре́ уже́ пла́ваю в бассе́йне. Ду́маю нача́ть пла́вать в реке́ зимо́й.

Джон: Хо́чешь стать «моржо́м»?[1]
Оле́г: Хочу́, «моржи́», как пра́вило, о́чень здоро́вые лю́ди. А ты не хо́чешь?
Джон: Ты зна́ешь, нет. Я бе́гаю ка́ждое у́тро, в суббо́ту хожу́ в бассе́йн, но не в откры́тый.
Оле́г: Мо́жет быть, вме́сте бу́дем ходи́ть с тобо́й в бассе́йн «Москва́»?
Джон: Хорошо́.

Задание к тексту

1. Каки́м ви́дом спо́рта хо́чет занима́ться Оле́г и почему́?
2. Есть ли в ва́шем го́роде люби́тели зи́мнего пла́вания? Нра́вится ли вам э́тот вид спо́рта?

Preparation for Reading

тури́ст hiker
пенсионе́р pensioner
молодёжь *f.* young people
по-ра́зному differently
похо́д hike
плыть to sail
поплы́ть to sail
ло́дка boat
плот raft
гора́ mountain
тури́стский hiking
маршру́т route
са́мый extremely, widely
ра́зный different
вели́к (is) large
проходи́ть, **пройти́** *что? че́рез что?* to walk (all the way)
огро́мный vast, enormous
свой one's (own)
доходи́ть, **дойти́** *до чего́-либо* to reach
соверша́ть, **соверши́ть** *что?* to accomplish
путь *m.* way
носи́ть, **нести́** *что? кого́?* to carry
везти́, **вози́ть** *что? кого́?* to carry
вести́, **води́ть** *что? кого́?* to lead
тяжёлый heavy
лёгкий light
рюкза́к rucksack, knapsack
настоя́щий real
продолжа́ть, **продо́лжить** *что? что де́лать?* to continue
позади́ behind
мно́гие many
киломе́тр kilometre
жи́тель inhabitant
необы́чный unusual
обы́чный usual
самолёт aeroplane, airplane
прекра́сный fine
выбира́ть, **вы́брать** *что?* to choose

* * *

дом о́тдыха holiday centre
спорти́вный ла́герь sports camp
пойти в похо́д to go on a hike
соверши́ть похо́д (путеше́ствие) to have been on a hike (to have made a trip)

ТЕКСТ

Тури́ст-пенсионе́р

Как отдыха́ет на́ша молодёжь? По-ра́зному. Молодёжь е́здит в дома́ о́тдыха и спорти́вные лагеря́, хо́дит в похо́ды, е́здит на

[1] «Морж» *lit.* "walrus", an enthusiast of swimming in the holes made in the ice covering rivers in winter. There are many Soviet clubs whose members take part in "winter swimming". Mass "winter swimmers'" competitions are organised, which attract numerous spectators.

экску́рсии. Но люби́мый о́тдых молодёжи, коне́чно, тури́зм. Тури́ст мо́жет пойти́ в похо́д пешко́м, поплы́ть по реке́ на ло́дке и́ли на плоту́, мо́жет пойти́ в го́ры. Тури́стские маршру́ты са́мые ра́зные: страна́ велика́, и молоды́е лю́ди хотя́т всё знать и всё ви́деть.

А е́сли не молоды́е? Если челове́ку 60 и́ли 70 лет? И таки́е тури́сты то́же есть.

Вот оди́н из них: тури́ст-пенсионе́р из Ри́ги[1] Гео́ргий Миха́йлович Бушу́ев. Он прошёл пешко́м всю на́шу огро́мную страну́. В свой пе́рвый похо́д он пешко́м дошёл до Владивосто́ка[2].

Ещё в мо́лодости мечта́л Гео́ргий Миха́йлович соверши́ть э́тот похо́д и реши́л, что пойдёт в похо́д, когда́ ста́нет пенсионе́ром.

Рабо́тал Гео́ргий Миха́йлович инжене́ром, мно́го е́здил по стране́, до́лго рабо́тал на Се́вере, но свою́ мечту́ пройти́ пешко́м всю страну́ не забыва́л.

И вот, наконе́ц, он начина́ет свой похо́д: идёт пешко́м из Ри́ги во Владивосто́к. Когда́ лю́ди встреча́ли его́ в пути́, они́ не могли́ пове́рить, что э́тот де́душка, кото́рый идёт пешко́м и несёт тяжёлый рюкза́к,– настоя́щий тури́ст. Ча́сто его́ приглаша́ли сесть в маши́ну и́ли авто́бус, Гео́ргий Миха́йлович говори́л: «Спаси́бо!»– и продолжа́л свой путь. И вот позади́ мно́гие ме́сяцы и мно́гие киломе́тры пути́: он во Владивосто́ке. Здесь его́ встреча́ли жи́тели го́рода, они́ уже́ зна́ли, что к ним идёт необы́чный тури́ст.

Домо́й в Ри́гу Бушу́ев верну́лся на самолёте. Врачи́ осмотре́ли Гео́ргия Миха́йловича и сказа́ли, что здоро́вье у него́ прекра́сное.

Гео́ргий Миха́йлович соверши́л второ́й похо́д на юг страны́. Тепе́рь ду́мает, како́й бы ещё вы́брать маршру́т.

Задание к тексту

1. Как отдыха́ет сове́тская молодёжь? Како́й люби́мый вид о́тдыха молодёжи?
2. Расскажи́те о тури́сте-пенсионе́ре Гео́ргии Миха́йловиче Бушу́еве.
3. Зна́ете ли вы немолоды́х люде́й, кото́рые продолжа́ют акти́вную жизнь? Расскажи́те о них.

---

[1] Ри́га, Riga, capital of Latvia (the Latvian Soviet Socialist Republic).
[2] Владивосто́к, Vladivostok, a large seaport on the Pacific coast of the Soviet Union.

GRAMMAR
Verbs of Motion

– Куда́ ты **идёшь**?	“Where are you going to?”
– В библиоте́ку.	“To the library.”
– Куда́ он **хо́дит** ка́ждое воскресе́нье?	“Where does he go every Sunday?”
– В бассе́йн.	“To the swimming-pool.”

Verbs of the идти́ Group. Verbs of the ходи́ть Group. Intransitive Verbs

идти́	ходи́ть	to go (on foot)
е́хать	е́здить	to go (in a conveyance)
лете́ть	лета́ть	to fly
плыть	пла́вать	to swim
бежа́ть	бе́гать	to run

Transitive Verbs

нести́		носи́ть		to carry (in one's arms, hands)
вести́	*кого́?*	води́ть	*кого?*	to lead, to take
везти́	*что?*	вози́ть	*что?*	to carry (in a vehicle)

The Meaning of the Verbs of Motion of the идти́ and ходи́ть Groups

Она́ **идёт** в библиоте́ку и **несёт** кни́ги.

Она́ **хо́дит** по ко́мнате и **но́сит** ребёнка.

Он **плывёт** к бе́регу.

Они́ **пла́вают** в бассе́йне.

Де́ти **бегу́т** в сад.

Де́ти **бе́гают** в саду́.

Verbs of the **идти́** group denote a movement taking place at a definite time and proceeding in a definite direction:

Он **идёт** в теа́тр.

Verbs of the **ходи́ть** group denote:

1. A movement proceeding in different directions:

Он **хо́дит** по ко́мнате.

2. A movement there and back:

Когда́ он **шёл** в теа́тр, он встре́тил това́рища.

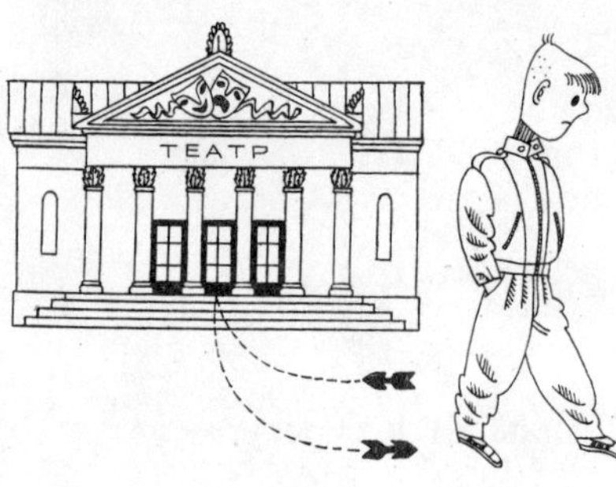

Он **ходи́л** в теа́тр.
(Он был там и верну́лся.)

3. A customary, repeated action:

Ка́ждый день я **хожу́** в институ́т.

Ка́ждое у́тро мать **во́дит** сы́на в шко́лу.

Ка́ждое воскресе́нье мы **е́здили** за́ город.

Он ча́сто **лета́ет** на се́вер.

4. One's ability or skill to perform an action; an action presented as a permanent feature.

Её сын уже́ **хо́дит**. Я **хожу́** бы́стро.

Он не **уме́ет пла́вать.**

Брат хорошо́ **бе́гает**.

The Use of the Verbs нести́, вести́, везти́

Она́ **несёт** сы́на.

Она́ **ведёт** сы́на.

Она́ **везёт** сы́на.

Some Meanings of the Verbs идти́, води́ть, вести́

Идёт фильм (спекта́кль). A film (play) is on.

Идёт уро́к (ле́кция). A lesson (lecture) is in progress.

Идёт вре́мя. Time goes by.

Идёт жизнь. Life goes on.

Идёт дождь (снег). It rains (snows).

About the Means of Transport

идёт авто́бус (тролле́йбус, трамва́й, маши́на)	a bus (trolleybus, tram [streetcar], car [automobile]) goes
идёт по́езд, идёт парохо́д	a train goes, a steamship sails

In the мне идёт ... Construction

мне (ему́, бра́ту, сестре́ и т. д.) идёт э́тот костю́м	this suit becomes me (him, my brother, sister, etc.)

води́ть, вести́

води́ть (вести́) маши́ну, авто́бус, тролле́йбус	to drive a car, bus, trolleybus
Он хорошо́ во́дит маши́ну.	He drives the car well.

The Possessive Pronoun свой

Я взял свою́ кни́гу.	I took my book.	Мы взя́ли свою́ кни́гу.	We took our book.
Ты взял свою́ кни́гу.	You took your book.	Вы взя́ли свою́ кни́гу.	You took your book.
Он взял свою́ кни́гу.	He took his book.	Они́ взя́ли свою́ кни́гу.	They took their book.
Она́ взяла́ свою́ кни́гу.	She took her book.		

The possessive pronoun **свой** is used for all the persons and corresponds to the English “my”, “his”, “her”, “its”, “our”, “your” and “their”.

The pronoun **свой** qualifies the object belonging to the performer of the action.

Это **моя́ кни́га**. Я взял **свою́ (мою́)** кни́гу.	It is my book. I have taken my book. (The book belongs to me.)
Это **твоя́ кни́га**. Ты взял **свою́ (твою́)** кни́гу.	It is your book. You have taken your book. (The book belongs to you.)
Это **кни́га Джо́на**. Джон взял **свою́** кни́гу.	It is John’s book. John has taken his book. (The book belongs to John.)
Оле́г взял **его́ (не свою́)** кни́гу.	Oleg has taken his (not his own) book. (Oleg has taken a book which belongs to John.)

Это фото-графия Та́ни.	Та́ня взяла́ **свою́** фото-графию.	Оле́г взял **её** фотогра́фию.

As a rule, the pronoun **свой** does not qualify the subject of a sentence.

Ната́ша лю́бит **свою́ сестру́. Её сестра́** живёт в Ки́еве.
Natasha loves her sister. Her sister lives in Kiev.
Ната́ша сказа́ла, что **её сестра́** ско́ро прие́дет в Москву́.
Natasha said that her sister would be coming to Moscow soon.

The pronoun **свой** is not used if the sentence does not contain the word denoting the person (the performer of the action) to whom the given object belongs.

Это моя́ ко́мната. В **моéй ко́мнате** стои́т телеви́зор.	It is my room. There is a TV set in my room.
Это ко́мната Джо́на. В **его́ ко́мнате** тепло́.	It is John's room. It is warm in his room.

Compare: **Я** вошёл в **свою́** ко́мнату. I went into my room.
Джон был в **своéй** ко́мнате. John was in his room.

Verb Conjugation

бежа́ть *(b)*		
я бегу́ ты бежи́шь он, она́ бежи́т	мы бежи́м вы бежи́те они́ бегу́т	Imperative
		беги́! беги́те!

Note.– The verb **бежа́ть** has an irregular 3rd person plural ending and an irregular imperative.

везти́ I *(b)*		
Present Tense		Past Tense
я везу́ ты везёшь он, она́ везёт	мы везём вы везёте они́ везу́т	он вёз она́ везла́ они́ везли́

вести́ I *(b)*		
Present Tense		Past Tense
я веду́ ты ведёшь он, она́ ведёт	мы ведём вы ведёте они́ веду́т	он вёл она́ вела́ они́ вели́

нести́ I *(b)*		
Present Tense		Past Tense
я несу́ ты несёшь он, она́ несёт	мы несём вы несёте они́ несу́т	он нёс она́ несла́ они́ несли́

Note.– The verbs **везти́, вести́** and **нести́** have irregular past tense forms.

плыть I *(b)*	
я плыву́ ты плывёшь он, она́ плывёт	мы плывём вы плывёте они́ плыву́т

плыть I *(b)*
поплы́ть

Verb Groups

чита́ть I *(a)*
выбира́ть **продол-** **жа́ть** **соверша́ть**

говори́ть II	alternation
води́ть *(c)* **вози́ть** *(c)* **носи́ть** *(c)* **продо́лжить** *(a)* **соверши́ть** *(b)*	**д → ж** **з → ж** **с → ш**

16–1350

идти́ I *(b)*	ходи́ть II *(c)*	брать I *(b)*
дойти́ **пройти́**	**доходи́ть** **проходи́ть**	**вы́брать**

Word-building

жить – жи́тель
люби́ть – люби́тель
молодо́й – мо́лодость – молодёжь

EXERCISES

I. Read through the texts, noting the use of the verbs of motion.

1. По у́лице **идёт** же́нщина. Она́ **ведёт** ребёнка. Ря́дом **идёт** мужчи́на, он **несёт** чемода́н. Они́ подошли́ к остано́вке. Садя́тся в авто́бус. Авто́бус **везёт** их в це́нтр.

2. Сын заболе́л. Оте́ц **хо́дит** по ко́мнате и **но́сит** ребёнка. Мать пошла́ в апте́ку. Оте́ц подошёл к окну́. Вот **идёт** из апте́ки мать, она́ **несёт** лека́рство.

3. Ка́ждое у́тро Ни́на **во́дит** сы́на в шко́лу. Вот и сего́дня я иду́ на рабо́ту и встреча́ю Ни́ну, она́ **ведёт** ма́льчика в шко́лу.

4. Брат лю́бит **пла́вать.** Он **пла́вает** хорошо́. Я смотрю́, как он бы́стро **плывёт** к бе́регу.

5. Оте́ц ча́сто **лета́ет** на се́вер и восто́к страны́. Сего́дня мы вме́сте **лети́м** на се́вер.

II. Read through the dialogues. Use the required verb of motion in the correct form.

идти́ – ходи́ть

1. – Здра́вствуй, Ни́на! Куда́ ты ...?
– В институ́т.
– Ты всегда́ ... в институ́т пешко́м?
– Да, я люблю́ ... пешко́м. Здесь недалеко́, всего́ две остано́вки.

е́хать – е́здить

2. – Как вы ду́маете провести́ ле́то?
– Как всегда́! Ле́том мы обы́чно ... в Ки́ев к ма́тери Ната́ши.

3. *(В авто́бусе)*
– Андре́й! Кака́я встре́ча! Ты куда́ ...?
– На вокза́л. За́втра ... в Ленингра́д. На́до купи́ть биле́ты.

4. – Ты знако́м с ним?
– Да, мы познако́мились в по́езде, когда́ я ... на юг.

плыть – пла́вать

5. – Ты уме́ешь ...?
– Немно́го. А ты?
– Я учи́лся ..., но так и не научи́лся. Бою́сь воды́.

6. *(В бассе́йне)*

– Оле́г, здра́вствуй! Ты оди́н здесь?
– Нет, с Та́ней. Ви́дишь, вон она́ ... к нам.
– А ты что не ...?

лете́ть – лета́ть

7. – Приходи́те за́втра ко мне! У меня́ бу́дут го́сти.
– К сожале́нию, не могу́. За́втра у́тром мы ... на юг.

III. Change the sentences, as in the model.

(a) Model: *Утром я иду́ на рабо́ту.*
Ка́ждое у́тро я хожу́ на рабо́ту.

1. Утром он идёт в институ́т. 2. Ве́чером она́ идёт в библиоте́ку. 3. В четве́рг я иду́ в бассе́йн.

(b) Model: *Ле́том мы е́дем на Украи́ну.*
Ка́ждое ле́то мы е́здим на Украи́ну.

1. В воскресе́нье я е́ду за́ город. 2. Ле́том она́ е́дет в дере́вню. 3. В ле́тние кани́кулы они́ е́дут на юг.

IV. Change the sentences, as in the model.

(a) Model: *Они́ бы́ли в теа́тре.*
Они́ ходи́ли в теа́тр.

1. Они́ были́ в ци́рке. 2. Он был в клу́бе на конце́рте. 3. Она́ была́ на но́вой вы́ставке. 4. Мы бы́ли в сосе́дней кварти́ре.

(b) Model: *Он был на ро́дине.*
Он е́здил на ро́дину.

1. Мы бы́ли на э́той экску́рсии. 2. Он был в санато́рии. 3. Брат был на се́вере. 4. Её роди́тели бы́ли в Ки́еве. 5. Оле́г был в Сиби́ри.

(c) Model: *Она́ была́ у сестры́ в шко́ле.*
Она́ ходи́ла к сестре́ в шко́лу.

1. Он был у отца́ на фа́брике. 2. Мы бы́ли у ма́тери на рабо́те. 3. Она́ была́ у подру́ги в общежи́тии. 4. Джон был в лаборато́рии у Оле́га.

V. Look at the drawing. Speak about what you see there, using verbs of motion.

VI. Complete the dialogues.

1. – ...?	3. – ...?
– (Мы идём) в кино́.	– (Она́ ходи́ла) в магази́н.
2. – ...?	4. – ...?
– (Я е́ду) в центр.	– (Ле́том я е́здил) на юг.

VII. (a) Insert the verb **идти́, води́ть** or **вести́** in the correct form.

1. Не зна́ешь, како́й фи́льм ... у нас в кинотеа́тре? 2. – Ле́кция уже́ ко́нчилась? – Нет, ещё ... 3. Как бы́стро ... вре́мя, ско́ро я око́нчу институ́т. 4. Вы не ска́жете, како́й авто́бус ... до стадио́на? 5. Вчера́ весь день ... дождь. 6. Сестра́ сама́ ... маши́ну? – Да, она́ ... о́чень хорошо́. 7. Прошу́ тебя́, не ... маши́ну так бы́стро. 8. Та́не о́чень ... её но́вое пла́тье. 9. Тебе́ не ... э́тот костю́м.

(b) Make up sentences, using the expressions **идёт дождь (снег), идёт спекта́кль, идёт авто́бус (тролле́йбус), води́ть маши́ну.**

VIII. Вы пе́рвый раз идёте в го́сти к дру́гу. Спроси́те, как дое́хать до у́лицы, где живёт ваш друг, на како́м тра́нспорте, до како́й остано́вки. Соста́вьте на э́ту те́му диало́г. (Make up a dialogue on this topic.)

IX. Read through the text, noting the use of the pronoun **свой.**

Мои́ мечты́

Хоти́те, я расскажу́ вам о **свое́й** жи́зни? Мне то́лько 20 лет, поэ́тому расска́з мой небольшо́й. Родила́сь я в дере́вне на се́вере страны́. Я о́чень люблю́ **свою́** дере́вню. И зимо́й и ле́том в мое́й дере́вне о́чень краси́во. Дере́вня моя́ на берегу́ реки́. Я ко́нчила шко́лу в **свое́й** дере́вне, а пото́м пое́хала учи́ться в го́род. Сейча́с, когда́ я живу́ в го́роде, я ча́сто вспомина́ю **свою́** дере́вню. Я хочу́ стать учи́тельницей и верну́ться в **свою́** шко́лу. Я мечта́ю войти́ в **свой** класс, где я сиде́ла как учени́ца, и сказа́ть: «Здра́вствуйте, де́ти. Сади́тесь! Начина́ем уро́к.» Сейча́с э́то то́лько мечты́, но ско́ро я ко́нчу институ́т и бу́ду рабо́тать в **свое́й** шко́ле.

X. Insert the pronoun **её** or **свой** in the correct form.

1. Сестра́ Ната́ши живёт на ю́ге. Ната́ша сказа́ла мне, что ... сестру́ зову́т Га́ля. Ка́ждое ле́то Ната́ша е́здит к ... сестре́. Зимо́й ... сестра́ приезжа́ла в Москву́. Ната́ша лю́бит расска́зывать о ... сестре́, ча́сто пока́зывает мне ... фотогра́фии.

2. Это ко́мната мое́й ма́тери. ... ко́мната све́тлая и тёплая. Ве́чером, когда́ мать сиди́т в ... ко́мнате, я люблю́ приходи́ть к ней. Мне нра́вится ... ко́мната.

XI. Complete the sentences, using the pronoun **её, его́** or **свой** in the correct form.

Model: *Это сестра́ Оли. – Вы не зна́ете, как зову́т её сестру́?*
Оля ча́сто пи́шет свое́й сестре́.

1. Это мать Воло́ди. – Вы не зна́ете, где живёт ...? – Нет, но зна́ю, что Воло́дя ча́сто пи́шет ... 2. Подру́га Та́ни живёт в

Ленингра́де. Я не зна́ю, как зову́т … . Ле́том Та́ня поє́дет … 3. Ба́бушка Андре́я живёт в Москве́. Я не по́мню, ско́лько лет … . Андре́й ка́ждый день звони́т … 4. Это дочь Ни́ны. Я зна́ю, где у́чится … . Ни́на всегда́ помога́ет … .

Ⓢ ЧИТАЙТЕ СО СЛОВАРЁМ

Движе́ние – э́то жизнь

Говоря́т, движе́ние – э́то жизнь.

А совреме́нный челове́к, как пра́вило, страда́ет от гиподинами́и – недоста́тка движе́ния. Городско́й тра́нспорт, маши́на, лифт в до́ме – всё э́то создаёт дефици́т движе́ния. Мо́жет быть, поэ́тому мно́гие выбира́ют акти́вные фо́рмы о́тдыха – тури́зм, путеше́ствия. Ежего́дно по на́шей стране́ путеше́ствует о́коло миллио́на челове́к.

Бюро́, кото́рое организу́ет тури́стские пое́здки, мо́жет предложи́ть са́мые разнообра́зные маршру́ты: на юг, на се́вер, на восто́к страны́. Тури́стские путёвки приобрета́ют организо́ванные тури́сты, они́ е́дут на ба́зы о́тдыха, в тури́стские лагеря́, отку́да соверша́ют интере́сные похо́ды и экску́рсии.

Неорганизо́ванные тури́сты выбира́ют маршру́т са́ми. Тако́й тури́ст сам забо́тится о своём пита́нии, живёт в пала́тке. Молоды́е ча́сто предпочита́ют и́менно неорганизо́ванный тури́зм. Быва́ет, что в пути́ возника́ют тру́дности, но тури́сты всегда́ помога́ют друг дру́гу. Вот что рассказа́л оди́н тури́ст.

«По́мню, мы плы́ли с това́рищем на байда́рке по о́зеру, у нас ко́нчились проду́кты, а дере́вни побли́зости не́ было. Ве́чером мы встре́тили молоду́ю па́ру: му́жа и жену́, они́ плы́ли навстре́чу нам. Мы познако́мились. Они́ предложи́ли нам хлеб, чай, консе́рвы. Таки́е встре́чи быва́ют ча́сто. Лю́ди знако́мятся в пути́, даю́т друг дру́гу свои́ адреса́. Так иногда́ начина́ется дру́жба, кото́рая продолжа́ется всю жизнь.

И́менно в турпохо́де я 10 лет наза́д познако́мился с Алекса́ндром. И хотя́ я живу́ в Москве́, а он в Ленингра́де, э́то не меша́ет на́шей дру́жбе. Тепе́рь у нас се́мьи, де́ти, но мы, как и 10 лет наза́д, всегда́ отдыха́ем вме́сте. Мы выбира́ем но́вые интере́сные маршру́ты похо́да и́ли пое́здки. Но тепе́рь в на́шем похо́де уча́ствует вся семья́».

дефици́т движе́ния lack of exercise
тури́стская путёвка document entitling the bearer to accommodation in a holiday centre, tourist centre, hikers' camp.
организо́ванный (неорганизо́ванный) тури́зм organised (unorganised) tourism
ба́за о́тдыха recreation centre
тури́стский ла́герь hikers' camp.
байда́рка kayak
друг дру́гу to one another
турпохо́д hike

Задание к тексту

1. Как вы понима́ете выраже́ние «движе́ние – э́то жизнь»? Почему́ мно́гие лю́ди выбира́ют акти́вные фо́рмы о́тдыха?

2. Како́й вид о́тдыха предпочита́ете вы? Лю́бите ли вы тури́зм, путеше́ствия? Расскажи́те о како́м-нибудь интере́сном похо́де и́ли путеше́ствии.

UNIT 22

В. Васнецо́в. Алёнушка

Preparation for Reading

Стано́вится (ста́ло)	хо́лодно. тепло́. темно́. светло́.	It becomes (became)	cold. warm. dark. light.

про́шлый last
бу́дущий next
сле́дующий next
друго́й other
осе́нний autumn
весе́нний spring
сезо́н season
по-сво́ему in its own way

ми́нус minus
плюс plus
свети́ть to shine
жа́ркий hot

* * *

вре́мя (*pl.* **времена́**) **го́да** season (seasons)

ДИАЛОГ

Джон: Оле́г, куда́ ты пое́дешь в зи́мние кани́кулы?

Оле́г: Пое́ду в го́ры, зимо́й там о́чень хорошо́: со́лнце, мно́го сне́га. В про́шлом году́ я был зимо́й на Кавка́зе[1], мне о́чень понра́вилось. В э́том году́ то́же хочу́ пое́хать туда́.

Джон: А Та́ня е́здит с тобо́й?

Оле́г: Нет, зимо́й у неё кани́кулы в друго́е вре́мя. На про́шлой неде́ле она́ была́ в Ленингра́де, неда́вно верну́лась. Зимо́й она́ обы́чно е́здит к ба́бушке в Ленингра́д. На сле́дующий год хо́чет пое́хать с подру́гой в Ки́ев. Ле́том мы иногда́ отдыха́ем вме́сте. Та́ня лю́бит ле́то, лю́бит мо́ре, она́ хорошо́ пла́вает. Зи́му она́ не о́чень лю́бит.

Джон: А ты?

Оле́г: Тру́дно сказа́ть, я люблю́ и ле́то и зи́му, но, наве́рное, бо́льше всего́ о́сень, осе́нний лес. Когда́ око́нчу институ́т, бу́ду отдыха́ть то́лько о́сенью.

Джон: Мне то́же тру́дно вы́брать люби́мое вре́мя го́да. Мне ка́жется, ка́ждый сезо́н хоро́ш по-сво́ему. Люблю́ зи́му, е́сли она́ не о́чень холо́дная: ми́нус пять – ми́нус де́сять гра́дусов. Люблю́ ле́то, е́сли оно́ не о́чень жа́ркое. Люблю́, когда́ све́тит со́лнце, то́лько о́чень жа́ркую пого́ду не люблю́.

Задание к тексту

1. О чём говоря́т Джон и Оле́г? Како́е вре́мя го́да лю́бят Оле́г и Та́ня? Како́й люби́мый сезо́н Джо́на?

2. Како́е вре́мя го́да лю́бите вы (ле́то, о́сень, зи́му, весну́)? Как вы обы́чно прово́дите ле́тние кани́кулы? (Как отдыха́ете ле́том?) Каки́м ле́тним спо́ртом вы занима́етесь? Уме́ете ли вы пла́вать? Как вы обы́чно отдыха́ете зимо́й? (Как прово́дите зи́мние кани́кулы?) Каки́м зи́мним спо́ртом вы занима́етесь? Ката́етесь ли вы на лы́жах?

3. Прочита́йте стихи́ о зиме́, весне́, ле́те и о́сени.

Ⓢ

Времена́ го́да

Берёза (зима́)

Бе́лая берёза
Под мои́м окно́м
Принакры́лась сне́гом,
То́чно серебро́м ....
И стои́т берёза
В со́нной тишине́,
И горя́т снежи́нки
В золото́м огне́.

С. Есе́нин

---

[1] Кавка́з, the Caucasus, a very important health-resort area of the Soviet Union, a favourite place for tourists and mountain-climbers.

Весна́

Зима́ неда́ром зли́тся
Прошла́ её пора́ –
Весна́ в окно́ стучи́тся
И го́нит со двора́.

Ф. Тю́тчев

Ле́то

Ясно у́тро. Ти́хо ве́ет
Тёплый ветеро́к;
Луг, как ба́рхат, зелене́ет,
В за́реве восто́к.

И. Ники́тин

Осень

Осень! Обсыпа́ется весь наш бе́дный сад,
Ли́стья пожелте́лые по́ ветру летя́т.

А. Толсто́й

Preparation for Reading

знако́мый familiar
кри́кнуть *кому́?* to shout
живопи́сный picturesque
уголо́к spot, nook
замеча́ть, **заме́тить** *кого́? что?* to notice
музыка́нт musician
ра́зве didn't you?
певи́ца singer
певе́ц singer
безлю́дный lonely, uninhabited
ме́сто place
пиани́ст pianist
неуже́ли is it possible?
душа́-челове́к wonderful man
за *чем?* behind, beyond
дереве́нский rural, village
дереве́нские villagers
по́сле *чего́?* after
роя́ль *m.* grand piano
се́рдце heart, soul
уводи́ть *кого́?*, **увести́** *куда́?* to lead away, to take away
неизве́стно one does not know
сты́дно one is ashamed
пла́кать to weep
запла́кать to burst out crying
све́жий fresh
удиви́тельно amazingly
па́хнуть *чем?* to smell
не́жный delicate
за́пах smell
внеза́пно suddenly
выража́ть, **вы́разить** *что?* to express, to convey
красота́ beauty

* * *

брать (взять) за́ сердце *кого́?* to move deeply
с тех пор since then

ТЕКСТ

Дом в лесу́

Однáжды я плыл по рекé на лóдке. День был лéтний, жáркий. На берегу́ я уви́дел знакóмого рыбакá Шáшкина. Он кри́кнул мне:

– Ско́ро бу́дет дождь, выходи́те на бе́рег.

Я вы́шел на бе́рег, и мы пошли́ по́ лесу. И вдруг в живопи́сном уголке́ ле́са я уви́дел ма́ленький дом, кото́рый ра́ньше не замеча́л.

– Чей э́то дом? – спроси́л я.

– Святосла́ва Ри́хтера, музыка́нта. А вы ра́зве не зна́ли? Моско́вский музыка́нт. Жена́ у него́ певи́ца.

Я не знал, что в э́том ти́хом безлю́дном ме́сте жил наш изве́стный пиани́ст.

– Да неуже́ли вы не зна́ли, что у нас здесь музыка́нт живёт?! Душа́-челове́к! Но не лю́бит, что́бы ему́ меша́ли игра́ть. Здесь за ле́сом на́ша дере́вня. На́ши дереве́нские му́зыку лю́бят. Ка́ждый ве́чер по́сле рабо́ты прихо́дят сюда́ слу́шать, как он игра́ет. Я ра́ньше ма́ло понима́л в му́зыке, роя́ль я слы́шал то́лько по ра́дио. Но вот в про́шлом году́ плыл я но́чью по реке́. Ночь была́, как сейча́с, тёплая, све́тлая. И вдруг из ле́са я услы́шал му́зыку. Каза́лось, весь лес и вода́ в реке́ поёт и берёт тебя́ за́ сердце и уво́дит неизве́стно куда́. Сты́дно сказа́ть, но скажу́ то́лько вам: запла́кал я, и всю свою́ жизнь вспо́мнил, что в ней бы́ло плохо́го и хоро́шего. С тех пор, как музыка́нт приезжа́ет, ка́ждый день сюда́ прихожу́, жду! Вот каки́е дела́!

Дождь ко́нчился, я пое́хал домо́й. Станови́лось темно́. Све́жие по́сле дождя́ цветы́ и дере́вья удиви́тельно па́хли. Я почу́вствовал э́тот не́жный за́пах и по́нял внеза́пно, как по́нял Ша́шкин му́зыку, как прекра́сна на́ша земля́ и как тру́дно быва́ет вы́разить её красоту́.

По К. Паусто́вскому

Задание к тексту

1. Каку́ю исто́рию рассказа́л рыба́к Ша́шкин? Как вы ду́маете, что помогло́ Ша́шкину поня́ть му́зыку?

2. Лю́бите ли вы му́зыку? Зна́ете ли вы сове́тского пиани́ста Святосла́ва Ри́хтера?

GRAMMAR

– **От кого́** ты получи́л письмо́?	"Who did you receive the letter from?"
– **От ста́ршего бра́та.**	"From my elder (eldest) brother."

Declension of Masculine and Neuter Adjectives in the Singular

Masculine and Neuter Adjectives with the Stem in a Hard or Soft Consonant

Case	Question	Hard Stem	Soft Stem	Ending
	како́й?	но́вый	си́ний	**-ый (-ий)**
Nom.	како́е?	но́вое	си́нее	**-ое (-ее)**
Gen.	како́го?	но́вого	си́него	**-ого (-его)**
Dat.	како́му?	но́вому	си́нему	**-ому (-ему)**
Acc.	како́й?	но́вый	си́ний	
		(слова́рь)	(слова́рь)	as nom.
	како́е?	но́вое	си́нее	or
		(пальто́)	(пальто́)	
	како́го?	но́вого		as gen.
		(дру́га)		
Instr.	каки́м?	но́вым	си́ним	**-ым (-им)**
Prep.	о како́м?	о но́вом	о си́нем	**-ом (-ем)**

Note.– 1. In the nominative masculine adjectives with stressed endings take the ending **-ой: молодо́й, большо́й**.

2. Adjectives which qualify animate nouns take the same endings in the accusative as in the genitive. Adjectives which qualify inanimate masculine or neuter nouns take the same endings as in the nominative.

3. Masculine and neuter adjectives with the stem in **г, к** or **х** change in the same way as adjectives with the stem in a hard consonant in all the cases except the nominative and the instrumental, in which they take **и** instead of **ы: ру́сский язы́к, ру́сским языко́м**.

Masculine and Neuter Adjectives with the Stem in ж, ш, ч, щ

Case	Question	Adjectives with Stressed Ending	Adjectives with Unstressed Ending	Ending
	како́й?	большо́й	хоро́ший	**-ой, -ий**
Nom.	како́е?	большо́е	хоро́шее	**-ое, -ее**
Gen	како́го?	большо́го	хоро́шего	**-ого, -его**
Dat.	како́му?	большо́му	хоро́шему	**-ому, -ему**
Acc.	како́й?	большо́й	хоро́ший	as nom.
		(слова́рь)	(слова́рь)	
	како́е?	большо́е	хоро́шее	
		(пальто́)	(пальто́)	or
	како́го?	большо́го	хоро́шего	as gen.
		(дру́га)	(дру́га)	
Instr.	каки́м?	больши́м	хоро́шим	**-им**
Prep.	о како́м?	о большо́м	о хоро́шем	**-ом, -ем**

Declension of Masculine and Neuter Possessive Pronouns in the Singular

Case	Question	Masculine	Neuter	Masculine	Neuter
Nom.	чей? чьё?	мой	моё	наш	на́ше
Gen.	чьего́?	моего́		на́шего	
Dat.	чьему́?	моему́		на́шему	
Acc.	чей? чьё?	мой (слова́рь)	моё (окно́)	наш (слова́рь)	на́ше (окно́)
	чьего́?	моего́ (дру́га)		на́шего (дру́га)	
Instr.	чьим?	мои́м		на́шим	
Prep.	о чьём?	о моём		о на́шем	

Declension of Masculine and Neuter Demonstrative Pronouns in the Singular

Case	Question	Masculine	Neuter	Masculine	Neuter
Nom.	како́й? како́е?	э́тот	э́то	тот	то
Gen.	како́го?	э́того		того́	
Dat.	како́му?	э́тому		тому́	
Acc.	како́й?	э́тот		тот	
	како́е?		э́то		то
	како́го?	э́того		того́	
Instr.	каки́м?	э́тим		тем	
Prep.	о како́м?	об э́том		о том	

Declension of Ordinal Numerals

Ordinal numerals with the stem in a hard consonant (**пе́рвый, второ́й, четвёртый, пя́тый**, etc.) follow the declension pattern of adjectives with the stem in a hard consonant (**но́вый, молодо́й**): Он взял **но́вую** кни́гу. Он взял **втору́ю** кни́гу. Он живёт в **но́вом** до́ме на **второ́м** этаже́.

In the declension of the compound numerals (**два́дцать пе́рвый, ты́сяча девятьсо́т шестьдеся́т тре́тий**, etc.) only the last word changes: Он вошёл в **два́дцать пе́рвую** ко́мнату. Он роди́лся в **ты́сяча девятьсо́т шестьдеся́т тре́тьем** году́.

Declension of the Numeral тре́тий

Case	Masculine	Neuter	Feminine
Nom.	тре́тий	тре́тье	тре́тья
Gen.	тре́тьего		тре́тьей
Dat.	тре́тьему		тре́тьей
Acc.	тре́тий (слова́рь) тре́тьего (студе́нта)	тре́тье (пальто́)	тре́тью
Instr.	тре́тьим		тре́тьей
Prep.	о тре́тьем		о тре́тьей

Expressing Time

когда? *when?*

Prepositional

в				**в**	
в э́том	году́	this	year	в январе́	in January
в про́шлом		last		в феврале́	in February
в бу́дущем		next		в ма́рте	in March
в сле́дующем		the following		в апре́ле	in April
в 1985 году́ (в ты́сяча девятьсо́т пя́том году́)		in 1985 (in nineteen eighty-five)		в ма́е	in May
в э́том	ме́сяце	this	month	в ию́не	in June
в про́шлом		last		в ию́ле	in July
в бу́дущем		next		в а́вгусте	in August
в сле́дующем		the following		в сентябре́	in September
				в октябре́	in October
				в ноябре́	in November
				в декабре́	in December

на

на э́той	неде́ле	this	week
на про́шлой		last	
на бу́дущей		next	
на сле́дующей		the following	

Verb Conjugation

крикну́ть I *(a)*	
я кри́кну	мы кри́кнем
ты кри́кнешь	вы кри́кнете
он, она́ кри́кнет	они́ кри́кнут

пла́кать II *(a)*	
я пла́чу	мы пла́чем
ты пла́чешь	вы пла́чете
он, она́ пла́чет	они́ пла́чут

Verb Groups

чита́ть I *(a)*
выража́ть **замеча́ть**

говори́ть II	alternation
вы́разить *(a)*	**з → ж**
заме́тить *(a)*	**т → ч**
свети́ть *(c)*	**т → ч**
уводи́ть *(c)*	**д → ж**

пла́кать I *(a)*
запла́кать

вести́ I *(b)*
увести́

EXERCISES

I. Insert the adjectives given on the right in the required form.

1. На берегу́ он уви́дел ... рыбака́. Он дал ло́дку ... рыбаку́. Он взял ло́дку ... рыбака́. — *знако́мый*
2. Я узна́л, что здесь жил наш ... пиани́ст. Ка́ждый ве́чер мы приходи́ли к ... пиани́сту. Я познако́мился с ... пиани́стом. — *изве́стный*
3. Он написа́л ... расска́з. Мы говори́ли о ... спекта́кле, кото́рый посмотре́ли неда́вно. Я люблю́ э́того ... поэ́та. — *прекра́сный*
4. В э́том ... до́ме жил моско́вский музыка́нт. Мы уви́дели ... дом. Мы подошли́ к ... до́му. — *ма́ленький*
5. Уже́ ко́нчился ... уро́к. Он живёт на ... этаже́. Мы подошли́ к ... ваго́ну. — *после́дний*

II. Complete the sentences, using the adjective **мла́дший** in the required form.

Model: *Вчера́ я был у бра́та.*
Вчера́ я был у мла́дшего бра́та.

1. Он е́здил в Ки́ев к бра́ту. 2. Он получи́л письмо́ от бра́та. 3. За́втра он до́лжен встре́тить бра́та. 4. Она́ прие́дет к нам с бра́том. 5. Я давно́ хочу́ познако́миться с её бра́том. 6. Ты не зна́ешь, ско́лько лет её бра́ту? 7. Её бра́та зову́т Ми́ша. 8. Она́ расска́зывала нам о своём бра́те.

III. Answer the questions, as in the model.

(a) Model: *Они́ е́здили на Да́льний Восто́к.*
– Где они́ бы́ли? – На Да́льнем Восто́ке.
– Отку́да прие́хали? – С Да́льнего Восто́ка.

1. Они́ е́здили на Чёрное мо́ре. 2. Они́ е́здили в стари́нный ру́сский го́род. 3. Они́ е́здили на большо́й заво́д. 4. Они́ е́здили в но́вое общежи́тие. 5. Они́ е́здили на э́тот стадио́н.
– Где они́ бы́ли? – Отку́да прие́хали?

(b) Model: *Он был у изве́стного писа́теля.*
– Куда́ он ходи́л? – К изве́стному писа́телю.
– Отку́да пришёл? – От изве́стного писа́теля.

1. Он был у на́шего преподава́теля. 2. Он был у э́того врача́. 3. Он был у моего́ дру́га. 4. Он был у ста́ршего бра́та. 5. Он был у своего́ това́рища.
– Где он был? – Отку́да пришёл?

IV. Ask questions, as in the model.

Model: *– Андре́й выступа́л на ве́чере.*
– На како́м?

1. Её брат у́чится **в институ́те**. 2. Я прочита́л э́ти стихи́ **в журна́ле**. 3. На ве́чере мы познако́мились **с поэ́том**. 4. Вчера́ мы смотре́ли **бале́т**. 5. Я встре́тил в теа́тре **това́рища**. 6. Я получи́л письмо́ **от дру́га**. 7. Ты зна́ешь, где э́то **общежи́тие**? 8. Ве́чером мы пойдём в **кафе́**.

V. Insert the pronoun **свой** or **его́** as required by the sense.

(a) Ки́ев – ро́дина отца́. Оте́ц о́чень лю́бит ... го́род. Он ча́сто расска́зывает о ... го́роде. Я о́чень хочу́ побыва́ть в ... го́роде. ... го́род стои́т на реке́ Днепр. Когда́ оте́ц жил ещё в ... го́роде, он ча́сто быва́л на Днепре́. Брат отца́ и сейча́с живёт в Ки́еве. Вчера́ ... брат прие́хал в Москву́. Оте́ц давно́ не ви́дел ... бра́та и был о́чень рад ему́.

(b) Оле́г друг Джо́на. Джон ча́сто быва́ет у ... дру́га. Неда́вно он написа́л сестре́ о ... дру́ге. Джон хо́чет, что́бы сестра́ познако́милась с ... дру́гом.

VI. Complete the sentences, using the pronoun **свой** or **его́** in the required form.

Model: *Это брат Андре́я. Вы не зна́ете, где рабо́тает его́ брат? Андре́й давно́ не ви́дел своего́ бра́та.*

1. Оте́ц Серге́я живёт в Ленингра́де. Сего́дня в Москву́ приезжа́ет ... . Серге́й пое́хал встреча́ть ... . 2. У Воло́ди есть брат. Я не зна́ю, где живёт ... . Вчера́ Воло́дя получи́л письмо́ ... . 3. Друг Андре́я рабо́тает в университе́те. Андре́й ча́сто встреча́ется ... . Я не зна́ю, как зову́т ... . 4. Сын Ми́ши у́чится в шко́ле. Ми́ша лю́бит расска́зывать ... . Я не зна́ю, ско́лько лет ... .

VII. (a) Answer the questions, using the names of the months:

янва́рь, февра́ль, март, апре́ль, май, ию́нь, ию́ль, а́вгуст, сентя́брь, октя́брь, ноя́брь, дека́брь.

Model: *– Когда́ Джон е́здил в Ленингра́д?*
– В апре́ле.

1. Когда́ начина́ются заня́тия в университе́те? 2. Когда́ начина́ются зи́мние кани́кулы? 3. Когда́ конча́ются зи́мние кани́кулы? 4. Когда́ начина́ются ле́тние кани́кулы? 5. Когда́ конча́ются ле́тние кани́кулы? 6. Когда́ Оле́г е́здил со стройотря́дом?

(b) Object to the statements, using the names of the months.

Model: *– Она́ приезжа́ла к тебе́ в ноябре́?*
– Нет, в декабре́.

1. Она́ е́здила к сестре́ в апре́ле? 2. Он был в Москве́ в ма́рте? 3. Они́ хотя́т пое́хать в Кры́м в ию́не? 4. Ната́ша была́ на ю́ге в а́вгусте? 5. Они́ отдыха́ли на мо́ре в октябре́? 6. У него́ день рожде́ния в январе́?

VIII. Answer the questions, using the phrases given on the right in the required form.

Model: *– Когда́ она́ е́здила на Во́лгу?*
– В про́шлом году́.

(a)	1. Когда́ они́ прие́хали в Москву́?	*про́шлый год*
	2. Когда́ они́ на́чали изуча́ть ру́сский язы́к?	*э́тот год*
	3. Когда́ они́ конча́ют институ́т?	*сле́дующий год*
(b)	1. Когда́ она́ верну́лась с ю́га?	*про́шлый ме́сяц*
	2. Когда́ они́ бы́ли в Яросла́вле?	*э́тот ме́сяц*
	3. Когда́ он е́дет на се́вер?	*сле́дующий ме́сяц*
(c)	1. Когда́ он де́лал докла́д?	*про́шлая неде́ля*
	2. Когда́ была́ э́та ле́кция?	*э́та неде́ля*
	3. Когда́ бу́дет э́та экску́рсия?	*бу́дущая неде́ля*
(d)	1. Когда́ шёл э́тот фильм?	*ты́сяча девятьсо́т во́семьдесят тре́тий год*

2. Когда́ был моско́вский фестива́ль? *ты́сяча девятьсо́т во́семьдесят пя́тый год*

3. Когда́ была́ э́та вы́ставка? *ты́сяча девятьсо́т во́семьдесят шесто́й год*

IX. Answer the questions.

1. Когда́ вы на́чали учи́ться в шко́ле (в како́м году́)? 2. Когда́ вы ко́нчили шко́лу? 3. Когда́ вы на́чали учи́ться в институ́те (в университе́те)? 4. Когда́ вы ко́нчили институ́т (университе́т)? 5. Когда́ вы на́чали рабо́тать? 6. Когда́ вы обы́чно отдыха́ете (в како́м ме́сяце)? 7. В каки́е города́ (и́ли стра́ны) вы е́здили и когда́ (в како́м году́)? 8. Каки́е ру́сские фи́льмы и́ли спекта́кли шли у вас и когда́?

X. Read through the text. Insert the appropriate verbs, taking them from the text «Дом в лесу́».

Одна́жды я ... по реке́ на ло́дке. На берегу́ я уви́дел знако́мого рыбака́. Он ... мне: «Ско́ро бу́дет дождь, выходи́те на бе́рег». Я ... на бе́рег, и мы ... по́ лесу. В лесу́ я уви́дел дом. В нём ... моско́вский пиани́ст, ка́ждый ве́чер он ... на роя́ле, и лю́ди из дере́вни приходи́ли ... му́зыку. Когда́ дождь ко́нчился, я ... домо́й.

XI. Translate into Russian.

(a) "Do you like winter, Tanya?"
"Not very. I like warmth, sunlight and the sea. And what season do you like?"
"I like autumn. I usually have my holidays in the autumn."

(b) "Where did you have your holiday last year?"
"In the Ukraine."
"Did you have a good time?"
"Not very. The summer was cold. It rained nearly every day. This year I want to go to the Crimea."

Ⓢ ЧИТАЙТЕ СО СЛОВАРЁМ

Вели́кий поэ́т Росси́и

Тебя́ ж, как пе́рвую любо́вь,
Росси́и се́рдце не забу́дет!..

Ф. И. Тю́тчев[1]

«При и́мени Пу́шкина то́тчас осеня́ет мысль о ру́сском национа́льном поэ́те... В нём заключи́лось всё бога́тство, си́ла и ги́бкость на́шего языка́... В нём ру́сская приро́да, ру́сская душа́,

[1] Тю́тчев Фёдор Ива́нович, Feodor Tyutchev (1803-1873), renowned Russian poet.

ру́сский хара́ктер...» – писа́л о вели́ком ру́сском поэ́те Никола́й Васи́льевич Го́голь.[1]

«Гига́нт Пу́шкин, велича́йшая го́рдость на́ша...» – писа́л о Пу́шкине Алексе́й Макси́мович Го́рький.

«Со́лнце на́шей поэ́зии», – писа́ли о Пу́шкине его́ совреме́нники.

А. С. Пу́шкин

Поэ́т, писа́тель, драмату́рг – Алекса́ндр Серге́евич Пу́шкин прожи́л коро́ткую жизнь: он роди́лся в 1799 году́, а в 1837 году́ был уби́т на дуэ́ли. Всего́ 37 лет жил Пу́шкин, но оста́вил нам так мно́го! Стихи́, поэ́мы, по́вести, дра́мы Пу́шкина перевели́ и перево́дят на мно́гие языки́ ми́ра.

В це́нтре Москвы́, на пло́щади, кото́рая тепе́рь называ́ется пло́щадью Пу́шкина, стои́т па́мятник вели́кому поэ́ту. Созда́тель па́мятника – замеча́тельный ру́сский архите́ктор Алекса́ндр Миха́йлович Опеку́шин. Па́мятник э́тот постро́или на наро́дные де́ньги в конце́ про́шлого ве́ка.

Здесь, у па́мятника Пу́шкину, ка́ждый год 6-го ию́ня в день рожде́ния поэ́та собира́ются москвичи́ и го́сти Москвы́. Лю́ди иду́т к па́мятнику, несу́т цветы́ люби́мому поэ́ту, и кто́-нибудь из них обяза́тельно вспо́мнит пу́шкинские стро́чки:

«Я па́мятник себе́ воздви́г нерукотво́рный.
К нему́ не зарастёт наро́дная тропа́...»

Весь день у па́мятника продолжа́ется Пу́шкинский пра́здник – пра́здник поэ́зии. Выступа́ют поэ́ты, писа́тели, актёры, рабо́чие, студе́нты и шко́льники. Они́ чита́ют стихи́ Пу́шкина и стихи́ о Пу́шкине. Зарубе́жные поэ́ты и писа́тели чита́ют свои́ перево́ды, сло́во Пу́шкина звучи́т по-англи́йски и по-францу́зски, по-неме́цки и по-испа́нски, на языке́ хи́нди и бенга́ли.

Уже́ темно́, конча́ется дли́нный ле́тний день, а лю́ди у па́мятника продолжа́ют чита́ть и слу́шать стихи́ вели́кого поэ́та, любо́вь к нему́ объедини́ла их.

осеня́ет мысль the thought comes
велича́йший greatest
со́лнце на́шей поэ́зии the sun of our poetry
воздви́гнуть па́мятник кому́-либо to set up a monument
нерукотво́рный not made by human hand

[1] Го́голь Никола́й Васи́льевич, Nikolai Gogol (1809-1852), outstanding Russian novelist and playwright; author of the poem *Dead Souls*, the comedy *The Government Inspector*, etc.

17–1350

к нему́ не зарастёт наро́дная тропа́ the path to it will never become overgrown

При и́мени Пу́шкина то́тчас осеня́ет мысль о ру́сском национа́льном поэ́те... Pushkin's name immediately makes one think of a national Russian poet...

Стихи́ Пу́шкина перевели́ и перево́дят на мно́гие языки́ ми́ра.	Pushkin's verse has been translated and is being translated into many languages.

Задание к тексту

1. Расскажи́те, что вы зна́ете о ру́сском поэ́те А. С. Пу́шкине. Каки́е стихи́ Пу́шкина вы чита́ли?
2. Как вы понима́ете выраже́ние: «Пу́шкин – со́лнце на́шей поэ́зии»?
3. Прочита́йте стихотворе́ние Пу́шкина «Я вас люби́л...»

Я вас люби́л: любо́вь ещё, быть мо́жет,
В душе́ мое́й уга́сла не совсе́м;
Но пу́сть она́ вас бо́льше не трево́жит;
Я не хочу́ печа́лить вас ниче́м.

Я вас люби́л безмо́лвно, безнаде́жно,
То ро́бостью, то ре́вностью томи́м;
Я вас люби́л так и́скренно, так не́жно,
Как дай вам бог люби́мой быть други́м.

4. Прочита́йте отры́вки из стихотворе́ний А. С. Пу́шкина.

Зи́мняя доро́га

Сквозь волни́стые тума́ны
Пробира́ется луна́,
На печа́льные поля́ны
Льёт печа́льный свет она́.

По доро́ге зи́мней, ску́чной
Тро́йка бо́рзая бежи́т,
Колоко́льчик однозву́чный
Утоми́тельно греми́т.

Что́-то слы́шится родно́е
В до́лгих пе́снях ямщика́:
То разгу́лье удало́е,
То серде́чная тоска́...

К Чаада́еву

...Пока́ свобо́дою гори́м,
Пока́ сердца́ для че́сти жи́вы,
Мой друг, отчи́зне посвяти́м
Души́ прекра́сные поры́вы!..

UNIT 23

Preparation for Reading

Спаси́бо!	Thank you.
Не́ за что.	That's all right.
Не сто́ит.	Don't mention it.

Сдать экза́мен на четы́ре (на пять).	To pass an exam with the second highest (the highest) mark.
Получи́ть четы́ре (пять).	To get the second highest (the highest) mark.
Поста́вить кому́-либо четы́ре (пять).	To give somebody the second highest (the highest) mark.

хокке́й hockey
сдава́ть *что?* to take (an examination)
сдать to pass (an examination)
зачёт test
че́рез in
пи́сьменный written
у́стный oral, viva voce
по-мо́ему in my opinion
гото́виться / **подгото́виться** *к чему́?* to prepare
пока́ as yet

* * *

принима́ть / **приня́ть** *что?* to give (an examination)
го́рный mining
знамени́тый renowned, famous
астроно́м astronomer
фи́зика physics
фи́зик physicist
биле́т examination card
результа́т result
себя́ oneself
дво́йка second lowest (unsatisfactory) mark
тро́йка third lowest (satisfactory) mark
четвёрка second highest (good) mark
пятёрка the highest (excellent) mark

* * *

афори́зм aphorism
уче́ние learning
зна́ние knowledge

век century
никогда́ never
свет light
тьма darkness
повторе́ние repetition
ошиба́ться / **ошиби́ться** to be mistaken
ничего́ nothing
му́дрость wisdom; adage
чте́ние reading
тюрьма́ prison

* * *

сдава́ть экза́мен (зачёт) to take an examination (test)
сдать to pass an examination (test)
экза́мен по ру́сскому языку́ (по фи́зике и т. д.) examination in Russian (physics, etc.)
у́стный (пи́сьменный) экза́мен oral (written) examination
принима́ть / **приня́ть экза́мен** to give an examination
получа́ть / **получи́ть отме́тку** to receive a mark
ста́вить / **поста́вить отме́тку** to give a mark
экзаменацио́нная ве́домость students' grade register

* * *

одно́ и то же one and the same thing

ДИАЛОГ

Оле́г: Приве́т, Джон!
Джон: До́брый день, Оле́г!
Оле́г: Ты не хо́чешь пойти́ с на́ми на хокке́й?
Джон: Не могу́, мне ну́жно занима́ться. В сле́дующую сре́ду сдаю́ экза́мен по ру́сскому языку́.
Оле́г: Сего́дня среда́, зна́чит, че́рез неде́лю.
Джон: Да. У моего́ дру́га в э́тот понеде́льник был пи́сьменный экза́мен. Говори́т, тру́дный.
Оле́г: Но ты хорошо́ говори́шь по-ру́сски.
Джон: Мо́жет быть, но пишу́, по-мо́ему, пло́хо.
Оле́г: Хо́чешь, помогу́ тебе́ подгото́виться к экза́мену?
Джон: Коне́чно, е́сли у тебя́ есть вре́мя.
Оле́г: Сего́дня, к сожале́нию, не могу́, а за́втра по́сле ле́кции встре́тимся. Я конча́ю в 4. Жди меня́ в 4 часа́ в чита́льном за́ле. Бу́дем занима́ться вме́сте всю неде́лю. Сдашь на пять.
Джон: Если получу́ 4, бу́ду рад. Ну, до за́втра, Оле́г, спаси́бо тебе́.
Оле́г: Пока́ не́ за что, до за́втра.

Отцы́ и де́ти

Одна́жды профе́ссор матема́тики принима́л экза́мены в го́рном институ́те. На экза́мен к профе́ссору пришёл студе́нт Эйлер, внук знамени́того матема́тика, фи́зика и астроно́ма Леона́рда Эйлера.

Студе́нт отвеча́л о́чень пло́хо. Профе́ссор дал ему́ друго́й биле́т – результа́т был тот же. Тогда́ профе́ссор дал студе́нту экзаменацио́нную ве́домость и сказа́л: «Поста́вьте себе́, пожа́луйста, дво́йку свое́й руко́й. Я не могу́ поста́вить “два” челове́ку с тако́й знамени́той фами́лией».

Ⓢ Proverbs and Aphorisms about Learning and Knowledge

Век живи́ – век учи́сь!
Учи́ться никогда́ не по́здно.
Уче́нье – свет, а неуче́нье – тьма!
Повторе́нье – мать уче́нья.
Не сты́дно не знать, сты́дно не учи́ться.
Не ошиба́ется то́лько тот, кто ничего́ не де́лает.
Зна́ние – глаза́ челове́ка. (Инди́йская му́дрость)
«Чте́ние – вот лу́чшее уче́ние». *А. С. Пу́шкин*
«Учи́ться и жить есть одно́ и то же». *Н. Пирого́в*
«Кто не́ был ученико́м, тот не бу́дет учи́телем». *Боэ́ций*
«Тот, кто открыва́ет шко́лу, закрыва́ет тюрьму́». *Викто́р Гюго́.*

Задание к тексту

а) 1. Како́й экза́мен сдаёт Джон? Когда́ Джон сдаёт экза́мен? Ско́лько вре́мени он бу́дет гото́виться к экза́мену?

2. Каки́е экза́мены и зачёты вы бу́дете сдава́ть зимо́й? Когда́ вы сдаёте экза́мен по ру́сскому языку́? У вас бу́дет у́стный и́ли пи́сьменный экза́мен? Ско́лько вре́мени вы бу́дете гото́виться к экза́мену?

б) 1. Расскажи́те исто́рию, кото́рая произошла́ одна́жды на экза́мене профе́ссора матема́тики.

2. Найди́те на ва́шем языке́ посло́вицы и афори́змы об уче́нии, о зна́нии. Переведи́те их на ру́сский язы́к.

3. Расскажи́те, как вы учи́лись в шко́ле (в колле́дже). Каки́е экза́мены сдава́ли? Бы́ли ли у вас интере́сные слу́чаи? Расскажи́те о них.

Preparation for Reading

пра́здник holiday
иллюмина́ция illumination
медици́на medicine
медици́нский medical
биоло́гия biology
собира́ться / собра́ться *где? у кого́?* to gather (together)
бы́вший former
встре́ча get-together
тради́ция tradition
дру́жный united
здоро́ваться / поздоро́ваться *с кем?* to greet
проща́ться / попроща́ться *с кем?* to say good-bye
поздравля́ть / поздра́вить *кого́? с чем?* to congratulate
ую́тный cosy
поднима́ться / подня́ться *куда́?* to go up, to ascend
дома́шний home-made
пиро́г pie
фотографи́роваться / сфотографи́роваться to be photographed
па́мять *f.* memory
тради́ция tradition
гостеприи́мный hospitable

* * *

ма́йские пра́здники May Day holiday
учи́тель (учи́тельница) по биоло́гии (по фи́зике и т. д.) biology (physics, etc.) teacher
на па́мять as a souvenir

ТЕКСТ

Второ́го ма́я

На ма́йские пра́здники ко мне прие́хал из Ки́ева Андре́й, мой ста́рый това́рищ. Андре́й, как и я, студе́нт. Он у́чится в медици́нском институ́те, а я в университе́те.

Ве́чером пе́рвого мы погуля́ли по пра́здничной Москве́, а второ́го ма́я пое́хали к Татья́не Ива́новне, на́шей шко́льной учи́тельнице.

Ка́ждый год второ́го ма́я ученики́ Татья́ны Ива́новны собира́лись у неё до́ма. Приходи́ли и её бы́вшие ученики́, кото́рые уже́ ко́нчили шко́лу. Начали́сь э́ти встре́чи, кото́рые ста́ли тради́цией, давно́. Мы учи́лись тогда́ в восьмо́м кла́ссе. Класс у нас был дру́жный. Мы ча́сто вме́сте ходи́ли в кино́, в теа́тр, в похо́ды. На пра́здники собира́лись у меня́ и́ли у Андре́я, он тогда́ жил в Москве́. Одна́жды второ́го ма́я мы реши́ли вме́сте пое́хать в центр, погуля́ть, посмотре́ть иллюмина́цию, а пото́м пойти́ ко мне и́ли к Андре́ю.

Когда́ мы вы́шли из метро́, мы уви́дели Татья́ну Ива́новну,

на́шу учи́тельницу по биоло́гии. Мы поздоро́вались и поздра́вили Татья́ну Ива́новну с пра́здником. Татья́на Ива́новна жила́ в це́нтре, и мы реши́ли проводи́ть её. Когда́ мы дошли́ до её до́ма, Татья́на Ива́новна пригласи́ла нас к себе́. Она́ сказа́ла, что сего́дня у неё собира́ются её бы́вшие ученики́ и нам, наве́рное, бу́дет интере́сно познако́миться с ни́ми.

Мы подняли́сь на тре́тий эта́ж. В небольшо́й ую́тной кварти́ре Татья́ны Ива́новны собрали́сь её ученики́. Бы́ло ве́село и интере́сно. Бы́вшие ученики́ Татья́ны Ива́новны расска́зывали о свое́й рабо́те, вспомина́ли ста́рые шко́льные исто́рии. Спра́шивали нас, как у́чимся, как живём, кем хоти́м стать. Пото́м пе́ли, танцева́ли, пи́ли чай с дома́шним пирого́м.

Когда́ проща́лись, мы сфотографи́ровались на па́мять.

Так родила́сь на́ша шко́льная тради́ция. Тепе́рь ка́ждый год второ́го ма́я мы прихо́дим в гостеприи́мный дом на́шей ста́рой учи́тельницы.

На́ши пра́здничные да́ты

1. Пе́рвое января́ – Новогóдний пра́здник.
2. Два́дцать тре́тье февраля́ – День Сове́тской Армии и Вое́нно-Морско́го Фло́та.
3. Восьмо́е ма́рта – Междунаро́дный же́нский день.
4. Пе́рвое и второ́е ма́я – День междунаро́дной солида́рности трудя́щихся.
5. Девя́тое ма́я – Пра́здник Побе́ды сове́тского наро́да в Вели́кой Оте́чественной войне́.
6. Седьмо́е октября́ – День Конститу́ции СССР.
7. Седьмо́е – восьмо́е ноября́ – годовщи́на Вели́кой Октя́брьской социалисти́ческой револю́ции.

Есть у нас и други́е пра́здники, но э́то – на́ши гла́вные пра́здничные да́ты.

пра́здновать / **отпра́здновать** *что?* to celebrate
Сове́тский Soviet
а́рмия army
междунаро́дный international
же́нский women's
солида́рность solidarity
трудя́щийся worker
годовщи́на anniversary
октя́брьский October
социалисти́ческий socialist
револю́ция revolution
конститу́ция constitution
гла́вный main
да́та date

Задание к тексту

1. О како́й шко́льной тради́ции рассказа́л студе́нт? Как родила́сь э́та тради́ция?
2. Каки́е сове́тские пра́здники вы зна́ете? Когда́ их отмеча́ют?
3. Каки́е пра́здники отмеча́ют у вас в стране́?

GRAMMAR

– **Когда́** он прие́дет?	“When is he coming?”
– **В э́ту сре́ду.**	“This Wednesday.”
– **Ско́лько вре́мени** он бу́дет в Москве́?	“How long will he stay in Moscow?”
– **Неде́лю.**	“A week.”

Expressing Time (continued)
Когда́? *When?*

Accusative + Preposition				
в				**на**
в э́тот в про́шлый в бу́дущий в сле́дующий в э́тот	понеде́льник вто́рник четве́рг де́нь	this last next next that	Monday Tuesday Thursday day	на друго́й день на сле́дующий день (the) next day the following day
в э́ту в про́шлую в бу́дущую в сле́дующую	пя́тницу сре́ду суббо́ту	this last next next	Friday Wednesday Saturday	
в э́то в про́шлое в бу́дущее в сле́дующее	воскресе́нье	this last next next	Sunday	

Как ча́сто? *How often?*

Accusative without Preposition							
ка́ждый	час	every	hour	ка́ждую	мину́ту	every	minute
	ве́чер		evening		ночь		night
	день		day		сре́ду		Wednesday
	понеде́льник		Monday		пя́тницу		Friday
	вто́рник		Tuesday		суббо́ту		Saturday
	четве́рг		Thursday		неде́лю		week
	янва́рь		January		зи́му		winter
	февра́ль		February		о́сень		autumn
	и т. д.		etc.		весну́		spring
	год		year				
ка́ждое	у́тро	every	morning				
	воскресе́нье		Sunday				
	ле́то		summer				
оди́н раз	в	час	once	an hour			
два, три, четы́ре ра́за		день	twice, three, four,	a day			
пять и т. д. раз		ме́сяц	five, etc. times	a month			
		год		a year			
		мину́ту		a minute			
		неде́лю		a week			

Ско́лько вре́мени, как до́лго? *How long?*

Accusative without Preposition			
весь	понеде́льник, вто́рник, четве́рг	the whole	Monday, Tuesday, Thursday
	год		year
	ме́сяц		month
	янва́рь, февра́ль и т. д.		January, February, etc.
	ве́чер		evening
	день		day
всю	сре́ду, пя́тницу	the whole	Wednesday, Friday,
	суббо́ту		Saturday
	неде́лю		week
	зи́му, весну́, о́сень		winter, spring, autumn
	ночь		night
всё	воскресе́нье	the whole	Sunday
	вре́мя		time
	ле́то		summer
	у́тро		morning

Accusative without Preposition			
Оди́н час, день, ме́сяц, год		Одну́ мину́ту, неде́лю	
два три четы́ре	часа́ дня ме́сяца го́да	две три четы́ре	мину́ты неде́ли
пять	часо́в дней ме́сяцев лет	пять	мину́т неде́ль

Genitive of the Date			
– Како́е сего́дня число́? – Два́дцать шесто́е ию́ня.	"What is the date today?" "The twenty-sixth of June."	– Когда́ он роди́лся? – Два́дцать шесто́го ию́ня.	"When was he born?" "On the twenty-sixth of June."

Note.–In answers to the questions **како́е сего́дня число́?, како́е число́ бы́ло вчера́?, како́е число́ бу́дет за́втра?** the nominative is used: Вчера́ бы́ло два́дцать шесто́е ию́ня. За́втра бу́дет два́дцать восьмо́е ию́ня.

Note.–In answers to the question **когда́?** the genitive without a preposition is used: Он роди́лся два́дцать шесто́го ию́ня ты́сяча девятьсо́т шестьдеся́т второ́го го́да.

The Genitive After the Prepositions до, по́сле, с ... до.

Когда́? *When?*

Он прие́дет	**до** пра́здника. **по́сле** пра́здника.

Ско́лько вре́мени? *For how long?*

Он рабо́тает **с** утра́ **до** ве́чера.

Double Negation

никтó не ...	nobody... .	нигдé не ...	nowhere... .
ничтó не ...	nothing... .	никудá не ...	nowhere... .
(ничегó) не	(nothing)	никогдá не ...	never... .

After the words **никтó, ничегó, нигдé, никудá, никогдá** the particle **не** is used before the verb.

Мне **никтó не** пишет.	No one writes to me.	Зáвтра я **никудá не** пойдý.	I won't go anywhere tomorrow.
Он **ничегó не** знáет.	He knows nothing.		
Лéтом мы **нигдé нé** были.	We didn't go anywhere in the summer.	Я **никогдá не** вúдел егó.	I've never seen him.

Verb Conjugation

подня́ться I (*c*)	
я поднимýсь	мы поднúмемся
ты поднúмешься	вы поднúметесь
он, онá поднúмется	онú поднúмутся

приня́ть I (*c*)	
я примý	мы прúмем
ты прúмешь	вы прúмете
он, онá прúмет	онú прúмут

сдать	
я сдам	мы сдадúм
ты сдашь	вы сдадúте
он, онá сдаст	онú сдадýт

ошиби́ться I (*b*)		
Future Tense		Past Tense
я ошибу́сь ты ошибёшься он, она́ ошибётся	мы ошибёмся вы ошибётесь они́ ошибу́тся	он оши́бся она́ оши́блась они́ оши́блись

Note.–The verb **ошиби́ться** has an irregular past tense.

Verb Groups

чита́ть I (*a*)
здоро́ваться **поздоро́ваться** **ошиба́ться** **поздравля́ть** **проща́ться** **попроща́ться** **принима́ть** **поднима́ться** **собира́ться**

говори́ть II	alternation
поздра́вить	**в → вл**

танцева́ть I (*b*)
фотографи́роваться **сфотографи́роваться**

дава́ть I (*b*)
сдава́ть

брать I (*b*)
собра́ться

EXERCISES

I. Answer the questions, using the expressions given on the right in the required form.

Model: – *Когда́ он вернётся?*
– *В э́ту пя́тницу.*

1. Когда́ Джон сдаёт экза́мен по ру́сскому языку́? — *сле́дующая среда́*
2. Когда́ у вас был пи́сьменный экза́мен? — *про́шлый вто́рник*

3. Когда́ бу́дет у́стный экза́мен?	*э́та среда́*
4. Когда́ был экза́мен по фи́зике?	*э́тот понеде́льник*
5. Когда́ вы занима́лись с ним вме́сте?	*про́шлая пя́тница*
6. Когда́ конча́ются экза́мены?	*сле́дующая суббо́та*
7. Когда́ Джон был у вас?	*про́шлое воскре-се́нье*
8. Когда́ мы встре́тимся с Оле́гом?	*сле́дующий день*

II. Answer, as in the model.

(a) Model: – *Ты е́здил к ним в сре́ду?*
– *Да, но не в э́ту, а в про́шлую.*

1. Ты был у бра́та во вто́рник? 2. Он звони́л сестре́ в четве́рг? 3. Она́ была́ у отца́ в воскресе́нье? 4. Он получи́л письмо́ в пя́тницу? 5. Ната́ша прие́хала в суббо́ту?

(b) Model: – *Он де́лает докла́д в пя́тницу?*
– *Да, но не в э́ту, а в сле́дующую.*

1. Экза́мены начина́ются в понеде́льник? 2. Он сдаёт экза́мены в сре́ду? 3. Ты пригласи́шь его́ в суббо́ту? 4. Ты идёшь к ним в четве́рг? 5. Андре́й вернётся в Москву́ в воскресе́нье?

III. Change the sentences, as in the model.

(a) Model: *Ве́чером, он идёт на стадио́н.*
Ка́ждый ве́чер он хо́дит на стадио́н.

1. Утром она́ идёт в шко́лу. 2. Ве́чером он идёт в чита́льный зал. 3. В суббо́ту они́ иду́т в кино́. 4. В воскресе́нье мы идём в бассе́йн.

(b) Model: *Осенью он е́дет в Крым.*
Ка́ждую о́сень он е́здит в Крым.

1. Ле́том мы е́дем на се́вер. 2. Осенью она́ е́дет на Украйну. 3. Зимо́й он е́дет в дере́вню. 4. Весно́й они́ е́дут на юг.

IV. Answer the questions, using the words **день, ве́чер, неде́ля, ле́то, ме́сяц, год** in that sequence and the word **весь.**

Model: – *Вы до́лго е́хали туда́?*
– *Всю ночь.*

1. Ско́лько вре́мени ты переводи́л э́тот расска́з? 2. Вы до́лго бы́ли у Ната́ши? 3. Ты до́лго чита́л э́тот рома́н? 4. Оле́г до́лго рабо́тал в Сиби́ри? 5. Вы до́лго жи́ли в дере́вне? 6. Ско́лько вре́мени он изуча́ет язы́к?

V. Answer the questions, using the expressions **раз (два, три, четы́ре ра́за) в день (в неде́лю, в ме́сяц, в год), не́сколько раз в неде́лю (в ме́сяц, в год).**

Model: – *Как ча́сто ты слу́шаешь э́ти ле́кции?*
– *Два ра́за в неде́лю.*

1. Как ча́сто вы занима́етесь ру́сским языко́м? 2. Как ча́сто вы занима́етесь спо́ртом? 3. Вы ча́сто получа́ете пи́сьма? 4. Как ча́сто вы пи́шете домо́й? 5. Вы ча́сто е́здите на ро́дину? 6. Вы ча́сто быва́ете в теа́тре и́ли кино́? 7. Как ча́сто у вас быва́ют экску́рсии?

VI. Complete the dialogues.

1. – ...?
 – (Я провёл в Москве́) всю зи́му.
2. – ...?
 – (Я занима́лся ру́сским языко́м) три ра́за в неде́лю.
3. – ...?
 – (Я ходи́л в теа́тр) ка́ждую неде́лю.
4. – ...?
 – (Вече́рние спекта́кли в Москве́ начина́ются) в семь часо́в.
5. – ...?
 – (Спекта́кли иду́т) три-четы́ре часа́.
6. – ...?
 – (Я ката́лся на лы́жах) почти́ ка́ждое воскресе́нье.
7. – ...?
 – Тепе́рь я пое́ду в Москву́ о́сенью и́ли ле́том.

VII. (a) Make up all the possible sentences.

Model: *Встре́тимся по́сле пра́здника.*

Встре́тимся Поговори́м Позвони́ мне Подойди́ ко мне	по́сле	рабо́та ле́кция конце́рт его́ докла́д

(b) Answer the questions, as in the model, using the words **рабо́та, ле́кция, конце́рт, его́ докла́д** with the preposition **до.**

Model: – *Когда́ ты ви́дел Джо́на?*
 – *До пра́здника.*

1. Когда́ он даст тебе́ э́тот журна́л? 2. Когда́ ты ска́жешь ему́ об экза́мене? 3. Когда́ ты возьмёшь у него́ биле́ты? 4. Когда́ ты попро́сишь у него́ но́вый уче́бник?

VIII. (a) Answer the questions, using the expressions given on the right in the required form.

Model: – *Како́е сего́дня число́?*
 – *Тре́тье ию́ля.*
 – *Когда́ начали́сь ле́тние кани́кулы?*
 – *Тре́тьего ию́ля.*

1. Како́е сего́дня число́?
 Когда́ начина́ются заня́тия в университе́те? — *пе́рвое сентября́*
2. Како́е число́ бы́ло вчера́? — *двена́дцатое января́*
 Когда́ начали́сь экза́мены?

3. Како́е число́ бу́дет за́втра? — *два́дцать четвёр-*
Когда́ конча́ются экза́мены? — *тое января́*
4. Како́е сего́дня число́? — *седьмо́е февраля́*
Когда́ конча́ются зи́мние кани́кулы?

(b) Answer the questions, using the genitive of the date.

1. Когда́ ваш день рожде́ния? 2. Когда́ день рожде́ния ва́шего отца́ и ва́шей ма́мы? 3. Когда́ день рожде́ния ва́шего бра́та (ва́шей сестры́)? 4. Когда́ день рожде́ния ва́шего дру́га (ва́шей подру́ги)?

XI. Read through the proverbs and the joke, noting the use of the words **никто́, ничего́, никогда́ + не.**

Посло́вицы

Учи́ться **никогда́ не** по́здно.
Не ошиба́ется то́лько тот, кто **ничего́ не** де́лает.

Шу́тка

– Зна́ешь, ма́ма, сего́дня на вопро́с учи́теля **никто́** не смог отве́тить.
– А что он спроси́л?
– Он спроси́л, кто слома́л (had broken) стул.
– Да, тру́дный вопро́с.

X. Use the word **никто́, ничего́, нигде́, никуда́** or **никогда́** as required by the sense.

1. Помоги́ мне перевести́ э́тот текст, я ... не понима́ю. 2. Вчера́ мне ... не звони́л. 3. Я ... не мог купи́ть э́ту кни́гу. 4. Ве́чером мы ... не пойдём. 5. Она́ ... не слы́шала э́ту пе́сню.

(S) ЧИТАЙТЕ СО СЛОВАРЁМ

Макси́м Го́рький

Ру́сский сове́тский писа́тель Макси́м Го́рький (Алексе́й Макси́мович Пе́шков) роди́лся 28 ма́рта 1868 го́да в го́роде Ни́жний Но́вгород. Тепе́рь э́тот го́род называ́ется Го́рький.

Алёше бы́ло четы́ре го́да, когда́ у́мер его́ оте́ц. По́сле сме́рти отца́ ма́ленький Алёша стал жить в семье́ де́да Васи́лия Каши́рина. Нелегко́ бы́ло ма́льчику привы́кнуть к жи́зни в до́ме де́да. Дед Алёши был жесто́кий челове́к, все в до́ме боя́лись его́. Но был в э́том до́ме у Алёши большо́й друг – ба́бушка Акули́на Ива́новна. Поздне́е, в автобиографи́ческой по́вести «Де́тство», Го́рький писа́л, что ба́бушка «сра́зу ста́ла на всю жизнь дру́гом, са́мым бли́зким се́рдцу моему́, са́мым поня́тным и дороги́м челове́ком». Её бескоры́стная любо́вь к ми́ру обогати́ла Алёшу, дала́ си́лы для тру́дной жи́зни.

В шко́ле Алёша учи́лся всего́ два го́да. В де́сять лет он на́чал рабо́тать. Снача́ла он рабо́тал в обувно́м магази́не, пото́м ученико́м чертёжника, пото́м на парохо́де помо́щником по́вара. По́вар Миха́ил Аки́мович Сму́рый научи́л Алёшу люби́ть кни́ги. Кни́ги откры́ли Алёше но́вый мир, показа́ли, как бога́та и многообра́зна жизнь, а гла́вное, да́ли ему́ уве́ренность в том, что в жи́зни он не одино́к.

А. М. Го́рький

В 1884 году́ Го́рький уе́хал в Каза́нь, он мечта́л поступи́ть в университе́т. Но получи́ть образова́ние Го́рький не мог: два кла́сса нача́льной шко́лы не дава́ли ему́ пра́ва поступи́ть в университе́т. Университе́том для него́ ста́ла жизнь.

Го́рький мно́го путеше́ствовал, он прошёл пешко́м всю Росси́ю с се́вера на юг, был на Украи́не, в Крыму́, на Кавка́зе. В ноябре́ 1891 го́да Го́рький пришёл в Тифли́с[1]. Именно здесь в 1892 году́ он написа́л свой пе́рвый расска́з, кото́рый опубликова́л под псевдони́мом Макси́м Го́рький.

Очень бы́стро и́мя молодо́го писа́теля ста́ло широко́ изве́стным. Популя́рность Го́рького в Росси́и, осо́бенно среди́ молодёжи, была́ огро́мна.

По́вести и расска́зы Го́рького, его́ пье́сы, автобиографи́ческая трило́гия «Де́тство», «В лю́дях», «Мои́ университе́ты» отрази́ли жизнь ру́сского наро́да. Пье́сы Го́рького с успе́хом ста́вили мно́гие теа́тры как в Росси́и, так и за рубежо́м.

По́сле Вели́кой Октя́брьской социалисти́ческой револю́ции Го́рький мно́го сде́лал для разви́тия молодо́й сове́тской литерату́ры. Молоды́е а́вторы, кото́рые обраща́лись к Го́рькому, всегда́ получа́ли по́мощь, сове́т и подде́ржку. Мно́гие сове́тские писа́тели и поэ́ты писа́ли о том, каку́ю большу́ю роль в их жи́зни сыгра́ла по́мощь и подде́ржка Го́рького.

Выдаю́щийся сове́тский педаго́г Анто́н Семёнович Мака́ренко говори́л, что Го́рький был для него́ «не то́лько писа́телем, но и учи́телем жи́зни».

Умер Го́рький 18 ию́ня 1936 го́да. Но кни́ги писа́теля живу́т. Они́ переведены́ на мно́гие языки́ ми́ра.

---

[1] Тифли́с, Tiflis, now Tbilisi, the capital of Georgia (the Georgian Soviet Socialist Republic).

дава́ть уве́ренность *кому́? в чём?* to make one confident
дать пра́во *кому́?* to give the right
под псевдони́мом under the pseudonym of
автобиографи́ческая трило́гия autobiographical trilogy
получа́ть / получи́ть по́мощь, сове́т, подде́ржку to receive (help, advice, support)
игра́ть / сыгра́ть роль *в чём?* to play a role
выдаю́щийся outstanding

Задание к тексту

1. Расскажи́те биогра́фию Макси́ма Го́рького.
2. Зна́ли ли вы о Го́рьком ра́ньше? Каки́е кни́ги Го́рького вы чита́ли? Нра́вится ли вам э́тот писа́тель?

UNIT 24

Остров Ки́жи

Preparation for Reading

подготови́тельный preparatory
факульте́т department
успева́ть / **успе́ть** *что сде́лать?* to manage
мно́гое much
архитекту́ра architecture
архите́ктор architect
видеофи́льм film on video
сла́йды slides
часть *f.* part

* * *

тем бо́лее, что especially as
па́мятник архитекту́ры monument of architecture

ДИАЛОГ

Оле́г: Джон, до́брый день! Где ты был вчера́? Я хоте́л пригласи́ть тебя́ к себе́, звони́л тебе́ весь ве́чер.
Джон: Я верну́лся по́здно, был у своего́ това́рища.
Оле́г: У кого́?

18–1350

Джон: У одного́ студе́нта с подготови́тельного факульте́та, ты его́ не зна́ешь.

Оле́г: И давно́ он в Москве́?

Джон: Не́сколько ме́сяцев, но уже́ успе́л мно́гое уви́деть. Он интересу́ется архитекту́рой, э́то его́ бу́дущая специа́льность. Вчера́ он пока́зывал нам ви̇̀деофи́льм и сла́йды: па́мятники ру́сской архитекту́ры.

Оле́г: Сла́йды он сам де́лал?

Джон: Нет, часть купи́л, часть подари́л ему́ ру́сский друг, то́же бу́дущий архите́ктор. Ещё мы смотре́ли о́чень хоро́шие фо̀тоальбо́мы: «Москва́», «Ленингра́д», «Ки́ев», «Ки́жи». Мне о́чень понра́вились Ки́жи. Ты там был?

Оле́г: Да, оди́н раз. Хочу́ пое́хать ещё, тем бо́лее, что Та́ня не была́ там. У меня́ то́же есть сла́йды и фотогра́фии, кото́рые я де́лал сам. Приходи́, посмо́тришь.

Джон: Спаси́бо. Приду́ обяза́тельно!

Задание к тексту

Где был Джон? Чем интересу́ется това́рищ Джо́на, кака́я его́ бу́дущая специа́льность?

Preparation for Reading

ты́сяча thousand
многочи́сленный numerous
уника́льный unique
деревя́нный wooden
ма́стер master
архитекту́рный architectural
бо́лее more (than)
существова́ть to exist
леге́нда legend
созда́ние creation
це́рковь *f.* church
са́мый (the) most + *adj.*
еди́нственный (the) only, sole
инструме́нт tool
топо́р axe
зака́нчивать / **зако́нчить** *что?* to finish
рабо́та work
труд work
де́ло job
создава́ть / **созда́ть** *что?* to create
тогда́ then
броса́ть *что?* / **бро́сить** *куда́?* to throw
бо́льше more
тала́нт talent, gift
тала́нтливый talented, gifted

* * *

оди́н из многочи́сленных one of many
архитекту́рный анса́мбль architectural ensemble
де́ло рук свои́х one's own creation

ТЕКСТ

Остров Ки́жи

Удиви́тельно краси́ва приро́да ру́сского се́вера. Ка́ждый год ты́сячи сове́тских и иностра́нных тури́стов е́дут на се́вер. Осо́бенно мно́го тури́стов быва́ет на о́строве Ки́жи, одно́м из многочи́сленных острово́в Оне́жского о́зера.

Здесь тури́сты мо́гут уви́деть не то́лько красоту́ се́верной приро́ды. На э́том о́строве нахо́дятся уника́льные па́мятники ру́сской деревя́нной архитекту́ры. Ру́сские мастера́ со́здали здесь прекра́сный архитекту́рный анса́мбль, кото́рому бо́лее двухсо́т лет.

Существу́ет леге́нда о созда́нии Преображе́нской це́ркви – са́мой большо́й и краси́вой це́ркви на о́строве. Леге́нда расска́зывает о ста́ром ма́стере, кото́рый постро́ил э́ту прекра́сную це́рковь из де́рева. Еди́нственным инструме́нтом ма́стера был топо́р. Когда́ ма́стер зако́нчил рабо́ту и посмотре́л на краса́вицу-це́рковь, де́ло рук свои́х, он по́нял, что ничего́ лу́чше созда́ть не смо́жет, да́же е́сли бу́дет стро́ить всю жизнь. И тогда́ ма́стер бро́сил свой топо́р в Оне́жское о́зеро и уе́хал с о́строва. Бо́льше лю́ди не слы́шали о ста́ром ма́стере. Но его́ це́рковь стои́т на о́строве. И все, кто ви́дит э́ту це́рковь, вспомина́ют леге́нду о тала́нтливом ру́сском ма́стере.

Задание к тексту

а) 1. Что вы узна́ли об о́строве-музе́е Ки́жи? Расскажи́те леге́нду о ста́ром ма́стере.

2. В каки́е стра́ны и города́ вы е́здили? Каки́е архитекту́рные па́мятники ви́дели? Что вам осо́бенно понра́вилось?

3. Вы быва́ли в Москве́? Каки́е архитекту́рные па́мятники Москвы́ вы ви́дели? Нра́вится ли вам архитекту́рный анса́мбль Моско́вского Кремля́, Кра́сная пло́щадь? Что вы зна́ете о них?

4. Зна́ете ли вы, где нахо́дятся сле́дующие па́мятники: па́мятник А.С. Пу́шкину, па́мятник М.Го́рькому, па́мятник В.Маяко́вскому, па́мятник М.В. Ломоно́сову?

б) 1. Прочита́йте посло́вицы и афори́змы о труде́, переведи́те их.

2. Зна́ете ли вы аналоги́чные посло́вицы ва́шего наро́да? Переведи́те их на ру́сский язы́к.

Посло́вицы и афори́змы о труде́

Де́ло ма́стера бои́тся.
Ко́нчил де́ло – гуля́й сме́ло.
Труд челове́ка ко́рмит, а лень по́ртит.
Рабо́чие ру́ки не зна́ют ску́ки.
«Для меня́ жить – зна́чит рабо́тать». *И.К. Айвазо́вский*
«Нет сча́стья в безде́йствии». *Ф.Достое́вский*
«Вся́кое де́ло на́до люби́ть, что́бы хорошо́ его́ де́лать». *М.Го́рький*

GRAMMAR

– **От кого́** он получи́л письмо́?	“Who did he get the letter from?”
– **От ру́сских друзе́й.**	“From his Russian friends.”

The Genitive Plural of Nouns

Nominative **кто?** *who?* **что?** *what?*	Genitive **кого́?** *whom?* **чего́?** *what?*	Ending
студе́нт оте́ц дом	студе́нтов отцо́в домо́в	**-ов**
ме́сяц музе́й санато́рий брат – бра́тья де́рево – дере́вья	ме́сяцев музе́ев санато́риев бра́тьев дере́вьев	**-ев**
гость слова́рь врач това́рищ по́ле мать тетра́дь друг – друзья́ сын – сыновья́ де́ти лю́ди роди́тели	госте́й словаре́й враче́й това́рищей поле́й матере́й тетра́дей друзе́й сынове́й дете́й люде́й роди́телей	**-ей**
зда́ние аудито́рия	зда́ний аудито́рий	**-й**
студе́нтка сестра́ же́нщина мужчи́на кни́га пе́сня окно́	студе́нток сестёр же́нщин мужчи́н книг пе́сен о́кон	

Note.–1. Masculine nouns with the stem in hard consonant take the ending **-ов.**

2. Masculine nouns in **-ец** take the ending **-ов** if the stress falls on the ending **(отцо́в)** and **-ев** if the stress falls on the stem **(ме́сяцев).**

3. Masculine nouns in **-й** and neuter nouns in **-ье** take the ending **-ев** **(пла́тье – пла́тьев).**

4. Masculine and neuter nouns with the stem in a hard consonant in the singular and in a soft consonant in the plural take the ending **-ев** if the stress falls on the stem **(брат – бра́тья – бра́тьев, де́рево – дере́вья – дере́вьев)** and **-ей** if the stress falls on the ending **(друг – друзья́ – друзе́й).**

5. Masculine nouns in **ж, щ, ч, ш (нож – ноже́й, врач – враче́й),** masculine and feminine nouns in **-ь, (ночь – ноче́й)** and neuter nouns in **-е (мо́ре – море́й, по́ле – поле́й)** take the ending **-ей.**

6. Neuter and feminine nouns in **-ие** and **-ия** take **-й (зада́ние – зада́ний, аудито́рия – аудито́рий).**

7. Feminine and masculine nouns in **-а** or **-я** do not take any ending in the genitive plural **(же́нщина – же́нщин, мужчи́на – мужчи́н).**

8. Feminine nouns with the suffix **-ка** and a number of other nouns take an unstable **о** or **е** between the two last consonants **(студе́нтка – студе́нток, де́вушка – де́вушек, сестра́ – сестёр, де́ньги – де́нег).**

The Genitive Plural of Adjectives

Nominative **каки́е?** *what (kind of)?*		Genitive **каки́х?** *what (kind of)?*		Ending
но́вые хоро́шие ру́сские си́ние	друзья́ тетра́ди	но́вых хоро́ших ру́сских си́них	друзе́й тетра́дей	**-ых** **-их**

The Genitive Plural of Possessive Pronouns

Nominative **чьи?** *whose?*		Genitive **чьих?** *whose?*		Ending
мои́ на́ши	бра́тья	мои́х на́ших	бра́тьев	**-их**

The Genitive Plural of Demonstrative Pronouns

Nominative **каки́е**? *what*?		Genitive **каки́х**? *what*?	
э́ти те	студе́нты	э́тих тех	студе́нтов

The Pronoun себя́

The pronoun **себя́** has no nominative; in all the other cases it follows the declension pattern of the pronoun **тебя́**.

Себя́ is either not translated into English at all or is translated by a reflexive or possessive pronoun.

Gen.	себя́	Она́ у себя́ в ко́мнате?	Is she in her room?
Dat.	себе́	Он пригласи́л нас к себе́.	He has invited us to his place.
Acc.	себя́	Как вы себя́ чу́вствуете?	How are you?
Instr.	собо́й	Возьми́те его́ с собо́й.	Take him with you.
Prep.	о себе́	Он мно́го расска́зывал о себе́.	He spoke a lot about himself.

Some Expressions with себя́

Быть сами́м **собо́й**.	To be one's own self.	Не ду́мать **о себе́**	Not to think of oneself.
Вы́йти **из себя́**.	To lose one's temper.	Сам **по себе́**.	By oneself.
Взять **себя́** в ру́ки.	To pull oneself together.	Уме́ть (не уме́ть) вести́ **себя́**.	To know (not to know) how to behave.
Дать **себе́** сло́во.	To resolve.	Чита́ть **про себя́**.	To read to oneself.

Verb Groups

чита́ть I (*a*)
броса́ть **зака́нчивать** **успева́ть**

говори́ть II	alternation
бро́сить (*a*) **зако́нчить** (*a*)	с → ш

танцева́ть I (*a*)
существова́ть

дава́ть I (*b*)
создава́ть

дать
созда́ть

Note.– The verb **созда́ть** changes in the same way as the irregular verb **дать**.

EXERCISES

I. Give negative answers to the questions.

(a) Model: – *В э́том го́роде есть заво́ды?*
– *Нет, там нет заво́дов.*

1. На э́той у́лице есть гости́ницы? 2. Там есть музе́и? 3. В це́нтре го́рода есть фа́брики? 4. На э́том этаже́ есть лаборато́рии? 5. Там есть общежи́тия?

(b) Model: – *Здесь бу́дут библиоте́ки?*
– *Нет, здесь не бу́дет библиоте́к.*

1. Здесь бу́дут стадио́ны? 2. Здесь бу́дут шко́лы? 3. Там бу́дут санато́рии? 4. Здесь бу́дут лаборато́рии? 5. Там бу́дут поликли́ники?

II. Change the sentences, as in the model.

Model: *Он был у своего́ дру́га.*
Он был у свои́х друзе́й.

1. Э́то кни́ги на́шего преподава́теля. 2. Я взял слова́рь у э́того студе́нта. 3. Они́ бы́ли у на́шей студе́нтки. 4. Нале́во ко́мната э́той де́вушки. 5. Она́ получи́ла пода́рки от свое́й подру́ги. 6. Э́то фотогра́фии моего́ това́рища. 7. Мы бы́ли на конце́рте изве́стного компози́тора.

III. Complete the sentences, as in the model.

Model: *На ве́чере вы́ступили молоды́е поэ́ты.*
Он чита́л стихи́ молоды́х поэ́тов.

1. Здесь живу́т **мои́ роди́тели**. Э́то ко́мната ... 2. **Её сыновья́** у́чатся в институ́те. На стене́ виси́т фотогра́фия ... 3. **Его́ до́чери** живу́т в Ленингра́де, он ча́сто получа́ет пи́сьма ... 4. **Мои́ бра́тья** живу́т в Ки́еве. Ле́том я был ... 5. За́втра к нему́ прие́дут **его́ сёстры**. Он купи́л пода́рки для ... 6. **Её де́ти** отдыха́ют в санато́рии. Вчера́ она́ получи́ла письмо́ ...

IV. Complete the sentences, using the adjectives given on the right.

Model: *Там нет озёр.*
Там нет больши́х озёр.

1. Прости́те, здесь нет **магази́нов**? — *кни́жные*
2. Прости́те, у вас нет **газе́т**? — *вече́рние*
3. У тебя́ нет **журна́лов**? — *англи́йские*
4. Как фами́лия а́втора э́тих **расска́зов**? — *интере́сные*
5. Изве́стны ли имена́ **мастеро́в**, кото́рые постро́или це́ркви в Ки́жах? — *тала́нтливые*
6. Неда́вно откры́лась вы́ставка рабо́т э́тих **архите́кторов**. — *молоды́е*

V. Ask questions, as in the model.

Model: – *Он получи́л письмо́ от друзе́й.*
– *От каки́х?*

1. Наш дом о́коло **магази́нов**. 2. Э́то цветы́ для **госте́й**. 3. Я

ви́дел его́ до **кани́кул**. 4. Мы встре́тились по́сле **ле́кций**. 5. Он написа́л мне слова́ **пе́сен**. 6. У него́ прекра́сный альбо́м **фото-гра́фий**. 7. Он учи́лся у изве́стных **мастеро́в**. 8. Он рассказа́л об исто́рии э́тих **па́мятников**.

VI. Make up short dialogues.

(a) Model: – *Прости́те, пожа́луйста, у вас нет си́них каранда-ше́й?*
– *Си́них нет, мо́жет быть, возьмёте чёрные?*

Больши́е–ма́ленькие тетра́ди, чёрные–си́ние ру́чки.

(b) Model: – *У вас есть тёплые ша́пки?*
– *Тёплых нет.*

Тёмные костю́мы, бе́лые пла́тья, све́тлые плащи́, чёрные шля́пы, се́рые руба́шки, кра́сные га́лстуки.

VII. Ask questions, as in the model.

(a) Model: – *Они́ пошли́ в теа́тр.*
– *А когда́ они́ верну́тся из теа́тра?*

1. Они́ пошли́ на стадио́н. 2. Он пое́хал в санато́рий. 3. Мы пойдём в библиоте́ку.

(b) Model: – *Ве́чером у неё уро́ки.*
– *А когда́ она́ возвраща́ется с уро́ков?*

1. Днём он хо́дит на заня́тия. 2. Ка́ждую суббо́ту они́ е́здят на экску́рсии. 3. Ка́ждое воскресе́нье мы хо́дим в похо́ды.

VIII. Read through the sentences, noting the use of the pronoun **себя́**.

1. Ната́ша пригласи́ла нас **к себе́** на новосе́лье. 2. Пойдёшь ко мне, возьми́ **с собо́й** э́ти журна́лы. 3. Расскажи́те нам **о себе́**: где вы жи́ли, где учи́лись. 4. Почему́ Ми́ша не идёт с на́ми? А он, как всегда́, сам **по себе́**. 5. – Я так бою́сь э́того экза́мена, что, ка́жется, забы́ла да́же то, что зна́ла.– Так нельзя́, возьми́ **себя́** в ру́ки. 6. Мне ка́жется, не так э́то легко́ быть всегда́ **сами́м собо́й**. 7. Я дал **себе́** сло́во обяза́тельно побыва́ть на се́вере ещё раз.

IX. Insert the pronoun **себя́** in the correct form. Use prepositions wherever necessary.

1. Врач спроси́л его́: «Как вы ... чу́вствуете?» 2. – Вы не ска́жете, профе́ссор ... в кабине́те?–Да. 3. Оле́г пригласи́л меня́ ... на день рожде́ния. 4. Он ничего́ не расска́зывал вам ...? 5. Ни́на пое́хала за́ город и взяла́ ... сы́на. 6. – Ты не ви́дела Олю?–Она́ пошла́ ... в ко́мнату.

X. Continue the list of nouns that can be used with the following adjectives.

Model: *Прекра́сная му́зыка, кни́га, пе́сня, приро́да,* etc.
Прекра́сный челове́к, писа́тель, музыка́нт, etc.

1. Ру́сская архитекту́ра ... 2. Тала́нтливый архите́ктор ... 3. Изве́стный поэ́т ... 4. Знамени́тый учёный ... 5. Молодо́й инжене́р ... 6. Ста́рый друг ... 7. Знако́мая де́вушка ... 8. Интере́сный фильм ... 9. Тру́дный вопро́с ...

XI. Insert the verbs **идти́ – е́хать** in the correct form with the required prefix.

В воскресе́нье я реши́л ... в центр. Когда́ я ... из до́ма, я встре́тил това́рища. Мы вме́сте ... к остано́вке. Когда́ мы ... к остано́вке, наш авто́бус уже́ ... Мы се́ли в сле́дующий авто́бус и ... до це́нтра. В це́нтре мы ... из авто́буса и ... в ГУМ. Когда́ мы ... к ГУМу, мы уви́дели, что сего́дня магази́н не рабо́тает. Мы реши́ли погуля́ть по це́нтру. В шесть часо́в ве́чера мы ... домо́й. Снача́ла мы ... на авто́бусе, пото́м на метро́. Мы ... домо́й в семь часо́в.

XII. Complete the sentences, using verbs of the required aspect and the appropriate nouns in the required case.

Model: *Това́рищ дал мне словар́ь.*
За́втра он даст мне э́ту кни́гу.
Он ча́сто даёт мне кни́ги.

1. Вчера́ я встре́тил ...
   За́втра я ...
   Я ча́сто ...
2. Това́рищ спроси́л ...
   Он ча́сто ...
3. Он попроси́л ...
4. Мы слу́шаем ...
5. Я уже́ слы́шал ...
6. Она́ получи́ла ...
   Она́ ча́сто ...
7. Я взял ...
   За́втра я ...
8. Он ча́сто помога́ет ...
   Вчера́ он ...
9. Я на́чал ...
   За́втра я ...
   Обы́чно я ...
10. Он ко́нчил ...
    Обы́чно он ...
11. Когда́ начина́ется ...
    Ле́кция уже́ ...
12. Когда́ конча́ется ...
    Конце́рт уже́ ...
13. Он стал ...
    Ско́ро он ...
14. Она́ позвони́ла ...
    Ка́ждый ве́чер она́ ...
15. Я интересу́юсь ...
16. Мы занима́емся ...
17. Я не зна́ю, как зову́т ...
18. Я не зна́ю, ско́лько лет ...
19. Вчера́ не́ было ...
20. За́втра не бу́дет ...
21. Я ду́маю, что э́та кни́га есть ...

Ⓢ

ЧИТАЙТЕ СО СЛОВАРЁМ

Дом Хемингуэ́я

Э. Хемингуэ́й

Нет челове́ка, кото́рый был бы, как Остров, сам по себе́: ка́ждый челове́к есть часть Материка́, часть Су́ши... смерть ка́ждого челове́ка умаля́ет и меня́, и́бо я еди́н со всем челове́чеством, а поэ́тому не спра́шивай никогда́, по ком звони́т ко́локол: он звони́т по Тебе́.

Джон Донн
(эпи́граф к рома́ну Э. Хемингуэ́я «По ком звони́т ко́локол»)

Пе́рвый раз я уви́дел дом Хемингуэ́я на Ку́бе в 1964 году́ в документа́льном фи́льме «Там, где жил Хемингуэ́й». Фильм э́тот, его́ со́здал Константи́н Си́монов[1], я запо́мнил надо́лго. С того́ вре́мени мечта́ уви́деть дом люби́мого писа́теля не покида́ла меня́.

И вот я на Ку́бе. Мы, гру́ппа сове́тских писа́телей и журнали́стов, бу́дем на Ку́бе две неде́ли, и уже́ сего́дня мы бу́дем там, где жил Хемингуэ́й.

Дом Хемингуэ́я на Ку́бе – знамени́тый дом, здесь он написа́л «По ком звони́т ко́локол», «Стари́к и мо́ре», «Острова́ в океа́не» и мно́гое друго́е.

В просто́рном бе́лом до́ме на холме́ нас встреча́ет Рене́ Ви̇̀льяреа́ль. Он мно́го лет служи́л у Хемингуэ́я, тепе́рь он смотри́тель музе́я. Хемингуэ́я, к кото́рому он пришёл ещё ма́льчиком, он называ́ет «па́па Хемингуэ́й».

Бо́льшую часть до́ма занима́ет прекра́сная библиоте́ка, в кото́рой о́коло восьми́ ты́сяч книг. Хемингуэ́й собира́л кни́ги всю жи́знь. Он хорошо́ владе́л испа́нским языко́м, италья́нским, францу́зским, неме́цким и да́же одни́м из африка́нских языко́в. В его́ библиоте́ке кни́ги англи́йских, францу́зских, италья́нских, испа́нских, неме́цких а́второв. Все э́ти кни́ги Хемингуэ́й свобо́дно чита́л в оригина́ле.

Но кни́ги не то́лько в библиоте́ке, они́ в ка́ждой ко́мнате до́ма, кро́ме столо́вой. Да́же в ва́нной виси́т небольша́я кни́жная по́лка.

---

[1] Си́монов Константи́н Миха́йлович, Konstantin Simonov (1915-1979), noted Soviet writer and poet.

Мы вхо́дим в кабине́т писа́теля, э́то его́ рабо́чая ко́мната. У стены́ большо́й бе́лый шкаф, в нём писа́тель храни́л ру́кописи и черновики́. Небольшо́й пи́сьменный стол, ря́дом кре́сло. Хемингу́эй не рабо́тал за пи́сьменным столо́м. Здесь, за э́тим столо́м, проходи́ли его́ официа́льные встре́чи и бесе́ды. У окна́ стои́т невысо́кое бе́лое бюро́ – рабо́чее ме́сто писа́теля. На нём пи́шущая маши́нка. Здесь, за э́тим бюро́, Хемингу́эй писа́л свои́ кни́ги.

В кабине́те, как и в ка́ждой ко́мнате э́того до́ма, кни́жные по́лки и кни́ги, кни́ги, кни́ги ...

В гости́ной, в библиоте́ке, в кабине́те мно́го сувени́ров и охо́тничьих трофе́ев писа́теля, кото́рые он привози́л из ра́зных стран ми́ра, из ка́ждого своего́ путеше́ствия. Здесь ма́ски, деревя́нные фигу́рки, фигу́рки из ко́сти, го́ловы львов и антило́п, голова́ бу́йвола, шку́ры льва и леопа́рда. В библиоте́ке мы уви́дели скульпту́рную рабо́ту Пика́ссо, с кото́рым дружи́л Хемингу́эй.

Экску́рсия по до́му-музе́ю Хемингу́эя зака́нчивается. Мы проща́емся с Рене́, благодари́м его́ за расска́з о жи́зни писа́теля.

– Пока́ я жив, я бу́ду смотре́ть за тем, что́бы всё здесь остава́лось так, как бы́ло при па́пе Хемингу́эе, – говори́т Рене́. – Я хочу́, что́бы как мо́жно бо́льше люде́й со всего́ све́та узна́ли и полюби́ли Хемингу́эя.

Мы ухо́дим, я смотрю́ в после́дний раз на бе́лый дом на холме́. Наде́юсь, что я ещё верну́сь сюда́, поэ́тому я не говорю́ до́му: «Проща́й!» – я говорю́: «До свида́ния! До но́вой встре́чи!»

По А. Ни́нову

смотри́тель музе́я curator of a museum
в оригина́ле in the original
пи́шущая маши́нка typewriter
охо́тничий трофе́й trophy of a hunting expedition
голова́ льва (антило́пы, бу́йвола) lion's (antelope's, buffalo's) head
шку́ра льва (леопа́рда) lion's (leopard's) skin
как мо́жно бо́льше as many as possible
рабо́тать (писа́ть) за столо́м (за бюро́) to work (to write) at a table (bureau)

Зада́ние к те́ксту

1. Когда́ и где а́втор впервы́е уви́дел дом Хемингу́эя? Что рассказа́л сове́тский журнали́ст о до́ме писа́теля?
2. Каки́е кни́ги Хемингу́эя вы чита́ли? Лю́бите ли вы э́того писа́теля? Расскажи́те, что вы зна́ете о нём. Назови́те ва́шу люби́мую кни́гу Хемингу́эя.

UNIT 25

Про́воды ру́сской зимы́

Preparation for Reading

привыка́ть
привы́кнуть *к чему́?* to get used (to)
так so
арти́ст actor, singer
арти́стка actress, singer
наро́дный folk
та́нец dance
самова́р samovar
блины́ bliny, pancakes

* * *

ру́сская тро́йка Russian troika (a vehicle drawn by three horses abreast)
не так уж... not so...

ДИАЛОГ

Оле́г: Джон, ты уже́ привы́к к моско́вской пого́де?
Джон: Коне́чно, э́то бы́ло не так уж тру́дно. А почему́ ты спра́шиваешь?

Оле́г: Хочу́ пригласи́ть тебя́ на ВДНХ[1] на пра́здник «Про́воды ру́сской зимы́»[2]. Ты слы́шал об э́том пра́球днике?

Джон: Слы́шал и с удово́льствием пойду́ с тобо́й.

Оле́г: Ду́маю, тебе́ понра́вится. Бу́дут выступа́ть арти́сты, уви́дишь наро́дные та́нцы, услы́шишь ру́сские пе́сни. Мо́жем поката́ться на ру́сской тро́йке, попи́ть ча́ю из самова́ра и, коне́чно, пое́сть блино́в.

Джон: А когда́ мы пойдём?

Оле́г: За́втра. Встре́тимся в 10 часо́в у вхо́да на ВДНХ.

Джон: Та́ня то́же пойдёт?

Оле́г: Да, и Ната́ша.

Джон: Очень хорошо́! До за́втра!

Оле́г: До за́втра!

Задание к тексту

Куда́ приглаша́ет Оле́г Джо́на? О како́м пра́зднике он расска́зывает? Когда́ быва́ет э́тот пра́здник?

Preparation for Reading

де́тский children's
называ́ть *кого́? как?* to call
пацие́нт patient
явле́ние phenomenon
лечи́ть *кого́? что?* to treat
шама́н shaman, witch-doctor
охо́тник hunter
наро́д people
наро́дность nationality
посёлок settlement
агроно́м agronomist
план plan
неожи́данно unexpectedly, suddenly
изменя́ться / **измени́ться** to change
хиру́рг surgeon
изменя́ть / **измени́ть** *что*? to change
судьба́ fate, future
ме́дик physician, doctor
суро́вый severe
кли́мат climate
расстоя́ние distance
отправля́ться / **отпра́виться** *куда́*? to set off
любо́й any
гото́в (is) ready
усло́вие condition
результа́т result
удво́иться to double

* * *

Кра́йний Се́вер the Extreme North
гла́вный врач head doctor
в любо́е вре́мя at any time
усло́вия жи́зни living conditions
продолжи́тельность жи́зни life span

ТЕКСТ

До́ктор Еле́на

Мно́го лет рабо́тает на Се́вере гла́вным врачо́м де́тского санато́рия Еле́на Саганду́кова, «до́ктор Еле́на», как называ́ют её ма́ленькие пацие́нты.

---

[1] ВДНХ, *abbr. for* Вы́ставка достиже́ний наро́дного хозя́йства, the Exhibition of Economic Achievements, a permanent national exhibition demonstrating the latest achievements in all the branches of the national economy, science, culture, education, national health service, etc.

[2] «Про́воды русской зимы́», "Bidding Farewell to Winter", popular festival stemming from the old tradition of bidding farewell to Winter and welcoming Spring. It takes place in late February–early March. The custom of making pancakes is connected with the old symbolism: the round shape of the pancakes symbolises the Sun.

Больни́цы, поликли́ники, санато́рии – тепе́рь явле́ние обы́чное на Кра́йнем Се́вере, а ра́ньше ни в одно́м языке́ наро́дов Се́вера не́ было слов «больни́ца», «врач». Лечи́ли люде́й то́лько шама́ны.

Дочь рыбака́ и охо́тника Еле́на Саганду́кова ста́ла пе́рвым врачо́м ха́нты – одно́й из се́верных наро́дностей.

Еле́на с де́тства хоте́ла учи́ться. Тогда́ в се́верных посёлках уже́ откры́ли пе́рвые шко́лы. Ле́на зна́ла, кто око́нчит шко́лу, мо́жет продолжа́ть учи́ться в большо́м го́роде. Снача́ла Ле́на хоте́ла стать агроно́мом, но пла́ны её неожи́данно измени́лись. Она́ серьёзно заболе́ла и лечи́л её ру́сский хиру́рг Михаи́л Ива́нович, кото́рый прие́хал в их посёлок. Знако́мство с врачо́м измени́ло судьбу́ Еле́ны, она́ реши́ла стать ме́диком.

Нелегко́ рабо́тать на Се́вере. Суро́вый кли́мат, больши́е расстоя́ния де́лают осо́бенно тру́дной рабо́ту врача́, ведь врач до́лжен быть гото́в отпра́виться к больно́му в любо́е вре́мя, в любу́ю пого́ду.

Но нелёгкий труд враче́й и созда́ние но́вых усло́вий жи́зни да́ли свой результа́т – за после́дние го́ды на Се́вере продолжи́тельность жи́зни челове́ка удво́илась.

Зада́ние к те́ксту

1. Расскажи́те исто́рию «до́ктора Еле́ны».
2. Почему́ в языке́ се́верных наро́дов не́ было слов «больни́ца», «врач»? Как измени́лась жизнь на Се́вере сейча́с?

Preparation for Reading

госуда́рство state
госуда́рственный state
населя́ть *что*? to inhabit
террито́рия territory, area
име́ть to have
пи́сьменность written language
алфави́т alphabet
мирово́й world
уда́чен (is) good, (is) successful
фило́лог philologist
зате́м then, after that
национа́льный national
многонациона́льный multinational
бога́тство wealth
исчеза́ть / **исче́знуть** to disappear
серьёзный serious
поте́ря loss
культу́ра culture
челове́чество humankind
забо́титься *о ком? о чём?* to look after
сохраня́ть / **сохрани́ть** *что*? to preserve
развива́ть *что*? to develop

* * *

принима́ть уча́стие / **приня́ть** *в чём*? to take part, to participate
родно́й язы́к mother tongue
языкова́я поли́тика policy on languages

Языки́ наро́дов Се́вера

В 1930 году́ Сове́тское госуда́рство откры́ло в Ленингра́де Институ́т наро́дов Се́вера для наро́дностей, кото́рые населя́ют огро́мную часть се́верной террито́рии Сове́тского госуда́рства. 26 наро́дностей Се́вера не име́ли до револю́ции свое́й пи́сьменности. По́сле револю́ции учёные ста́ли создава́ть для них алфави́ты. Втора́я мирова́я война́ помеша́ла их рабо́те. По́сле войны́ учёные продолжа́ли э́ту рабо́ту. В ней при́нял уча́стие и писа́тель-нивх Влади́мир Санги́.

Ни́вхи – одна́ из наро́дностей Се́вера. Алфави́т, кото́рый со́здали для ни́вхов до войны́, был не о́чень уда́чен. И вот писа́тель В. Санги́ и учёный-фило́лог Гали́на Ота́ина со́здали но́вый алфави́т, а зате́м и но́вые уче́бники. Тепе́рь де́ти ни́вхов у́чат родно́й язы́к по уче́бнику В. Санги́ и Г. Ота́иной.

Языки́ наро́дов Се́вера, как и языки́ други́х наро́дов многонациона́льного Сове́тского Сою́за – э́то бога́тство страны́. Если язы́к не име́ет пи́сьменности, он исчеза́ет, а э́то серьёзная поте́ря для культу́ры страны́ и культу́ры всего́ челове́чества. Вот почему́ Сове́тское госуда́рство забо́тится о том, что́бы ка́ждая наро́дность име́ла свою́ пи́сьменность, сохраня́ла и развива́ла свою́ культу́ру.

Задание к тексту

1. Что вы узна́ли о рабо́те Институ́та наро́дов Се́вера? Почему́ госуда́рство забо́тится о сохране́нии и разви́тии всех национа́льных языко́в?
2. Явля́ется ли ва́ша страна́ многонациона́льной? Ско́лько наро́дностей в ва́шей стране́? Как реша́ется пробле́ма национа́льных языко́в?

GRAMMAR

The Genitive After a Numeral

– **Ско́лько** у него́ **бра́тьев** и **сестёр?**	"How many brothers and sisters has he?"
– У него́ **два бра́та** и **три сестры́.**	"He has two brothers and three sisters."

оди́н брат		одна́ сестра́	
два три четы́ре	бра́та	две три четы́ре	сестры́
пять	бра́тьев	пять	сестёр
оди́н час, день, ме́сяц, год		одна́ мину́та, неде́ля	
два три четы́ре	часа́ дня ме́сяца го́да	две три четы́ре	мину́ты неде́ли
пять	часо́в дней ме́сяцев лет	пять	мину́т неде́ль

оди́н рубль		одна́ копе́йка	
два		две	
три	рубля́	три	копе́йки
четы́ре		четы́ре	
пять рубле́й		пять копе́ек	

Note.–1. Nouns following the numeral **оди́н** (21, 31, 41, etc.) take the nominative singular.

2. Nouns following the numerals **два, три** and **четы́ре** (22, 23, 24, etc.) take the genitive singular.

3. Nouns following the numerals **пять** and further on till **два́дцать** and also **два́дцать пять, два́дцать шесть,** etc., or the word **мно́го, ма́ло, ско́лько** or **не́сколько** take the genitive plural.

В го́роде мно́го гости́ниц и не́сколько библиоте́к.

4. If the subject of a sentence is a phrase consisting of the word **мно́го, ма́ло, ско́лько** or **не́сколько** and a noun in the genitive plural, the predicate takes the singular and in the past tense it also takes the neuter.

В аудито́рии сидя́т студе́нты.	В аудито́рии сиди́т не́сколько студе́нтов.
В аудито́рии сиде́ли студе́нты.	В аудито́рии сиде́ло не́сколько студе́нтов.
На ве́чере бы́ли де́вушки.	На ве́чере бы́ло мно́го де́вушек.

The Phrase друг дру́га

Они́ хорошо́ зна́ют **друг дру́га.**	They know each other (one another) well.
Они́ не забыва́ют **друг о дру́ге** и ча́сто пи́шут **друг дру́гу.**	They never forget each other (one another) and often write to each other (one another).
Они́ давно́ знако́мы **друг с дру́гом.**	They have known each other (one another) for a long time.

The first part of the phrase **друг дру́га** does not change.

If the phrase **друг дру́га** is used with a preposition, the latter is placed between its two parts: **друг к дру́гу, друг с дру́гом.**

Verb Conjugation

привы́кнуть I (*a*)		Past Tense
я привы́кну	мы привы́кнем	он привы́к
ты привы́кнешь	вы привы́кните	она́ привы́кла
он, она́ привы́кнет	они́ привы́кнут	они́ привы́кли

исчéзнуть I (*a*)	Past Tense
исчéзнуть	он исчéз онá исчéзла они́ исчéзли

Note.–The verbs **привы́кнуть** and **исчéзнуть** have irregular past tense forms.

Verb Groups

читáть I (*a*)
исчезáть **изменя́ть (ся)** **имéть** **назывáть** **населя́ть** **отправля́ться** **развивáть** **сохраня́ть**

говори́ть II	alternation
забóтиться (*a*)	**т → ч**
измени́ть (ся) (*a*)	
лечи́ть (*c*)	
отпрáвиться (*a*)	**в → вл**

Word-building

рóдина – роди́тели – роднóй – роди́ться
госудáрство – госудáрственный
дéти – дéтство – дéтский

EXERCISES

I. (a) Read through the text and retell it. Note the use of the genitive after the numerals.

Ци́фры и фáкты
(настоя́щее и прóшлое)

До революции 88 процéнтов (per cent) жéнщин в Росси́и не умéли дáже написáть свою фами́лию. Очень немнóгие из жéнщин могли́ получи́ть вы́сшее образовáние (education). В 1916 годý в однóм из рýсских журнáлов писáли: «В Москóвский Университéт при́няли 7 студéнток». «В Петербýргский Университéт на истó-рико-филологи́ческий факультéт поступи́ло (entered) три жéнщины».

В Совéтском Сою́зе 60 процéнтов специали́стов (specialists) с вы́сшим и срéдним образовáнием – жéнщины.

585 ты́сяч жéнщин – наýчные рабóтники (researchers), из них 3400 жéнщин-академиков и профессорóв.

Бóлее пятнáдцати ты́сяч жéнщин – писáтели, поэ́ты, компози́торы, архитéкторы, журнали́сты.

Но сáмые «жéнские» профéссии в Совéтском Сою́зе – э́то профéссии врачá и учи́теля.

19–1350

(b) Answer the questions, using these words and phrases: сто, ты́сяча, не́сколько сот, не́сколько ты́сяч, сре́днее образова́ние, вы́сшее образова́ние, получа́ть (получи́ть) образова́ние, поступа́ть (поступи́ть) в институ́т (в университе́т), око́нчить институ́т (университе́т).

1. Зна́ете ли вы, ско́лько в ва́шей стране́ же́нщин со сре́дним и вы́сшим образова́нием? 2. Мно́го ли же́нщин-враче́й, инжене́ров, преподава́телей? В каки́е институ́ты (на каки́е факульте́ты) обы́чно поступа́ют же́нщины? Каки́е специа́льности они́ получа́ют?

II. (a) Read through the text, noting the use of the genitive after the numerals.

Мой го́род

Мой го́род небольшо́й. В нём две но́вые гости́ницы, пять библиоте́к, два музе́я, де́сять кинотеа́тров, два теа́тра: музыка́льный и драмати́ческий, во́семь рабо́чих клу́бов и большо́й стадио́н.

(b) Answer the questions.

1. Мно́го ли в ва́шем го́роде библиоте́к, музе́ев, кинотеа́тров, стадио́нов? 2. Ско́лько в го́роде теа́тров и как они́ называ́ются? 3. Есть ли в го́роде институ́ты? Если есть, ско́лько их и каки́е э́то институ́ты?

III. Change the sentences, using the words **мно́го, ма́ло, не́сколько.** Pay attention to the correct use of the predicate verb.

Model: *На ве́чере бы́ли студе́нты. На ве́чере бы́ло мно́го студе́нтов.*

Мно́го

1. В э́том клу́бе выступа́ли поэ́ты и писа́тели. 2. На ве́чере бы́ли де́вушки. 3. У нас бы́ли друзья́. 4. У них бы́ли де́ти.

Ма́ло

1. В го́роде бы́ли гости́ницы, магази́ны, па́рки, музе́и. 2. Там бы́ли больни́цы и поликли́ники. 3. Туда́ иду́т авто́бусы и тролле́йбусы. 4. На второ́м этаже́ бы́ли аудито́рии и лаборато́рии.

Не́сколько

1. Здесь бу́дут общежи́тия. 2. Я взял газе́ты и журна́лы. 3. Он получи́л пода́рки. 4. Она́ получи́ла пи́сьма из до́ма.

IV. Complete the sentences, as in the model.

Model: *В э́той ко́мнате одно́ окно́. В э́той ко́мнате три окна́. В э́той ко́мнате мно́го о́кон.*

1. На ку́хне стои́т **оди́н стул**. На ку́хне **четы́ре** ... . На ку́хне **мно́го** ... . 2. В ко́мнате **одно́ кре́сло**. В ко́мнате **два** ... . 3. На столе́ лежи́т **оди́н** нож. На столе́ лежи́т **три** ... . На столе́ **пять** ... . 4. Я положи́л на стол **ло́жку**. Я положи́л на стол **две** ... . Я положи́л на стол **не́сколько** ... . 5. Дай мне, пожа́луйста, **ви́лку**.

Дай мне, пожа́луйста, **три** . . . . Дай мне, пожа́луйста, **не́сколько** . . . .
6. Да́йте, пожа́луйста, **ча́шку ко́фе**. Да́йте, пожа́луйста, **две** . . . .
7. Да́йте, пожа́луйста, **стака́н со́ка**. Да́йте, пожа́луйста, **три** . . . .
Да́йте, пожа́луйста, **пять** . . . .

V. Answer the questions, using the words **рубль** and **копе́йка** in the correct form and with the appropriate numerals.

Model: – *Ско́лько сто́ит э́та руба́шка?* *5 руб...*
– *Пять рубле́й.*

1. Ско́лько сто́ит э́та ша́пка? *11 руб...*
2. Ско́лько сто́ит э́тот плащ? *30 руб...*
3. Ско́лько сто́ит э́то пла́тье? *23 руб...*
4. Ско́лько сто́ит э́то полоте́нце? *2 руб...*
5. Ско́лько сто́ит э́тот учёбник? *1 руб... 24 коп ...*
6. Ско́лько сто́ит а́нгло-ру́сский слова́рь? *73 коп...*
7. Ско́лько сто́ит э́та тетра́дь? *12 коп...*
8. Ско́лько сто́ит э́та ру́чка? *35 коп...*
9. Ско́лько сто́ит э́тот каранда́ш? *2 коп...*

VI. Answer the questions.

Model: – *Ско́лько лет ва́шей подру́ге?*
– *Ей два́дцать три го́да.*

1. Ско́лько лет ва́шей ма́ме? 2. Ско́лько лет отцу́? 3. Ско́лько лет сестре́? 4. Ско́лько лет ва́шему бра́ту? 5. Ско́лько лет ва́шему дру́гу? 6. Ско́лько лет его́ сестре́ (его́ бра́ту)?

VII. Answer the questions.

Model: – *Когда́ он начина́ет рабо́тать?* – *В де́вять часо́в.*

1. Когда́ начина́ются заня́тия в университе́те? 2. Когда́ конча́ются заня́тия? 3. Когда́ вы обы́чно за́втракаете, обе́даете и у́жинаете? 4. Когда́ открыва́ется и когда́ закрыва́ется библиоте́ка? 5. Когда́ открыва́ется и когда́ закрыва́ется поликли́ника?

VIII. Do the exercise, using these words and phrases:
плюс (ми́нус) ... гра́дусов, све́тит со́лнце, я́сное не́бо, жа́ркий, жа́рко, тёплый, тепло́, холо́дный, хо́лодно, си́льный (сла́бый) ве́тер, идёт дождь, снег.

1. Describe the weather on a winter day, using the appropriate phrases. 2. Describe a hot summer day. 3. Describe a rainy autumn day.

IX. Insert the phrase **друг дру́га** in the required form.

1. Джон и Оле́г давно́ знако́мы . . . . Они́ ча́сто ви́дят . . . в университе́те. Ле́том, когда́ Джон уезжа́ет на ро́дину, они́ обы́чно пи́шут . . . . Они́ всегда́ ду́мают . . . и ча́сто приглаша́ют . . . в теа́тр, в кино́, на стадио́н.

2. Эмма и Ни́на подру́ги, они́ познако́мились . . . давно́. Они́ ча́сто ви́дят . . . в институ́те, ча́сто встреча́ются . . . и всегда́ помога́ют . . . .

X. Read through the text. Insert the appropriate verbs, taking them from the text «До́ктор Еле́на».

До́ктор Еле́на ... в санато́рии на Се́вере. Дочь рыбака́ Еле́на ... пе́рвым врачо́м наро́дности ха́нты. Когда́ Еле́на ... в шко́ле, она́ хоте́ла ... агроно́мом. Но пла́ны её ... , она́ реши́ла ... ме́диком. Еле́на ... шко́лу и ... учи́ться в го́роде. Сейча́с Еле́на – де́тский врач санато́рия. Она́ .. дете́й.

Ⓢ ЧИТАЙТЕ СО СЛОВАРЁМ

Фёдор Миха́йлович Достое́вский

Ф. М. Достое́вский

Вы́сшая и са́мая характе́рная черта́ на́шего наро́да – э́то чу́вство справедли́вости и жа́жда её.

Ф. М. Достое́вский

Фёдор Миха́йлович Достое́вский – оди́н из са́мых изве́стных писа́телей ми́ра. Кни́ги его́ переведены́ бо́лее чем на 50 языко́в, их чита́ли и чита́ют миллио́ны чита́телей ра́зных стран.

Фёдор Миха́йлович роди́лся в 1821 году́ в Москве́ в семье́ врача́. У Фёдора Миха́йловича бы́ло шесть бра́тьев. В семье́ Достое́вского люби́ли кни́ги. Ча́сто ве́чером собира́лась вся семья́, и Фёдор и́ли его́ бра́тья чита́ли вслух. Фёдор Миха́йлович с де́тства полюби́л литерату́ру, он мно́го чита́л, хорошо́ знал Пу́шкина, Ле́рмонтова, Гёте, Бальза́ка.

В 1838 году́ Фёдор Миха́йлович поступи́л в Петербу́ргское вое́нно-инжене́рное учи́лище. Здесь, в учи́лище, он на́чал писа́ть свою́ пе́рвую дра́му. В 1843 году́ Достое́вский око́нчил учи́лище, но специа́льность инжене́ра не интересова́ла его́, и он стал занима́ться литерату́рной рабо́той.

В 1846 году́ Достое́вский опубликова́л свой пе́рвый рома́н «Бе́дные лю́ди» – рома́н о тяжёлой жи́зни просты́х люде́й. Бе́дность не уби́ла в них ду́шу, доброту́, челове́чность.

Имя молодо́го писа́теля сра́зу ста́ло изве́стным. Поэ́т Н. А. Некра́сов, литерату́рный кри́тик В. Г. Бели́нский и мно́гие други́е высоко́ оцени́ли пе́рвую кни́гу Достое́вского. В ру́сскую литерату́ру вошёл но́вый большо́й тала́нт. Бели́нский писа́л Достое́вскому: «Вам пра́вда откры́та как худо́жнику... Цени́те же ваш дар и остава́йтесь ве́рным и бу́дете вели́ким писа́телем».

В 1847 годý Достоéвский стал члéном революциóнного кружкá М. В. Петрашéвского. Вскóре Достоéвского и других учáстников кружкá арестовáли. Достоéвского приговори́ли к смéртной кáзни. Егó привезли́ на мéсто кáзни, но в послéднюю минýту приговóр замени́ли други́м: четы́ре гóда кáторги.

Четы́ре гóда Достоéвский провёл на кáторге и пять лет в ссы́лке. Тóлько в 1859 годý он вернýлся в Петербýрг.

Страдáния людéй на кáторге, где погибáют «нарóдные си́лы, умы́, талáнты», Достоéвский описáл в кни́ге «Запи́ски из Мёртвого дóма».

В 1866 годý Достоéвский опубликовáл оди́н из лýчших социáльно-психологи́ческих ромáнов «Преступлéние и наказáние», а в 1880 годý ромáн «Брáтья Карамáзовы».

Достоéвский выступáет прóтив ми́ра, где плáчут дéти, где льются слёзы, где страдáют лю́ди. Он мечтáет измени́ть жизнь, сдéлать чтó-то, чтóбы не плáкали дéти и мáтери, чтóбы нé было на землé страдáний и слёз. Пóиски добрá и прáвды Достоéвский хотéл продóлжить в слéдующих кни́гах. Смерть помешáла писáтелю заверши́ть э́тот гигантский труд. Достоéвский ýмер 28 января́ 1881 гóда.

Но кни́ги Достоéвского живýт. Достоéвский остаётся нáшим вели́ким совремéнником. Совéтский писáтель Чинги́з Айтмáтов [1] пи́шет, что и в нáши дни «тревóжный набáт Достоéвского» взывáет к человéчности, гумани́зму.

Любóвь к человéку, к своемý нарóду, желáние освободи́ть нарóд от страдáний – глáвная мысль всех книг вели́кого гумани́ста Достоéвского. Достоéвский, как никтó другóй, ви́дел всю глубинý страдáний рýсского нарóда, но он вéрил в свéтлое бýдущее своéй страны́.

Рýсские и зарубéжные писáтели и кри́тики высокó цени́ли Достоéвского – гениáльного худóжника, психóлога и гумани́ста, защи́тника «уни́женных и оскорблённых». О нём писáли америкáнский писáтель Теодóр Дрáйзер, италья́нский писáтель Альбéрто Морáвиа, япóнский писáтель Кóбо Абе и мнóгие, мнóгие други́е. Алексéй Макси́мович Гóрький так говори́л о Л. Толстóм и Достоéвском: «Толстóй и Достоéвский – два величáйших гéния, си́лою свои́х талáнтов они́ потрясли́ мир, и óба встáли, как рáвные, в вели́кие ряды́ людéй, чьи именá – Шекспи́р, Дáнте, Сервáнтес, Руссó и Гёте».

чýвство (жáжда) справедли́вости sense of (thirst for) justice
характéрная чертá distinctive feature
бóлее чем more than
воéнно-инженéрное учи́лище military engineering school
простóй человéк (простые лю́ди) ordinary man (ordinary people)
войти́ в литератýру to appear in literature
смéртная казнь capital punishment
приговори́ть к смéртной кáзни to sentence to death
кáторга penal servitude
ссы́лка exile

---

[1] Чинги́з Айтмáтов. Chinghiz Aitmatov (b. 1928), People's Writer of the Kirghiz SSR. He writes both in Kirghiz and Russian.

непревзойдённое произведе́ние unsurpassed work
социа́льно-психологи́ческий socio-psychological
по́иски добра́ и пра́вды search for good and truth
заверши́ть труд to complete one's work
трево́жный наба́т warning bell
взыва́ть к челове́чности (гумани́зму) to appeal to humanity (humaneness)
как никто́ друго́й as no one else
глубина́ страда́ний depth of the suffering
све́тлое бу́дущее bright future
«Уни́женные и оскорблённые» – назва́ние одного́ из рома́нов Достое́вского. *The Insulted and Humiliated*, title of one of Dostoevsky's novels
встать в ряды́ люде́й ... to join the ranks of the people ....

Задание к тексту

1. Расскажи́те, что вы узна́ли о ру́сском писа́теле Ф. М. Достое́вском?
2. Вы чита́ли кни́ги Достое́вского? Смотре́ли ли вы экраниза́ции его́ произведе́ний?
3. Нра́вится ли вам э́тот писа́тель?
4. Кого́ ещё из ру́сских писа́телей вы зна́ете?

UNIT 26

Р. Гамза́тов

Preparation for Reading

удивля́ться / **удиви́ться** *чему́?* to be surprised	**поме́длить** to tarry
гру́ппа group, class	**ю́ность** youth
жура́вль *m.* crane	**спеши́ть** / **поспеши́ть** *куда́?* to hurry
гру́стный sad	**си́ла** strength
весёлый joyous	**сме́лость** courage
мело́дия melody	**печа́ль** *f.* sorrow
дагеста́нский Daghestan	**беда́** misfortune
ра́дость joy	

ДИАЛОГ

Оле́г: До́брый день, Джон! Вчера́ ве́чером ты был до́ма?
Джон: Нет, вчера́ я был на ве́чере.
Оле́г: На како́м?
Джон: На ве́чере студе́нтов подготови́тельного факульте́та. Был их конце́рт на ру́сском языке́. Я удиви́лся, как хорошо́ они́ говоря́т по-ру́сски, ведь они́ в Москве́ то́лько три ме́сяца.

Оле́г: Конце́рт был хоро́ший?
Джон: Да, бы́ло мно́го стихо́в, пе́сен и да́же ру́сские наро́дные та́нцы. Я встре́тил там на́ших студе́нтов, им то́же понра́вился конце́рт.
Оле́г: А кого́ ты ещё там ви́дел?
Джон: Своего́ сосе́да Андре́я и де́вушек из на́шей гру́ппы. Они́ то́же говори́ли, что ве́чер хоро́ший.
Оле́г: Ты всё понима́л?
Джон: Почти́ всё. Мне о́чень понра́вилась пе́сня «Журавли́». Я не все слова́ по́нял, но те, что по́нял, краси́вые, гру́стные. И мело́дия хоро́шая.
Оле́г: Я то́же люблю́ э́ту пе́сню. Слова́ её написа́л дагеста́нский[1] поэ́т Расу́л Гамза́тов. У него́ мно́го хоро́ших стихо́в. У меня́ есть две его́ кни́ги. Е́сли хо́чешь, возьми́ почита́ть.
Джон: С удово́льствием!

Зада́ние к те́ксту

1. На како́м ве́чере был Джон? Кто выступа́л на э́том ве́чере? Кака́я пе́сня понра́вилась Джо́ну? Кто написа́л слова́ э́той пе́сни?
2. Прочита́йте стихотворе́ние Расу́ла Гамза́това «Ра́дость, поме́дли...» Нра́вится ли вам оно́?

– Ра́дость, поме́дли, куда́ ты лети́шь?
– В се́рдце, кото́рое лю́бит!
– Ю́ность, куда́ ты верну́ться спеши́шь?
– В се́рдце, кото́рое лю́бит!
– Си́ла и сме́лость, куда́ вы, куда́?
– В се́рдце, кото́рое лю́бит!
– А вы-то куда́, печа́ль да беда́?
– В се́рдце, кото́рое лю́бит!

Р. Гамза́тов

Preparation for Reading

безу́мный (безу́мен) mad (is mad)
слепо́й (слеп) blind (is blind)
деше́вле cheaper
доро́же dearer
челове́ческий human
миллио́н million
исполня́ть / испо́лнить *что?* to perform
трансли́ровать *что?* to broadcast
ито́г sum total
те́ма theme
любо́вь *f.* love
кля́тва oath
педагоги́ческий pedagogical
учи́лище school
публикова́ть / опубликова́ть *что?* to publish
учёба studies, studying
литерату́рный literary
дагеста́нский Daghestan
чита́тель reader
драгоце́нный precious
мысль *f.* idea
исцеля́ть *кого́? от чего́?* to (try to) cure
исцели́ть *кого́? от чего́?* to cure (completely)
умере́ть to die

---

[1] Дагеста́н, Daghestan, the Daghestan Autonomous Soviet Socialist Republic. The capital is the city of Makhachkala, situated on the Caspian Sea coast.

представи́тель representative
бога́тый rich
бе́дный poor
мно́гие many

* * *

наро́дный поэ́т people's poet
родно́й край native land
трансли́ровать что́-либо по ра́дио (по телеви́зору) to broadcast smth. by radio (by television)
не́ о чем there is nothing
всё же and yet
педагоги́ческое учи́лище teachers' training school

ТЕКСТ

Наро́дный поэ́т Дагеста́на

Я сча́стлив: не безу́мен и не слеп.
Проси́ть судьбу́ мне не́ о чем.
И всё же
Пусть бу́дет на земле́ деше́вле хлеб,
А челове́ческая жизнь доро́же.

Р. Гамза́тов

В 1983 году́ миллио́ны сове́тских люде́й смотре́ли по телеви́зору ве́чер-конце́рт. На э́том конце́рте исполня́ли стихи́ Расу́ла Гамза́това, пе́сни на его́ стихи́.

Наро́дному поэ́ту Дагеста́на Расу́лу Гамза́тову в 1983 году́ испо́лнилось 60 лет. Ве́чер, кото́рый трансли́ровали по телеви́зору, был ито́гом большо́й рабо́ты тала́нтливого и люби́мого в на́шей стране́ поэ́та.

Расу́л Гамза́тов роди́лся в ма́ленькой го́рной дере́вне Цада́ в семье́ изве́стного дагеста́нского поэ́та Гамза́та Цадасы́. С де́тства он полюби́л родно́й край. Те́ма ро́дины – гла́вная те́ма Гамза́това. Одна́ из его́ книг так и называ́ется «Мой Дагеста́н». В э́той кни́ге Расу́л Гамза́тов пи́шет о свое́й ро́дине: «Дагеста́н – ты мать для меня́... Дагеста́н – моя́ любо́вь и моя́ кля́тва... Ты оди́н – гла́вная те́ма всех мои́х книг, всей мое́й жи́зни».

Учи́лся Расу́л снача́ла в Дагеста́не. Здесь он око́нчил шко́лу и педагоги́ческое учи́лище. Рабо́тал учи́телем, пото́м рабо́тал в газе́те. Расу́л ра́но на́чал писа́ть стихи́, пе́рвые свои́ стихи́ он опубликова́л в 1937 году́. Молодо́й поэ́т хоте́л продолжа́ть учёбу, он прие́хал в Москву́, где поступи́л в Литерату́рный институ́т. В литерату́рном институ́те у Расу́ла Гамза́това бы́ло мно́го ру́сских друзе́й-поэ́тов. Гамза́тов люби́л ру́сскую поэ́зию, переводи́л стихи́ ру́сских поэ́тов на свой родно́й язы́к, а стихи́ Гамза́това на́чали переводи́ть на ру́сский язы́к. Так и́мя дагеста́нского поэ́та ста́ло изве́стно ру́сскому чита́телю.

Родно́й язы́к Гамза́това – ава́рский, оди́н из языко́в наро́дов Дагеста́на. На э́том языке́ Гамза́тов пи́шет свои́ стихи́, об э́том языке́ с любо́вью говори́т: «Пе́рвые слова́, кото́рые я услы́шал, бы́ли ава́рские. Пе́рвая пе́сня, кото́рую мне пропе́ла мать... была́ ава́рская пе́сня. Ава́рский язы́к стал мои́м родны́м языко́м. Это са́мое драгоце́нное, что у меня́ есть, да и не то́лько у меня́, но и у всего́ ава́рского наро́да».

Любо́вь к родно́му языку́, родно́му кра́ю – гла́вная мысль прекра́сного стихотворе́ния «Родно́й язы́к».

Кого́-то исцеля́ет от боле́зней
Друго́й язы́к, но мне на нём не петь,[1]
И е́сли за́втра мой язы́к исче́знет,
То я гото́в сего́дня умере́ть.

Сти́хи Расу́ла Гамза́това, представи́теля бога́той многонациона́льной сове́тской литерату́ры, изве́стны не то́лько сове́тскому чита́телю. Его́ стихи́ перево́дят на мно́гие языки́ ми́ра.

Зада́ние к те́ксту

1. Расскажи́те о наро́дном поэ́те Дагеста́на Расу́ле Гамза́тове. Чита́ли ли вы его́ стихи́? Е́сли чита́ли, каки́е его́ стихи́ вам нра́вятся?
2. Расскажи́те об изве́стном поэ́те ва́шего наро́да.
3. Кто ваш люби́мый поэ́т? Расскажи́те о нём.

GRAMMAR

– **Кого́** он встре́тил на ве́чере?	"Who did he come across at the evening party?"
– **Свои́х друзе́й** из МГУ.	"His friends from Moscow University."

The Accusative Plural of Nouns

In the accusative plural inanimate nouns have the same endings as in the nominative plural.

Nominative **что?** *what?*		Accusative **что?** *what?*	
Это	дома́ музе́и санато́рии о́кна поля́ зда́ния дере́вни тетра́ди аудито́рии	Я ви́жу	дома́ музе́и санато́рии о́кна поля́ зда́ния дере́вни тетра́ди аудито́рии

[1] … мне на нём не петь, I am not to sing in it.

Animate Nouns in the Accusative Plural

Nominative **кто?** *who?*	Accusative **кого́?** *whom?*	Ending
студе́нт оте́ц	студе́нтов отцо́в	**-ов**
иностра́нец брат – бра́тья	иностра́нцев бра́тьев	**-ев**
гость врач това́рищ друг – друзья́ сын – сыновья́ мать де́ти лю́ди роди́тели	госте́й враче́й това́рищей друзе́й сынове́й матере́й дете́й люде́й роди́телей	**-ей**
студе́нтка сестра́ же́нщина мужчи́на	студе́нток сестёр же́нщин мужчи́н	

Note.– Animate nouns take the same endings in the accusative plural as in the genitive plural.

The Accusative Plural of Adjectives and Demonstrative and Possessive Pronouns

Adjectives and demonstrative and possessive pronouns which qualify inanimate nouns take the same endings in the accusative plural as in the nominative plural.

– **Что** ты хо́чешь купи́ть?	"What do you want to buy?"
– **Эти англи́йские журна́лы.**	"These English journals."

Adjectives and demonstrative and possessive pronouns which qualify animate nouns take the same endings in the accusative plural as in the genitive plural.

The Accusative Plural of Adjectives Qualifying Animate Nouns

Nominative **какие?** *what (kind of)?*	Accusative **каких?** *what (kind of)?*	Ending
но́вые хоро́шие друзья́ ру́сские	но́вых хоро́ших друзе́й ру́сских	**-ых** **-их**

Possessive Pronouns in the Accusative Plural

Nominative **чьи?** *whose?*	**Accusative** **чьих?** *whose?*	**Ending**
мои́ бра́тья на́ши	мои́х бра́тьев на́ших	**-их**

Demonstrative Pronouns in the Accusative Plural

Nominative **какие?** *what?*	Accusative **каких?** *what?*
э́ти студе́нты те	э́тих студе́нтов тех

Formation of the 3rd Person Imperative of Verbs

The 3rd person imperative is obtained by means of the word **пусть** "let" and a finite 3rd person singular or plural verb in the present or simple future tense:

Пусть он **позвони́т** мне. — Let him phone me.
Пусть они́ **иду́т** домо́й. — Let them go home.

Ⓟ Personal and Indefinite-Personal Sentences

Рабо́чие строят / бу́дут стро́ить / стро́или шко́лу.	Здесь стро́ят / бу́дут стро́ить / стро́или шко́лу.
Workers build / will build / built a school.	A school is built / will be built / was built here.

Рабо́чие постро́ят / постро́или шко́лу.	Здесь постро́ят / постро́или шко́лу.
Workers will have built / havebuilt a school.	A school. will have been built / has been built here.

Verb Conjugation

умере́ть I (*b*)		Past Tense
я умру́ ты умрёшь он, она́ умрёт	мы умрём вы умрёте они́ умру́т	он у́мер она́ умерла́ они у́мерли

Note.– The verb **умере́ть** has an irregular past tense.

Verb Groups

чита́ть I (*a*)
исполня́ть **удивля́ться** **умира́ть**

говори́ть II	alter-nation
испо́лнить (*a*) **спеши́ть** (*b*) **поспеши́ть** (*b*) **удиви́ться** (*b*)	**в → вл**

танцева́ть I (*a*)
публикова́ть **опубликова́ть** **трансли́ровать**

EXERCISES

I. Read through the text, noting the use of the nouns in the accusative plural.

Одна́жды изве́стного врача́, кото́рый всегда́ охо́тно (willingly) и внима́тельно лечи́л (treated) **бе́дных люде́й**, пригласи́ли к королю́ (king).

– Надéюсь, вы меня́ бýдете лечи́ть не так, как **пациéнтов** вáшей больни́цы? – спроси́л корóль.

– К сожалéнию, э́то невозмóжно (impossible), – отвéтил врач, – ведь говоря́т, что я лечý **свои́х** пациéнтов, как королéй (like kings).

II. Answer the questions, as in the model.

Model: *К немý приéхали <u>роди́тели.</u>*
– Когó он встречáл вчерá? – <u>(Свои́х) роди́телей.</u>

1. Её **дéти** ужé хóдят в шкóлу. Когó онá кáждое ýтро вóдит в шкóлу? 2. Егó **сыновья́** встречáются с ним óколо стадиóна. Когó он ждёт? 3. **Егó дóчери** давнó знакóмы с Тáней и Олéгом. Когó давнó знáют Тáня и Олéг? 4. В э́том институ́те ýчатся бýдущие **врачи́**. Когó готóвит э́тот институ́т? 5. На э́том факультéте ýчатся бýдущие **инженéры**. Когó готóвит э́тот факультéт? 6. На вéчере выступáли **арти́сты**. Когó пригласи́ли на вéчер? 7. Эти **дéвушки** бы́ли вчерá на вéчере. Когó Джон ви́дел на вéчере? 8. Сегóдня день рождéния Тáни, к ней придýт её **подрýги**. Когó Тáня пригласи́ла на день рождéния? 9. Недáвно он éздил в Ленингрáд, где живýт егó **сёстры**. Когó он ви́дел в Ленингрáде?

III. Change the sentences, as in the model.

(a) Model: *Он встрéтил <u>своегó дрýга.</u>*
Он встрéтил <u>свои́х друзéй.</u>

1. Он чáсто вспоминáет **своегó брáта**. 2. На останóвке онá встрéтила **э́ту дéвочку**. 3. Я ещё не ви́дел **нóвую учи́тельницу**. 4. Они́ слýшали **э́того певцá** по рáдио. 5. Он хорошó знáет **э́того молодóго архитéктора**. 6. Я óчень люблю́ **э́того писáтеля**.

(b) Model: *Онá испóлнила <u>рýсскую нарóдную пéсню.</u>*
Онá испóлнила <u>рýсские нарóдные пéсни.</u>

1. Я перевожý егó **послéднюю статью́**. 2. Я не пóмню, когдá пострóили **э́ту шкóлу**. 3. Недáвно он опубликовáл **свою́ пéрвую кни́гу**. 4. Он смóтрит **сегóдняшнюю газéту**. 5. Я взял **твой учéбник**. 6. Я получи́л **вáше письмó**.

IV. Complete the sentences, adding the phrase **нáши нóвые** in the required form.

Model: *Они́ пригласи́ли на концéрт <u>учителéй.</u>*
Они́ пригласи́ли на концéрт <u>нáших нóвых учителéй.</u>

1. Мы ждём **товáрищей**. 2. Вчерá мы встрéтили **друзéй**. 3. На экскýрсии мы ви́дели **студéнтов**. 4. Они́ пригласи́ли в кинó **студéнток**. 5. Мы пригласи́ли на рýсский вéчер **преподавáтельниц**. 6. Они́ спроси́ли **преподавáтелей**, когдá бýдут экзáмены.

V. Complete the sentences, as in the model.

Model: *Сего́дня приезжа́ют его́ <u>сёстры.</u>*
Он е́дет на вокза́л встреча́ть <u>свои́х сестёр.</u>

1. К нам прие́хали **изве́стные поэ́ты и писа́тели**. Мы слу́шали ... 2. В его́ фи́льме игра́ли **знамени́тые актёры**. Я ви́дел ... 3. По телеви́зору выступа́ют **молоды́е певи́цы**. Мы слу́шаем ... 4. Вчера́ игра́ли **э́ти футболи́сты**. Я ви́дел ... 5. Но́вые дома́ постро́или **э́ти тала́нтливые архите́кторы**. Я хорошо́ зна́ю ...

VI. Continue the list of the nouns that can be qualified by the adjectives given below.

Model: *гла́вная те́ма, мысль, гла́вная у́лица, гла́вный вход, etc.*

1. Наро́дный поэ́т ... 2. Настоя́щий друг ... 3. Весёлый челове́к ... 4. Но́вая пе́сня ... 5. Родно́й край ...

VII. Speak about your favourite poet or writer, using some of these words and phrases:

тала́нт, тала́нтливый, наро́дный, люби́мый, изве́стный, опубликова́ть что? когда́? его́ стихи́ (рома́ны, расска́зы); переводи́ть (перевести́) с како́го языка́? на како́й язы́к?

VIII. Give the biography of a person you know, using these words and phrases:

его́ (её) зову́т... ; ему́ (ей) ско́лько лет; роди́ться где?; поступи́ть в шко́лу где? когда́?; око́нчить шко́лу, поступи́ть в институ́т (в университе́т) на како́й факульте́т?; око́нчить институ́т (университе́т); стать кем? рабо́тать где? кем?

IX. Make up dialogues, as in the model.

(a) Model: – *Джон не принёс твой журна́л.*
– *<u>Пусть принесёт за́втра.</u>*

1. Та́ня не позвони́ла ему́. 2. Он не написа́л сестре́. 3. Они́ не пригласи́ли Оле́га. 4. Он ещё не поздра́вил их. 5. Они́ не пое́хали к Оле в больни́цу. 6. Он не дал мне твою́ кни́гу.

(b) Model: *Мне ну́жно взять в библиоте́ке слова́рь.*
– *Попроси́ Джо́на, <u>пусть он возьмёт,</u> он идёт в библиоте́ку.*

1. – Мне ну́жно купи́ть хле́ба. (Андре́й идёт в магази́н).
2. – Я хочу́ купи́ть газе́ты. (Оле́г идёт в кио́ск).
3. – Мне ну́жно сказа́ть Джо́ну об экза́мене. (Ми́ша идёт к Джо́ну).
4. – Мне ну́жно взять в библиоте́ке э́тот уче́бник. (Ната́ша идёт в библиоте́ку).
5. – Мне ну́жно перевести́ текст на англи́йский язы́к (Ни́на зна́ет англи́йский).
6. – Я хочу́ откры́ть окно́. (Оле́г сиди́т у окна́).

X. Insert the verb **идти́, ходи́ть** or **е́хать, е́здить** in the correct form with the appropriate prefix.

В воскресе́нье мы ... за́ город. Мы вста́ли ра́но, и в 8 часо́в мы уже́ ... из до́ма. Когда́ мы ... к остано́вке, там нас уже́ жда́ли на́ши друзья́. Мы се́ли в авто́бус и ... на вокза́л. В 9 часо́в мы бы́ли в по́езде. Че́рез час мы ... до на́шей ста́нции и ... из ваго́на. Недалеко́ от (Not far from) ста́нции был лес. Мы ... в лес. Мы до́лго гуля́ли в лесу́. В пять часо́в мы ... на ста́нцию. Когда́ мы ... на ста́нцию, бы́ло уже́ 6 часо́в. Домо́й мы ... в 8 часо́в. Тепе́рь мы реши́ли ка́ждое воскресе́нье ... за́ город, ... в похо́ды.

XI. Insert verbs of the required aspect in the correct form.

1. Зда́ние но́вого ци́рка ... три го́да.	*стро́ить*
На́ше общежи́тие ... неда́вно.	*постро́ить*
2. Ско́лько вре́мени вы ... к экза́мену?	*гото́виться*
Он получи́л пять, потому́ что хорошо́ ... к экза́мену.	*подгото́виться*
3. Зимо́й мы бу́дем ... три экза́мена.	*сдава́ть*
Он уже́ ... все экза́мены.	*сдать*
4. Стихи́ э́того поэ́та ча́сто ... на ру́сский язы́к.	*переводи́ть* *перевести́*
Неда́вно ... после́днюю кни́гу его́ стихо́в.	
5. Обы́чно, е́сли я выхожу́ из до́ма в 9 часо́в, я ... на э́тот авто́бус.	*успева́ть*
Сейча́с я вы́шел по́здно и не ... на него́.	*успе́ть*

XII. Complete the sentences.

1. Кто со́здал ...?
2. Я не могу́ привы́кнуть ...
3. Он посове́товал ...
4. Я не заме́тил ...
5. Мы реши́ли ...
6. Мы поздра́вили ...
7. Ты мо́жешь ...
8. Он уме́ет ...
9. Он зна́ет ...
10. Я не бою́сь ...
11. Мы хоти́м ...
12. Я встре́тил ...
13. Я встре́тился ...
14. Он взял ...
15. Он положи́л ...
16. Она́ поста́вила ...
17. Она́ пове́сила ...
18. Закро́йте, пожа́луйста, ...
19. У вас есть ...?
20. Покажи́те, пожа́луйста, ...
21. Да́йте, пожа́луйста, ...
22. Ско́лько сто́ит ...?

Ⓢ ЧИТАЙТЕ СО СЛОВАРЁМ

Писа́тель, поэ́т, певе́ц

Б. Ш. Окуджа́ва

Дава́йте понима́ть друг дру́га с полусло́ва,
Чтоб, ошиби́вшись раз, не ошиби́ться сно́ва.
Дава́йте жить, во всём друг дру́гу потака́я,
Тем бо́лее что жизнь коро́ткая така́я.

Б. Окуджа́ва

Невысо́кий ху́денький челове́к с немно́го гру́стным, немно́го насме́шливым взгля́дом тёмных глаз и де́тской улы́бкой. Имя его́ широко́ изве́стно – Була́т Окуджа́ва. Его́ му́дрый и до́брый тала́нт давно́ и про́чно завоева́л любо́вь и призна́тельность не то́лько сове́тских, но и зарубе́жных чита́телей и слу́шателей. Була́т Окуджа́ва – писа́тель, поэ́т и певе́ц, исполни́тель пе́сен, кото́рые он пи́шет на свои́ стихи́. Его́ кни́ги перево́дят на мно́гие языки́ ми́ра, его́ пе́сни зна́ют и лю́бят лю́ди са́мых ра́зных профе́ссий и национа́льностей.

Роди́лся Була́т Окуджа́ва в Москве́ 9-го ма́я 1924 го́да. Семья́ Була́та жила́ на Арба́те[1], кото́рый стал пото́м те́мой мно́гих его́ стихо́в и пе́сен. Здесь, на Арба́те, Була́т рос, игра́л в арба́тских двора́х и на всю жизнь запо́мнил у́лицы и переу́лки своего́ де́тства.

Когда́ начала́сь Вели́кая Оте́чественная война́, Була́т ушёл из девя́того кла́сса доброво́льцем на фронт. На фро́нте он был тяжело́ ра́нен.

По́сле войны́ Була́т Окуджа́ва око́нчил филологи́ческий факульте́т университе́та, рабо́тал снача́ла учи́телем в шко́ле, пото́м реда́ктором.

Свою́ пе́рвую пе́сню Окуджа́ва написа́л, когда́ был ещё студе́нтом, в 1946 году́.

О чём пи́шет Окуджа́ва? Те́ма его́ стихо́в – вся жизнь челове́ка: го́ре и ра́дость, любо́вь и дру́жба, жизнь и смерть. Гла́вная те́ма поэ́зии Окуджа́вы – любо́вь к челове́ку, к жи́зни, любо́вь к добру́.

Оди́н из сове́тских писа́телей Михаи́л При́швин писа́л: «Та́йну тво́рчества на́до иска́ть в любви́». И пе́сни Окуджа́вы – э́то «орке́стрик наде́жды» «под управле́нием любви́». Слова́ э́ти

[1] Арба́т, a street in central Moscow.

(припе́в одно́й из его́ пе́сен) о́чень то́чно выража́ют смысл всей его́ поэ́зии.

Дава́йте говори́ть друг дру́гу комплиме́нты,
Ведь э́то всё любви́ счастли́вые моме́нты,–

поёт Окуджа́ва в одно́й из пе́сен.

Возьмёмся за́ руки, друзья́,
Чтоб не пропа́сть поодино́чке,–

поёт он в пе́сне «Сою́з друзе́й». Эта пе́сня прозвуча́ла как гимн на Пе́рвом всесою́зном ко́нкурсе самоде́ятельной пе́сни в Сара́тове[1] в 1986 году́. Её вме́сте с а́втором пел весь зал.

Окуджа́ва пи́шет пе́сни для мно́гих кинофи́льмов и спекта́клей, и, как пра́вило, они́ начина́ют жить самостоя́тельной жи́знью.

Була́т Окуджа́ва не то́лько поэ́т и певе́ц, он писа́тель – а́втор интере́сных истори́ческих рома́нов.

И всё-таки широ́кую изве́стность принесли́ ему́ пре́жде всего́ пе́сни в его́ со́бственном исполне́нии. Лю́ди, кото́рые зна́ют его́ пе́сни наизу́сть, иду́т на его́ конце́рты ещё и ещё раз. И ка́ждый раз встре́ча с удиви́тельным тала́нтом Окуджа́вы да́рит им но́вую ра́дость и запомина́ется надо́лго.

понима́ть с полусло́ва кого́-либо to take smb.'s hint
потака́ть *кому́?* to indulge
тем бо́лее all the more (so), especially as
завоева́ть любо́вь (призна́тельность) кого́-либо to win smb.'s love (gratitude)
за рубежо́м abroad
доброво́лец volunteer
орке́стрик наде́жды little orchestra of hope
под управле́нием любви́ under the baton of love
самоде́ятельная пе́сня amateur song
как пра́вило as a rule
жить самостоя́тельной жи́знью to live on one's own
пре́жде всего́ first of all

Задание к тексту

1. Расскажи́те, что вы зна́ете о поэ́те и писа́теле Була́те Окуджа́ве. Каки́е пе́сни Окуджа́вы вы зна́ете? Нра́вятся ли вам его́ пе́сни?
2. Прочита́йте две пе́сни Окуджа́вы. Зна́ете ли вы э́ти пе́сни?

Дава́йте восклица́ть

Дава́йте восклица́ть, друг дру́гом восхища́ться,
Высокопа́рных слов не на́до опаса́ться.
Дава́йте говори́ть друг дру́гу комплиме́нты,
Ведь э́то всё любви́ счастли́вые моме́нты.

Дава́йте горева́ть и пла́кать открове́нно
то вме́сте, то повро́зь, а то попереме́нно.
Не на́до придава́ть значе́ния злосло́вью –
поско́льку грусть всегда́ сосе́дствует с любо́вью.

Дава́йте понима́ть друг дру́га с полусло́ва,
чтоб, ошиби́вшись раз, не ошиби́ться сно́ва.
Дава́йте жить, во всём друг дру́гу потака́я,–
тем бо́лее что жизнь коро́ткая така́я.

---

[1] Сара́тов, a port on the Volga.

Пе́сенка об откры́той две́ри

Когда́ мете́ль кричи́т, как зверь –
протя́жно и серди́то,
не запира́йте ва́шу дверь, –
пусть бу́дет дверь откры́та.

А е́сли ля́жет да́льний путь,
Нелёгкий путь, предста́вьте,
Дверь не забу́дьте распахну́ть,
Откры́той дверь оста́вьте.

И, уходя́, в ночно́й тиши́
без до́лгих слов реша́йте:
ого́нь сосны́ с огнём души́
в печи́ перемеша́йте.

Пусть бу́дет тёплою стена́
И мя́гкою скаме́йка...
Деря́м закры́тым – грош цена́,
замку́ цена́ – копе́йка.

UNIT 27

Третьяко́вская галере́я

Preparation for Reading

истори́ческий historical
иску́сство art
худо́жник artist
посети́тель visitor
карти́на picture, painting

* * *

Истори́ческий музе́й the Historical Museum
Музе́й иску́сства наро́дов Восто́ка the Museum of Oriental Art

ДИАЛОГ

Оле́г: Джон, в каки́х моско́вских музе́ях ты был?
Джон: Был в Третьяко́вской галере́е[1], в Истори́ческом музе́е.
Оле́г: А в Музе́е иску́сства наро́дов Восто́ка не́ был?
Джон: Нет ещё.
Оле́г: Не хо́чешь пойти́ со мно́ю в воскресе́нье?
Джон: Пойдём. А что там?
Оле́г: Там сейча́с вы́ставка Никола́я Ре́риха[2] и Святосла́ва Ре́риха[3]. Ты зна́ешь э́тих худо́жников?
Джон: Немно́го зна́ю. Это ру́сские худо́жники, кото́рые жи́ли в Индии?
Оле́г: Да, Никола́й Ре́рих с жено́й прие́хали в Индию и жи́ли там до конца́ жи́зни. Их сын, то́же худо́жник, Святосла́в Ре́рих и сейча́с живёт там. Я о́чень люблю́ э́тих худо́жников. И не то́лько я: на их вы́ставках всегда́ мно́го посети́телей.
Джон: Мне то́же нра́вятся их карти́ны, я ви́дел не́сколько карти́н Ре́риха-отца́ и Ре́риха-сы́на.
Оле́г: Эта вы́ставка, говоря́т, о́чень интере́сная, уви́дишь мно́го но́вого.

Задание к тексту

1. В каки́х моско́вских музе́ях был Джон? Куда́ Оле́г приглаша́ет Джо́на? О каки́х худо́жниках они́ говоря́т?
2. Что вы зна́ете о худо́жниках Никола́е Ре́рихе и Святосла́ве Ре́рихе?
3. Кто ваш люби́мый худо́жник? Расскажи́те о нём.

С. Ре́рих

[1] Третьяко́вская галере́я, the Tretyakov Art Gallery, the largest USSR museum of Russian and Soviet art, founded in 1872 by Pavel Tretyakov, whose name it bears.

[2] Ре́рих Никола́й Константи́нович, Nikolai Roerich (1874-1947), renowned Soviet artist, archaeologist and writer. He was an organiser of the movement for the protection of cultural monuments. He spent the latter part of his life in India.

[3] Ре́рих Святосла́в Никола́евич, Svyatoslav Roerich, son of Nikolai Roerich. Svyatoslav Roerich is a well-known artist. He lives and works in India. Both Nikolai and Svyatoslav Roerich are loved and appreciated in the Soviet Union, with which they never lost touch.

Preparation for Reading

переу́лок by-street
кирпи́ч brick
госуда́рственный state
собира́ть / **собра́ть** *что?* to collect
колле́кция collection
произведе́ние work
жи́вопись *f.* painting
древнеру́сский Old Russian
совреме́нный modern, contemporary
специа́льный special
галере́я gallery
основа́тель founder
замеча́тельный outstanding
расти́ to grow
вы́расти to grow up
дополня́ть / **допо́лнить** *что?* to complete
экспози́ция exposition, exhibition
знако́мить / **познако́мить** *кого́? с кем? с чем?* to acquaint
тысячеле́тний thousand-year
ико́на icon
портре́т portrait
сего́дняшний today's
дворе́ц palace
кру́пный large
крупне́йший (the) largest
представле́ние *о чём? о ком?* idea
по́лный full, complete
непо́лный not full, incomplete
организова́ть *что?* to organise

* * *

карти́нная галере́я picture gallery
носи́ть и́мя *чьё? кого́?* to be named after
па́мятник иску́сства (культу́ры) monument of art (culture)
произведе́ние иску́сства work of art
в то же вре́мя at the same time

ТЕКСТ

О ру́сских музе́ях

В Москве́, в Лавру́шинском переу́лке, стои́т невысо́кое зда́ние из бе́лого и кра́сного кирпича́. Это Госуда́рственная Третьяко́вская галере́я – знамени́тый музе́й ру́сского и сове́тского иску́сства.

Этот музе́й основа́л в 1856 году́ Па́вел Миха́йлович Третьяко́в. Почти́ со́рок лет Па́вел Миха́йлович собира́л карти́ны. Он собра́л бога́тую колле́кцию произведе́ний ру́сской жи́вописи. В его́ колле́кции – па́мятники древнеру́сского иску́сства, ру́сское иску́сство XVIII и XIX веко́в, произведе́ния изве́стных худо́жников своего́ вре́мени.

В 1872 году́ Третьяко́в постро́ил для свое́й колле́кции специа́льную галере́ю, а в 1892 году́ подари́л галере́ю го́роду Москве́. Галере́я но́сит и́мя своего́ основа́теля, замеча́тельного ру́сского челове́ка Па́вла Миха́йловича Третьяко́ва.

С ка́ждым го́дом растёт колле́кция Третьяко́вской галере́и. По́сле 1917 го́да её колле́кцию допо́лнил отде́л многонациона́льного сове́тского иску́сства.

Экспози́ция Третьяко́вской галере́и знако́мит нас с тысячеле́тней исто́рией ру́сского иску́сства: здесь и ру́сская ико́на, и портре́т, карти́ны ру́сской приро́ды и карти́ны из жи́зни наро́да. В карти́нах ру́сских и сове́тских худо́жников мы ви́дим исто́рию страны́ и её сего́дняшний день.

Ещё оди́н крупне́йший музе́й ру́сского и сове́тского иску́сства – Ру́сский музе́й в Ленингра́де. Он откры́лся в 1898 году́ в зда́нии Миха́йловского дворца́. В за́лах э́того музе́я – произведе́ния ру́сского иску́сства с XI ве́ка до на́шего вре́мени. Без э́той колле́кции на́ше представле́ние о ру́сских тала́нтах бу́дет непо́лным.

В Третьяко́вской галере́е и Ру́сском музе́е ча́сто быва́ют вы́ставки карти́н из ра́зных музе́ев страны́. В то же вре́мя в ра́зных города́х Сове́тского Сою́за ча́сто организу́ют вы́ставки карти́н из двух крупне́йших музе́ев Москвы́ и Ленингра́да. На таки́х вы́ставках мо́жно уви́деть рабо́ты ру́сских и сове́тских худо́жников. Они́ знако́мят нас с бога́той культу́рой и иску́сством страны́.

Задание к тексту

1. Что вы узна́ли о ру́сских музе́ях? Каки́е ещё ру́сские музе́и вы зна́ете? Быва́ли ли вы в ру́сских музе́ях? Что понра́вилось вам?
2. Каки́х ру́сских худо́жников вы зна́ете? Расскажи́те о них.
3. Прочита́йте отры́вок из стихотворе́ния поэ́та К. Ванше́нкина «Неизве́стный худо́жник».

Ⓢ ...Неизве́стный худо́жник давни́шнего ве́ка –
Может бы́ть, он изве́стен, но в у́зком кругу́ –
Написа́л на холсте́ он портре́т челове́ка
Так, что глаз от него́ оторва́ть не могу́. ⟨...⟩

Я стою́, поражённый иску́сством чуде́сным,
Чей в века́х сохрани́лся отчётливый след.
Я бы то́лько мечта́л стать таки́м Неизве́стным
Где-нибу́дь через три́ста-четы́реста лет...

GRAMMAR

– **О ком** он написа́л домо́й?	"Who did he write home about?"
– **О свои́х ру́сских друзья́х.**	"About his Russian friends."

The Prepositional Plural of Nouns

Nominative **кто?** *who?* **что?** *what?*	Prepositional **о ком?** *about whom?* **о чём?** *about what?*	Ending
студе́нт	о студе́нтах	
оте́ц	об отца́х	
врач	о врача́х	
дом	о дома́х	**-ах**
окно́	об о́кнах	
това́рищ	о това́рищах	
студе́нтка	о студе́нтках	
сестра́	о сёстрах	
кни́га	о кни́гах	

Nominative **кто?** *who?* **что?** *what?*	Prepositional **о ком?** *about whom?* **о чём?** *about what?*	Ending
гость слова́рь музе́й санато́рий по́ле зда́ние мать тетра́дь пе́сня аудито́рия брат – бра́тья друг – друзья́ де́рево – дере́вья лю́ди де́ти роди́тели	о гостя́х о словаря́х о музе́ях о санато́риях о поля́х о зда́ниях о матеря́х о тетра́дях о пе́снях об аудито́риях о бра́тьях о друзья́х о дере́вьях о лю́дях о де́тях о роди́телях	**-ях**

Note.– In the prepositional plural nouns of all the three genders with the stem in a hard consonant or **щ** or **ч** take the ending **-ах**; nouns with the stem in a soft consonant or a vowel take the ending **-ях**.

The Prepositional Plural of Adjectives

Nominative **каки́е?** *what (kind of)?*	Prepositional **о каки́х?** *about what (kind of)?*	Ending
но́вые хоро́шие друзья́ ру́сские си́ние тетра́ди	о но́вых о хоро́ших друзья́х о ру́сских о си́них тетра́дях	**-ых** **-их**

The Prepositional Plural of Possessive Pronouns

Nominative **чьи?** *whose?*	Prepositional **о чьих?** *about whose?*	Ending
мои́ бра́тья на́ши	о мои́х бра́тьях о на́ших	**-их**

The Prepositional Plural of Demonstrative Pronouns

Nominative **какие?** *what?*	Prepositional **о каких?** *about what?*
э́ти студе́нты те	об э́тих студе́нтах о тех

Verb Conjugation

расти́ I *(b)*		
Present Tense		Past Tense
я расту́ ты растёшь он, она́ растёт	мы растём вы растёте они́ расту́т	он рос она́ росла́ они́ росли́

Note.– The verb **расти́** has an irregular past tense.

Verb Groups

чита́ть I *(a)*
дополня́ть **собира́ть**

говори́ть II	alternation
допо́лнить *(a)* **знако́мить** *(a)* **познако́мить** *(a)*	 **м → мл** **м → мл**

расти́ I
вы́расти *(a)*

брать I *(b)*
собра́ть

танцева́ть I *(a)*
организова́ть

EXERCISES

I. Read through the text, noting the use of the nouns and adjectives in the prepositional plural.

В похо́д

Вы ча́сто быва́ете **в похо́дах?** Как хорошо́ в суббо́ту и воскресе́нье пое́хать за́ город! Ка́ждую неде́лю в газе́те «Моско́вская пра́вда» вы мо́жете прочита́ть **о похо́дах** на суббо́ту и воскресе́нье. Москвичи́ встреча́ются **на моско́вских вокза́лах,** где их ждут руководи́тели (leaders) похо́да. **На поезда́х** они́ е́дут до како́й-нибудь (some) ста́нции, а пото́м иду́т пешко́м. Руководи́тель похо́да расска́зывает **об истори́ческих места́х и архитекту́рных па́мятниках. В таки́х похо́дах** всегда́ ве́село и интере́сно. По́здно ве́чером москвичи́ возвраща́ются домо́й. Тепе́рь они́ обяза́тельно бу́дут чита́ть в газе́те сообще́ния (information) **о сле́дующих похо́дах.**

II. Complete the sentences, as in the model.

Model: *В СССР много́ санато́риев.*
Ка́ждое ле́то миллио́ны сове́тских люде́й отдыха́ют в санато́риях.

1. В Москве́ быва́ют **интере́сные вы́ставки.** Мы ча́сто быва́ем ... 2. Мне нра́вятся **музе́и Ленингра́да.** Я мно́го раз был ... 3. Неда́вно я ви́дел э́того актёра **на конце́рте.** Он ча́сто выступа́ет ... 4. Молоды́е поэ́ты и писа́тели ча́сто приезжа́ют **на фа́брики и заво́ды.** Они́ выступа́ют ... 5. Ка́ждую суббо́ту с моско́вских вокза́лов отхо́дят **специа́льные поезда́.** Москвичи́ е́дут за́ город ... 6. Нале́во есть **кио́ски.** Ду́маю, что э́тот журна́л мо́жно купи́ть ...

III. Change the sentences, as in the model.

Model: *Они́ говори́ли об э́том конце́рте.*
Они́ говори́ли об э́тих конце́ртах.

1. Он расска́зывал **о но́вом спекта́кле.** 2. Они́ говори́ли **о после́днем фи́льме.** 3. Она́ говори́ла **о его́ лу́чшей карти́не.** 4. Он расска́зывал **об изве́стном худо́жнике.** 5. Это кни́га **о вели́ком фи́зике.** 6. Я мно́го чита́л **об э́том замеча́тельном матема́тике.** 7. Она́ написа́ла **статью́ о молодо́м враче́.** 8. Они́ говори́ли **о после́днем экза́мене.** 9. Он спра́шивал **о мое́й сестре́.** 10. Она́ ду́мает **о своём бра́те.**

IV. Answer the questions, using the words given on the right in the correct form.

Model: *– В каки́х журна́лах писа́ли об э́том?*
– В америка́нских.
– О каки́х журна́лах он говори́л?
– Об америка́нских.

1. В каки́х газе́тах э́ти статьи́? О каки́х газе́тах вы говори́те?	*вече́рние*
2. В каки́х города́х он побыва́л? О каки́х города́х он расска́зывал?	*ю́жные*
3. В каки́х дома́х они́ живу́т? О каки́х дома́х вы спра́шиваете?	*но́вые, высо́кие*
4. В каки́х райо́нах го́рода есть метро́? О каки́х райо́нах го́рода он говори́л?	*ста́рые*

5. В каки́х деревня́х постро́или но́вые шко́лы? *се́верные*
О каки́х деревня́х она́ расска́зывала?

V. Ask questions, as in the model.

Model: – *Они́ выступа́ли в шко́лах и институ́тах.*
– *В каки́х?*

1. Они́ вспомина́ют **о друзья́х.** 2. Преподава́тель спра́шивал **о студе́нтах.** 3. Ты мо́жешь прочита́ть об э́том **в уче́бниках.** 4. Эти слова́ есть **в словаря́х.** 5. Мы ча́сто встреча́емся **на ле́кциях.** 6. Ве́чером она́ обы́чно **на заня́тиях.**

VI. Complete the sentences, as in the model.

Model: *Это мои́ но́вые друзья́. На столе́ лежа́т кни́ги мои́х но́вых друзе́й. Он спроси́л меня́ о мои́х но́вых друзья́х.*

1. Здесь живу́т его́ **ста́ршие бра́тья.** Он получи́л письмо́ … . Он рассказа́л мне … . 2. У неё есть **ру́сские подру́ги.** Она ждёт … . Она́ расска́зывает … . 3. Эти дома́ стро́или **изве́стные архите́кторы.** Я купи́л кни́гу об … . Я ви́дел рабо́ту … . 4. Эти ле́кции чита́ют **на́ши преподава́тели.** Я слу́шал ле́кции … . Мы говори́ли … . 5. В Москве́ мно́го **рабо́чих клу́бов.** Она́ ча́сто выступа́ет … . 6. Мне нра́вятся **совреме́нные худо́жники.** Мы бы́ли на вы́ставке … . Он расска́зывал … .

VII. Speak about one of your country's museums of national art, using these words and phrases:

основа́ть, основа́тель, собира́ть (собра́ть) колле́кцию, национа́льный музе́й, жи́вопись, карти́на, иску́сство, произведе́ние иску́сства, дре́внее иску́сство, совреме́нное иску́сство, вы́ставка, худо́жник (тала́нтливый, совреме́нный).

VIII. Insert the appropriate verb in the correct form.

1. Позвони́ мне, когда́ пое́дешь домо́й, я … тебя́. *встреча́ть*
Я ча́сто … его́ в институ́те. *встре́тить*

2. – Что ты хо́чешь … брату́? *дари́ть*
– Кни́гу. *подари́ть*

3. Неда́вно я … с его́ сестро́й. *знако́миться*
познако́миться

4. – Это твоя́ кни́га?
– Нет, я … её в библиоте́ке. *брать*
– Дай почита́ть. *взять*
– Хорошо́.

IX. Read through the descriptions of situations. Answer the questions, using the verbs given in brackets in the required aspect and in the correct form.

1. (a) Вчера́ бы́ло воскресе́нье. Узна́йте у дру́га, что он де́лал вчера́. (b) Ско́ро кани́кулы. Спроси́те у дру́га, что он обы́чно де́лает в кани́кулы (**проводи́ть – провести́ вре́мя, воскресе́нье, кани́кулы**).

2. (a) У вас бу́дут экза́мены в понеде́льник и в сре́ду. Скажи́те об э́том. (b) Ваш друг е́дет отдыха́ть, та́к как у него́ уже́ ко́нчились экза́мены. Скажи́те об э́том (**сдава́ть – сдать экза́мены**).

3. (a) У вас ча́сто быва́ет ва́ша сестра́ из Ленингра́да. Как вы ска́жете об э́том? (b) Вот и сейча́с ва́ша сестра́ у вас в Москве́. Скажи́те об э́том (**приезжа́ть – прие́хать**).

4. (a) Ка́ждое воскресе́нье у вас быва́ет ваш друг. Как вы ска́жете об э́том? (b) Но вчера́, в воскресе́нье, друг был о́чень за́нят и не́ был у вас. Скажи́те об э́том (**приходи́ть – прийти́**).

X. Complete the sentences, using the verbs printed in bold-face type in the required aspect and tense.

Model: *Она́ ча́сто приво́дит на на́ши вечера́ сы́на.*

Вчера́ она́ то́же привела́ сы́на.

1. Она́ ча́сто **прино́сит** мне интере́сные кни́ги. Вчера́ она́ то́же ... 2. Когда́ оте́ц приезжа́ет с ю́га, он обы́чно **приво́зит** фру́кты. Вчера́ он прие́хал и ... 3. Я не могу **привы́кнуть** к жа́ркой пого́де. Мой брат давно́ живёт на ю́ге и уже́ ... 4. Он мно́го **перево́дит** с ру́сского языка́ на англи́йский. Эти статьи́ он уже́ ... 5. У моего́ това́рища **расту́т** де́ти. Я давно́ не ви́дел их. Вчера́ я был у них и удиви́лся, как си́льно они́ ...

XI. Complete the sentences.

1. Как зову́т ...?
2. Как называ́ется ...?
3. Что зна́чит ...?
4. Я не зна́ю, ско́лько лет ...
5. Мы спеши́м ...
6. В воскресе́нье они́ иду́т ...
7. Они́ пое́хали ...
8. Я давно́ не ви́дел ...
9. Она́ купи́ла ...
10. Он позвони́л ...
11. Когда́ он опубликова́л, ...
12. На конце́рте испо́лнили ...
13. По ра́дио трансли́ровали ...
14. Скажи́те, пожа́луйста, ...
15. Покажи́те, пожа́луйста, ...
16. Да́йте, пожа́луйста, ...
17. Он неда́вно поступи́л ...
18. Он уже́ око́нчил ...
19. Его́ оте́ц был ...
20. Её брат стал ...

Ⓢ ЧИТАЙТЕ СО СЛОВАРЁМ

Солдатёнок

Отца́ своего́, кото́рый поги́б на фро́нте, Авалбе́к не по́мнил. Пе́рвый раз он уви́дел отца́ в кино́, тогда́ Авалбе́ку бы́ло лет пять.

Карти́ну на́чали пока́зывать по́сле рабо́ты. Фильм был про войну́. Авалбе́к сиде́л с ма́терью и чу́вствовал, как она́ вздра́гивала, когда́ на экра́не стреля́ли. А ему́ бы́ло не о́чень стра́шно, иногда́ да́же ве́село, когда́ па́дали фаши́сты. А когда́ па́дали на́ши, ему́ каза́лось, что они́ пото́м вста́нут.

Война́ шла. Тепе́рь на экра́не появи́лись артиллери́сты. Их бы́ло семь челове́к. Оди́н из них черноволо́сый, небольшо́го ро́ста, был не похо́ж на ру́сского.

И вдруг мать ти́хо сказа́ла:

– Смотри́, э́то твой оте́ц ...

Почему́ она́ так сказа́ла? Заче́м? Мо́жет быть, случа́йно, а мо́жет быть потому́, что вспо́мнила му́жа. И действи́тельно, солда́т на экра́не был о́чень похо́ж на отца́ на той ста́рой вое́нной фотогра́фии, кото́рая висела у ни́х до́ма.

А ма́льчик пове́рил. И тепе́рь, с той мину́ты, как мать сказа́ла ему́: «Смотри́, э́то твой оте́ц», солда́т на экра́не стал его́ отцо́м. Ма́льчик уже́ ду́мал о нём, как о своём отце́, и в его́ де́тской душе́ родило́сь но́вое для него́ чу́вство сыно́вней любви́ и не́жности. Как он горди́лся свои́м отцо́м, солда́том. Вот э́то настоя́щий оте́ц! И война́ с э́той мину́ты уже́ не каза́лась ма́льчику заба́вной, ничего́ весёлого не́ было в том, как па́дали лю́ди. Война́ ста́ла серьёзной и стра́шной. И он впервы́е испыта́л чу́вство стра́ха за бли́зкого челове́ка, за того́ челове́ка, кото́рого ему́ всегда́ не хвата́ло.

А война́ на экра́не шла. Появи́лись неме́цкие та́нки. Ма́льчик испуга́лся: «Па́па, та́нки иду́т, та́нки!» – говори́л он отцу́. Та́нков бы́ло мно́го, они́ дви́гались вперёд и стреля́ли из пу́шек. Вот упа́л оди́н артиллери́ст, пото́м друго́й, тре́тий ... И вот оста́лся то́лько оте́ц, он ме́дленно шёл навстре́чу та́нку с грана́той в рука́х.

– Стой, не пройдёшь! – кри́кнул оте́ц и бро́сил грана́ту. В э́тот моме́нт в него́ на́чали стреля́ть и оте́ц упа́л.

Киноаппара́т вдруг замолча́л. Война́ останови́лась. Это был коне́ц ча́сти. Киномеха́ник включи́л свет, и тогда́ ма́льчик побежа́л к пе́рвому ря́ду, где сиде́ли друзья́-мальчи́шки. Их мне́ние было для него́ са́мым ва́жным.

– Ребя́та, э́то мой оте́ц! Вы ви́дели? Это моего́ отца́ уби́ли ... – закрича́л он.

Никто́ э́того не ожида́л и не мо́г поня́ть, что же произошло́. Лю́ди удивлённо смотре́ли на ма́льчика и молча́ли. А он, сын солда́та, кото́рый давно́ поги́б, продолжа́л дока́зывать своё. «Вы же ви́дели, э́то мой оте́ц! Его́ уби́ли», – говори́л он и не понима́л, почему́ лю́ди не горди́лись его́ отцо́м та́к же, как он.

И тогда́ сосе́дский мальчи́шка, шко́льник, пе́рвым реши́л сказа́ть ему́ пра́вду:

– Да э́то не тво́й оте́ц. Что ты кричи́шь? Это арти́ст. Не ве́ришь, спроси́ у дя́ди-киномеха́ника.

Но киномеха́ник молча́л. Взро́слые не хоте́ли лиши́ть мальчи́шку его́ го́рькой и прекра́сной иллю́зии.

– Нет, э́то мой оте́ц, мой! – продолжа́л солдатёнок.

– Какой твой оте́ц? Кото́рый? – на́чал спо́рить сосе́дский мальчи́шка.

– Он шёл с грана́той на танк. Ты ра́зве не ви́дел? Он упа́л вот так!

И ма́льчик упа́л то́чно так, как упа́л его́ оте́ц. Он неподви́жно лежа́л пе́ред экра́ном.

Зри́тели нево́льно засмея́лись. А он лежа́л, как уби́тый, и не смея́лся. Наступи́ла нело́вкая тишина́. И тут все увиде́ли, как к сы́ну шла мать, ско́рбная и стро́гая, в глаза́х её стоя́ли слёзы.

Она́ подняла́ сы́на:

– Пойдём, сыно́к, пойдём. Это был твой оте́ц, – ти́хо сказа́ла она́ ему́ и повела́ его́ за собо́й.

И то́лько тепе́рь, впервы́е в жи́зни, ма́льчику вдруг ста́ло го́рестно и бо́льно. То́лько сейча́с он по́нял, что зна́чит – потеря́ть отца́. Ему́ хоте́лось пла́кать. Он посмотре́л на мать, но она́ молча́ла. Молча́л и он. Он был рад, что мать не ви́дит его́ слёз.

Он не зна́л, что с э́того ча́са в нём на́чал жить оте́ц, кото́рый давно́ поги́б на войне́.

По Ч. Айтма́тову

солдатёнок young son of a soldier
лиши́ть иллю́зии кого́-либо to deprive of illusion, to disillusion

Ему́ хоте́лось пла́кать.	He felt like crying.

Ци́фры и фа́кты

(Из исто́рии второ́й мирово́й войны́)

22 ию́ня 1941 го́да фаши́стская Герма́ния вероло́мно напа́ла на Сове́тский Сою́з.

Восьмо́го ма́я был подпи́сан Акт о безогово́рочной капитуля́ции вооружённых сил фаши́стской Герма́нии.

Ты́сяча четы́реста восемна́дцать дней разделя́ют э́ти две да́ты, ты́сяча четы́реста восемна́дцать дней борьбы́ за побе́ду над фаши́стской Герма́нией.

56 миллио́нов челове́к поги́бло во вре́мя второ́й мирово́й войны́, из них свы́ше двадцати́ миллио́нов сове́тских люде́й.

То́лько в одно́й респу́блике Белору́ссии поги́б ка́ждый четвёртый жи́тель.

На террито́рии СССР не́мцы разру́шили 1710 городо́в и посёлков, бо́льше тридцати́ ты́сяч фа́брик и заво́дов, 80 ты́сяч школ.

На го́род Ленингра́д, блока́да кото́рого продолжа́лась 900 дней, упа́ло бо́льше 100 ты́сяч неме́цких бомб и о́коло 150 ты́сяч снаря́дов.

Эти немно́гие фа́кты из исто́рии второ́й миро́вой войны́ даю́т представле́ние о том, что зна́чила для сове́тского наро́да побе́да в э́той войне́.

Вот почему́ всенаро́дным пра́здником был Пра́здник сорокале́тия Вели́кой Побе́ды 9 Мая 1985 го́да.

безоговоро́чная капитуля́ция unconditional surrender
всенаро́дный пра́здник national holiday
дава́ть / дать представле́ние *кому́? о чём?* to give an idea

Задание к тексту

1. Расскажи́те исто́рию, кото́рая произошла́ с ма́льчиком, сы́ном солда́та.
2. Как вы ду́маете, почему́ мать сказа́ла сы́ну, что на экра́не он ви́дит своего́ отца́?
3. Что вы зна́ете о второ́й мирово́й войне́, о борьбе́ сове́тского наро́да с неме́цким фаши́змом?
4. Прочита́йте отры́вок из вое́нной пе́сни (wartime song) Б. Окуджа́вы. Зна́ете ли вы э́ту пе́сню?

До свида́ния, ма́льчики

Ах, война́, что ж ты сде́лала, по́длая:
ста́ли ти́хими на́ши дворы́,
на́ши ма́льчики го́ловы по́дняли –
повзросле́ли они́ до той поры́,
на поро́ге едва́ помая́чили
и ушли́, за солда́том – солда́т...
До свида́ния, ма́льчики!
Ма́льчики,
постара́йтесь верну́ться наза́д.
Нет, не пря́чьтесь вы, бу́дьте высо́кими,
не жале́йте ни пу́ль, ни грана́т
и себя́ не щади́те,
и всё-таки
постара́йтесь верну́ться наза́д.

UNIT 28

Preparation for Reading

– До встре́чи!	"So long."
– До ско́рой встре́чи!	"See you soon."
– Проща́й! –	"Good-bue."
– Проща́йте!	
– С уваже́нием...	"Respectfully..."

– Приве́т Та́не (бра́ту, сестре́)!	"My regards to Tanya (your brother, sister)."
– Переда́йте приве́т и поздравле́ния Ни́не (бра́ту, сестре́)!	"Please give my regards and congratulations to Nina (your brother, sister)."
– Будь здоро́в (сча́стлив)!	"Keep well (Be happy)."
– Бу́дьте здоро́вы (сча́стливы)!	"Keep well (Be happy)."

– Поздравля́ю (поздравля́ем) вас (тебя́)	с пра́здником!	"Have a good holiday."	
	с Но́вым го́дом!	"I (we) wish you a Happy New Year."	
	с наступа́ющим пра́здником!	"Have a good holiday."	
	с днём рожде́ния!	"I (we) wish you a happy birthday."	
– Жела́ю (жела́ем) вам (тебе́)	здоро́вья!	"I (we) wish you	good health."
	сча́стья!		happiness."
	успе́хов!		success."
	до́лгих лет жи́зни!		a long life."

áдрес address
корреспондéнция correspondence
посылáть *что?* to send
послáть *кудá? комý?*
заказнóй registered
бандерóль *f.* printed matter
приём *чегó?* reception, receiving
телегрáф telegraph office
конвéрт envelope
откры́тка postcard
мáрка stamp
образéц example
дрýжеский informal
официáльный formal
собирáться *кудá?* to be going (to do
собрáться smth.), to intend
привéт regards
встрéча meeting
уважáемый dear

сообщáть *комý?* to let know
сообщи́ть *о чём?*
желáть *комý?* to wish
пожелáть *чегó?*
целовáть *когó?* to kiss
поцеловáть

* * *

до востребования poste restante, to be called for
почтóвый и́ндекс post code
заказнóе письмó registered letter
заказнáя бандерóль registered printed matter
поздрави́тельная телегрáмма congratulatory telegram
ничегó нóвого no news
с уважéнием yours sincerely
éсли Вас не затрудни́т if you don't mind, if it's no trouble to you

ДИАЛОГИ

Олéг: Привéт, Джон, кудá ты идёшь?
Джон: На пóчту. Хочý послáть телегрáмму свои́м роди́телям и нéсколько пи́сем: сестрé, брáтьям, товáрищу.
Олéг: Мне нýжно послáть заказнýю бандерóль. Пошли́ вмéсте!

На пóчте

– Скажи́те, пожáлуйста, где приём заказны́х пи́сем?
– Трéтье окнó налéво.
– Спаси́бо.

– Прости́те, где приём бандерóлей?
– В пéрвом окнé.
– А телегрáмм?
– Телегрáф на вторóм этажé.
– Спаси́бо.
– Пожáлуйста.

– Скóлько стóит конвéрт?
– 6 копéек.
– А э́та открытка?
– Пять копéек.
– Бýдьте добры́, дáйте оди́н конвéрт, две откры́тки и мáрку за 5 копéек.
– Пожáлуйста.
– Спаси́бо!

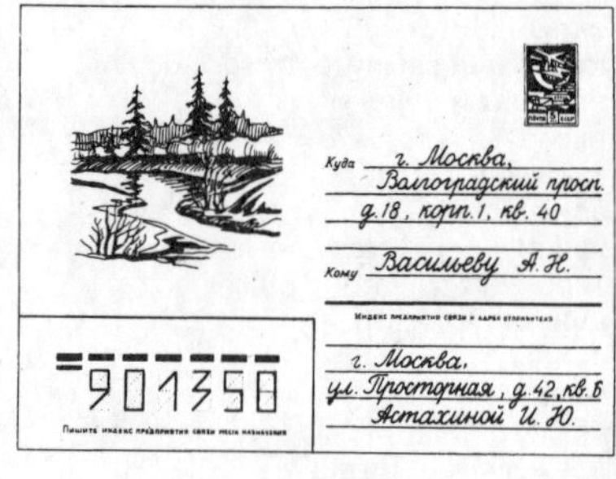

Образцы́ пи́сем

Дру́жеское

6.XII.85г.

До́брый день, Оле́г!

Вчера́ получи́л твоё письмо́. Очень рад, что ты, наконе́ц, написа́л. Я собира́юсь на неде́лю в Москву́. Прие́ду числа́ пятна́дцатого – шестна́дцатого. Как прие́ду, позвоню́. У меня́ ничего́ но́вого.

Приве́т Та́не!

До ско́рой встре́чи!

Никола́й

Официа́льное

23.III.85г.

Уважа́емый Алекса́ндр Никола́евич!

Статью́ Ва́шу прочита́л, о́чень интере́сно. У меня́ есть к Вам вопро́сы. В конце́ неде́ли я бу́ду в Москве́, мы смо́жем встре́титься и поговори́ть. Если Вас не затрудни́т, позвони́те мне деся́того ве́чером по телефо́ну 121-38-15.

Всего́ вам до́брого!

С уваже́нием В. И. Петро́в

Поздрави́тельные телегра́ммы [1]

Дру́жеская

Дорога́я Ни́на!

Поздравля́ю (с) днём рожде́ния Жела́ю здоро́вья сча́стья успе́хов

Целу́ю Та́ня

Официа́льная

Уважа́емый Никола́й Серге́евич!

Поздравля́ю Вас (с) наступа́ющим Но́вым го́дом Жела́ю Вам сча́стья до́лгих лет жи́зни

С уваже́нием Петро́в

[1] As a rule, prepositions and conjuctions and also punctuation marks are dispensed with in telegrams.

Слов	Плата	
	руб.	коп.
Принял		

МИНИСТЕРСТВО СВЯЗИ СССР

ТЕЛЕГРАММА

№ ....
.... сл. .... го. .... ч. .... м.

ПЕРЕДАЧА
го. ч. м.
Номер рабочего места
Автоответ пункта приема
Передал
Служебные отметки

Категория и отметки особого вида

Куда, кому МОСКВА 473 1 САМОТЕЧНЫЙ 17А КВ 11
ЗЕЛЕНОВУ АЛЕКСАНДРУ

ПРИЕДУ ВТОРНИК 12 ЧАСОВ АВТОБУСЕ КАЛИНИН МОСКВА·
ОЛЕГ

Квитанция в приеме телеграммы
.... ч. .... м.
Куда

Претензии принимаются в течение 1 мес. со дня подачи

Фамилия и адрес отправителя (не оплачиваются и по связям не передаются)

Задание к тексту

1. Комý Джон хóчет послáть пи́сьма и телегрáмму?

2. Чáсто ли вы пи́шете и получáете пи́сьма? Лю́бите ли вы писáть пи́сьма? Комý вы обы́чно пи́шете?

Preparation for Reading

многоуважáемый dear (*in a salutation*)
надéяться *на что?* to hope
сердéчный hearty, cordial
пожелáние *чегó?* wish
глáвное the main thing; above all
порáдовать *когó? чем?* to make happy
крéпко firmly
ми́лый dear (*in a salutation*)
скучáть *по чемý? по комý?* 1. to have a tedious time; 2. to miss (smb. or smth.)
совершéнно quite
сквéрно (is) bad
хóлод cold
теплó warmth
обещáть *комý? что?* / **пообещáть** *что (с)дéлать?* to promise
по-стáрому as before
хоть even though
и́зредка occasionally
поздравлéние *с чем?* congratulation
неизвéстно (is) unknown
вероя́тно probably
оперáция operation
присылáть *что?* / **прислáть** *комý?* to send
пьéса play
отъéзд departure
приéзд arrival
пóзже later
рáньше earlier
ýмный clever
глýпый foolish
кáжется *комý?* it seems
репети́ция rehearsal
охóта (желáние) wish, desire
итáк so
обнимáть / **обня́ть** *когó?* to embrace

* * *

от всéй души́ with all one's heart and soul
от всегó сéрдца with all one's heart
жать рýку *комý?* to shake smb. by the hand
на днях one of these days
бóльше чем with more than

Пи́сьма Анто́на Па́вловича Че́хова

К. С. Алексе́еву (К. С. Станисла́вскому) [1]

Ни́цца, 2 января́ 1901 го́да

Многоуважа́емый Константи́н Серге́евич, Ва́ше письмо́... я получи́л то́лько вчера́... Поздравля́ю Вас с Но́вым го́дом! С но́вым сча́стьем и, е́сли мо́жно наде́яться, с но́вым теа́тром, кото́рый вы сно́ва начнёте стро́ить.

Мари́ю Петро́вну поздравля́ю с Но́вым го́дом и шлю ей серде́чный приве́т и пожела́ния всего́ хоро́шего, гла́вное – здоро́вья.

От всей души́ благодарю́ Вас за письмо́, кото́рое меня́ так пора́довало. Кре́пко жму Ва́шу ру́ку.

Ваш Че́хов

К. Д. Бальмо́нту [2]

Ялта, 1 января́ 1902 го́да

Ми́лый Константи́н Дми́триевич, с Но́вым го́дом, с но́вым сча́стьем!

В дере́вне скуча́ете? Нет! В Ялте соверше́нно ле́тняя пого́да, и э́то скве́рно.

...Скуча́ю по хо́лоду, по се́верным лю́дям.

Жена́ обеща́ет прие́хать на пра́здники. У Толсто́го я не́ был, на днях бу́ду...

Но́вого ничего́ нет. Всё по-ста́рому. Бу́дьте здоро́вы, сча́стливы, ве́селы и хоть и́зредка пиши́те.

Ваш душо́й А. Че́хов

Переда́йте Ва́шей жене́ мой приве́т и поздравле́ния с Но́вым го́дом.

---

[1] Станисла́вский (Алексе́ев) Константи́н Серге́евич, Konstantin Stanislavsky (1863-1938), renowned director, actor and teacher, a founder of the Moscow Art Theatre.

[2] Бальмо́нт Константи́н Дми́триевич, Konstantin Balmont (1867-1942), Russian Symbolist poet.

А. М. Пе́шкову (М. Го́рькому)

Москва́, 11 ию́ня 1902 го́да

Дорого́й Алексе́й Макси́мович, я сижу́ в Москве́, и неизве́стно, как до́лго я ещё бу́ду сиде́ть здесь. Жена́ больна́...

Вероя́тно, на бу́дущей неде́ле ей бу́дут де́лать опера́цию.

Пришли́те пье́су, прочту́ её с удово́льствием, да́же бо́льше, чем с удово́льствием. Приве́т Екатери́не Па́вловне[1] и де́тям. Бу́дьте здоро́вы...

Ваш Че́хов

О. Л. Кни́ппер[2]

Ялта, 9 а́вгуста 1900 го́да

Ми́лая моя́ Оля, ра́дость моя́, здра́вствуй!

Сего́дня получи́л от тебя́ письмо́, пе́рвое по́сле твоего́ отъе́зда, прочёл, пото́м ещё раз прочёл и вот пишу́ тебе́, моя́ актри́са.

...Сижу́ я в Ялте, скуча́ю... Вчера́ был у меня́ Алексе́ев. Говори́ли о пье́се... Обеща́л ко́нчить пье́су не по́зже сентября́. Ви́дишь, како́й я у́мный.

Мне всё ка́жется, что откро́ется сейча́с дверь и войдёшь ты. Но ты не войдёшь, ты тепе́рь на репети́циях, далеко́ от Ялты и от меня́.

Проща́й, де́вочка хоро́шая.

Твой Antonio

О. Л. Кни́ппер

Рим, 17 февраля́ 1901 го́да

Ми́лая моя́, часа́ че́рез два я уезжа́ю на се́вер, в Росси́ю. Очень уж здесь хо́лодно, идёт снег, та́к что нет никако́й охо́ты е́хать в Неа́поль. Ита́к, пиши́ мне тепе́рь в Ялту.

Ну, обнима́ю тебя́ и целу́ю кре́пко. Не забыва́й. Тебя́ никто́ не лю́бит так, как я.

Твой Antonio

GRAMMAR

– **Кому́** он посла́л телегра́мму?	"To whom did he send the telegram?"
– **Свои́м ру́сским друзья́м.**	"To his Russian friends."

[1] Пе́шкова Екатери́на Па́вловна, Maxim Gorky's wife.
[2] Кни́ппер Ольга Леона́рдовна, Olga Knipper, Chekhov's wife, an actress at the Moscow Art Theatre.

The Dative Plural of Nouns

Nominative **кто?** *who?* **что?** *what?*	Dative **комý?** *to whom?* **чемý?** *to what?*	Ending
студéнт отéц врач товáрищ дом окнó студéнтка сестрá кнúга	студéнтам отцáм врачáм товáрищам домáм óкнам студéнткам сёстрам кнúгам	**-ам**
гость словáрь музéй санатóрий пóле здáние мать тетрáдь пéсня аудитóрия брат – брáтья друг – друзья́ дéрево – дерéвья лю́ди дéти родúтели	гостя́м словаря́м музéям санатóриям поля́м здáниям матеря́м тетрáдям пéсням аудитóриям брáтьям друзья́м дерéвьям лю́дям дéтям родúтелям	**-ям**

Note.–In the dative plural nouns of all the three genders with the stem in a hard consonant or **щ** or **ч** take the ending **-ам,** whereas nouns with the stem in a soft consonant or a vowel take the ending **-ям.**

The Dative Plural of Adjectives

Nominative **какúе?** *what (kind of)?*	Dative **какúм?** *to what (kind of)?*	Ending
нóвые | хорóшие | друзья́ | рýсские сúние тетрáди	нóвым | хорóшим | друзья́м | рýсским сúним тетрáдям	**-ым** **-им**

The Dative Plural of Possessive Pronouns

Nominative **чьи?** *whose?*		Dative **чьим?** *to whose?*		Ending
мой на́ши	бра́тья	мои́м на́шим	бра́тьям	**-им**

The Dative Plural of Demonstrative Pronouns

Nominative **каки́е?** *what?*		Dative **каки́м?** *to what?*	
э́ти те	студе́нты	э́тим тем	студе́нтам

Complex Sentences with the Word кото́рый

Это студе́нтка,

кто?
кото́рая у́чится в на́шей гру́ппе.
у кого́?
у кото́рой мы бы́ли вчера́.
кому́?
кото́рой я дал свой учё́бник.
кого́?
кото́рую мы ви́дели на ве́чере.
с кем?
с кото́рой я учи́лся в шко́ле.
о ком?
о кото́рой мы говори́ли.

Это студе́нт,

кто?
кото́рый у́чится в на́шей гру́ппе.
у кого́?
у кото́рого мы вчера́ бы́ли.
кому́?
кото́рому я дал свой учё́бник.
кого́?
кото́рого мы ви́дели на ве́чере.
с кем?
с кото́рым я учи́лся в шко́ле.
о ком?
о кото́ром мы говори́ли.

Это студе́нт,	
Я был у студе́нта,	
Я позвони́л студе́нту,	**кото́рый** у́чится в на́шей гру́ппе.
Я был в кино́ со студе́нтом,	
Мы говори́ли о студе́нте,	

The gender and number of the word **кото́рый** depends on the noun it qualifies: **студе́нтка, кото́рая... студе́нт, кото́рый... студе́нты, кото́рые...,** and the case of this word depends on what part of the subordinate clause it is.

Verb Conjugation

обня́ть I (*c*)	
я обниму́	мы обни́мем
ты обни́мешь	вы обни́мете
он, она́ обни́мет	они́ обни́мут

посла́ть I (*b*)	
я пошлю́	мы пошлём
ты пошлёшь	вы пошлёте
он, она́ пошлёт	они́ пошлю́т

наде́яться I (*a*)	
я наде́юсь	мы наде́емся
ты наде́ешься	вы наде́етесь
он, она́ наде́ется	они́ наде́ются

собра́ться I (*a*)	
я соберу́сь	мы соберёмся
ты соберёшься	вы соберётесь
он, она́ соберётся	они́ соберу́тся

Verb Groups

чита́ть I (*a*)	
жела́ть	**посыла́ть**
пожела́ть	**присыла́ть**
обеща́ть	**скуча́ть**
пообеща́ть	**собира́ться**
обнима́ть	**сообща́ть**

говори́ть II
сообщи́ть (*b*)

танцева́ть I (*a*)
пора́довать
целова́ть
поцелова́ть

посла́ть I (*b*)
присла́ть

EXERCISES

I. Change the sentences, as in the model.

Model: *Он купи́л фотоаппара́т своему́ сы́ну.*
Он купи́л фотоаппара́т свои́м сыновья́м.

1. Он помога́ет мла́дшему бра́ту. 2. Оле́г позвони́л свое́й сестре́. 3. Андре́й посла́л телегра́мму ста́рому дру́гу. 4. Та́ня купи́ла пода́рок свое́й подру́ге. 5. Он дал слова́рь э́тому студе́нту. 6. Мы пока́жем го́род на́шему го́стю.

II. Answer the questions, as in the model.

Model: *Ле́том она́ была́ у свои́х дочере́й.*
– Куда́ она́ е́здила?– К свои́м дочеря́м.

1. Она́ была́ в Ки́еве у свои́х дете́й. Куда́ она́ е́здила? 2. На про́шлой неде́ле Оле́г был у свои́х роди́телей. Куда́ он е́здил? 3. В воскресе́нье Джон был у свои́х това́рищей. Куда́ он ходи́л? 4. Студе́нты бы́ли у рабо́чих э́той фа́брики. Куда́ они́ ходи́ли? 5. Они́ бы́ли у свои́х преподава́телей. Куда́ они́ ходи́ли? 6. Оля была́ у свои́х студе́нток. Куда́ она́ ходи́ла?

III. Complete the sentences, as in the model.

Model: *На заво́д прие́хали молоды́е инжене́ры. Мы встре́тили молоды́х инжене́ров. Мы показа́ли наш заво́д молоды́м инжене́рам.*

1. На конфере́нции выступа́ли **изве́стные фи́зики.** Мы показа́ли на́ши лаборато́рии .... 2. Он расска́зывал **о знамени́тых учёных.** В журна́ле опубликова́ли статьи́ .... 3. На се́вер прие́хали **молоды́е специали́сты.** Мы встре́тили .... Мы пожела́ли успе́хов в рабо́те .... 4. На э́том факульте́те у́чатся **бу́дущие врачи́.** Шесть лет они́ изуча́ют всё, что ну́жно знать .... В но́вую больни́цу пригласи́ли .... Но́вая больни́ца понра́вилась .... 5. Сего́дня к нам в университе́т прие́дут **иностра́нные журнали́сты.** Мы ждём .... Мы пока́жем наш университе́т .... 6. Я мно́го чита́л **об америка́нских космона́втах.** Наш го́род встреча́ет .... Де́ти подари́ли цветы́ ....

IV. Ask questions, as in the model.

Model: – *Он посла́л бандеро́ль друзья́м.*
– *Каки́м?*

1. Он получи́л телегра́мму **от това́рищей.** 2. Мы поздра́вили с пра́здником **де́вушек.** 3. Я посла́л поздравле́ние **друзья́м.** 4. Он купи́л биле́ты в кино́ **сосе́дям.** 5. Я ви́дел его́ **по́сле пра́здников.** 6. Этот фильм идёт **во мно́гих кинотеа́трах.** 7. Пя́тый авто́бус идёт **к магази́ну.**

V. Complete the dialogues, as in the model.

Model: – *Кому́ он чита́ет ле́кции?*
– *Бу́дущим матема́тикам.*

1. – ...?
– (Он помога́ет) но́вым студе́нтам.
2. – ...?
– (Они́ гото́вятся) к экза́менам по ру́сскому языку́.
3. – ...?
– (Они́ бу́дут сдава́ть экза́мены) э́тим преподава́телям.
4. – ...?
– (Он был) у свои́х друзе́й.
5. – ...?
– (Они́ говори́ли) о ле́тних кани́кулах.

VI. Note the use of the sentences with the word **кото́рый.**

1. Това́рищ поéдет в Ленингра́д на конфере́нцию. Мы встре́тили **его́** вчера́ в университе́те.

Това́рищ, **кото́рого мы встре́тили вчера́ в университе́те,** поéдет в Ленингра́д на конфере́нцию.

2. Этот студе́нт живёт в общежи́тии. Мы разгова́ривали **с ним** на ве́чере.

Этот студе́нт, **с кото́рым мы разгова́ривали на ве́чере,** живёт в общежи́тии.

3. Эта де́вушка на́ша студе́нтка. — Мы бы́ли **у неё** на новосе́лье.

Эта де́вушка, **у кото́рой мы бы́ли на новосе́лье,** на́ша студе́нтка.

VII. Insert the word **кото́рый** in the correct form, using a preposition wherever necessary.

1. Я пригласи́л к себе́ дру́га,
   - ... неда́вно верну́лся в Москву́.
   - ... я не ви́дел два ме́сяца.
   - ... я обеща́л показа́ть фотогра́фии.
   - ... я учи́лся в институ́те.
   - ... я мно́го тебе́ расска́зывал.

2. Это институ́т,
   - ... он учи́лся.
   - ... он око́нчил.
   - ... ты спра́шивал.
   - ... ты интересова́лся.

3. Ле́кция,
   - ... зако́нчилась неда́вно, была́ интере́сная.
   - ... мы слу́шали, начала́сь в два часа́.
   - ... мы бы́ли, ко́нчилась в пять часо́в.
   - ... они́ говоря́т, бу́дет за́втра.

VIII. Change the sentences, as in the model.

Model: *Я зна́ю шко́лу, где она́ рабо́тает.*
Я зна́ю шко́лу, в кото́рой она́ рабо́тает.

1. Дере́вня,
   - **где** он роди́лся, нахо́дится на се́вере.
   - **куда́** он е́здил, нахо́дится на се́вере.
   - **отку́да** он прие́хал, нахо́дится на се́вере.

2. В го́роде,
   - **где** он живёт, мно́го институ́тов.
   - **отку́да** он прие́хал, мно́го институ́тов.

IX. Make up dialogues, as in the model, for these situations:

телегра́ф о́коло метро́, телефо́ны-автома́ты о́коло по́чты, кни́жный магази́н напро́тив универма́га, остано́вка пя́того авто́буса о́коло больни́цы, остано́вка трамва́я напро́тив ры́нка.

Model: – *Вы не ска́жете, где по́чта?*
– *Напро́тив гости́ницы.*
– *Спаси́бо.*
– *Пожа́луйста.*

X. Make up dialogues, as in the model, for these situations:

(a) **заказны́е пи́сьма принима́ют в тре́тьем окне́ нале́во; телегра́ммы принима́ют на второ́м этаже́.**

Model: – *Вы не ска́жете, где приём бандеро́лей?*
– *Второ́е окно́ напра́во.*
– *Спаси́бо.*
– *Пожа́луйста.*

(b) You want to buy some envelopes, postcards and five-copeck stamps.

Model: – *У вас есть ма́рки за четы́ре копе́йки?*
– *Да.*
– *Да́йте, пожа́луйста, одну́ ма́рку.*

XI. (a) Read through the telegram, noting how it is worded.

Москва́ В–279 Профсою́зная 85, кв. 38 Серге́евой Жду тебя́ (на) пра́здники напиши́ смо́жешь ли прие́хать

Целу́ю ма́ма

(b) Answer the telegram for these situations:

1. Вы смо́жете прие́хать на пра́здники. Прие́дете шесто́го ноября́. 2. Вы не смо́жете прие́хать, объясни́те почему́.

XII. Write letters for these situations:

1. Вы давно́ получи́ли письмо́ от своего́ бра́та (дру́га) и́ли сестры́ (подру́ги), но не смогли́ во́время отве́тить. Отве́тьте на письмо́, объясни́те, почему́ до́лго не писа́ли, расскажи́те, как вы живёте. 2. Ско́ро день рожде́ния ва́шей ма́мы (ва́шего отца́). Напиши́те ей (ему́) поздрави́тельное письмо́, испо́льзуя слова́ и выраже́ния: **поздравля́ю... , жела́ю... , переда́й приве́т... , будь здоро́в(а) и сча́стлив(а).** 3. Ско́ро Но́вый год. Напиши́те поздрави́тельное письмо́ ва́шему преподава́телю (ва́шей преподава́тельнице).

Ⓢ ЧИТАЙТЕ СО СЛОВАРЁМ

Анто́н Па́влович Че́хов

Жизнь даётся оди́н раз, и хо́чется прожи́ть её бо́дро, осмы́сленно, краси́во.

А. П. Че́хов

В 1985 году́ весь мир отмеча́л замеча́тельную да́ту – сто два́дцать пять лет со дня рожде́ния вели́кого ру́сского писа́теля Анто́на Па́вловича Че́хова.

Сын ла́вочника, внук крепостно́го, Анто́н Па́влович роди́лся в 1860 году́ в Таганро́ге, го́роде на берегу́ Азо́вского мо́ря. Че́хов ра́но на́чал рабо́тать, помога́ть семье́; когда́ учи́лся в гимна́зии, дава́л уро́ки, что́бы зарабо́тать де́ньги для семьи́, рабо́тал в ла́вке отца́.

По́сле оконча́нию гимна́зии Анто́н Па́влович поступи́л на медици́нский факульте́т Моско́вского университе́та. В го́ды учёбы в университе́те он публику́ет свои́ пе́рвые юмористи́ческие расска́зы. В 1884 году́ опублико́ван пе́рвый сбо́рник его́ расска́зов. Че́хов стано́вится изве́стным писа́телем.

Всё тво́рчество Че́хова те́сно свя́зано с жи́знью ру́сского наро́да. «Все мы наро́д,– писа́л Че́хов,– и всё то лу́чшее, что мы де́лаем, есть де́ло наро́дное». Люби́мые геро́и Че́хова – э́то всегда́ лю́ди труда́: крестья́не, трудова́я интеллиге́нция.

«Пра́здная жизнь не мо́жет быть чи́стой»,– говори́т оди́н из геро́ев Че́хова – до́ктор Астров (пье́са «Дя́дя Ва́ня»). Че́хов ве́рил в вели́кую си́лу труда́, ве́рил в люде́й труда́. Он мечта́л о лу́чшем бу́дущем свое́й ро́дины, мечта́л о вре́мени, когда́ вся Росси́я ста́нет прекра́сным са́дом.

«Пока́ мо́лоды, сильны́, бодры́, не устава́йте де́лать добро́!» – обраща́лся Че́хов к молоды́м. Сам Че́хов не устава́л служи́ть своему́ наро́ду. Врач по профе́ссии, он беспла́тно лечи́л люде́й, постро́ил на свои́ де́ньги се́льскую больни́цу, помога́л всем, кто к нему́ обраща́лся. И, коне́чно, пре́жде всего́ служи́л лю́дям, свое́й стране́ как писа́тель свои́ми кни́гами, всем свои́м тво́рчеством.

Жизнь писа́теля была́ коротка́, он у́мер в со́рок четы́ре го́да – в 1904 году́. Но произведе́ния, кото́рые он со́здал за 25 лет напряжённой рабо́ты, сыгра́ли огро́мную роль в разви́тии ру́сской и мирово́й литерату́ры.

«В тече́ние после́дних двадцати́ лет са́мым могу́чим магни́том для молоды́х писа́телей мно́гих стран был Че́хов»,– писа́л Джон Голсуо́рси в 1928 году́. О значе́нии тво́рчества Че́хова писа́л Лев Толсто́й, Макси́м Го́рький, Берна́рд Шо́у и мно́гие други́е писа́тели.

Тру́дно назва́ть страну́, где не зна́ют и́мени Че́хова. Кни́ги его́ публику́ются на ра́зных языка́х ми́ра. И лю́ди ра́зных стран лю́бят и це́нят до́брый, челове́чный тала́нт Че́хова, одного́ из лу́чших люде́й своего́ вре́мени, у́много и че́стного ру́сского писа́теля.

Че́ховские спекта́кли

> Иску́сство есть одно́ из средств едине́ния люде́й.
>
> *Л. Н. Толсто́й*

Почти́ сто лет иду́т на сце́нах мно́гих и мно́гих теа́тров ми́ра пье́сы Анто́на Па́вловича Че́хова «Ча́йка», «Дя́дя Ва́ня», «Три сестры́», «Вишнёвый сад» и други́е.

Моско́вский худо́жественный теа́тр[1] по пра́ву счита́ется теа́тром Че́хова. На сце́не э́того теа́тра бы́ли поста́влены все пье́сы Че́хова. Пе́рвые постано́вки че́ховских пьес теа́тр осуществи́л ещё при жи́зни а́втора.

[1] Моско́вский худо́жественный теа́тр (МХАТ), the Moscow Art Theatre, a major Soviet theatre, founded in 1898 by the directors Konstantin Stanislavsky and Vladimir Nemirovich-Danchenko.

Живу́т, страда́ют, наде́ются и ве́рят на сце́нах теа́тров ми́ра че́ховские геро́и.

Ло́ндон, Пари́ж, Нью-Йорк, Ве́на, Рим, Гаа́га, Осло, Хе́льсинки, Будапе́шт – вот далеко́ не по́лный спи́сок городо́в, в кото́рых шли че́ховские спекта́кли. Че́ховские ро́ли – люби́мые ро́ли мно́гих арти́стов ми́ра. Знамени́тый англи́йский актёр Ло́уренс Оливье́ говори́т о ро́ли до́ктора Астрова в «Дя́де Ва́не» как о свое́й люби́мой ро́ли. Мно́го че́ховских роле́й сыгра́ла замеча́тельная италья́нская актри́са Джулье́тта Мази́на. В бесе́де с корреспонде́нтом сове́тского журна́ла она́ сообщи́ла, что Че́хова лю́бят и высоко́ це́нят в Ита́лии. О себе́ она́ сказа́ла: «Я о́чень люблю́ Достое́вского, Льва Толсто́го. Но бли́же всех мне Че́хов и че́ховский теа́тр».

Так живёт чуде́сное, молодо́е, глубоко́ совреме́нное че́ховское иску́сство.

ла́вка shop
ла́вочник shop-keeper
крепостно́й serf
дава́ть уро́ки to give lessons
юмористи́ческий humorous
сбо́рник расска́зов collection of short stories
служи́ть наро́ду to serve the people
игра́ть/сыгра́ть большу́ю роль в чём-либо to play a great role in smth.
игра́ть/сыгра́ть роль в фи́льме (в спекта́кле) to play a part in a film (play)
идти́ на сце́не теа́тра to be on at a theatre
по пра́ву rightfully
ста́вить спекта́кль to produce a play
поста́вить (пье́су) на сце́не теа́тра to produce (a play) at a theatre
осуществи́ть постано́вку спекта́кля to stage a play
при жи́зни кого́-либо in one's lifetime

Задание к тексту

1. Расскажи́те о писа́теле Анто́не Па́вловиче Че́хове.

2. Каки́е кни́ги Че́хова вы чита́ли? Каки́е че́ховские спекта́кли вы ви́дели? Смотре́ли ли вы кинофи́льмы по произведе́ниям Че́хова? Если смотре́ли, то каки́е? Нра́вится ли вам э́тот писа́тель?

3. Каки́х ещё ру́сских писа́телей вы зна́ете?

4. Назови́те ва́ших люби́мых писа́телей, расскажи́те, что вы зна́ете о них.

5. Назови́те ва́шу люби́мую кни́гу.

6. Прочита́йте изрече́ния о кни́ге, о её ро́ли в жи́зни челове́ка.

Кни́га – лу́чший спу́тник в доро́ге. А с у́мным спу́тником всегда́ найдёшь, что и́щешь. (*Восто́чная му́дрость*)

«Вели́кий пра́здник – хоро́шая «пра́вильная» кни́га». *М. Го́рький*

«Люби́те кни́гу – исто́чник зна́ний, то́лько зна́ние мо́жет сде́лать вас духо́вно си́льным, че́стным, разу́мным челове́ком». *М. Го́рький*

«Всем хоро́шим во мне я обя́зан кни́гам». *М. Го́рький*

«Кни́га де́лает челове́ка лу́чше, а э́то... чуть ли не еди́нственная цель иску́сства». *И. Гончаро́в*

«Хоро́шая кни́га – то́чно бесе́да с у́мным челове́ком». *А. Толсто́й*

«Кни́ги – э́то друзья́, бесстра́стные, но ве́рные». *В. Гюго́*

«Челове́ка мо́жно узна́ть по тем кни́гам, кото́рые он чита́ет». *С. Смайлс*

7. Подбери́те изрече́ния о кни́ге, о её ро́ли в жи́зни челове́ка. Переведи́те их на ру́сский язы́к.

8. Каку́ю роль в ва́шей жи́зни игра́ет кни́га?

UNIT 29

Черномо́рское побере́жье Кавка́за

На Се́вере

Preparation for Reading

путеше́ствие journey, voyage
путеше́ственник traveller
переда́ча broadcast, programme
респу́блика republic
Азия Asia
Евро́па Europe
журнали́ст journalist
путеше́ствовать to travel

стара́ться / **постара́ться** *что (с)де́лать?* to try

* * *

переда́ча по телеви́зору (по ра́дио) television (radio) programme, broadcast by television (by radio)
как мо́жно бо́льше as much as possible
оди́н (одна́, одно́) из... one of...

ДИАЛОГ

Джон: Вчера́ я смотре́л по телеви́зору переда́чу «Клуб путеше́ственников»[1] о Да́льнем Восто́ке. Очень интере́сная переда́ча.

Оле́г: «Клуб путеше́ственников» – одна́ из мои́х люби́мых переда́ч. Я всегда́ смотрю́ её. Тебе́ она́ то́же нра́вится?

Джон: Да, мне осо́бенно интере́сно смотре́ть переда́чи о ва́шей стране́. Я уже́ знако́м с ру́сским Се́вером, тепе́рь с Да́льним Восто́ком. Хочу́ уви́деть Сиби́рь и респу́блики Азии. Ва́ша страна́ така́я больша́я.

Оле́г: Да, о́чень. Я одно́ вре́мя хоте́л стать журнали́стом, что́бы бо́льше е́здить по стране́, знако́миться с ра́зными людьми́, ви́деть, как они́ живу́т и рабо́тают на се́вере и на ю́ге, на за́паде и восто́ке.

Джон: Путеше́ствовать всегда́ интере́сно. Я постара́юсь уви́деть в ва́шей стране́ как мо́жно бо́льше.

---

[1] «Клуб путеше́ственников», "Travellers' Club", a popular television programme showing various parts of the Soviet Union and foreign countries.

Задание к тексту

1. Каку́ю переда́чу смотре́л по телеви́зору Джон? Кака́я люби́мая переда́ча Оле́га? Кем хоте́л стать Оле́г и почему́?
2. Кака́я ва́ша люби́мая телепереда́ча? Расскажи́те о ней.
3. Каки́е сове́тские телепереда́чи вы смотре́ли? Что вам понра́вилось?

Preparation for Reading

широ́кий wide
широ́к (is) wide
часть *f.* part
обита́емый inhabited
су́ша land
протяжённость length
наступа́ть, **наступи́ть** to come, to set in
есте́ственный natural
грани́ца border
ме́жду *чем? кем?* between
европе́йский European
азиа́тский Asian
явля́ться, **яви́ться** *кем? чем?* to be
Ура́л the Urals
ура́льский Ural
омыва́ть *что?* to wash
климати́ческий climatic
разнообра́зный various, diverse
разнообра́зен (is) various, (is) diverse
суро́вый severe
аркти́ческий Arctic
субтропи́ческий subtropical
черномо́рский Black Sea
побере́жье coast
со́лнечный sunny

* * *

часово́й по́яс time zone
часть све́та part of the world
в их (в том) числе́ they include (including)
черномо́рское побере́жье the Black Sea coast

The Use of the Verb наступа́ть – наступи́ть

наступа́ет у́тро (ве́чер, ночь), зима́ (весна́, о́сень, ле́то)	morning (evening, night), winter (spring, autumn, summer) comes
наступи́ло у́тро (ле́то)	morning (summer) came
наступи́л ве́чер	evening came
наступи́ла ночь (зима́, весна́, о́сень)	night (winter, spring, autumn) came

ТЕКСТ

«Широка́ страна́ моя́ родна́я...»

Зна́ете ли вы, что террито́рия СССР – э́то одна́ шеста́я часть всей обита́емой су́ши? Протяжённость террито́рии СССР с се́вера на юг – о́коло пяти́ ты́сяч киломе́тров, с за́пада на восто́к – бо́лее девяти́ ты́сяч киломе́тров.

Что по террито́рии Сове́тского Сою́за прохо́дят 11 часовы́х поясо́в. Когда́ на восто́ке страны́ наступа́ет ночь, на за́паде начина́ется у́тро.

Что террито́рия СССР нахо́дится в двух частя́х све́та: Евро́пе и Азии. Есте́ственной грани́цей ме́жду европе́йской и азиа́тской частя́ми СССР явля́ются Ура́льские го́ры.

Что террито́рию Сове́тского Сою́за омыва́ют 12 море́й.

Что в СССР бо́лее двухсо́т пяти́десяти ты́сяч озёр. В их числе́ са́мое кру́пное о́зеро в ми́ре – Каспи́йское и са́мое глубо́кое – Байка́л.

В СССР бо́лее ста ты́сяч рек. Са́мая больша́я река́ в европе́йской ча́сти СССР – Во́лга. Гла́вные ре́ки Сиби́ри и Дальнего Восто́ка – Аму́р, Енисе́й, Обь, Ле́на, Ангара́.

Что террито́рия Сиби́ри – э́то 60% террито́рии СССР.

Что климати́ческие усло́вия СССР разнообра́зны: суро́вый аркти́ческий кли́мат на се́вере страны́ и субтропи́ческий кли́мат на черномо́рском побере́жье Кавка́за.

Что со́лнечных дней в Восто́чной Сиби́ри так же мно́го, как в Ита́лии.

Задание к тексту

1. Расскажи́те, что вы узна́ли о Сове́тском Сою́зе. В каки́х частя́х све́та нахо́дится террито́рия СССР? Каковы́ климати́ческие усло́вия Сове́тского Сою́за?
2. Расскажи́те о ва́шей стране́. Где нахо́дится ва́ша страна́? Какова́ террито́рия страны́? Как называ́ется столи́ца страны́? Како́й кли́мат в ва́шей стране́?

Preparation for Reading

называ́ть / **назва́ть** *что? кого́? как?* to call
царь *m.* tsar
строи́тельство building
штаб headquarters
внима́ние attention
смерть *f.* death
руководи́ть *кем? чем?* to direct
восста́ние uprising
ты́сяча thousand
иностра́нный foreign
ежего́дно annually
ежего́дный annual
музыка́льный music

* * *

пе́рвый (второ́й...) по величине́ (the) (second...) largest
штаб револю́ции headquarters of the revolution
привлека́ть (привле́чь) чьё-либо внима́ние to attract smb.'s attention

Го́род на Неве́

Па́мятник Петру́ I в г. Ленингра́де

Ленингра́д – оди́н из са́мых краси́вых городо́в Сове́тского Сою́за. Го́род нахо́дится на за́паде СССР, на реке́ Неве́. В Ленингра́де сто пять острово́в. Го́род стои́т на острова́х, поэ́тому Ленингра́д ча́сто называ́ют «Се́верной Вене́цией».

Ленингра́д – второ́й по величине́ го́род СССР по́сле Москвы́. Основа́тель Ленингра́да – ру́сский царь Пётр I. Он основа́л э́тот го́род в 1703 году́. Когда́ зако́нчилось строи́тельство го́рода, го́род стал столи́цей ру́сского госуда́рства. Называ́лся го́род снача́ла Петербу́рг, потом Петрогра́д.

В 1918 году́ столи́цей госуда́рства сно́ва ста́ла Москва́.

В 1924 году́ по́сле сме́рти В. И. Ле́нина го́род стал называ́ться Ленингра́д.

Ленингра́д – большо́й промы́шленный и культу́рный центр. Теа́тры Ленингра́да, музе́и: Ру́сский музе́й, Эрмита́ж – изве́стны не то́лько в на́шей стране́.

Истори́ческие места́ и музе́и Ленингра́да, его́ па́мятники архитекту́ры привлека́ют внима́ние тури́стов. Ты́сячи сове́тских и иностра́нных тури́стов ежего́дно быва́ют в Ленингра́де.

У го́рода мно́го интере́сных тради́ций. Одна́ из таки́х тради́ций – музыка́льный фестиваль «Бе́лые но́чи». Фестива́ль э́тот быва́ет в ию́не и продолжа́ется де́сять дней.

В Ленингра́де жи́ли мно́гие изве́стные ру́сские и сове́тские поэ́ты и писа́тели. Здесь, в Ленингра́де, на реке́ Мо́йке нахо́дится дом, где жил после́дние го́ды А. С. Пу́шкин. Сейча́с в э́том до́ме музе́й-кварти́ра А. С. Пу́шкина.

Побыва́йте в э́том го́роде, вас ждёт мно́го интере́сного!

Задание к тексту

1. Расскажи́те, что вы узна́ли о Ленингра́де. Кто и когда́ основа́л э́тот го́род? Как называ́лся э́тот го́род ра́ньше? Что ещё вы мо́жете рассказа́ть о Ленингра́де?
2. Расскажи́те о ва́шем родно́м го́роде. Как он называ́ется, где он нахо́дится? Кто и когда́ его́ основа́л?

GRAMMAR

– **С кем** он е́здил на экску́рсию?	"Who did he go on the excursion with?"
– **Со свои́ми ру́сскими друзья́ми.**	"With his Russian friends."

[1] Смо́льный, formerly the Institute for Daughters of the Nobility. During the October armed uprising it was the headquarters of the revolution. In 1917 Lenin lived in the Smolny.

The Instrumental Plural of Nouns

Nominative **кто?** *who?* **что?** *what?*	Instrumental **кем?** *with whom?* **чем?** *with what?*	Ending
студе́нт оте́ц врач това́рищ дом окно́ студе́нтка сестра́ кни́га	студе́нтами отца́ми врача́ми това́рищами дома́ми о́кнами студе́нтками сёстрами кни́гами	**-ами**
гость слова́рь музе́й санато́рий по́ле зда́ние мать тетра́дь пе́сня аудито́рия брат – бра́тья друг – друзья́ де́рево – дере́вья роди́тели	гостя́ми словаря́ми музе́ями санато́риями поля́ми зда́ниями матеря́ми тетра́дями пе́снями аудито́риями бра́тьями друзья́ми дере́вьями роди́телями	**-ями**
лю́ди де́ти	людьми́ детьми́	**-ьми**

Note.– In the instrumental plural nouns of all the three genders with the stem in a hard consonant or **щ** or **ч** take ending **-ами**, whereas nouns with the stem in a soft consonant or a vowel take the ending **-ями**. The nouns **лю́ди** and **де́ти** take the ending **-ьми**.

The Instrumental Plural of Adjectives

Nominative **какие?** *what (kind of)?*	Instrumental **какими?** *with what (kind of)?*	Ending
новые хорошие друзья русские синие тетради	новыми хорошими друзьями русскими синими тетрадями	**-ыми** **-ими**

The Instrumental Plural of Possessive Pronouns

Nominative **чьи?** *whose?*	Instrumental **чьими?** *with/by whose?*	Ending
мои братья наши	моими братьями нашими	**-ими**

The Instrumental Plural of Demonstrative Pronouns

Nominative **какие?** *what?*	Instrumental **какими?** *with/by what?*
эти студенты те	этими студентами теми

Complex Sentences with the Word который (continued)

Это студенты,

кто?
которые учатся в нашей группе.
у кого?
у которых мы вчера были.
кому?
которым я дал свой учебник.
кого?
которых мы видели на вечере.
с кем?
с которыми я учился в школе.
о ком?
о которых мы говорили.

In the plural the word **кото́рый** is used in accordance with the same rules as in the singular.

Verb Groups

чита́ть I (*a*)
стара́ться **постара́ться** **называ́ть** **омыва́ть** **явля́ться**

говори́ть II	alternation
руководи́ть (*b*)	**д → ж**

танцева́ть I (*a*)
путеше́ствовать

звать I (*b*)
назва́ть

Word-building

путеше́ствие – путеше́ственник – путеше́ствовать

EXERCISES

I. Change the sentences, as in the model.

M o d e l: *Андре́й е́здил в Ки́ев со свои́м сы́ном.*
Андре́й е́здил в Ки́ев со свои́ми сыновья́ми.

1. Оле́г был на ю́ге **со свое́й сестро́й.** 2. Он ходи́л на стадио́н **со ста́ршим бра́том.** 3. Та́ня е́здила на экску́рсию **со свое́й подру́гой.** 4. Мы давно́ знако́мы **с э́тим студе́нтом.** 5. За́втра я встре́чусь **со свои́м ста́рым дру́гом.** 6. Я познако́мился **с интере́сным челове́ком.**

II. Answer the questions, as in the model.

M o d e l: – *Кем ста́нут студе́нты, кото́рые у́чатся в консервато́рии?*
– *Певца́ми и музыка́нтами.*

1. Кем ста́нут студе́нты, кото́рые у́чатся на инжене́рном факульте́те? 2. Кем ста́нут студе́нты биологи́ческого факульте́та? 3. Кем ста́нут студе́нты фи́зико-математи́ческого факульте́та? 4. Кем ста́нут студе́нты, кото́рые у́чатся в архитекту́рном институ́те? 5. Кем ста́нут студе́нты медици́нского институ́та? 6. Кем ста́нут студе́нты педагоги́ческого институ́та?

III. Complete the sentences, as in the model.

M o d e l: *Он зна́ет мно́гих совреме́нных поэ́тов и писа́телей.*
Он знако́м со мно́гими совреме́нными поэ́тами и писа́телями.

1. На ве́чере бы́ли **на́ши преподава́тели.** Мы поздра́вили с пра́здником .... Мы пойдём в музе́й .... 2. В э́тих дома́х живу́т **молоды́е рабо́чие.** Здесь стро́ят клуб для .... Инжене́ры заво́да встре́тились .... 3. В МГУ чита́ли ле́кции **изве́стные матема́тики.** Он слу́шал ле́кции .... Он познако́мился .... 4. Эти карти́ны со́здали **тала́нтливые худо́жники.** В Третьяко́вской галере́е бо-га́тая колле́кция карти́н .... Он был знако́м .... 5. В стари́нных ру́сских города́х ча́сто быва́ют **иностра́нные тури́сты.** В Яросла́вле побыва́ло мно́го .... Он встре́тил в гости́нице .... Он встре́тил-ся .... .

IV. Ask questions, as in the model.

Model: – *Он говори́л по телефо́ну с друзья́ми.*
– *С каки́ми?*

1. Вчера́ мы сдава́ли **зачёты.** 2. Весно́й у нас бу́дет мно́го **экза́менов**. 3. Он помога́ет **студе́нтам.** 4. Она́ зна́ет не́сколько **языко́в**. 5. Они́ рабо́тали **в стройотря́дах**. 6. Она́ придёт на ве́чер **с подру́гами**. 7. Мы познако́мились **с писа́телями**. 8. Я был **во мно́гих города́х СССР**.

V. Answer the questions, using the phrase **на́ши но́вые друзья́** in the required form.

Model: – *С кем вы бы́ли в теа́тре?*
– *С на́шими но́выми друзья́ми.*

1. Кто живёт в э́той ко́мнате? 2. У кого́ вы бы́ли в воскресе́нье? 3. Кому́ вы сейча́с звони́ли? 4. Кому́ вы обеща́ли дать э́ти кни́ги? 5. К кому́ вы пойдёте ве́чером? 6. Кого́ вы ждёте. 7. С кем вы должны́ встре́титься? 8. О ком вы расска́зываете?

VI. Insert the word **кото́рый** in the correct form, using a preposition wherever necessary.

1. Он сдал экза́мены,	... мы бу́дем сдава́ть че́рез неде́лю. ... он о́чень боя́лся. ... до́лго гото́вился. ... говори́л нам преподава́тель.
2. К нему́ прие́хали това́рищи,	... учи́лись с ним в шко́ле. ... он был ле́том. ... он получи́л письмо́. ... он звони́л вчера́. ... он познако́мился неда́вно.

VII. Combine the pairs of sentences, as in the model.

Model: *Это ста́рые ру́сские города́. Мы с тобо́й в них ещё не́ бы́ли.*
Это ста́рые ру́сские города́, в кото́рых мы с тобо́й ещё не́ бы́ли.

1. Это на́ши това́рищи.	Джон живёт **с ни́ми** в общежи́тии.
2. Около университе́та нас ждут студе́нты.	Мы е́дем **с ни́ми** на экску́рсию.
3. На ве́чере выступа́ли де́вушки.	**Они́** рабо́тают в на́шей лаборато́рии.
4. Сего́дня у меня́ го́сти.	Я хочу́ показа́ть **им** Москву́.
5. К ней прие́хали роди́тели.	Она́ встреча́ла **их** на вокза́ле.

VIII. Answer the questions, as in the model.

Model: – *Что тако́е люби́мая пе́сня?*
– *Это пе́сня, кото́рую я люблю́.*

Что тако́е: 1. Его́ знако́мый челове́к? 2. Его́ знако́мая де́вушка? 3. Его́ люби́мый писа́тель? 4. Его́ люби́мая кни́га? 5. Его́ родно́й го́род? 6. Его́ родна́я дере́вня? 7. Изве́стный учёный? 8. Но́вая пе́сня? 9. Но́вый дом? 10. Но́вое пальто́?

IX. Change the sentences, as in the model.

Model: *Она́ поста́вила на стол таре́лку, на кото́рой лежа́л хлеб и сыр.*
Она́ поста́вила на стол таре́лку с хле́бом и сы́ром.

1. Я поста́вил на окно́ ва́зу, **в кото́рой бы́ли цветы́.** 2. Он взял портфе́ль, **в кото́ром бы́ли кни́ги и тетра́ди.** 3. Он дал мне тетра́дь, **в кото́рой бы́ли э́ти упражне́ния.** 4. Он купи́л конве́рты, **на кото́рых бы́ли краси́вые ма́рки.** 5. Я взял чемода́н, **в кото́ром бы́ли мои́ ве́щи.** 6. Он подошёл к по́лке, **на кото́рой стоя́ли кни́ги.**

X. (a) Speak about your native city (town), using the words and phrases:

называ́ться, находи́ться, центр страны́, се́вер (юг, etc.) страны́, гла́вная у́лица (пло́щадь), теа́тры, музе́и, кинотеа́тры, па́рки, истори́ческие па́мятники, тра́нспорт го́рода, фа́брики и заво́ды, шко́лы, колле́джи, институ́ты.

(b) Speak about your native country, using the words and phrases:

находи́ться, часть све́та, террито́рия, протяжённость террито́рии, населе́ние, столи́ца, грани́ца, ре́ки, моря́, озёра, го́ры, кли́мат, климати́ческие усло́вия, жа́ркий, тёплый, холо́дный, суро́вый.

XI. Read through the text. Retell it, using verbs of the appropriate aspect.

Пусть всегда́ бу́дет со́лнце

Хорошо́ изве́стна сове́тская пе́сня «Пусть всегда́ бу́дет со́лнце!». Но не все зна́ют исто́рию э́той пе́сни.

Вот она́.

Ма́льчику бы́ло четы́ре го́да, когда́ ему́ (объясня́ть – объясни́ть), что зна́чит сло́во «всегда́» – э́то зна́чит на всю жизнь! И ребёнок (чита́ть – прочита́ть) ма́ме свои́ пе́рвые стихи́:

Пусть всегда́ бу́дет со́лнце!
Пусть всегда́ бу́дет не́бо!
Пусть всегда́ бу́дет ма́ма!
Пусть всегда́ бу́ду я!

(Проходи́ть – пройти́) 40 лет. Ма́льчик (станови́ться – стать) инжене́ром. Но стихи́ не (забыва́ть – забы́ть): их (находи́ть – найти́) и записа́л писа́тель Корней Ива́нович Чуко́вский.

Поэ́т Лев Оша́нин (реша́ть – реши́ть) написа́ть стихи́ о ми́ре. Он (вспоминать – вспо́мнить) слова́ ма́льчика: «Пусть всегда́ бу́дет со́лнце!». Слова́ э́ти (станови́ться – стать) те́мой стихотворе́ния. Му́зыку к стиха́м (писа́ть – написа́ть) компози́тор Алекса́ндр Остро́вский.

XII. Complete the sentences.

1. Когда́ вы сдаёте ...? Он уже́ ... . 2. Они́ гото́вятся ... . 3. Я перевожу́ ... . Он уже́ ... . 4. Преподава́тель объясня́л ... . 5. Мы реши́ли ... . 6. Я откры́л ... . 7. Когда́ открыва́ется ...? 8. Закро́йте, пожа́луйста, ... 9. Когда́ закрыва́ется ...? 10. Та́ня посла́ла ... . За́втра она́ то́же ... . 11. Он ча́сто получа́ет ... . Вчера́ он ... . 12. Вы не хоти́те ...? 13. Он не мо́жет ... . 14. Она́ не уме́ет ... . 15. Поздравля́ю ... . 16. Жела́ю ... .

Ⓢ ЧИТАЙТЕ СО СЛОВАРЁМ

Не́сколько слов о бескоры́стии

Я хочу́ рассказа́ть исто́рию, кото́рая во мно́гом определи́ла моё отноше́ние к ми́ру.

Вся́кий раз, когда́ захо́дит разгово́р о лю́дях, хороши́ они́ и́ли пло́хи, я вспомина́ю, э́тот слу́чай из де́тства.

Мы жи́ли в дере́вне. Одна́жды оте́ц взял меня́ в го́род. По́мню, мы иска́ли о́бувь, и зашли́ по доро́ге в кни́жный магази́н. Там я уви́дел кни́гу. Я взял её в ру́ки, на ка́ждой страни́це кни́ги бы́ли больши́е карти́нки. Я о́чень хоте́л, что́бы оте́ц купи́л кни́гу, но он посмотре́л на це́ну и сказа́л: «В друго́й раз ку́пим». Кни́га была́ дорого́й.

До́ма я це́лый ве́чер говори́л то́лько о кни́ге. И вот че́рез две неде́ли оте́ц дал мне де́ньги.

Когда́ на друго́й день мы шли к магази́ну, мне бы́ло стра́шно: «А вдруг кни́гу уже́ прода́ли?» Нет, кни́га лежа́ла на ме́сте.

Когда́ мы се́ли в ваго́н да́чного по́езда, все сра́зу заме́тили, каку́ю кни́гу я везу́. Мно́гие сади́лись ря́дом, что́бы посмотре́ть карти́нки. Весь ваго́н ра́довался мое́й поку́пке. И на полчаса́ я стал це́нтром внима́ния.

По́езд отошёл от Москвы́. Побежа́л ми́мо о́кон лес. Я поста́вил кни́гу на откры́тое окно́ и стал смотре́ть на лес, на поля́, кото́рые бежа́ли за окно́м. И вдруг, о у́жас! Кни́га исче́зла ме́жду двойны́ми о́кнами ваго́на. Ещё не понима́я серьёзности положе́ния, я испу́ганно смотре́л на отца́, на сосе́да-лётчика, кото́рый пыта́лся доста́ть кни́гу. Че́рез мину́ту уже́ весь ваго́н помога́л нам.

А по́езд бежа́л, и вот уже́ ско́ро на́ша ста́нция. Я пла́кал и не хоте́л выходи́ть из ваго́на. Лётчик о́бнял меня́ и сказа́л:

– Ничего́, по́езд ещё до́лго бу́дет идти́. Мы доста́нем кни́гу и пришлём обяза́тельно. Где ты живёшь?

Я пла́кал и не мог говори́ть. Оте́ц дал лётчику а́дрес. На друго́й день, когда́ оте́ц верну́лся с рабо́ты, он принёс и кни́гу.

– Доста́л?

– Доста́л,– засмея́лся оте́ц.

Это была́ та са́мая кни́га. Я засыпа́л с кни́гой в рука́х.

А че́рез не́сколько дней к нам пришёл почтальо́н и принёс нам большо́й паке́т. В паке́те была́ кни́га и запи́ска от лётчика: «Я же говори́л, что мы доста́нем её».

А ещё че́рез день опя́ть пришёл почтальо́н и опя́ть принёс паке́т, а пото́м ещё два паке́та, и ещё три; семь одина́ковых кни́жек.

С того́ вре́мени прошло́ почти́ 30 лет. Кни́жки в войну́ потеря́лись. Но оста́лось са́мое гла́вное – хоро́шая па́мять о лю́дях, кото́рых я не зна́ю и да́же не по́мню в лицо́. Оста́лась уве́ренность: хоро́ших люде́й бо́льше, чем плохи́х. И жизнь дви́жется вперёд не тем, что в челове́ке плохо́го, а тем, что есть в нём хоро́шего.

По В. Песко́ву

бескоры́стие disinterestedness
определи́ть отноше́ние к чему́-либо to determine one's attitude towards smth.
вся́кий раз each time
взять что́-либо в ру́ки to take smth. in one's hands
в друго́й раз next time
да́чный по́езд suburban train
стать це́нтром внима́ния to become the centre of attention
о у́жас! oh horror!
двойны́е о́кна double-glazed windows
тот са́мый (та са́мая, то са́мое, те са́мые) the very same
с того́ вре́мени since then
то, что... (тем, что...) that which... (by that which... .)

Задание к тексту

1. Расскажи́те исто́рию, кото́рая произошла́ с а́втором расска́за.
2. Как повлия́ла э́та исто́рия на отноше́ние а́втора к жи́зни, к лю́дям?
3. Был ли в ва́шей жи́зни слу́чай, кото́рый сыгра́л таку́ю же ва́жную роль? Расскажи́те о нём.
4. Прочита́йте посло́вицы и афори́змы о челове́ке, его́ нра́вственных це́нностях (moral values).

Не ищи́ красоты́, ищи́ доброты́.
Мал золотни́к, да до́рог.
Не всё то зо́лото, что блести́т.
«Ве́рить в челове́ка... э́то лу́чшее, что даёт нам жизнь». *М. Го́рький*
«Всё прекра́сное на земле́ – от со́лнца и всё хоро́шее – от челове́ка». *М. При́швин*
«Лу́чшее, что я храню́ в себе́, э́то живо́е чу́вство к хоро́шим лю́дям». *М. При́швин*
«Важне́йший капита́л на́ции – нра́вственные ка́чества наро́да». *Н. Черныше́вский*
«В челове́ке должно́ быть всё прекра́сно: и лицо́, и оде́жда, и душа́, и мы́сли». *А. Че́хов*

5. Подбери́те посло́вицы и афори́змы о челове́ке, его́ нра́вственных це́нностях. Переведи́те их на ру́сский язы́к.
6. Назови́те ваш люби́мый афори́зм и́ли посло́вицу, кото́рые выража́ют ва́ше отноше́ние к лю́дям.

UNIT 30

Ки́ев

Preparation for Reading

прилета́ть *куда́?*
прилете́ть *отку́да?* to arrive (by plane)
рейс flight

* * *

спра́вочное бюро́ information bureau, information desk

ДИАЛОГ

Олег: Та́ня, нам телегра́мма из Ки́ева.
Та́ня: От кого́?
Оле́г: От моего́ това́рища. Он приезжа́ет на пра́здники в Москву́.
Та́ня: Когда́ он приезжа́ет?
Оле́г: Тридца́того декабря́.
Та́ня: А в како́е вре́мя?
Оле́г: Он не написа́л, но есть но́мер по́езда. Мо́жно позвони́ть в спра́вочное бюро́.

Спра́вочное бюро́

Та́ня: Скажи́те, пожа́луйста, когда́ прихо́дит из Ки́ева трина́дцатый по́езд?
Дежу́рная: В 23 часа́.
Та́ня: Спаси́бо.
Дежу́рная: Пожа́луйста.

– Вы не ска́жете, когда́ прилета́ет самолёт из Адлера?
– Но́мер ре́йса?
– 237.
– В 17 часо́в.

– Когда́ отхо́дит в Ленингра́д четы́рнадцатый по́езд?
– В 16 часо́в.

Задание к тексту

Каку́ю телегра́мму получи́л Оле́г? Куда́ и почему́ позвони́ла Та́ня?

Preparation for Reading

удивлённо in surprise
медве́дь *m.* bear
дежу́рный on duty
о́тпуск holiday, vacation
пожа́луй probably
Га́на Ghana
хозя́ин (*pl.* **хозя́ева**) master
сиби́рский Siberian
африка́нец African
лёд ice
ледяно́й icy
пусты́ня desert
перево́д translation
спя́щий sleeping
ди́кий wild
стра́шный terrible
моро́з frost
волк wolf
джу́нгли jungle
че́рез *что?* through, across
ска́зка (fairy) tale
аэропо́рт airport
вме́сто *чего́?* instead of
теря́ть / **потеря́ть** *что? кого́?* to lose
три́ста three hundred
всего́ only
како́в what (is)?
населе́ние population
погово́рка saying
расстоя́ние distance

ТЕКСТ

Сиби́рь

Они́ вы́шли из самолёта и удивлённо спроси́ли:
– А где же Сиби́рь?
– Вот она́ Сиби́рь! – отве́тили им. – Вот э́то со́лнце, э́ти дере́вья, э́ти цветы́. Всё э́то и есть Сиби́рь. Медве́дя, пра́вда, показа́ть вам не мо́жем: дежу́рный медве́дь в о́тпуске...

Мо́жет на́ши го́сти и не по́няли, что э́то шу́тка. Начина́лся а́вгуст, пожа́луй, са́мое прекра́сное вре́мя на ю́ге Сиби́ри. Температу́ра +20°, а тури́сты из Га́ны бы́ли в тёплых пальто́. Они́ удиви́лись, что сиби́рские учёные, кото́рые их встреча́ли, не в пальто́, а в ле́тних костю́мах.

– Но где же Сиби́рь? Где она́? – продолжа́ли спра́шивать тури́сты.

Это бы́ли пе́рвые африка́нцы, кото́рые прилете́ли в Сиби́рь. До́ма, в Га́не, им каза́лось, что Сиби́рь – э́то ледяна́я пусты́ня... Что тако́е «Сиби́рь»? В перево́де на ру́сский язы́к э́то сло́во зна́чит «спя́щая земля́». И вот тако́й спя́щей, холо́дной, ди́кой ду́мали уви́деть Сиби́рь на́ши го́сти. Они́ ещё до́ма чита́ли о стра́шных моро́зах, о волка́х и медве́дях, кото́рые живу́т в ру́сских «джу́нглях» – сиби́рской тайге́, о лю́дях, кото́рые на соба́ках е́дут че́рез тайгу́.

И сейча́с африка́нцы вспомина́ют э́ти стра́шные ска́зки и спра́шивают удивлённо:

– Где же Сиби́рь? Где во́лки и медве́ди?

Их нет, а есть совреме́нный аэропо́рт. А вме́сто ледяно́й пусты́ни – дере́вья и цветы́. Как мно́го теря́ют наро́ды от того́, что да́же в на́шем XX ве́ке так ма́ло зна́ют друг о дру́ге.

– О, э́то и есть Новосиби́рск? В Сиби́ри – таки́е города́? Ско́лько ему́ лет? сто? три́ста?

– Го́роду всего́ во́семьдесят пять.

– И уже́ тако́й большо́й?

– Тре́тий в стране́ по́сле Москвы́ и Ленингра́да.

– И э́то в Сиби́ри?

– В са́мой настоя́щей.

– А каково́ населе́ние?

– Миллио́н четы́реста ты́сяч...

– А как здесь зимо́й? Ми́нус се́мьдесят?

– Нет, ми́нус два́дцать – ми́нус со́рок. Мы же на ю́ге Сиби́ри. А пото́м, зна́ете, у нас есть погово́рка: «В Сиби́ри ми́нус пятьдеся́т – не моро́з, ты́сяча киломе́тров – не расстоя́ние».

Задание к тексту

1. Из како́й страны́ прие́хали в Сиби́рь тури́сты? Что они́ ду́мали о Сиби́ри ра́ньше? Каку́ю Сиби́рь они́ уви́дели?
2. В како́й сиби́рский го́род прилете́ли тури́сты? Что вы узна́ли об э́том го́роде?
3. Расскажи́те, что вы зна́ете о Сиби́ри.

GRAMMAR

К Андре́ю **прие́хала** сестра́ из Ленингра́да.	Andrei's Leningrad sister came to see him.
Она́ ча́сто **приезжа́ет** к нему́.	She often comes to see him.

Aspectual Pairs of Prefixed Verbs of Motion

Verbs of the **ходи́ть** Group		Verbs of the **идти́** Group		
Imperfective		Perfective		
		Intransitive Verbs		
приходи́ть		прийти́	to come (on foot)	
приезжа́ть		прие́хать	to come (in a conveyance)	
прилета́ть		прилете́ть	to come flying	
приплыва́ть		приплы́ть	to come swimming	
прибега́ть		прибежа́ть	to come running	
		Transitive Verbs		
приноси́ть	*что?*	принести́	*что?*	to bring (in one's hands)
приводи́ть	*кого́?*	привести́	*кого́?*	to bring (by leading one to a place)
привози́ть		привезти́		to bring (in a conveyance)

Он ча́сто приезжа́ет в Москву́.	He often comes to Moscow.	Он вчера́ прие́хал в Москву́.	He came to Moscow yesterday.
Ле́том мы обы́чно уезжа́ем на юг.	We usually go to the south in the summer.	Они́ уже́ уе́хали на юг.	They have already left for the south.

Verbs of indefinite motion (of the **ходи́ть** group) and any of the prefixes denoting movement in space (**приходи́ть, уходи́ть, входи́ть, выходи́ть,** etc.) form imperfective verbs.

Verbs of definite motion (of the **идти́** group) and any of the prefixes denoting movement in space (**прийти́, уйти́, войти́, вы́йти,** etc.) form perfective verbs.

In the past tense prefixed verbs of the **ходи́ть** group, like the corresponding unprefixed verbs, may denote movement in two directions. Prefixed verbs of the **идти́** group invariably denote movement in one direction only.

ходи́ть	**идти́**
Ко мне **приходи́л** това́рищ. (Он был у меня́ и ушёл.) К нему́ **приезжа́ла** сестра́. (Она́ была́ у него́ и уе́хала.) ← → □ Movement in two directions.	Ко мне **пришёл** това́рищ. (Он сейча́с у меня́.) К нему́ **прие́хала** сестра́. (Она сейча́с у него́.) → □ Movement in one direction.

Constructions

что́бы + Infinitive	**что́бы** + Past Tense
Я взял э́ту статью́, **что́бы перевести́** её. I took the article in order to translate it.	Я взял э́ту статью́, **что́бы** он **перевёл** её. I took the article so that he should translate it.

The conjunction **что́бы** is followed by an infinitive if both the actions are performed by one and the same doer. **Я взял** статью́. **Я переведу́** её.

The conjunction **что́бы** is followed by a past tense verb if the actions are performed by different doers. **Я взял** статью́. **Он переведёт** её.

In the construction **что́бы** + an infinitive the conjunction **что́бы** following a verb of motion is frequently omitted: **Я прие́хал** в Москву́, **что́бы** учи́ться. **Я прие́хал** в Москву́ **учи́ться.**

Verb Groups

чита́ть I (*a*)
теря́ть **потеря́ть** **прибега́ть** **прилета́ть** **приплыва́ть**

говори́ть II	alternation
приводи́ть (*c*)	**д → ж**
привози́ть (*c*)	**з → ж**
приноси́ть (*c*)	**с → ш**

плыть I (*b*)
приплы́ть

лете́ть II (*b*)	alternation
прилете́ть	**т → ч**

бежа́ть
прибежа́ть

Note.– The verb **прибежа́ть** changes like the irregular verb **бежа́ть.**

везти́ I (*b*)	Past Tense
привезти́	он привёз она́ привезла́ они́ привезли́

вести́ I (*b*)	Past Tense
привести́	он привёл она́ привела́ они́ привели́

нести́ I (*b*)	Past Tense
принести́	он принёс она́ принесла́ они́ принесли́

Note.– The verbs **привезти́, привести́** and **принести́** have irregular past tense forms.

EXERCISES

I. Read through the text, noting the use of the prefixed verbs of motion. Retell the text.

Необы́чная экску́рсия

В оди́н из свои́х прие́здов в Москву́ писа́тель Ма́ртин Андерсен Не́ксе отпра́вился в необы́чную экску́рсию. Ра́но у́тром он **вы́шел** из гости́ницы, **вошёл** в метро́, дое́хал до ста́нции «Соко́льники», **вы́шел** из метро́, **подошёл** к остано́вке тролле́йбуса. На тролле́йбусе он **дое́хал** до одного́ моско́вского заво́да. У заво́да он сде́лал переса́дку и на авто́бусе сно́ва **пое́хал** в центр. А че́рез год и́ли два он рассказа́л нам об э́той необы́чной экску́рсии.

– В авто́бусах, тролле́йбусах, в ваго́нах метро́ лю́ди чита́ли. Я ви́дел молодо́го рабо́чего. Он чита́л стихи́. Лю́ди **шли** к вы́ходу, меша́ли ему́, а он продолжа́л чита́ть. Больша́я ра́дость для писа́теля ви́деть, как лю́ди вот так чита́ют кни́ги. И э́то ча́сто мо́жно ви́деть в Сове́тском Сою́зе.

II. Insert the verbs **идти́–ходи́ть** and **е́хать–е́здить** in the correct form with the approrpriate prefix.

Вчера́ . . . мой друг из Ки́ева. Он ча́сто . . . ко мне́. С вокза́ла мы . . . домо́й, пообе́дали и реши́ли . . . на стадио́н. Когда́ мы . . . из до́ма, мы встре́тили Ни́ну. Она́ . . . с на́ми до остано́вки. Когда́

... наш авто́бус, Ни́на реши́ла ... с на́ми. Все вме́сте мы ... на стадио́н. Домо́й мы ... по́здно.

III. Look at the chart below and describe the man's way home from his factory. Use the appropriate prefixed verbs of motion.

IV. Insert the verbs chosen from those on the right in the correct form and aspect.

1. Вчера́ к Оле́гу ... друг из Ленингра́да.	*прилете́ть – прилета́ть*
2. Та́ня уже́ ... в санато́рий.	*уезжа́ть – уе́хать*
3. – Скажи́те, пожа́луйста, когда́ ... по́езд № 13 из Ки́ева?	*приходи́ть – прийти́*
4. Андре́й ча́сто прихо́дит ко мне́ и и ... интере́сные кни́ги.	*приноси́ть – принести́*
5. Когда́ ба́бушка приезжа́ет в Москву́, она́ всегда́ ... вну́кам пода́рки. Вчера́ она́ то́же ... мно́го пода́рков.	*привози́ть – привезти́*

V. Complete the sentences, as in the model.

Model: *Я пришёл в университе́т в 10 часо́в.*
Обы́чно я прихожу́ в 9.

1. К Та́не прие́хала сестра́ из Ленингра́да. Она́ ча́сто ... 2. К Оле́гу пришли това́рищи из МГУ. Они́ ча́сто ... 3. Сего́дня я вы́шла из до́ма в 8 часо́в. Но обы́чно я ... 4. Ка́ждое у́тро мы с Та́ней встреча́емся на остано́вке. Сего́дня я подошла́ к остано́вке, её ещё не́ было. Обы́чно, когда́ я ... 5. Вчера́ они́ ушли́ домо́й в 6 часо́в. Обы́чно они́ ... 6. Джон принёс мне англи́йские журна́лы. Он ча́сто ...

VI. Change the sentences, as in the model, using verbs of motion required by the sense.

(a) Model: *На про́шлой неде́ле у нас была́ сестра́ из Ки́ева.*
На про́шлой неде́ле к нам приезжа́ла сестра́ из Ки́ева.

(b) Model: *Сейча́с у нас живёт сестра́ из Ки́ева.*
К нам прие́хала сестра́ из Ки́ева.

1. (a) Неда́вно у Андре́я был брат из Новосиби́рска. (b) Андре́й спеши́т домо́й, его́ ждёт брат из Новосиби́рска.

2. (a) Вчера́ у Оле́га был Джон, они́ вме́сте рабо́тали. (b) Сейча́с Джон у Оле́га, они́ вме́сте рабо́тают.

3. (a) Вчера́ у нас был Ми́ша, он пока́зывал нам свои́ фотоальбо́мы. (b) У нас был Ми́ша, он дал нам свои́ фотоальбо́мы.

23–1350

VII. (a) A Leningrad friend of yours is coming to see you. You know the number of his train and the day on which he arrives, but you do not know the time of the train's arrival. How will you find it out? Make up a dialogue on this topic.

(b) Your parents are returning from their holiday in the south. How will you find out the time of their arrival? Make up a dialogue on this topic.

VIII. Note the use of the verbs after the conjunction **что́бы.**

1. Я взял слова́рь (заче́м?), **что́бы перевести́** статью́.	1. Я взял слова́рь (заче́м?), **что́бы** ты **перевёл** статью́.
2. Он пришёл (заче́м?), **что́бы рассказа́ть** нам об э́том.	2. Он пришёл к нам (заче́м?), **что́бы** ты **рассказа́л** ему́ об э́том.
3. Я взял журна́л (заче́м?), **что́бы прочита́ть** его́ статью́.	3. Я принёс тебе́ журна́л, **что́бы** ты **прочита́л** его статью́.

IX. Answer the following questions, basing your answers on the situations described below.

(a) Ва́ша сестра́ ско́ро прие́дет в Москву́. **Она́ хо́чет познако́миться с Москво́й, побыва́ть в моско́вских музе́ях, побыва́ть в теа́трах, встре́титься с друзья́ми.**

Заче́м она́ прие́дет в Москву́?

Model: *Она́ прие́дет, что́бы познако́миться с Москво́й.*

(b) Вы пришли́ к дру́гу, кото́рого давно́ не ви́дели. Вы хоти́те поговори́ть с ним, узна́ть, как он живёт. Рассказа́ть ему́ об экза́менах, помо́чь ему́ подгото́виться к экза́менам, переда́ть ему́ биле́ты, перевести́ вме́сте с ним но́вые те́ксты и т. д.

Заче́м вы пришли́ к дру́гу?

Model: *Я пришёл, что́бы помо́чь ему́.* Или: *Я пришёл помо́чь ему́.*

X. Ask questions, as in the model, using the following names of cities: Ленингра́д, Москва́, Ки́ев, Адлер.

(a) Model: *Скажи́те, пожа́луйста, когда́ прихо́дит по́езд из Новосиби́рска?*

(b) Model: *Скажи́те, пожа́луйста, когда́ прилета́ет самолёт из Новосиби́рска?*

XI. Read through the text. Retell it, using verbs of the appropriate aspect.

Я удиви́лся

(из блокно́та францу́зского журнали́ста)

В Яку́тске я (реши́л – реши́ть) побыва́ть на по́люсе хо́лода (pole of cold). И тут меня́ ждал пе́рвый сюрпри́з (surprise): мне (говори́т – сказа́ть), что я могу́ лете́ть одни́м из трёх авиаре́йсов. Я ду́мал, что э́то ди́кий край, а тут совреме́нный аэропо́рт. Когда́ у вы́хода из аэропо́рта я (ви́дел – уви́дел) такси́, я о́чень удиви́лся: такси́ здесь, на по́люсе хо́лода?! Самолёт, на кото́ром мы лете́ли, был настоя́щим чу́дом. Что́бы (поня́ть – понима́ть), чему́ я удиви́лся, на́до знать, что во Фра́нции билет на самолёт сто́ит о́чень до́рого, и лета́ют на самолёте немно́гие. А здесь лю́ди (сади́ться – сесть) в самолёт та́к же, как у на́с в авто́бус.

Ⓢ ЧИТАЙТЕ СО СЛОВАРЁМ

Сме́ло, малы́ш!

Я поднима́юсь в го́ры, со мной в фуникулёре поднима́ются же́нщины с ма́ленькими детьми́. Малыши́ оде́ты, как настоя́щие лыжники.

Наверху́ роди́тели загора́ют. Де́ти в э́то вре́мя стоя́т ря́дом с высо́ким, пожилы́м, о́чень си́льным тре́нером. Вот он подхо́дит к трёхле́тнему малышу́, подта́лкивает его́, тот е́дет с небольшо́й го́рки и стара́ется не упасть. Ско́рость всё прибавля́ется, ма́льчик вот-во́т упадёт, а тре́нер негро́мко говори́т: «Сме́ло! Сме́ло! Сме́ло!» Малы́ш всё-таки па́дает. Тре́нер ждёт, пока́ тот поднима́ется, дру́жески улыба́ется своему́ ученику́ и повторя́ет сно́ва: «Сме́ло, малы́ш, сме́ло!» И сно́ва ма́льчик е́дет вниз, па́дает, поднима́ется, смо́трит на тре́нера. Сно́ва тот дру́жески улыба́ется ему́ и повторя́ет своё еди́нственное: «Сме́ло!»

А когда́ ма́льчик съехал вниз и останови́лся, сия́ющий и го́рдый, тре́нер улыбну́лся и сказа́л: «Молоде́ц!» – и дал ему́ конфе́ту.

– На, держи́!
– Спаси́бо!
– Ты хорошо́ е́здишь, я дово́лен тобо́й!
– Я могу́ съехать ещё раз.
– Зна́ю.
– Мо́жно?
– Иди́.

И малы́ш сме́ло пое́хал вниз.

Пото́м съезжа́ла де́вочка лет пяти́. Она́ упа́ла и запла́кала. Тре́нер подъе́хал к ней и протяну́л па́лку. Де́вочка подняла́сь, и они́ пое́хали вниз вме́сте.

– Пое́дешь ещё раз? – спроси́л внизу́ тре́нер.
– С ва́ми?
– Нет.
– Одна́?
– Коне́чно.

Де́вочка закры́ла глаза́.

– Бои́шься?
– Да.
– А чего́ ты бои́шься?
– Я бою́сь сно́ва упа́сть.
– Тебе́ бы́ло бо́льно, когда́ ты упа́ла?

Де́вочка улыбну́лась сквозь слёзы:

– Нет, мне не́ было бо́льно.
– Вот ви́дишь. . .

И де́вочка пое́хала вниз. А тре́нер стал негро́мко повторя́ть:
– Сме́ло! Сме́ло! Сме́ло!

И мне вдруг о́чень захоте́лось, что́бы сквозь всю мою́ жизнь шёл вот тако́й же си́льный и споко́йный тре́нер и повторя́л своё сло́во. Оно́ о́чень ну́жно и старика́м и де́тям.

По. Ю. Семёнову

улыбну́ться сквозь слёзы to smile through tears

Мне о́чень захоте́лось, что́бы сквозь всю мою́ жизнь шёл вот тако́й же си́льный тре́нер.	I wanted very much that as long as I lived I should be accompanied by a coach as strong as that one.

Задание к тексту

1. Расскажи́те исто́рию, кото́рую вы прочита́ли.
2. Как вы ду́маете, почему́ а́втор захоте́л, что́бы тако́й челове́к, как тре́нер, был всегда́ ря́дом с ним?
3. Како́е ка́чество в челове́ке вы счита́ете са́мым ва́жным? Есть ли э́то ка́чество у ва́шего дру́га?
4. Прочита́йте посло́вицы и афори́змы о дру́жбе. Найди́те на ва́шем языке́ аналоги́чные посло́вицы и афори́змы, переведи́те их на ру́сский язы́к.

Дру́га ищи́, а найдёшь – береги́.
Скажи́ мне, кто твой друг, и я скажу́ тебе́, кто ты.
Друзья́ познаю́тся в беде́.
Не име́й сто рубле́й, а име́й сто друзе́й.
Для дру́жбы нет рассто́яний. (*Инди́йская му́дрость*)
С лука́вым дру́гом не переезжа́й реки́. (*Кита́йская му́дрость*)
Друзья́ на́ших друзе́й – на́ши друзья́. (*Францу́зская посло́вица*)
«Лу́чшее, что есть в жи́зни челове́ка – это́ его́ дру́жба с други́ми людьми́». *Авраа́м Ли́нкольн*
«Дру́жба конча́ется там, где начина́ется недове́рие». *Сене́ка*

UNIT 31

Новогóдняя ёлка

Preparation for Reading

знакóмые *pl.* acquaintances
ёлка New Year tree

* * *

встречáть (встрéтить) Нóвый год to see the New Year in

ДИАЛОГ

Тáня: Олéг, я получи́ла письмó из Ленингрáда от Ни́ны.

Олéг: Что онá пи́шет?

Тáня: Пи́шет, что былá óчень занятá, поэ́тому дóлго не писáла. Поздравля́ет нас с наступáющим Нóвым гóдом, спрáшивает, не смóжем ли мы приéхать на прáздники. Вот читáй: «Если смóжете, приезжáйте к нам на Нóвый год, мáма с пáпой бýдут óчень рáды».

Олéг: Напиши́, что в э́том годý мы не смóжем приéхать, а на слéдующий год проведём у них часть кани́кул: похóдим в теáтры, музéи.

Тáня: Писáть, пожáлуй, ужé пóздно, я зáвтра позвоню́ ей. А знáешь, Натáша тóже приглашáет нас встречáть Нóвый год.

Она́ приглаша́ет нас за́ город. Они́ с друзья́ми хотя́т встре́тить Но́вый год в лесу́ с настоя́щей ёлкой.

Оле́г: Ну что ж, хорошо́. Утром мо́жно бу́дет поката́ться на лы́жах.

Задание к тексту

Како́е письмо́ и от кого́ получи́ли Оле́г и Та́ня? Кто ещё приглаша́ет их на Но́вый год? Как они́ реши́ли встре́тить Но́вый год?

Preparation for Reading

новогóдний New Year
родны́е *(pl.)* relations
наря́дный brightly decorated
си́мвол symbol
издава́ть / изда́ть *что?* to publish
ука́з decree
украша́ть / укра́сить *что? чем?* to decorate
ело́вый fir, of a fir-tree
сосно́вый pine, of a pine-tree
ве́тка branch
весе́лье merry-making
стреля́ть to fire
пу́шка gun, cannon
устра́ивать / устро́ить *что?* to organise
фейерве́рк fireworks
ро́вно exactly, sharp
бой chimes
план plan
наде́жда hope
добыва́ть / добы́ть *что?* to get
до́брый kind
ум intellect
дёшево cheaply
недёшево not cheaply
до́рого dearly

* * *

по прика́зу кого́-либо by order of smb.
в знак весе́лья as a sign of rejoicing
Кремлёвские кура́нты (the chimes of) the Kremlin clock

ТЕКСТ

О на́шей ёлке

Давно́ ста́ло тради́цией в новогóднюю ночь с три́дцать пе́рвого декабря́ на пе́рвое января́ приглаша́ть в го́сти родны́х и друзе́й. За пра́здничным столо́м в ко́мнате с наря́дной ёлкой встреча́ем мы Но́вый год.

Почему́ си́мволом новогóднего пра́здника ста́ла у нас ёлка?

Две́сти девяно́сто пять лет наза́д ру́сский царь Пётр I изда́л специа́льный ука́з о новогóднем пра́зднике. По прика́зу Петра́ пе́рвого января́ 1700 го́да все должны́ бы́ли укра́сить дома́ ело́выми и сосно́выми ве́тками и «в знак весе́лья» обяза́тельно поздра́вить друг дру́га с Но́вым го́дом.

В Москве́ в э́тот день стреля́ли из пу́шек, на у́лицах и площадя́х устра́ивали фейерве́рки.

С тех по́р мы встреча́ем Но́вый год с наря́дной весёлой ёлкой.

В новогóднюю ночь ро́вно в 12 часо́в по ра́дио и телеви́дению трансли́руют бой Кремлёвских кура́нтов. Именно в э́ти мину́ты прихо́дит Но́вый год.

Но́вый год – э́то но́вые пла́ны и наде́жды.

С Но́вым го́дом! С но́вым сча́стьем, друзья́!

Пусть ка́ждый день и ка́ждый час
Вам но́вое добу́дет.
Пусть до́брым бу́дет ум у ва́с,
А се́рдце у́мным бу́дет.
Вам от души́ жела́ю я,
Друзья́, всего́ хоро́шего.
А всё хоро́шее, друзья́,
Даётся нам недёшево.

С. Марша́к

Зна́ете ли вы, что е́сли лете́ть с восто́ка на́шей страны́ на за́пад, мо́жно встре́тить Но́вый год 11 раз, та́к как по террито́рии СССР прохо́дит 11 часовы́х поясо́в.

Задание к тексту

1. Расскажи́те, как встреча́ют Но́вый год в СССР? Почему́ си́мволом Ново-го́днего пра́здника ста́ла ёлка?
2. Когда́ (в како́й день како́го ме́сяца) в ва́шей стране́ встреча́ют Но́вый год? Как встреча́ют Но́вый год в ва́шей стране́? Како́е де́рево у вас си́мвол Новаго́д-него пра́здника и почему́?
3. Расскажи́те, как вы встреча́ли Но́вый год в про́шлом году́ и как хоти́те встре́тить Но́вый год сейча́с?
4. Что вы зна́ете о новаго́дних тради́циях други́х стран?

GRAMMAR

Direct and Indirect Speech

Direct Speech	Indirect Speech
1. Он спроси́л меня́: «Куда́ ты идёшь?» He asked me, "Where are you going?"	1. Он спроси́л меня́, куда́ я иду́. He asked me where I was going.
2. Он спроси́л меня́: «Ты пой-дёшь в теа́тр?» He asked me, "Will you go to the theatre?"	2. Он спроси́л меня́, пойду́ ли я в теа́тр. He asked me whether I would go to the theatre.
3. Он сказа́л мне́: «Сего́дня я приду́ к тебе́». He said to me, "I'll come to see you today."	3. Он сказа́л мне, что сего́д-ня он придёт ко мне. He told me that he would come to see me that day.
4. Он сказа́л мне: «Купи́ мне э́ту кни́гу». He said to me, "Buy me that book."	4. Он сказа́л мне, что́бы я купи́л ему́ э́ту кни́гу. He told me to buy him that book.

1. If the direct speech is a question with an interrogative word, this word is retained in the indirect speech.

Мы спроси́ли его́: «Где ты живёшь?»

Мы спроси́ли его́, где он живёт.

2. If the direct speech is a question without an interrogative word, the indirect speech will include the interrogative particle **ли,** which is always placed immediately after the word containing the question.

Я спроси́л её: «Ты зна́ешь его́ а́дрес?»

Я спроси́л её, зна́ет ли она́ его́ а́дрес.

3. If the direct speech is a communication, the indirect speech is introduced by the conjunction **что.**

Он сказа́л: «Я получи́л письмо́ от сестры́».

Он сказа́л, что он получи́л письмо́ от сестры́.

4. If the direct speech is a command, wish, request or advice, the indirect speech is introduced by the conjunction **что́бы.**

Он сказа́л мне: «Возьми́ э́тот журна́л!»

Он сказа́л мне, что́бы я взял э́тот журна́л.

The Use of Pronouns in Direct and Indirect Speech

Direct speech	Indirect speech
Он спроси́л **меня́:** «Куда́ **ты** идёшь?»	**Он** спроси́л **меня́,** куда́ **я** иду́.
Он сказа́л **мне:** «Сего́дня **я** приду́ **к тебе́**».	**Он** сказа́л **мне́,** что сего́дня **он** придёт **ко мне́.**

Verb Groups

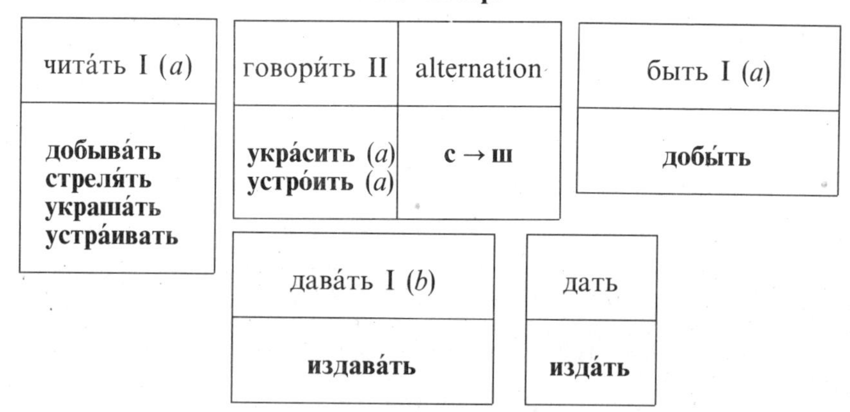

чита́ть I (*a*)
добыва́ть
стреля́ть
украша́ть
устра́ивать
говори́ть II
alternation
украсить (*a*)
устро́ить (*a*)
с → ш
быть I (*a*)
добы́ть
дава́ть I (*b*)
издава́ть
дать
изда́ть

EXERCISES

I. (a) Read through the text, noting the use of the direct and indirect speech. (b) Retell the text in the 3rd person.

Учи́тельница Аста

Ка́ждое у́тро ко мне́ прихо́дит учи́тельница Аста. Она́ у́чит меня́ эсто́нскому (Estonian) языку́. Я уже́ мно́го лет живу́ в

Та́ллинне[1], но по-эсто́нски (in Estonian) могу́ сказа́ть то́лько: «До́брое у́тро!» и́ли «Сего́дня я не пригото́вил уро́к». Учи́тельница Аста ча́сто говори́т мне, что сты́дно не зна́ть языка́ наро́да, с кото́рым живёшь. Но мне уже́ не два́дцать лет, и учи́ть язы́к для меня́ совсе́м не легко́. Ита́к, мы начина́ем уро́к.

– Экску́рсия по го́роду,– говори́т Аста,– мы в па́рке Кадрио́рг[2]. Я тури́стка, хочу́ познако́миться с ва́шим го́родом. Расска́зывайте.

– Парк большо́й,– начина́ю я,– весно́й дере́вья в нём зелёные. Недалеко́ Балти́йское мо́ре.

– Пло́хо,– говори́т Аста,– э́то вы зна́ли уже́ полго́да наза́д. Уйдём из па́рка. Сейча́с мы в магази́не. Вы хоти́те купи́ть ме́бель для но́вой кварти́ры. Я продаве́ц.

– Мне нужна́ кни́жная по́лка,– говорю́ я.

– Кни́жных по́лок нет,– отвеча́ет Аста,– но, мо́жет быть, вам нужны́ кре́сла? У нас есть о́чень хоро́шие кре́сла.

– Нет, кре́сло мне не ну́жно,– отвеча́ю я и ду́маю: «А что мне ну́жно? А ну́жно мне с тако́й де́вушкой, как Аста, пойти́ в парк Кадрио́рг», но сказа́ть э́то я не могу́ и продолжа́ю на плохо́м эсто́нском объясня́ть, каку́ю ме́бель я хочу́ купи́ть.

II. Insert the word **что** or **что́бы.**

1. Ро́дители написа́ли, ... на пра́здники они́ прие́дут в Москву́. 2. Роди́тели написа́ли, ... Та́ня с Оле́гом на пра́здники прие́хали к ним. 3. Они́ сказа́ли, ... обяза́тельно прие́дут в Сиби́рь ещё раз. 4. Они́ сказа́ли, ... мы обяза́тельно побыва́ли в Сиби́ри. 5. Тури́сты удиви́лись, ... сиби́рские учёные бы́ли в ле́тних костю́мах. 6. Хозя́ева го́рода хоте́ли, ... го́сти познако́мились с их го́родом.

III. Insert the word **ли** or **е́сли.**

1. Они́ спроси́ли, хо́лодно ... здесь зимо́й. 2. ... вы побыва́ете ле́том на ю́ге Сиби́ри, вам там о́чень понра́вится. 3. Зна́ете ... вы, что по террито́рии СССР прохо́дит 11 часовы́х поясо́в. 4. ... вы лети́те с восто́ка на за́пад СССР, вы мо́жете встре́тить Но́вый год 11 раз. 5. Не хо́чешь ... ты пое́хать на экску́рсию? 6. ... ты хо́чешь посмотре́ть ста́рые ру́сские города́, ты мо́жешь пое́хать с на́ми. 7. Он спроси́л, знаю ... я её а́дрес. 8. ... ты зна́ешь а́дрес Ната́ши, дай мне, пожа́луйста.

IV. Answer the questions, as in the model.

Model: *Андре́й спроси́л Ни́ну: «Когда́ ты была́ на э́той вы́ставке?»*
– О чём Андре́й спроси́л Ни́ну?
– Он спроси́л её, когда́ она́ была́ на э́той вы́ставке.

---

[1] Та́ллинн, Tallinn, the capital of Estonia (the Estonian Soviet Socialist Republic), situated on the Baltic Sea coast.

[2] Кадрио́рг, Kadriorg, a park on the Baltic Sea coast, a few miles from the centre of Tallinn.

1. Врач спроси́л Та́ню: «Как вы себя́ чу́вствуете?» – Что спроси́л врач? 2. Джон спроси́л: «Когда́ прилета́ет Андре́й?» – Что спроси́л Джон? 3. Ни́на спроси́ла: «Что за́втра идёт в теа́трах?» – Что спроси́ла Ни́на? 4. Оле́г спроси́л меня́: «Како́й экза́мен ты сдаёшь в сре́ду?» – О чём спроси́л Оле́г? 5. Джон спроси́л де́вушек: «Как вы собира́етесь провести́ пра́здники?» – О чём спроси́л Джон? 6. Я спроси́л Та́ню: «Где ты реши́ла встреча́ть Но́вый год?» – О чём вы спроси́ли Та́ню?

V. Answer the questions, as in the model.

(a) Model: *Та́ня сказа́ла: «Мы хоти́м встреча́ть Но́вый год в лесу́».*
– Что сказа́ла Та́ня?
– Та́ня сказа́ла, что они хотя́т встреча́ть Но́вый год в лесу́.

(b) Model: *Оле́г попроси́л Та́ню: «Позвони́ мне».*
– О чём попроси́л Оле́г?
– Оле́г попроси́л Та́ню позвони́ть ему́.

(c) Model: *Оле́г сказа́л Та́не: «Позвони́ мне».*
– Что сказа́л Оле́г?
– Оле́г сказа́л Та́не, что́бы она́ позвони́ла ему́.

1. Джон сказа́л: «Я хочу́ посла́ть домо́й письмо́ и бандеро́ль».– Что сказа́л Джон? 2. Брат написа́л мне: «Я был о́чень занят».– О чём написа́л брат? 3. Сестра́ Ни́ны пи́шет ей: «Твоё письмо́ получи́ла».– О чём пи́шет сестра́ Ни́ны? 4. Сестра́ про́сит: «Переда́й приве́т Та́не».– О чём про́сит сестра́? 5. Оле́г сказа́л Джо́ну: «Мне нра́вятся стихи́ Гамза́това».– Что сказа́л Оле́г? 6. Оле́г сказа́л Джо́ну: «Прочита́й его́ стихи́».– Что сказа́л Оле́г?

VI. Read through the dialogues. Answer the questions.

Model: *Ни́на: Андре́й, ты свобо́ден сего́дня?*
Андре́й: Да, свобо́ден.
– Что спроси́ла Ни́на?
– Ни́на спроси́ла, свобо́ден ли сего́дня Андре́й.
– Что отве́тил Андре́й?
– Андре́й отве́тил, что он свобо́ден.

1. Та́ня: Оле́г, вече́рние газе́ты уже́ бы́ли?
Оле́г: Нет, ещё не́ было.
Что спроси́ла Та́ня? Что отве́тил Оле́г?

2. Оле́г: Та́ня, позвони́ в спра́вочное бюро́.
Та́ня: Я уже́ позвони́ла.
О чём попроси́л Оле́г Та́ню? Что отве́тила Та́ня?

3. Ната́ша: Ни́на, ты давно́ око́нчила институ́т?
Ни́на: Два го́да наза́д.
Что спроси́ла Ната́ша! Что отве́тила Ни́на?

4. Оле́г: Джон, ты уме́ешь ката́ться на лы́жах?
Джон: Умею.
О чём спроси́л Оле́г? Что отве́тил Джон?

5. Андре́й: Джон, ты пое́дешь домо́й на зи́мние кани́кулы?
Джон: Ещё не реши́л.
Что спроси́л Андре́й? Что отве́тил Джон?

6. Ми́ша: Оля, э́та статья́ тру́дная?
Оля: Очень, помоги́ мне, пожа́луйста, перевести́ статью́.
О чём спроси́л Ми́ша? Что отве́тила Оля? О чём попроси́ла Оля?

VII. (a) Change the sentences, as in the model.

Model: *Он дал вам мой телефо́н?*
Дал ли он вам мой телефо́н?

1. Вы посла́ли телегра́мму роди́телям? 2. Вы зна́ете его́ а́дрес? 3. Вы пришлёте мне э́ти кни́ги? 4. Он говори́л вам об э́том? 5. Вы смо́жете прочита́ть его́ статью́? 6. Вы по́мните, что за́втра у на́с собра́ние?

(b) Answer the questions, as in the model.

Model: – *Вы пойдёте за́втра в музе́й?*
– *Пойдём ли мы в музе́й, не зна́ю.*

1. Вы́ставка Ре́риха уже́ откры́лась? 2. Этот фильм идёт в на́шем кинотеа́тре? 3. Он уже́ верну́лся из о́тпуска? 4. Он сдал зачёт по матема́тике? 5. Заня́тия у них уже́ ко́нчились? 6. Столо́вая уже́ закры́лась?

VIII. Answer the questions, as in the model.

Model: – *Оле́г спра́шивает, прие́дешь ли ты за́втра?*
– *Скажи́ ему́, что я обяза́тельно прие́ду.*

1. Та́ня спра́шивает, позвони́шь ли ты? 2. Ни́на спра́шивает, пригласи́шь ли ты Ната́шу? 3. Оля спра́шивает, дашь ли ты ей э́тот журна́л? 4. Та́ня спра́шивает, встре́тишь ли ты её? 5. Джон спра́шивает, помо́жешь ли ты ему́ пригото́вить зада́ния? 6. Олег спра́шивает, вы́ступишь ли ты на конфере́нции?

IX. Read through the dialogue.

Андре́й: Ни́на, до́брый ве́чер! Давно́ тебя́ не ви́дел. Где ты была́? Уезжа́ла?
Ни́на: Нет, сдава́ла экза́мены. Ка́ждый день занима́лась в чита́льном за́ле с утра́ до ве́чера. Вчера́ сдала́ после́дний экза́мен.
Андре́й: А ско́лько экза́менов бы́ло?
Ни́на: Три. Са́мый тру́дный для меня́ был англи́йский, ведь в шко́ле я учи́ла францу́зский.
Андре́й: А как сдала́ англи́йский?

Ни́на: Сдала́ на пять.
Андре́й: Молоде́ц? Тепе́рь ты свобо́дна?
Ни́на: Да.
Андре́й: Не хо́чешь ве́чером пойти́ со мно́й на конце́рт?
Ни́на: С удово́льствием!

Turn the dialogue into a monologue, retelling it: (a) in the 3rd person, (b) as Nina would tell it, (c) as Andrei would tell it.

(a) Model: *Андре́й встре́тился с Ни́ной и спроси́л её, где она́ была́ ...*

(b) Model: *Я встре́тила Андре́я. Он спроси́л меня́, где я была́ ...*

(c) Model: *Я встре́тил Ни́ну и спроси́л её, где она́ была́ ...*

X. Make up dialogues, using these words and phrases:

(a) **брат, сестра́, роди́тели, друзья́, Ни́на, Андре́й;**
(b) **Но́вый год, зи́мние кани́кулы, о́тпуск, ле́то, э́то воскресе́нье.**

(a) Model: – *Переда́йте приве́т и поздравле́ния ва́шей жене́!*
– *Спаси́бо! Обяза́тельно переда́м.*

(b) Model: – *Как вы собира́етесь провести́ пра́здники?*
– *Ещё не реши́л.*

XI. 1. You want to wish your friend many happy returns of the day and much happiness, good health and success. Say it in Russian.
2. Wish your friend a Happy New Year (a) by telephone; (b) in a short letter.

XII. A holiday is approaching. How and where are you going to spend it? Speak about your plans with your friend.
Invite him (her) to spend the holiday with you.
Make up a dialogue on this topic.

XIII. Complete the sentences, as in the model.

Model: *Ско́ро новогóдний пра́здник. Мы гото́вимся к новогóднему пра́зднику. Мы пригласи́ли друзе́й на новогóдний пра́здник.*

1. На пра́здники к на́м прие́дут **родны́е и знако́мые.** Мы пригласи́ли на пра́здники .... Мы поздра́вили с пра́здником .... Мы встреча́ли Но́вый год с .... Мы купи́ли новогóдние пода́рки .... 2. У нас начина́ются **экза́мены.** Вчера́ преподава́тель расска́зывал нам .... Мы мно́го рабо́таем, гото́вимся .... Я ду́маю, мы хорошо́ сдади́м .... Мы хоти́м пое́хать в Ленингра́д по́сле .... 3. Ско́ро **зи́мние кани́кулы.** Я до́лжен сдать экза́мен по ру́сскому языку́ до .... Мы с това́рищем пое́дем в Ки́ев во вре́мя .... 4. Я пло́хо зна́ю **но́вые райо́ны** Москвы́. В Москве́ мно́го .... Мно́гие мои́ друзья́ живу́т .... Я попроси́л това́рища рассказа́ть мне ....

XIV. Read through the text. (a) Retell it, using verbs of the appropriate aspect. (b) Retell the text in the 3rd person.

Новогóдний вéчер

Вечéрние ýлицы Москвы́. На ýлицах, в магази́нах мнóго людéй. Все (спеши́ть – поспеши́ть), спешý и я. Мне ещё мнóго нýжно (дéлать – сдéлать): купи́ть торт, сыр и конфéты. Потóм я дóлжен (звони́ть – позвони́ть) Андрéю и (говори́ть – сказáть) емý, где мы встрéтимся. В 8 часóв мы éдем зá город к Натáше встречáть Нóвый год. Но сначáла я хочý (посылáть – послáть) телегрáмму домóй, (поздравля́ть – поздрáвить) всех с прáздником и (писáть – написáть), что в зи́мние кани́кулы я обязáтельно приéду. А врéмя идёт, скóро 6 часóв. Идý на пóчту, потóм в магази́н.

Ну вот, кáжется, я всё (дéлать – сдéлать): телегрáмму (посылáть – послáть), продýкты (покупáть – купи́ть). Ах, да, (забывáть – забы́ть) позвони́ть Андрéю. Звоню́ Андрéю, но егó нет дóма. Сестрá говори́т, что он ужé (éхать – поéхать) ко мнé в общежи́тие и бýдет (ждать – подождáть) меня́ там. Ну что ж, хорошó, éду в общежи́тие.

Ⓢ ЧИТАЙТЕ СО СЛОВАРЁМ

Легéнда о мáтери

В дáвние временá, таки́е дáвние, что их не пóмнят дáже сáмые стáрые лю́ди, когдá большáя и дóбрая рекá Яна возвращáла стáрым лю́дям мóлодость, в однóй дерéвне жилá дéвушка, котóрую звáли Лáна. Онá былá сáмой краси́вой дéвушкой дерéвни. Никтó не мóг петь и танцевáть лýчше, чем Лáна.

Однáжды, когдá Лáна сéла отдохнýть пóсле тáнца, к ней подошлá стáрая Огдó.

– Ты смеёшься, Лáна,– сказáла Огдó,– конéчно, ты молодá и краси́ва. Но не всегдá бýдет так. Я тóже былá краси́вой. Пройдýт гóды, и твои́ тёмные вóлосы стáнут седы́ми, чёрные глазá потеря́ют блеск, ты бýдешь такóй, как я сейчáс: стáрой и некраси́вой.

Лáна вéсело рассмея́лась.

– Но ведь у нáс есть дóбрая рекá Яна, котóрая мóжет вернýть мóлодость. И ты тóже пóльзовалась её добротóй.

– Да,– отвéтила Огдó,– я ужé прожилá свою́ вторýю мóлодость, а Яна дáрит её тóлько оди́н раз.

– Лáна! Ого-óо! Лáна! – Это звал дéвушку сáмый краси́вый и сáмый смéлый ю́ноша дерéвни Нюргýн.

Вскóре Лáна стáла женóй Нюргýна. Тепéрь онá ужé не танцевáла в кругý подрýг. Нé было врéмени. С утрá до нóчи муж и женá рабóтали. У Лáны бы́ло шесть детéй. Но стáршие сыновья́ ýмерли от тяжёлой болéзни, два сы́на поги́бли в тайгé, одногó унеслá рекá и остáлся тóлько млáдший сын. Лáна óчень люби́ла егó.

Однáжды Нюргýн не вернýлся из тайги́. С тех пóр Лáна рабóтала однá.

Бы́стро и незаме́тно пришла́ к Ла́не ста́рость. Чёрные во́лосы её поседе́ли, глаза́ потеря́ли блеск.

«Ско́ро я пойду́ к реке́ Яне и попрошу́ её верну́ть мне мо́лодость,– ду́мала Ла́на.– Я скажу́ ей, как нелегка́ моя́ жизнь. Скажу́ ей, как хочу́, что́бы мой сын уви́дел меня́ тако́й, како́й я была́ ра́ньше. Он полю́бит ещё бо́льше молоду́ю и краси́вую мать».

Когда́ сы́ну испо́лнилось шесть лет, Ла́на ста́ла собира́ться в доро́гу.

– Ты ухо́дишь, ма́ма?– с удивле́нием спроси́л ма́льчик.– И меня́ не берёшь с собо́й?

– Нет, на э́тот раз не смогу́, сыно́к. Но ты жди, я ско́ро верну́сь.

– Я бу́ду ждать тебя́ под де́ревом, ма́ма.

Тру́дной была́ доро́га к реке́: Ла́на шла че́рез ту́ндру и тёмную тайгу́, но́ги её уста́ли и боле́ли. Но вот, наконе́ц, перед не́й заблесте́ла огро́мная река́. Ла́на ме́дленно вошла́ в во́ду.

– О, до́брая река́, вы́слушай меня́. Посмотри́ на мои́ седы́е во́лосы, на мои́ поту́хшие от слёз глаза́ и подари́ мне мо́лодость!

Река́ Яна вдруг зашуме́ла и высоко́ подняла́ зелёные во́лны, а че́рез мину́ту на бе́рег вы́шла ю́ная краса́вица.

– Благодарю́ тебя́, Яна! Благодарю́ вас, зелёные во́лны!– воскли́кнула Ла́на. Она́ бро́сила па́лку, с кото́рой пришла́ к реке́, и легко́ побежа́ла к дере́вне.

Около де́рева сиде́л её сын.

– Сын мой! Сын мой!– Ма́льчик бро́сился навстре́чу ма́тери.

– Ма́ма! Ма́ма!

Но тут он останови́лся.

– Я ду́мал, э́то моя́ ма́ма...

– Это я, сыно́к. Ты не узна́л свою́ ма́му?

Ма́льчик гро́мко запла́кал.

– Уходи́! Я не зна́ю тебя́! Моя́ ма́ма была́ са́мая краси́вая на све́те. У неё бы́ли таки́е бе́лые во́лосы.

– Не плачь, сыно́к, пове́рь, я твоя́ ма́ма. До́брая река́ Яна верну́ла мне мо́лодость. Ра́зве ты не ра́д, что я опя́ть ста́ла молодо́й?

Но сын не хо́тел смотре́ть на неё, он пла́кал.

Бо́льно ста́ло ма́тери, ведь то́лько для сы́на хоте́ла она́ вновь стать молодо́й и краси́вой.

И Ла́на сно́ва пошла́ туда́, где текла́ река́ Яна. Сно́ва день и ночь она́ шла че́рез ту́ндру и тайгу́. Сно́ва пришла́ она на бе́рег реки́ и ме́дленно вошла́ в зелёную во́ду.

– Благодарю́ тебя́, о вели́кая река́, за басце́нный дар мо́лодости!– ти́хо сказа́ла Ла́на.– Но я возвраща́ю тебе́ его́. Любо́вь ребёнка доро́же красоты́ и мо́лодости. О река́, прости́ меня́, но то́лько сде́лай пре́жней ста́рой Ла́ной!..

Потемне́ла река́ Яна, зашуме́ли и подняли́сь её во́лны, а когда́ во́лны ушли́, посреди́ реки́ стоя́ла ста́рая седа́я же́нщина.

– Благодарю́ тебя́, о река́! – сказа́ла Ла́на и ме́дленно пошла́ к дере́вне.

Когда́ она́ верну́лась в дере́вню, навстре́чу ей вы́бежал ра́достный сын:

– Ма́ма! Как до́лго тебя́ не́ было!

– Сын, – ти́хо сказа́ла Ла́на. – Сын мой!

С той поры́ река́ Яна никому́ не возвраща́ла мо́лодость.

бесце́нный дар мо́лодости priceless gift of youth

Задание к тексту

1. Расскажи́те леге́нду о ма́тери.
2. В чём смысл э́той леге́нды?
3. Каки́е леге́нды ва́шего наро́да о ма́тери вы зна́ете? Расскажи́те их.
4. Прочита́йте отры́вки из стихотворе́ний о ма́тери.

Я по́мню ру́ки ма́тери мое́й,
Хоть нет её, давно́ уж нет на све́те.
Я рук не зна́л нежне́е и добре́й,
чем жёсткие, мозо́листые э́ти. (...)
Я по́мню ру́ки ма́тери мое́й,
И я хочу́, чтоб повторя́ли де́ти:
«Натру́женные ру́ки матере́й,
Святе́е вас нет ничего́ на све́те!»

Н. Рыле́нков

... Бу́дут плыть корабли́ в белизну́ марсиа́нских море́й.
Бу́дет жизнь бушева́ть. Ка́ждым а́томом. Жи́лкою ка́ждой.
А тебя́ уже́ нет. Ты уже́ не откро́ешь двере́й ...
Лю́ди! Бра́тья мои! Береги́те свои́х матере́й!
Настоя́щая мать челове́ку даётся одна́жды.

С. Острово́й

5. Подбери́те стихи́, посло́вицы, афори́змы о ма́тери. Переведи́те их на ру́сский язы́к.
6. Напиши́те сочине́ние, эпи́графом к кото́рому мо́жно бы́ло бы взять о́дин из афори́змов о ма́тери.

«Нет ничего́ святе́е и бескоры́стнее любви́ ма́тери». *В. Бели́нский*
«Сло́во ма́ма ... вели́кое сло́во челове́чье!» *Т. Шевче́нко*

UNIT 32

Preparation for Reading

фило́лог philologist
экономи́ст economist
нау́чный scientific
популя́рный popular
нау́чно-популя́рный popular-science
биоло́гия biology
хи́мия chemistry
интересова́ть / **заинтересова́ть** *кого́? чем?* to interest
предме́т subject
ме́ньше less, not so much (as)
чем than
учи́ть / **научи́ть** *кого́? чему́? что де́лать?* to teach

* * *

выска́зывание opinion
обяза́тельный indispensable
ка́чество quality
ра́достный joyous
ра́достен (is) joyous
несомне́нно undoubtedly
ну́жный necessary, needed
ну́жен (is) necessary, (is) needed
цель *f.* goal
оставля́ть *что?* / **оста́вить** *кого́?* to leave
согла́сен *с кем? с чем?* (one) agrees

* * *

кни́га book
уче́бник по биоло́гии (по фи́зике, по хи́мии) textbook of biology (physics, chemistry)
ле́кция lecture
бо́льше всего́ most of all

ДИАЛОГ

О л е́ г: Джон, почему́ ты вы́брал специа́льность био́лога? У тебя́ в семье́ есть био́логи?

Д ж о н: Нет, ма́ма и сестра́ – фило́логи, оте́ц – экономи́ст. Но у на́с в семье́ все о́чень лю́бят нау́чно-популя́рную литерату́ру. Роди́тели всегда́ покупа́ли нам с сестро́й популя́рные кни́жки по биоло́гии, хи́мии, фи́зике. Сейчас я да́же не по́мню, когда́ и́менно биоло́гия ста́ла интересова́ть меня́ бо́льше други́х предме́тов. А в колле́дже мне повезло́: у на́с был о́чень хоро́ший преподава́тель по биоло́гии. Пожа́луй, э́то был мой са́мый люби́мый преподава́тель. Никто́ не мо́г лу́чше и интере́снее объясни́ть свой предме́т.

О л е́ г: А мне тру́дно бы́ло выбра́ть специа́льность. В шко́ле я люби́л мно́гие предме́ты. Литерату́ру, наприме́р, люби́л не ме́ньше, чем биоло́гию.

Д ж о н: А всё-таки стал био́логом.

О л е́ г: Мо́жет быть, потому́ что учи́лся в кла́ссе, где биоло́гию преподава́ла ма́ма. Из на́шего кла́сса 10 челове́к ста́ли био́логами. Ма́ма суме́ла научи́ть нас люби́ть свой предме́т.

Задание к тексту

1. Каку́ю специа́льность вы вы́брали и почему́? Расскажи́те о ва́шей бу́дущей специа́льности. Что в ва́шей специа́льности вам нра́вится бо́льше всего́?

2. Прочита́йте выска́зывания о специа́льности врача́ и учи́теля, о ро́ли труда́ челове́ка:

«Врач и учи́тель – две профе́ссии, в кото́рых любо́вь к лю́дям – обяза́тельное ка́чество». *Н. Амо́сов*

«Рабо́та то́лько тогда́ ра́достна, когда́ она́ несомне́нно нужна́». *Л. Толсто́й*

«Не прекра́сна ли цель: рабо́тать для того́, что́бы оста́вить по́сле себя́ люде́й бо́лее счастли́выми, чем бы́ли мы». *Ш. Монтескье́*

Согла́сны ли вы с э́тими выска́зываниями?

3. Что в труде́ челове́ка вы счита́ете са́мым гла́вным?

Preparation for Reading

в старину́ in olden times
злой wicked
прогоня́ть / прогна́ть *кого́? куда́? отку́да?* to drive away
темно́ (is) dark
луч ray
проника́ть / прони́кнуть *куда́?* to penetrate, to come through
велика́н giant
отдава́ть / отда́ть *что? кому́?* to give
свобо́да freedom
проходи́ть *что? сквозь что?* / **пройти́** *че́рез что́?* to go through
сквозь *что?* through
спаса́ть / спасти́ *кого́? что?* to save
напра́сно for nothing
о́пыт experience
о́пытный experienced
нео́пытный inexperienced
гроза́ thunderstorm
шуме́ть to rustle
зашуме́ть to begin rustling
пуга́ться / испуга́ться *чего́? кого́?* to be frightened
шум noise
уста́лый tired
суди́ть to try
погиба́ть / поги́бнуть to die
зверь *m.* animal, beast
горе́ть to burn
вы́рвать *что?* to tear out
высоко́ high
поднима́ть / подня́ть *что? кого́?* to raise
я́рко brightly
я́ркий bright
я́рче more brightly
молча́ть to be silent
замолча́ть to become silent
фа́кел torch
держа́ть *что?* to hold
освеща́ть *что? чем?* to light
освети́ть to light up
впереди́ in front
блесте́ть to glisten
го́рдый proud
краса́вец handsome man
смея́ться to laugh
засмея́ться to burst out laughing
па́дать / упа́сть *куда́?* to fall

* * *

смысл meaning, message
бли́зкий close
годи́ться *для кого́? для чего́?* to be suitable
со́бственный one's own
приме́р example
сомоотве́рженность selflessness
отры́вок excerpt
поса́женный planted
остава́ться / оста́ться *где? с кем?* to be left
сыни́шка sonny
не́что something
везде́ everywhere
мысль *f.* thought
воспомина́ние memory
чу́вство feeling
кусо́к piece
отноше́ние *к кому́? к чему́?* attitude

* * *

горе́ть жела́нием что́-либо сде́лать to burn with the desire to do smth.
фа́кел любви́ torch of love
приводи́ть (привести́) приме́р to give an example

24–1350

ТЕКСТ

Се́рдце Да́нко

Жи́ли на земле́ в старину́ одни́ лю́ди. Это бы́ли весёлые, си́льные и сме́лые лю́ди. Но вот наступи́ло для ни́х тяжёлое вре́мя. Пришли́ одна́жды си́льные и злы́е враги́ и прогна́ли э́тих люде́й далеко́ в лес. Там бы́ло хо́лодно и темно́, и лучи́ со́лнца не проника́ли туда́.

Тогда́ ста́ли пла́кать же́нщины и де́ти, а мужчи́ны ста́ли ду́мать, как вы́йти из ле́са. Для э́того бы́ли две доро́ги: одна́ – назад – там бы́ли си́льные и злы́е враги́, друга́я – вперёд – там стоя́ли дере́вья-велика́ны. До́лго ду́мали лю́ди и уже́ хоте́ли идти́ к врагу́ и отда́ть ему́ свою́ свобо́ду. Но тут оди́н сме́лый ю́ноша, кото́рого зва́ли Да́нко, сказа́л свои́м това́рищам:

– Чего́ мы ждём? Встава́йте, пойдём в лес и пройдём его́, ведь име́ет же он коне́ц! Идёмте! Ну!

Посмотре́ли на него́ лю́ди и уви́дели, что он смеле́е и лу́чше их, он мо́жет спасти́ всех.

– Веди́ нас! – сказа́ли они́.

Повёл их Да́нко. Это был тру́дный путь. До́лго шли они́. Всё темне́е станови́лся лес, всё ме́ньше бы́ло сил! И вот лю́ди ста́ли говори́ть, что напра́сно Да́нко, молодо́й и нео́пытный, повёл их. А он сме́ло шёл вперёд.

Но одна́жды начала́сь си́льная гроза́. В лесу́ ста́ло так темно́, как быва́ет в са́мую тёмную ночь. Зашуме́ли дере́вья. Лю́ди испуга́лись и останови́лись. И вот в шу́ме дождя́ и ле́са, уста́лые и злы́е, они́ ста́ли суди́ть Да́нко.

– Ты, – сказа́ли они́, – повёл нас в лес. Мы уста́ли и не мо́жем бо́льше идти́. Тепе́рь мы поги́бнем, но снача́ла поги́бнешь ты, э́то ты привёл нас сюда́.

– Вы сказа́ли: «Веди́!» – и я повёл! – кри́кнул Да́нко. – Я хоте́л помо́чь вам. А вы? Что сде́лали вы для себя́?

Но лю́ди не слу́шали его́.

– Ты умрёшь! Ты умрёшь! – крича́ли они́.

А лес всё шуме́л и шуме́л. Да́нко смотре́л на люде́й, кото́рых хоте́л спасти́, и ви́дел, что они́ – как зве́ри. Он люби́л люде́й и ду́мал, что без него́ они́ мо́гут поги́бнуть. Се́рдце его́ горе́ло жела́нием спасти́ их.

– Что я сде́лаю для люде́й!? – сильне́е гро́ма кри́кнул Да́нко.

И вдруг он вы́рвал из груди́ своё се́рдце и высоко́ по́днял его́ над голово́й. Оно́ горе́ло так я́рко, как со́лнце, и я́рче со́лнца, и весь лес замолча́л пе́ред э́тим фа́келом вели́кой любви́ к лю- дям.

– Идём! – кри́кнул Да́нко и побежа́л вперёд.

Он высоко́ держа́л своё се́рдце и освеща́л путь лю́дям. И лю́ди побежа́ли за ни́м. Тепе́рь они́ бежа́ли бы́стро и сме́ло.

А Да́нко всё был впереди́, се́рдце его́ всё горе́ло и горе́ло.

И вот лес ко́нчился, впереди́ свети́ло со́лнце, блесте́ла на со́лнце река́. Был ти́хий, тёплый ве́чер, пе́рвый ве́чер на свобо́дной земле́.

Посмотре́л на свобо́дную зе́млю го́рдый краса́вец Да́нко, засмея́лся ра́достно. А пото́м упа́л и у́мер.

А ря́дом продолжа́ло горе́ть его́ сме́лое се́рдце.

По М. Го́рькому

Задание к тексту

1. Расскажи́те леге́нду о Да́нко.
2. Как вы понима́ете смысл э́той леге́нды?
3. Прочита́йте афори́змы.

«. . . Са́мая высо́кая ра́дость в жи́зни – чу́вствовать себя́ ну́жным и бли́зким лю́дям!» *М. Го́рький*

«Оди́н, е́сли он и вели́к, всё-таки мал». *М. Го́рький*

«Если я не за себя́, то кто же за меня́, но е́сли я то́лько за себя́, то заче́м я?» *М. Го́рький*

«Ни на что не годи́тся тот, кто годи́тся то́лько для себя́». *Ф. Вольте́р*

Помога́ют ли э́ти афори́змы поня́ть смысл леге́нды?

4. Зна́ете ли вы каку́ю-нибудь леге́нду о челове́ке, кото́рый отда́л свою́ жизнь лю́дям? Если зна́ете, расскажи́те её.
5. Мо́жете ли вы из исто́рии, литерату́ры, из ва́шего со́бственного о́пыта привести́ приме́ры самоотве́рженности челове́ка?
6. Прочита́йте отры́вок из письма́ М. Го́рького к сы́ну:

«Ты уе́хал, а цветы́, поса́женные тобо́й, оста́лись и расту́т. Я смотрю́ на ни́х, и мне прия́тно ду́мать, что мой сыни́шка оста́вил по́сле себя́ на Ка́при не́что хоро́шее – цветы́.

Вот е́сли бы ты всегда́ и везде́, всю свою́ жизнь оставля́л для люде́й то́лько хоро́шее – цветы́, мы́сли, сла́вные воспомина́ния о тебе́, – легка́ и прия́тна была́ бы твоя́ жизнь. Тогда́ ты чу́вствовал бы себя́ всем лю́дям ну́жным, и э́то чу́вство сде́лало бы тебя́ бога́тым душо́й. Знай, что всегда́ прия́тнее отда́ть, чем взять . . .»

7. Прочита́йте выска́зывание А. П. Че́хова на э́ту же те́му:

«Если бы ка́ждый челове́к на куске́ земли́ свое́й сде́лал бы всё, что он мо́жет, как прекра́сна была́ бы земля́ на́ша».

8. Согла́сны ли вы с э́тими писа́телями?
9. Назови́те посло́вицу и́ли афори́змы, кото́рые выража́ли бы ва́ше отноше́ние к жи́зни.

GRAMMAR

– Он **ста́рше сестры́?**	"Is he older than his sister?"
– Нет, **моло́же.**	"No, he is younger."

The Comparative Degree of Adjectives and Adverbs

The comparative degree of adjectives and adverbs is derived by the addition of the suffix **-ее (-ей)** to the stem.

краси́вый краси́во	краси́в**ее**	тёплый тепло́	тепл**е́е** (тепл**е́й**)
тру́дный тру́дно	трудн**е́е** (трудн**е́й**)		

The comparative degree of adjectives and adverbs with the stem in **г, к, х, д, т** or **ст** is derived by means of the suffix **-е**. This is accompanied by the alternation of the preceding consonant:

дорого́й до́рого	доро́**же**	бога́тый	бога́**че**
гро́мкий гро́мко	гро́м**че**	ча́стый ча́сто	ча́**ще**
		чи́стый чи́сто	чи́**ще**
лёгкий легко́	ле́г**че**	бли́зкий бли́зко	бли́**же**
я́ркий я́рко	я́р**че**	далёкий далеко́	да́ль**ше**
ти́хий ти́хо	ти́**ше**	дешёвый дёшево	деше́в**ле**
молодо́й ста́рый	моло́**же** ста́р**ше**	ре́дкий ре́дко	ре́**же**

The comparative degree of a number of adjectives and adverbs is formed from a different stem:

большо́й мно́го	бо́льше	ма́ленький ма́ло	ме́ньше
хоро́ший хорошо́	лу́чше	плохо́й пло́хо	ху́же

Comparative Constructions

Брат **ста́рше, чем я.** My brother is older than I. Москва́ **бо́льше, чем Ленингра́д.** Moscow is larger than Leningrad.	Брат **ста́рше меня́.** My brother is older than I. Москва́ **бо́льше Ленингра́да.** Moscow is larger than Leningrad.

In a comparative construction, the nominative is used after the word **чем,** and in the absence of this word the genitive.

The Superlative Degree

The superlative degree is formed by the addition of the word **са́мый** to the adjective. **Са́мый** changes like the adjective **но́вый.**

Москва́ – **са́мый большо́й** го́род в СССР. Эта зима́ была́ **са́мая** холо́дная. Это **са́мое** тру́дное сло́во. Там **са́мые** краси́вые места́.

The Conditional Mood

The conditional mood is formed by means of a past tense verb and the particle **бы,** which may stand either before or after the verb.

Ты **бы позвони́л** ему́. Ты **позвони́л бы** ему́.
You should telephone him. You should telephone him.

The conditional mood expresses:

(a) a possible or desired action: Я с удово́льствием **пошёл бы** на э́ту вы́ставку.

(b) a request, advice or an offer: Не **могли́ бы** вы купи́ть мне э́ту кни́гу? **Взял бы** ты мой слова́рь.

The Conditional Mood in Complex Sentences

	Indicative Mood	Conditional Mood
Real condition	Если за́втра бу́дет хоро́шая пого́да, мы пое́дем за́ город. If the weather is nice tomorrow, we shall go to the country.	Если **бы** за́втра **была́** хоро́шая пого́да, мы **пое́хали бы** за́ горо́д. If the weather were nice tomorrow, we would go to the country.
Unreal condition		Если **бы** вчера́ **была́** хоро́шая пого́да, мы **пое́хали бы** за́ город. If the weather had been nice yesterday, we would have gone to the country.

Не "No" in the Conditional Mood

1. Если бы он **не** помо́г мне, я **не** реши́л бы зада́чу. If he hadn't helped me, I shouldn't have solved the problem.

2. Если бы он **не** волнова́лся, он реши́л бы зада́чу. Had he not been nervous, he would have solved the problem.

3. Если бы он волнова́лся, он **не** реши́л бы зада́чу. Had he been nervous, he wouldn't have solved the problem.

Verb Conjugation

подня́ть I (*c*)	
я подниму́ ты подни́мешь он, она́ подни́мет	мы подни́мем вы подни́мете они́ подни́мут

прогна́ть II (*c*)	
я прогоню́ ты прого́нишь он, она́ прого́нит	мы прого́ним вы прого́ните они́ прого́нят

смея́ться I (*b*)	
я смею́сь ты смеёшься он, она́ смеётся	мы смеёмся вы смеётесь они́ смею́тся

упа́сть I (*b*)		
Future Tense		Past Tense
я упаду́ ты упадёшь он, она́ упадёт	мы упадём вы упадёте они́ упаду́т	он упа́л она́ упа́ла они́ упа́ли

Verb Groups

смея́ться I (*b*)
засмея́ться

нести́ I (*b*)	Past Tense
спасти́	он спас она́ спасла́ они́ спасли́

крúкнуть I (*a*)	Past Tense
проникнуть	он прони́к она́ прони́кла они́ прони́кли

Note.–The verbs **упа́сть, прони́кнуть, спасти́** have irregular past tense forms.

чита́ть I (*a*)
освеща́ть **оставля́ть** **па́дать** **поднима́ть** **прогоня́ть** **проника́ть** **пуга́ться** **испуга́ться** **спаса́ть**

говори́ть II	alternation
держа́ть (*c*)	
молча́ть (*b*)	
замолча́ть (*b*)	
освети́ть (*b*)	**т → щ**
оста́вить (*a*)	**в → вл**
суди́ть (*c*)	**д → ж**
шуме́ть (*b*)	**м → мл**
зашуме́ть (*b*)	**м → мл**

танцева́ть I (*a*)
интересова́ть **заинтересова́ть**

дава́ть I (*b*)
отдава́ть **остава́ться**

боле́ть I (*a*)
име́ть

ста́ть I (*a*)
оста́ться

дать
отда́ть

EXERCISES

I. Read through the proverbs, noting the use of the comparative degree.

1. Лу́чше ме́ньше друзе́й, да лу́чше. 2. Плохо́й друг опа́снее (more dangerous) врага́. 3. Дом дру́га – лу́чший дом. 4. Ста́рый друг лу́чше но́вых двух. 5. Ме́ньше говори́, а бо́льше де́лай. 6. Бо́льше верь дела́м, чем слова́м. 7. Ум хорошо́, а два лу́чше. 8. Лу́чше по́здно, чем никогда́.

II. (a) Read through the jokes, noting the use of the comparative and superlative degrees. (b) Retell the jokes.

1. – Со́лнце – са́мый лу́чший врач.
 – Мо́жет быть, но у нас в Ло́ндоне к нему́ о́чень тру́дно попа́сть (to make an appointment).

2. Учи́тельница: Джон, на про́шлом уро́ке я расска́зывала вам, как здоро́ваются лю́ди в ра́зных стра́нах. Одни́ говоря́т: «Здра́вствуйте!»; други́е: «До́брое у́тро!» и́ли «До́брый день!»; тре́тьи: «Как пожива́ете?» (How are you getting along?); четвёртые: «Как дела́?» (How are you getting on?). А что ча́ще всего́ говоря́т при встре́че англича́не?

Учени́к: Англича́не говоря́т обы́чно так: «Черто́вская пого́да!» (The Hell of a weather!). «Да, ху́же не приду́маешь!» (Well, it couldn't be worse.)

III. Change the words, as in the model.

(a) Model: *Краси́вый – краси́вее – са́мый краси́вый.*

Интере́сный, прекра́сный, пра́вильный, свобо́дный, сме́лый, си́льный, сла́бый, весёлый, тру́дный, удо́бный.

(b) Model: *Чи́стый – чи́ще – са́мый чи́стый.*

Молодо́й, ста́рый, хоро́ший, плохо́й, большо́й, ма́ленький, просто́й, лёгкий.

(c) Model: *Темно́ – темне́е, я́рко – я́рче.*

Тепло́, хо́лодно, ско́ро, по́здно, ра́но, ча́сто, мно́го, ма́ло.

IV. Change the sentences, as in the model.

Model: *– Оле́г ста́рше, чем Та́ня?*
– Да, Оле́г ста́рше Та́ни.

1. Брат ста́рше, чем сестра́? 2. Сестра́ моло́же, чем бра́т? 3. Ва́ша кварти́ра бо́льше, чем их кварти́ра? 4. Твоя́ ко́мната ме́ньше, чем её ко́мната? 5. Он прие́хал в Москву́ по́зже, чем ты? 6. Второ́й но́мер журна́ла интере́снее, чем пе́рвый? 7. Наш дом вы́ше, чем ваш? 8. Это ле́то тепле́е, чем про́шлое? 9. Озеро Байка́л глу́бже, чем Оне́жское о́зеро?

V. Change the sentences, as in the model.

Model: *Оте́ц ста́рше ма́тери.*
Мать моло́же отца́.

1. Я пришёл ра́ньше вас. 2. Он быва́ет здесь ча́ще, чем я. 3. Оле́г говори́т по-англи́йски лу́чше Та́ни. 4. Но́вый текст ле́гче, чем ста́рый. 5. Зачёт сдать про́ще, чем экза́мен. 6. Сего́дня бы́ло тепле́е, чем вчера́. 7. Москва́ бо́льше Ленингра́да.

VI. Make up sentences, using the comparative degree of the adjectives **высо́кий, дли́нный, глубо́кий, большо́й.**

Model: *Зда́ние институ́та и зда́ние библиоте́ки. Зда́ние институ́та вы́ше, чем зда́ние библиоте́ки.*

1. Эвере́ст и Эльбру́с. 2. Аму́р и Во́лга. 3. Озеро Байка́л и Оне́жское о́зеро. 4. Москва́ и Ки́ев.

VII. Change the sentences, as in the model.

Model: *Фи́зика – мой люби́мый предме́т.*
Фи́зика – мой са́мый люби́мый предме́т.

1. Та́ня – моя́ лу́чшая подру́га. 2. Матема́тика – мой люби́мый предме́т. 3. Это ле́то бы́ло холо́дное. 4. Я люблю́ путеше́ствовать, э́то для меня́ лу́чший о́тдых. 5. Да́нко был сме́лым челове́ком. 6. Это был тру́дный путь. 7. Новосиби́рск – кру́пный го́род в Сиби́ри. 8. Аму́р – больша́я река́ на восто́ке страны́.

VIII. (a) Read through the text, noting the use of the conditional mood and the comparative degree. Retell the text.

Сове́ты о́пытного тури́ста

Тури́сты – э́то лю́ди, кото́рые хо́дят пешко́м там, где они́ могли́ бы е́хать, и рабо́тают там, где они́ могли́ бы отдыха́ть.

В тури́стском похо́де мы сове́туем вам идти́ друг за дру́гом (one behind the other). Са́мый си́льный из вас до́лжен идти́ после́дним. Он бу́дет поднима́ть и нести́ ве́щи, кото́рые бро́сили его́ това́рищи. В похо́де ну́жно бо́льше есть. Чем бо́льше вы съеди́те, тем ле́гче бу́дет ваш рюкза́к. Вообще́ тури́стские похо́ды име́ют то преиму́щество (advantage), что по́сле них люба́я (any) рабо́та пока́жется о́тдыхом.

(b) Read what the Soviet writer Vladimir Soloukhin says about art. Note the use of the conditional mood.

«Иску́сство, как по́иски (prospecting for) алма́зов (diamonds). Ищут сто челове́к, а нахо́дит оди́н. Но э́тот оди́н никогда́ не нашёл бы алма́за, е́сли бы ря́дом не иска́ло сто челове́к».

IX. Change the sentences, as in the model.

Model: *Вы не мо́жете дать мне э́тот учё́бник?*
Вы не могли́ бы дать мне э́тот учё́бник?

1. Вы не мо́жете помо́чь мне? 2. Вы не мо́жете купи́ть мне газе́ты? 3. Ты не мо́жешь прийти́ ко мне́ ве́чером? 4. Он не мо́жет позвони́ть ей ве́чером? 5. Она́ не мо́жет перевести́ э́ту статью́? 6. Та́ня не мо́жет присла́ть мне э́ти кни́ги?

X. Insert the verbs, given on the right, in the correct form.

1. Если за́втра бу́дет хоро́шая пого́да, мы ... за́ город. Если бы за́втра была́ хоро́шая пого́да, мы ... бы за́ город.	*пое́хать*

2. Он бу́дет чу́вствовать себя́ лу́чше, е́сли ... спо́ртом. Он бы чу́вствовал себя́ лу́чше, е́сли бы ... спо́ртом.	*занима́ться*
3. Если ты придёшь ко мне́, мы ... на вы́ставку. Если бы ты пришёл ко мне́, мы ... бы на вы́ставку.	*пойти́*
4. Если я не ви́дел э́тот фильм, я обяза́тельно ... его́. Если бы я не ви́дел э́того фи́льма, я бы обяза́тельно ... его́.	*посмотре́ть*

XI. Change the sentences, as in the model.

Model: *Если я пое́ду на экску́рсию, я расскажу́ тебе́ о не́й.*
Если бы я пое́хал на экску́рсию, я рассказа́л бы тебе́ о не́й.

1. Если ты дашь мне слова́рь, я переведу́ э́тот текст. 2. Если ты прочита́ешь э́тот расска́з, он понра́вится тебе́. 3. Если он хо́чет, он мо́жет взять э́ту кни́гу в библиоте́ке. 4. Если она́ интересу́ется биоло́гией, она́ придёт на э́ту ле́кцию. 5. Если я встре́чу его́, я приглашу́ его́ к нам. 6. Если она́ пое́дет к роди́телям, она́ пошлёт им телегра́мму.

XII. Combine the sentences, as in the model. Pay attention to the meaning of the sentences with **не**.

(a) Model:

Если бы ты помо́г мне ...	*Я реши́л э́ту зада́чу.*
Если бы ты не помо́г мне ...	*Я не реши́л э́ту зада́чу.*

Если бы ты помо́г мне, я реши́л бы э́ту зада́чу.
Если бы ты не помо́г мне, я не реши́л бы э́ту зада́чу.

1. Если бы у меня́ бы́ло вре́мя ...	Я пришёл к тебе́.
Если бы у меня́ не́ было вре́мени ...	Я не пришёл к тебе́.
2. Если бы я люби́л хи́мию ...	Я поступи́л на э́тот факульте́т.
Если бы я не люби́л хи́мию ...	Я не поступи́л на э́тот факульте́т.

(b) Model:

Если бы ты пришёл во́время ...	*Мы опозда́ли на заня́тия.*
Если бы ты не пришёл во́время ...	*Мы не опозда́ли на заня́тия.*

Если бы ты пришёл во́время, мы не опозда́ли бы на заня́тия.
Если бы ты не пришёл во́время, мы опозда́ли бы на заня́тия.

1. Если бы он волнова́лся ...	Он сдал экза́мен.
Если бы он не волнова́лся ...	Он не сда́л экза́мен.
2. Если бы мне помеша́ли ...	Я ко́нчил э́ту рабо́ту.
Если бы мне не помеша́ли ...	Я не ко́нчил э́ту рабо́ту.

XIII. Complete the sentences.

1. Если бы я знал, что сего́дня в институ́те бу́дет ве́чер ... 2. Если бы я хорошо́ говори́л по-ру́сски ... 3. Если бы я сдал все экза́мены на пять ... 4. Если бы у меня́ была́ кни́га его́ стихо́в ... 5. Если бы у меня́ бы́ло два биле́та на э́тот спекта́кль ... 6. Если бы вчера́ не́ было дождя́ ... 7. Если бы не пришли́ си́льные и злы́е враги́ ... 8. Если бы Да́нко не́ был сме́лым челове́ком ... 8. Если бы Да́нко не помо́г лю́дям ...

XIV. Read through the text. Find the antonyms of the adjectives printed in bold-face type. Make up sentences with them.

Се́рдце Да́нко

Жи́ли на земле́ **весёлые** и **сме́лые** лю́ди. Но вот пришли́ к ним **си́льные** и **злы́е** враги́. Они́ прогна́ли э́тих люде́й далеко́ в лес. Лес был **тёмный** и **холо́дный,** и тру́дно бы́ло вы́йти из него́. И тогда́ **сме́лый** Да́нко повёл люде́й через ле́с. Это был **тру́дный** путь. Лю́ди уста́ли и не могли́ идти́ да́льше. Они́ сказа́ли Да́нко, что напра́сно он, **молодо́й** и **нео́пытный,** повёл их. Да́нко люби́л люде́й и ду́мал, как спасти́ их. И тогда́ он вы́рвал своё се́рдце и освети́л путь лю́дям. Тепе́рь лю́ди сме́ло шли за ни́м. И вот в **тёплый** и **ти́хий** ве́чер они́ вы́шли из ле́са на **свобо́дную** зе́млю.

(S) ЧИТАЙТЕ СО СЛОВАРЁМ

Константи́н Феокти́стов

– Если цель жи́зни – сча́стье, то что вы счита́ете сча́стьем?
– Пра́вильно и́збранную цель, – отве́тил Феокти́стов.

Из бесе́ды Феокти́стова с журнали́стом.

Мо́жно прожи́ть жизнь, но не найти́ ни себя́, ни своего́ де́ла – э́то зна́ют по о́пыту мно́гие.

Мо́жно найти́ с опозда́нием. И э́то мно́гие зна́ют.

Если говори́ть о це́ли жи́зни, то она́ одна́: найти́ своё де́ло и де́лать его́ так, как никто́, кро́ме тебя́, не сде́лает.

Удаётся э́то не ка́ждому.

Вот почему́ те, чья жизнь – э́то упо́рное стремле́ние к и́збранной це́ли, неизме́нно вызыва́ют на́ше восхище́ние.

Я хочу́ рассказа́ть о челове́ке, кото́рый всю свою́ жизнь шёл по одна́жды вы́бранному пути́, кото́рый хоте́л лете́ть в ко́смос пре́жде, чем э́то сде́лал Гага́рин.

Я расскажу́ о Константи́не Феокти́стове, учёном и космона́вте.

В семье́ бухга́лтера из Воро́нежа Феокти́стова бы́ло два сы́на. Мла́дшему сы́ну, Ко́сте Феокти́стову, бы́ло де́сять лет, когда́ он прочита́л кни́гу Циолко́вского[1] «Межплане́тные путеше́ствия» и обвини́л челове́чество в нау́чной нелюбозна́тельности. Ниче́м други́м он не мо́г объясни́ть, что иде́и Циолко́вского до сих по́р не осуществи́ли. Эту зада́чу он скро́мно возложи́л на себя́.

Лю́ди разнообра́зны. Даниэ́ль Дефо́ написа́л свой пе́рвый рома́н в 57 лет – э́то был «Робинзо́н Кру́зо», Во́льфганг Мо́царт уже́ в 7 лет был а́втором четырёх сона́т...

Мла́дший сын бухга́лтера Феокти́стова не́ был вундерки́ндом, но э́тот па́рень в тре́тьем кла́ссе рассчита́л го́ды предстоя́щей учёбы и сказа́л, что полети́т на Луну́ в 1964 году́.

В ию́не 1941 го́да начала́сь война́. Война́ унесла́ мно́гих ма́льчиков, кото́рые мечта́ли о Луне́. Вско́ре поги́б и ста́рший брат Ко́сти. Ле́том со́рок второ́го го́да Ко́стя (он тогда́ учи́лся в шко́ле) бежа́л на фронт. На фро́нте Константи́н Феокти́стов был разве́дчиком.

Не́сколько раз разве́дчик Феокти́стов переходи́л ли́нию фро́нта. В пя́тый раз Ко́стя, кото́рому испо́лнилось тогда́ 16 лет, получи́л тяжёлое ране́ние. Мать нашла́ сы́на в вое́нном го́спитале и увезла́ его́ в Сре́днюю Азию.

По́сле выздоровле́ния начали́сь го́ды учёбы.

И вот Феокти́стов – студе́нт Ба́уманского институ́та[2]. Удиви́тельно мно́го рабо́тал студе́нт Феокти́стов. Мечты́ о ко́смосе ста́ли вполне́ реа́льной це́лью. И Феокти́стов шёл к э́той це́ли с зави́дным упо́рством. Он отдава́л това́рищам свои́ биле́ты в теа́тр и́ли в кино́, он научи́лся отка́зывать себе́ во всём, что могло́ задержа́ть его́ в пути́. Друзья́ говори́ли Феокти́стову, когда́ что́-нибудь меша́ло его́ стремле́нию к це́ли: «Не грусти́: звёзды тебя́ дожду́тся...» Но учёный не хоте́л заставля́ть звёзды ждать. Он спеши́л.

Уже́ по́сле полёта в ко́смос соба́к Бе́лки и Стре́лки ста́ло я́сно, что в ко́смос мо́жет лете́ть челове́к. Тогда́ Феокти́стов – впро́чем, не он оди́н – предложи́л свою́ кандидату́ру для пе́рвого полёта корабля́ с челове́ком на борту́. Его́ предложе́ние не при́няли. Константи́н Феокти́стов был насто́йчив, он дока́зывал, убежда́л, проси́л, но...

Он сам прекра́сно понима́л, что пе́рвый косми́ческий полёт до́лжен, соверши́ть челове́к с идеа́льным здоро́вьем и больши́м лётным о́пытом. Этими ка́чествами облада́л Юрий Гага́рин. Ими, увы́, не облада́л Константи́н Феокти́стов.

И он отступи́л. Отступи́л, что́бы верну́ться к э́тому разгово́ру че́рез три го́да.

12 октября́ 1964 го́да на орби́ту спу́тника Земли́ вы́вели косми́ческий кора́бль «Восхо́д», чле́нами экипа́жа кото́рого бы́ли

---

[1] Циолко́вский Константи́н Эдуа́рдович, Konstantin Tsiolkovsky (1857-1935), Soviet scientist and inventor, a founder of modern cosmonautics, who substantiated the feasibility of space travel.

[2] Ба́уманский институ́т (МВТУ), the Bauman Higher Technical College in Moscow, one of the largest Soviet higher educational establishments.

лётчик-космона́вт В. М. Комаро́в, нау́чный сотру́дник – космона́вт К. П. Феокти́стов и врач-космона́вт – Б. Б. Его́ров.

Пе́рвые нау́чные иссле́дования в ко́смосе, кото́рые провёл во вре́мя своего́ полёта учёный-космона́вт К. Феокти́стов, бы́ли нача́лом бу́дущих нау́чных рабо́т в косми́ческом простра́нстве. «Челове́к откры́л дверь в ко́смос, – говори́л Феокти́стов, – и он войдёт в неё сно́ва и сно́ва для серьёзных и дли́тельных исследований».

12-го апре́ля 1986 го́да мир отмеча́л 25 лет со дня пе́рвого косми́ческого полёта челове́ка – полёта Ю́рия Гага́рина.

Нау́чные иссле́дования в ко́смосе – тепе́рь привы́чная рабо́та мно́гих учёных, нача́ло э́той рабо́те положи́л учёный-космона́вт Константи́н Феокти́стов.

найти́ себя́ (своё де́ло) to find oneself (one's calling)
знать по о́пыту to know by experience
вызыва́ть восхище́ние to excite one's admiration
осуществля́ть / осуществи́ть иде́ю to put an idea into practice
возложи́ть на себя́ зада́чу to place a task on oneself
ли́ния фро́нта front line
отка́зывать себе́ в чём-либо to deny oneself smth.
соверши́ть полёт to make a flight
вы́вести на орби́ту to put into orbit
проводи́ть / провести́ иссле́дования to make investigations
косми́ческое простра́нство outer space
положи́ть нача́ло чему́-либо to start smth.

Америка́нские и сове́тские космона́вты

Встре́ча в ко́смосе

В ию́ле 1975 го́да состоя́лась встре́ча в ко́смосе чле́нов экипа́жа сове́тского косми́ческого корабля́ «Сою́з-19» и америка́нского косми́ческого корабля́ «Аполло́н».

Сове́тские космона́вты Алексе́й Лео́нов и Вале́рий Куба́сов и америка́нские космона́вты То́мас Ста́ффорд, Венс Бранд и До́нальд Сле́йтон провели́ в ко́смосе совме́стные экспериме́нты.

Совме́стная рабо́та сове́тских и америка́нских космона́втов доказа́ла принципиа́льную возмо́жность иссле́дования косми́ческого простра́нства в ми́рных це́лях. Это одно́ из гла́вных значе́ний совме́стного полёта экипа́жей косми́ческих корабле́й «Сою́з-19» и «Аполло́н».

член экипа́жа member of a crew
косми́ческий кора́бль spaceship
совме́стный полёт (экспериме́нт) joint flight (experiment)
проводи́ть / провести́ экспериме́нт to conduct an experiment

Зада́ние к те́ксту

а) 1. Расскажи́те об учёном и космона́вте Константи́не Феокти́стове.

2. Что вы зна́ете о пе́рвом в ми́ре космона́вте Юрии Гага́рине? Каки́х ещё космона́втов вы зна́ете?

3. Расскажи́те, что вы зна́ете о совме́стном полёте сове́тских и америка́нских космона́втов. Когда́ был э́тот полёт, кто уча́ствовал в полёте?

б) 1. Как вы понима́ете выраже́ние «найти́ себя́», «найти́ своё де́ло»?

2. Согла́сны ли вы с тем определе́нием сча́стья, кото́рое дал Феокти́стов?

3. Как вы понима́ете сча́стье? Каку́ю жизнь вы мо́жете назва́ть счастли́вой?

4. Прочита́йте посло́вицы и афори́змы о труде́, о це́ли и смы́сле жи́зни.

Под лежа́чий ка́мень вода́ не течёт.
Пра́здность – мать всех поро́ков
Где мно́го слов – там ма́ло де́ла.
Челове́к устаёт, когда́ ему́ не́чего де́лать. (*Узбе́кская му́дрость*)
Бесполе́зно живу́щий челове́к – мёртвый челове́к. Снача́ла он умира́ет для други́х, пото́м – для себя́. (*Чуко́тская му́дрость*)
«Сча́стье всегда́ впереди́ – э́то зако́н приро́ды». *Д. Пи́сарев*
«Челове́к со́здан для сча́стья, как пти́ца для полёта». *В. Короле́нко*
«Кто не идёт вперёд, тот идёт наза́д». *В. Бели́нский*
«Стремле́ние вперёд – вот цель жи́зни». *М. Го́рький*
«Смысл жи́зни в красоте́ и си́ле стремле́ния к це́лям...» *М. Го́рький*
«По́двиг, как и тала́нт, сокраща́ет путь к це́ли». *Л. Лео́нов*
«Пра́здная жизнь не мо́жет быть чи́стой». *А. Че́хов*
«Челове́к без мечты́, как солове́й без го́лоса». *М. Сте́льмах*
«Не быва́ет вели́ких дел без вели́ких препя́тствий». *Ф. Вольте́р*
«Труд – оте́ц сча́стья». *Б. Фра́нклин*

5. Подбери́те на своём языке́ посло́вицы и афори́змы о труде́, о це́ли и смы́сле жи́зни. Переведи́те их на ру́сский язы́к.

6. Назови́те ва́ше люби́мое изрече́ние на э́ту те́му.

UNIT 33

Preparation for Reading

за́пись *f.* recording
кассе́та cassette
пласти́нка record
юбиле́й jubilee
класс class

* * *

шко́льные го́ды school years
на всю жизнь for as long as one lives

ДИАЛОГ

Джон: Оле́г, звони́л тебе́ вчера́, хоте́л пригласи́ть к себе́. Мне принесли́ хоро́шие за́писи: не́сколько кассе́т, пласти́нки. Но тебя́ не́ было до́ма.

Оле́г: Вчера́ был юбиле́й мое́й пе́рвой учи́тельницы. Я был у неё. Собрали́сь все, учи́вшиеся со мно́й в одно́м кла́ссе. Кто не смо́г прийти́, присла́ли телегра́ммы.

Джон: Хоро́шая учи́тельница?

Оле́г: Да, о́чень. Пото́м бы́ло мно́го хоро́ших учителе́й в ра́зных кла́ссах: был люби́мый учи́тель по матема́тике, учи́тельница по литерату́ре, учи́тельница по биоло́гии, но пе́рвую учи́тельницу я запо́мнил на всю жизнь.

Джон: А как прошёл юбиле́й?

Оле́г: Мы пригото́вили для неё ма́ленький конце́рт, вспо́мнили свои́ шко́льные го́ды, бы́ло мно́го шу́ток. В о́бщем бы́ло ве́село и интере́сно. И что удиви́тельно: она́ по́мнит нас всех, зна́ет, кто где у́чится, кто кем стал. А ско́лько у неё бы́ло учеников за три́дцать лет рабо́ты! Зна́ешь, я о́чень рад, что побыва́л в свое́й шко́ле, уви́дел всех, а гла́вное, на́шу пе́рвую учи́тельницу.

Зада́ние к тексту

На чьём юбиле́е был Оле́г? Что он рассказа́л о свое́й пе́рвой учи́тельнице?

Preparation for Reading

колхо́з collective farm
аи́л (Central Asian) village
незнако́мый unfamiliar
па́рень fellow
солда́т private, soldier
солда́тский private's
шине́ль *f.* great-coat
учёба studies
зна́чит to mean
ремонти́ровать / **отремонти́ровать** *что?* to repair
сара́й shed
счита́ть *что?* to count
бу́ква letter
ци́фра figure, number

проявля́ть / **прояви́ть** *что?* to show
терпе́ние patience
держа́ть *что?* to hold
объясня́ть / **объясни́ть** *что? кому?* to explain
поня́тный understandable
непоня́тный ununderstandable
гра́мота literacy
гра́мотный literate
малогра́мотный semi-literate
буква́рь *m.* ABC book
реши́ться *на что?* to resolve
пра́дед great-grandfather
доброта́ kindness
энтузиа́зм enthusiasm
да́ром in vain

соверша́ть / **соверши́ть** *что?* to accomplish
по́двиг feat
Кирги́зия Kirghizia
кирги́зский Kirghiz
це́лый whole
ве́рить *во что? в кого́?* / **пове́рить** *кому́?* to believe
нау́ка science

* * *

проявля́ть / **прояви́ть** **терпе́ние** to show patience
с увлече́нием with enthusiasm
(не) пропа́сть да́ром (not) to be in vain
соверши́ть по́двиг to accomplish a feat
до́ктор нау́к doctor of science, Dr.Sc.

ТЕКСТ

Пе́рвый учи́тель

Это бы́ло в 1924 году́. Мне бы́ло тогда́ четы́рнадцать лет. Там, где сейча́с нахо́дится наш колхо́з, был небольшо́й а́йл. Осенью в наш а́йл пришёл незнако́мый па́рень в солда́тской шине́ли. Зва́ли па́рня Дюйше́н. Говори́ли, что он пришёл в а́йл, что́бы откры́ть шко́лу и учи́ть дете́й. Слова́ «шко́ла», «учёба» бы́ли в то вре́мя для на́с но́выми. Мы не о́чень понима́ли, что они́ зна́чат.

Зда́ния для шко́лы не́ было. Дюйше́н сам отремонти́ровал ста́рый сара́й, что́бы нача́ть заня́тия.

И вот мы пе́рвый день в шко́ле. Я никогда́ не забу́ду э́тот день. Мы сиди́м на полу́, сто́ло́в в шко́ле Дюйше́на не́ было, наш учи́тель, дав ка́ждому из на́с тетра́дь и каранда́ш, говори́т нам:

– Я научу́ вас, де́ти, чита́ть и счита́ть, покажу́, как пи́шутся бу́квы и ци́фры. Бу́ду учи́ть вас всему́, что зна́ю сам.

И действи́тельно, он учи́л нас всему́, что знал сам, проявля́я при э́том удиви́тельное терпе́ние. Он пока́зывал нам, как ну́жно держа́ть каранда́ш, с увлече́нием объясня́л нам непоня́тные слова́.

Ду́маю сейча́с об э́том и не могу́ поня́ть, как э́тот малогра́мотный па́рень, сам чита́вший с трудо́м и не име́вший ни одного́ уче́бника, да́же букваря́, как мог он реши́ться на тако́е вели́кое де́ло: учи́ть дете́й, чьи отцы́, де́ды и пра́деды бы́ли негра́мотны.

Дюйше́н учи́л нас, как уме́л, но его́ доброта́ и любо́вь к нам, его́ энтузиа́зм не пропа́ли да́ром. Дюйше́н соверши́л по́двиг, откры́в нам, кирги́зским де́тям, не зна́вшим ничего́, кро́ме своего́ а́йла, це́лый мир. Мы узна́ли, что в э́том большо́м ми́ре живёт мно́го люде́й и есть го́род Москва́, где живёт Ле́нин.

Дюйше́н говори́л нам о бу́дущей жи́зни, и мы ве́рили, что ско́ро нам постро́ят но́вую шко́лу. В э́той школе ученики́ бу́дут сиде́ть за стола́ми и у ни́х бу́дет мно́го книг и тетра́дей.

Мно́гие из на́с, научи́вшись в шко́ле Дюйше́на чита́ть и писа́ть, пое́хали в го́род продолжа́ть учи́ться. Я то́же уе́хала в го́род, пото́м учи́лась в Москве́, ста́ла до́ктором нау́к. Но и сейча́с я зна́ю, почему́ я ста́ла учёным, потому́ что в 1924 году́ меня́ научи́л гра́моте мой пе́рвый учи́тель Дюйше́н. Он пове́рил в меня́, он посла́л меня́ учи́ться в го́род. Я никогда́ не забу́ду э́того. Я должна́ верну́ться в свой колхо́з и рассказа́ть молодёжи, каки́м учи́телем был Дюйше́н. Я ду́маю, что но́вая шко́ла, кото́рую постро́или в колхо́зе, должна́ называ́ться шко́лой Дюйше́на, на́шего пе́рвого учи́теля.

По Ч. Айтма́тову

Задание к тексту

1. Расскажи́те исто́рию кирги́зской же́нщины-учёного. Что говори́т она́ о своём пе́рвом учи́теле? Почему́ она́ смогла́ стать до́ктором нау́к?
2. Кто был ваш пе́рвый учи́тель (ва́ша пе́рвая учи́тельница)? Расскажи́те о нём (о не́й).

GRAMMAR

Изучи́в ру́сский язы́к, вы смо́жете прочита́ть в оригина́ле кни́ги ру́сских писа́телей.	On learning Russian you will be able to read books of Russian writers in the original.

The Verbal Adverb

The verbal adverb conveys an additional action and corresponds to the English active participle or the gerund.

Они́ шли, разгова́ривая. (Они́ шли и разгова́ривали).

They walked along, talking.

Like the adverb, the verbal adverb is an unchangeable verbal form.

Derivation of Verbal Adverbs

Imperfective	Perfective
the suffix **-я**	the suffixes **-в** and **-вши-**
(они́) **чита́**ют – чита́**я** (они́) **слы́ш**ат – слы́ш**а** (они́) **занима́**ются – занима́**я**сь	прочита́ть – прочита́**в** услы́шать – услы́ша**в** заня́ться – заня́**вши**сь

Note.–Imperfective verbal adverbs are derived from the present tense stem by means of the suffix **-я.**

Note.–Perfective verbal adverbs are derived from the infinitive stem by means of the suffix **-в.**

25–1350

The imperfective verbal adverbs of verbs with the stem **да-, ста-** or **зна-** are derived from the infinitive stem: **дава́ть – дава́я, встава́ть – встава́я,** etc.

No imperfective verbal adverbs of verbs which follow the pattern of **писа́ть** can be derived.

The perfective verbal adverbs of verbs with the infinitive in **-зти (-зть)** or **-сти (-сть)** and of verbs which follow the pattern of **идти́** are derived by means of the suffix **-я: принести́ – принеся́, прийти́ – придя́,** etc.

The perfective verbal adverbs of reflexive verbs are derived by means of the suffix **-вши: верну́ться – верну́вшись.**

Verbal Adverb Constructions

Sentences with verbal adverb constructions can be replaced by complex sentences: **Ко́нчив рабо́ту, я позвони́л това́рищу. Когда́ я ко́нчил рабо́ту, я позвони́л това́рищу.**

Sequence of Actions

Он чита́л, лёжа на дива́не.	The actions occur simultaneously.
Прочита́в кни́гу, он поста́вил её на по́лку.	One action precedes the other.

The Participle

Я знако́м с поэ́том, **написа́вшим э́ти стихи́.**	I know the poet who has written that verse.

Participles qualify nouns and answer the question **како́й? (кака́я? како́е? каки́е?).** Like adjectives they change for gender, number and case and agree with the noun they qualify: **Студе́нт, чита́ющий кни́гу, сиди́т за столо́м. Де́вушка, чита́ющая кни́гу, на́ша студе́нтка.**

Derivation of Participles

Voice	Present Tense		Past Tense
Active	1st Conjugation suffixes **-ущ- (-ющ-)**	2nd Conjugation suffixes **-ащ- (-ящ-)**	suffix **-вш-**
	пи́ш**ущ**ий чита́**ющ**ий	держ**а́щ**ий лю́б**ящ**ий	писа́**вш**ий (написа́**вш**ий) люби́**вш**ий (полюби́**вш**ий)
Passive	1st Conjugation suffix **-ем-**	2nd Conjugation suffix **-им-**	suffixes **-енн-, -нн-, -т-**
	чита́**ем**ый	люб**и́м**ый	постро́**енн**ый прочи́та**нн**ый откры́**т**ый

Active Participles

Active present participles are derived from present tense verb stems by means of the suffixes **-ущ- (-ющ-)** for 1st conjugation verbs and **-ащ- (-ящ-)** for 2nd conjugation verbs: **(они́) чита́ют – чита́ющий, (они́) говоря́т – говоря́щий.**

Active past participles are derived from perfective or imperfective infinitive stems by means of the suffix **-вш-: чита́ть – чита́вший, прочита́ть – прочита́вший.**

The past participles of verbs which follow the conjugation pattern of **идти́, нести́, помо́чь** and a number of other verbs which have an irregular past tense form are derived by means of the suffix **-ш-: шёл – ше́дший, пришёл – прише́дший, нёс – нёсший, принёс – принёсший, помо́г – помо́гший, привы́к – привы́кший.**

Passive Participles

Only transitive verbs have passive participles. Russian passive present and past participles correspond to the English passive past participle.

Passive present participles are derived from present tense verb stems by means of the suffix **-ем-** for 1st conjugation verbs and the suffix **-им-** for 2nd conjugation verbs: **(мы) чита́ем – чита́емый, (мы) лю́бим – люби́мый.**

Passive past participles are derived from infinitive stems by means of the suffix **-енн-** for verbs in **-ить** or **-еть: купи́ть – ку́пленный, постро́ить – построе́нный, уви́деть – уви́денный;** the suffix **-нн-** for verbs in **-ат- (-ять-): прочита́ть – прочи́танный;** and the suffix **-т-** for verbs which follow the conjugation pattern of **взять, нача́ть, пить, забы́ть, откры́ть, петь: взя́тый, на́чатый, вы́питый, забы́тый, откры́тый, спе́тый.**

Participial Constructions

Здесь живу́т рабо́чие, **стро́ящие э́тот заво́д.** (кото́рые стро́ят э́тот заво́д)

The workers who build this factory live here.

Здесь живу́т рабо́чие, **постро́ившие э́тот заво́д** (кото́рые построили э́тот заво́д)

The workers who have built this factory live here.

Это шко́ла, **постро́енная неда́вно.** (кото́рую постро́или неда́вно)

This is the recently built school.

A participial construction may be replaced by a clause introduced by the word **кото́рый.**

The Use of Active and Passive Participles

Я зна́ю **писа́теля, написа́вшего** э́тот рома́н.	Я чита́л **рома́н, напи́санный** э́тим писа́телем.
I know the writer who has written this novel.	I read the novel written by this writer.

Это **рабо́чие, постро́ившие** но́вую школу.

These are the workers who have built this school.

Я зна́ю **поэ́та, переве́дшего** э́ти стихи́.

I now the poet who has translated these poems.

Это но́вая **шко́ла, постро́енная** рабо́чими.

This is a new school built by the workers.

Я чита́л **стихи́, переведённые** э́тим поэ́том.

I read the poems translated by this poet.

The Long and Short Forms of Passive Participles

Passive past participles have a long and short forms. The long form of passive participles functions in sentences as an attribute: **прочи́танная (кака́я?) кни́га, постро́енный (како́й?) заво́д, неда́вно откры́тая (кака́я?) вы́ставка.** The short form functions as a predicate: **Кни́га прочи́тана.** The book has been read. **Заво́д постро́ен.** The factory has been built. **Вы́ставка неда́вно откры́та.** The exhibition was opened recently.

Derivation of the Short Form of Participles

прочи́танный	– **прочи́тан** (прочи́тана, прочи́тано, прочи́таны)
постро́енный	– **постро́ен** (постро́ена, постро́ено, постро́ены)
откры́тый	– **откры́т** (откры́та, откры́то, откры́ты)

Passive participles in the short form convey the result of an action in the present, past or future: **Заво́д постро́ен.** The factory has been built. **Заво́д был постро́ен.** The factory was built. **Заво́д бу́дет постро́ен.** The factory will be built.

The Use of the Long and Short Forms of Participles

Я ви́дел заво́д, **постро́енный** (како́й?) **неда́вно.**

I saw the factory which was built recently.

Этот заво́д **постро́ен** неда́вно

This factory was built recently

Я был на вы́ставке, **откры́той в про́шлую суббо́ту.** (на како́й?)

I was at the exhibition which was opened last Saturday.

Эта вы́ставка **откры́та** в про́шлую суббо́ту.

This exhibition was opened last Saturday.

The Use of the Performer and the Object Acted Upon in Active and Passive Constructions

Active **Passive**

Active	Passive
Nominative Accusative **кто?** **что?** **Рабо́чие** постро́или **шко́лу.** The workers have built a school.	Nominative Instrumental **что?** **кем?** **Шко́ла** постро́ена **рабо́чими.** The school has been built by the workers.
Accusative **что?** Здесь постро́или **шко́лу.** They have built a school here.	Nominative **что?** Здесь постро́ена **шко́ла.** A school has been built here.

Verb Groups

чита́ть I (*a*)
объясня́ть **проявля́ть** **соверша́ть** **счита́ть**

говори́ть II	alternation
ве́рить (*a*) **пове́рить** (*a*) **держа́ть** (*c*) **зна́чить** (*a*) **объясни́ть** (*b*) **прояви́ть** (*c*) **реши́ться** (*b*) **соверши́ть** (*b*)	**в → вл**

танцева́ть I (*a*)
ремонти́ровать **отремонти́ровать**

EXERCISES

I. Read through the sentences, noting the use of the verbal adverbs and the verbal adverb constructions.

1. Они́ шли, разгова́ривая.
2. Он, слу́шая меня́, что́-то писа́л.
3. Прочита́в кни́гу, он дал её мне.
4. Позвони́в Оле́гу, он пригласи́л его́ на ве́чер.

1. Они́ шли и разгова́ривали.
2. Он слу́шал меня́ и что́-то писа́л.
3. Он прочита́л кни́гу и дал её мне. (Когда́ он прочита́л кни́гу, он дал её мне).
4. Он позвони́л Оле́гу и пригласи́л его́ на ве́чер.

II. Insert the verbal adverbs in the correct form.

1. ... па́мятники архитекту́ры, он мно́го е́здил по стране́.	*изуча́я*
Хорошо́ ... язы́к, он смог перевести́ э́ту кни́гу.	*изучи́в*
2. ... ко мне́, он ча́сто прино́сит интере́сные сла́йды и фотогра́фии.	*приходя́*
... ко мне́, он принёс интере́сные сла́йды и фотоальбо́мы.	*придя́*
3. ... упражне́ния, он переводи́л но́вые слова́.	*де́лая*
... упражне́ния, он на́чал чита́ть текст.	*сде́лав*
4. ... экза́мены, он мно́го занимался.	*сдава́я*
... экза́мены, он пое́хал в Ки́ев.	*сдав*

III. Change the sentences, as in the model.

(a) Model: *Си́дя в свое́й ко́мнате, он слу́шал ра́дио.*
Он сиде́л в свое́й ко́мнате и слу́шал ра́дио.

(b) Model: *Написа́в письмо́, он пошёл на по́чту.*
Он написа́л письмо́ и пошёл на по́чту.
(Когда́ он написа́л письмо́, он пошёл на по́чту).

1. Си́дя на дива́не, он смотре́л журна́л. 2. Разгова́ривая со мно́й, он клал кни́ги в портфе́ль. 3. Отвеча́я на экза́мене, он о́чень волнова́лся. 4. Уезжа́я из Москвы́, он всегда́ оставля́л мне ключи́ от кварти́ры. 5. Отдыха́я на ю́ге, она́ мно́го пла́вала. 6. Встре́тив на вокза́ле сестру́, Ни́на пое́хала домо́й. 7. Верну́вшись домо́й, он рассказа́л мне о ве́чере. 8. Уе́хав из Москвы́, он оста́вил мне ключи́. 9. Подплы́в к бе́регу, он вы́шел из ло́дки. 10. Подойдя́ к остано́вке, я уви́дел Та́ню. 11. Посмотре́в но́вый фильм, он рассказа́л о нём това́рищу.

IV. Read through the sentences, noting the use of the subordinate clauses with the word **кото́рый** and the participial constructions.

(a)

<table>
<tr><td>1. Это поэ́т,</td><td rowspan="6">кото́рый пи́шет хоро́шие стихи́</td></tr>
<tr><td>2. Мы бы́ли в гостя́х у поэ́та,</td></tr>
<tr><td>3. Мы подари́ли цветы́ поэ́ту.</td></tr>
<tr><td>4. Я зна́ю поэ́та,</td></tr>
<tr><td>5. Мы познако́мились с поэ́том.</td></tr>
<tr><td>6. Мы говори́ли о поэ́те,</td></tr>
</table>

(b) 1. Это поэт, **пи́шущий хоро́шие стихи́.**
2. Мы бы́ли в гостя́х у поэ́та, **пи́шущего хоро́шие стихи́.**
3. Мы подари́ли цветы поэ́ту, **пи́шущему хоро́шие стихи́.**
4. Я зна́ю поэ́та, **пи́шущего хоро́шие стихи́.**
5. Он знако́м с поэ́том, **пи́шущем хоро́шие стихи́.**
6. Мы говори́ли о поэ́те, **пи́шущем хоро́шие стихи́.**

V. Complete the sentences, using the phrases given on the right in the correct form.

(a) 1. Это мой това́рищ, ...
2. Я встре́тил това́рища,...
3. Я поздоро́вался с това́рищем, ...
4. Я дал кни́гу това́рищу, ...
5. Я взял кни́гу у това́рища, ...
6. Мы говори́ли о това́рище, ...

(a) живу́щий в на́шем общежи́тии.

(b) око́нчивший наш институ́т.

(b) 1. Здесь живёт де́вушка, ...
2. Я зна́ю де́вушку, ...
3. Я встре́тился с де́вушкой, ...
4. Я позвони́л де́вушке, ...
5. Я был у де́вушки, ...
6. Он спроси́л меня́ о де́вушке, ...

(a) рабо́тающая в на́шей библиоте́ке.

(b) написа́вшая э́ту статью́.

VI. Change the sentences, as in the model.

Model: *Это студе́нт, кото́рый занима́ется в на́шей гру́ппе.*
Это студе́нт, занима́ющийся в на́шей гру́ппе.

(a) 1. Со мно́й живёт студе́нт, кото́рый хорошо́ зна́ет ру́сский язы́к. 2. Я зна́ю де́вушку, кото́рая говори́т по-англи́йски. 3. Я встре́тился с дру́гом, кото́рый рабо́тает на заво́де. 4. Он говори́л о роди́телях, кото́рые живу́т в Ленигра́де. 5. Мы подари́ли цветы́ арти́стам, кото́рые игра́ют в э́том спекта́кле. 6. Я пригласи́л на конце́рт това́рища, кото́рый интересу́ется му́зыкой. 7. У на́с мно́го студе́нтов, кото́рые занима́ются спо́ртом. 8. Мы идём к профе́ссору, кото́рый чита́ет нам ле́кции. 9. Я чита́л об учёном, кото́рый изуча́ет ко́смос.

(b) 1. Я мно́го слы́шал о писа́телях, кото́рые прие́хали к нам в институ́т. 2. Я живу́ со студе́нтом, кото́рый выступа́л на ве́чере. 3. Я позвони́л дру́гу, кото́рый пригласи́л меня́ в кино́. 4. Я взял уче́бник у това́рища, кото́рый уже́ сдал экза́мен. 5. Мы поздоро́вались со студе́нтами, кото́рые сиде́ли в аудито́рии. 6. Мы говори́ли о друзья́х, кото́рые верну́лись на ро́дину. 7. Я не зна́ю де́вушку, кото́рая откры́ла нам дверь. 8. Я написа́л сестре́, кото́рая присла́ла мне посы́лку. 9. Мы встре́тились с това́рищами, кото́рые е́здили ле́том в Сиби́рь.

VII. Read through the sentences, noting the use of the active participles.

1. На конгре́ссе выступа́ли учёные, **изуча́ющие** э́ти пробле́мы.
2. Това́рищ, **подари́вший** мне кни́гу, лю́бит э́того писа́теля.

1. Пробле́мы, **изуча́емые** э́тими учёными, очень важны́.
2. В кни́ге, **пода́ренной** мне, бы́ли расска́зы Го́рького.

3. Мы чита́ли о М. В. Ломоно́сове, **созда́вшем** пе́рвый ру́сский университе́т.
4. Я говори́л с поэ́том, **переве́дшим** э́ти стихи́.

3. Университе́т, **со́зданный** по прое́кту М. В. Ломоно́сова, но́сит его́ и́мя.
4. Стихи́, **переведённые** э́тим поэ́том, мне о́чень понра́вились.

VIII. Insert the active and passive participles, given on the right, in the correct form.

1. Я зна́ю архите́ктора, ... э́тот дом.	*постро́ивший*
Он ви́дел дом, ... по прое́кту э́того архите́ктора.	*постро́енный*
2. Мне понра́вилась кни́га, ... молоды́м писа́телем.	*написа́вший* *напи́санный*
Писа́тель, ... э́ту кни́гу прие́хал к нам в го́сти.	
3. На ве́чере выступа́ли космона́вты, ... в наш университе́т.	*пригласи́вший* *приглашённый*
Студе́нты, ... космона́втов, задава́ли им мно́го вопро́сов.	
4. Я взял слова́рь, ... неда́вно.	*купи́вший*
Я поблагодари́л това́рища, ... мне слова́рь.	*ку́пленный*
5. На столе́ лежа́т кни́ги, ... студе́нтом.	*забы́вший*
Студе́нт, ... кни́ги, верну́лся в аудито́рию.	*забы́тый*
6. Де́вушка, ... нам дверь, у́чится с на́ми.	*откры́вший*
Мы вошли́ в ... дверь.	*откры́тый*
7. Она́ прочита́ла письмо́, ... у́тром.	*получи́вший*
Я встре́тил О́лю, ... письмо́ из до́ма.	*полу́ченный*

IX. Change the sentences, as in the model.

Model: *Кни́га, кото́рую подари́л мне друг, о́чень интере́сная. Кни́га, пода́ренная мне дру́гом, о́чень интере́сная.*
Друг, кото́рый подари́л мне кни́гу, живёт в Ки́еве. Друг, подари́вший мне кни́гу, живёт в Ки́еве.

1. Делега́ция, кото́рую при́нял ре́ктор, прие́хала из Аме́рики. Ре́ктор, кото́рый при́нял делега́цию, рассказа́л о на́шем университе́те.
2. Я посмотре́л журна́лы, кото́рые мне принесли́ вчера́. Това́рищ, кото́рый принёс мне журна́лы, живёт в общежи́тии.
3. Мне понра́вились пе́сни, кото́рые испо́лнил молодо́й певе́ц. У певца́, кото́рый испо́лнил ру́сские пе́сни, хоро́ший го́лос.
4. Фотоальбо́м, кото́рый мне показа́ли, был о́чень интере́сным. Де́вушка, кото́рая показа́ла мне фотоальбо́м, у́чится в на́шем институ́те.
5. Зада́ча, кото́рую реши́л друг, о́чень тру́дная.
Я позвони́л дру́гу, кото́рый реши́л э́ту зада́чу.
6. Мне нра́вится пе́сня, кото́рую спе́ли студе́нты.
Я зна́ю студе́нтов, кото́рые спе́ли э́ту пе́сню.
7. В телегра́мме, кото́рую он посла́л домо́й, он написа́л, что ско́ро прие́дет.

Я живу́ с това́рищем, кото́рый посла́л сейча́с телегра́мму.
8. Она́ показа́ла мне пода́рок, кото́рый купи́ла сестре́.
Де́вушка, кото́рая купи́ла сестре́ пода́рок, на́ша студе́нтка.

X. Answer the questions.

Model: – *Что тако́е неда́вно откры́тая вы́ставка?*
– *Это вы́ставка, кото́рую откры́ли неда́вно.*

Что тако́е: 1. Неда́вно постро́енная шко́ла? 2. Неда́вно осно́ванный университе́т? 3. Давно́ опублико́ванная кни́га? 4. Переведённый на ру́сский язы́к расска́з? 5. По́сланная вчера́ телегра́мма? 6. Неда́вно полу́ченное письмо́? 7. Неда́вно напи́санная пе́сня? 8. Давно́ изуча́емая пробле́ма?

XI. Insert the long and short participles, given on the right, in the correct form.

1. Этот студе́нт ... в университе́т.	*при́нятый*
Ре́ктор бесе́довал со студе́нтами, ... в университе́т.	*при́нят*
2. Они́ говори́ли о неда́вно ... экза́менах.	*сда́нный*
Все экза́мены уже́ ...	*сдан*
3. Ве́чер был хорошо́ ...	*организо́ванный*
Мы бы́ли на ве́чере, ... на́шими студе́нтами.	*организо́ван*
4. Библиоте́ка уже́ ...	*откры́тый*
Он вошёл в ... дверь.	*откры́т*
5. Эта шко́ла ... про́шлом году́.	*постро́енный*
Мы бы́ли в шко́ле, ... в про́шлом году́.	*постро́ен*
6. Моско́вский университе́т ... М. В. Ломоно́совым.	*осно́ванный*
Он у́чится в университе́те, ... М. В. Ломоно́совым.	*осно́ван*
7. Его́ стихи́ ... на ру́сский язы́к.	*переведённый*
Я чита́л его́ стихи́, ... на ру́сский язы́к.	*переведён*

XII. Read and translate the proverbs into English. Note the use of the verbal adverbs and the participles in them.

(a) 1. Ко́нчив де́ло, гуля́й сме́ло. 2. Ничего́ не де́лая, мы у́чимся дурны́м дела́м. (*Англи́йская посло́вица*) 3. Лёжа пи́щи не добу́дешь. 4. Не замочи́в рук, не умо́ешься.

(b) 1. Сде́ланного не воро́тишь. 2. Хорошо́ на́чатое наполови́ну сде́лано. (*Англи́йская посло́вица*) 3. Име́ющий у́ши, да слы́шит. 4. Утопа́ющий хвата́ется за соло́минку. 5. Не буди́ спя́щих соба́к. (*Англи́йская посло́вица*) 6. Боле́зни – э́то проце́нты за полу́ченные удово́льствия. (*Англи́йская посло́вица*)

Ⓢ ЧИТАЙТЕ СО СЛОВАРЁМ

Абха́зские долгожи́тели

Почему́ не́которые лю́ди живу́т до́лго: 100–120 лет? Почему́, прожи́в таку́ю до́лгую жизнь, они́ сохраня́ют физи́ческую актив-

Абха́зские долгожи́тели

ность и я́сную па́мять? В чём причи́на их долголе́тия? Это вопро́с, кото́рый, интересу́ет не то́лько учёных.

Долгожи́тели – лю́ди, кото́рым испо́лнилось 90 лет и бо́льше, живут в ра́зных райо́нах на́шей страны́. Но учёные заме́тили, что есть гру́ппы людей и да́же це́лые наро́ды, среди́ кото́рых осо́бенно мно́го долгожи́телей. Оди́н из таки́х наро́дов – абха́зцы. В Абха́зии, автоно́мной респу́блике на Кавка́зе, живёт о́коло двухсо́т челове́к ста́рше ста лет. Долгожи́тели Абха́зии давно́ привлекают к себе́ внима́ние учёных ра́зных стран ми́ра. Сове́тские и иностра́нные журнали́сты – ча́стые го́сти Абха́зии. О долгожи́телях Абха́зии пи́шут нау́чные труды́, статьи́, организу́ют переда́чи по телеви́дению. Переда́чи о долгожи́телях Абха́зии шли по францу́зскому и италья́нскому телеви́дению.

Пе́рвое, что замеча́ют все, кто встреча́лся с абха́зскими долгожи́телями, э́то их трудова́я акти́вность, акти́вное уча́стие в жи́зни. Как пра́вило, все они́ рабо́тают в колхо́зе, до́ма, помога́ют де́лом и сове́том молоды́м. Их о́пыт, зна́ние жи́зни помога́ют в тру́дных ситуа́циях найти́ пра́вильное реше́ние.

Национа́льная культу́ра кавка́зских наро́дов, воспи́тывая глубо́кое уваже́ние к лю́дям ста́ршего поколе́ния, в то же вре́мя обя́зывает ста́рших не то́лько не отстава́ть от жи́зни, но всегда́ быть в чём-то впереди́ молоды́х. Именно поэ́тому молоды́е внима́тельны к сове́там и рекоменда́циям ста́рших.

Здесь, в Абха́зии, есть уника́льный анса́мбль пе́сни и та́нца – анса́мбль долгожи́телей. Одному́ из соли́стов э́того анса́мбля бо́льше ста пяти́ лет. Анса́мбль э́тот мно́го е́здит по стране́, даёт конце́рты, кото́рые по́льзуются больши́м успе́хом у зри́телей.

Ита́к, в чём же секре́т долголе́тия? Отве́тить на э́тот вопро́с нельзя в двух слова́х, да́же серьёзной статьи́ для э́того бы́ло бы ма́ло. Одно́ мо́жно сказа́ть с уве́ренностью: бо́дрость ду́ха и жи́зненная акти́вность явля́ются важне́йшими фа́кторами, спосо́бствующими до́лгой жи́зни.

долголе́тие longevity
долгожи́тель long-lived person, nonagenarian
абха́зцы Abkhazians
привлека́ть внима́ние *чьё? к кому? к чему?* to attract the attention of
поколе́ние generation
не отстава́ть от жи́зни to keep abreast of life
по́льзоваться успе́хом to be a success (with)
в двух слова́х in a few words
с уве́ренностью confidently
бо́дрость ду́ха cheerful spirits

Задание к тексту

1. Расскажи́те, что вы узна́ли о долгожи́телях Абха́зии? Како́й уника́льный анса́мбль есть в Абха́зии?
2. Расскажи́те, что вы зна́ете о долгожи́телях ва́шей страны́.
3. Прочита́йте посло́вицы и афори́змы об акти́вной жи́зненной пози́ции. Найди́те в ва́шем языке́ посло́вицы и афори́змы на э́ту те́му, переведи́те их на ру́сский язы́к.

Жизнь прожи́ть – не по́ле перейти́.

Не то́т живёт бо́льше, кто живёт до́льше.

Без де́ла жить – то́лько не́бо копти́ть.

Пло́хо жить без рабо́ты, да без забо́ты.

Мы должны́ есть, что́бы жить, а не жи́ть, что́бы есть. (*Лати́нская посло́вица*)

«Жизнь то́лько в движе́нии». *В. Бели́нский*

«Жизнь жива́ и прекра́сна энерги́чною рабо́тою». *В. Вереса́ев*

«Се́рдце не тре́бует и не выно́сит поко́я, и́бо поко́й для него́ – смерть». *И. Франко́*

«Жизнь даётся оди́н раз, и хо́чется прожи́ть её бо́дро, осмы́сленно, краси́во». *А. Че́хов*

«Ка́ждый челове́к рожда́ется для како́го-то де́ла». *Э. Хемингу́эй*

«Не де́йствовать и не существова́ть для челове́ка одно́ и то же». *Ф. Вольте́р*

«Де́йствия люде́й – лу́чшие перево́дчики их мы́слей». *Д. Локк*

«Жизнь длинна́, е́сли е́ю уме́ло по́льзоваться». *Сене́ка*

«Забо́тясь о сча́стье други́х, мы нахо́дим своё со́бственное». *Плато́н*

SUMMING-UP GRAMMATICAL TABLES

Nouns in -ь

Masculine		Feminine		
автомоби́ль	медве́дь	бандеро́ль	любо́вь	пло́щадь
анса́мбль	нуль	боле́знь	мать	посте́ль
гвоздь	ого́нь	боль	ме́бель	роль
го́спиталь	портфе́ль	власть	мысль	связь
гость	путь	грудь	о́бувь	смерть
день	роя́ль	дверь	о́сень	соль
дождь	рубль	жизнь	о́чередь	степь
зверь	слова́рь	крова́ть	па́мять	тетра́дь
календа́рь	спекта́кль	кровь	печа́ль	цель
ка́мень	фестива́ль	ло́шадь	по́весть	часть
ко́рень	фона́рь			честь

Names of Months		Nouns in **-ь** following **ж, ш, ч, щ**	
янва́рь	ию́ль	вещь	ночь
февра́ль	сентя́брь	глушь	молодёжь
апре́ль	октя́брь	дочь	по́мощь
ию́нь	ноя́брь		
	дека́брь		

Adjectives with the Stem in a Soft Consonant

ле́тний	ве́рхний
зи́мний	ни́жний
весе́нний	бли́жний
осе́нний	да́льний
у́тренний	сосе́дний
вече́рний	сре́дний
ра́нний	после́дний
по́здний	дре́вний
вчера́шний	дома́шний
сего́дняшний	ли́шний
за́втрашний	си́ний

Declension of Nouns in the Plural

Case	Question	Masculine		Feminine		Neuter	
Nom.	кто?	студе́нты	**-ы**	сёстры	**-ы**		
		врачи́	**-и**	студе́нтки	**-и**		
		го́сти					
	что?	музе́и		пе́сни		о́кна	**-а**
		санато́рии		аудито́рии		зда́ния	**-я**
				тетра́ди		поля́	
Gen.	кого́?	студе́нтов	**-ов**	сестёр			
		враче́й		студе́нток			
		госте́й	**-ей**				
	чего́?	музе́ев	**-ев**	пе́сен		о́кон	
		санато́риев		аудито́рий	**-ий**	зда́ний	**-ий**
				тетра́дей	**-ей**	поле́й	**-ей**
Dat.	кому́?	студе́нтам	**-ам**	сёстрам	**-ам**		
		врача́м		студе́нтам			
		гостя́м	**-ям**				
	чему́?	музе́ям		пе́сням	**-ям**	о́кнам	**-ам**
		санато́риям		аудито́риям		зда́ниям	**-ям**
				тетра́дям		поля́м	
Acc.	кого́?	студе́нтов	as	сестёр	as		
		враче́й	gen.	студе́нток	gen.		
		госте́й					
	что?	музе́и	as	пе́сни	as	о́кна	as
		санато́рии	nom.	аудито́рии	nom.	зда́ния	nom.
				тетра́ди		поля́	
Instr.	кем?	студе́нтами	**-ами**	сёстрами	**-ами**		
		врача́ми		студе́нтками		о́кнами	**-ами**
		гостя́ми	**-ями**				
	чем?	музе́ями		пе́снями	**-ями**	зда́ниями	**-ями**
		санато́риями		аудито́риями		поля́ми	
				тетра́дями			
Prep.	о ком?	о студе́нтах	**-ах**	о сёстрах	**-ах**		
		о врача́х		о студе́нтках			
		о гостя́х	**-ях**				
	о чём?	о музе́ях		о пе́снях	**-ях**	об о́кнах	**-ах**
		о санаториях		об аудито́риях		о зда́ниях	**-ях**
				о тетра́дях		о поля́х	

Declension of Proper Names

Case	Forename, Patronymic, Surname	
Nom.	Андре́й Никола́евич Ивано́в	(Фоми́н, Петро́вский)
Gen.	Андре́я Никола́евича Ивано́ва	(Фомина́, Петро́вского)
Dat.	Андре́ю Никола́евичу Ивано́ву	(Фомину́, Петро́вскому)
Acc.	Андре́я Никола́евича Ивано́ва	(Фомина́, Петро́вского)
Instr.	Андре́ем Никола́евичем Ивано́вым	(Фомины́м, Петро́вским)
Prep.	об Андре́е Никола́евиче Ивано́ве	(Фомине́, Петро́вском)
Nom.	Анна Никола́евна Ивано́ва	(Фомина́, Петро́вская)
Gen.	Анны Никола́евны Ивано́вой	(Фомино́й, Петро́вской)
Dat.	Анне Никола́евне Ивано́вой	(Фомино́й, Петро́вской)
Acc.	Анну Никола́евну Ивано́ву	(Фомину́, Петро́вскую)
Instr.	Анной Никола́евной Ивано́вой	(Фомино́й, Петро́вской)
Prep.	об Анне Никола́евне Ивано́вой	(Фомино́й, Петро́вской)

Declension of Adjectives

Case	Singular			Plural
	Masc.	Neut.	Fem.	
Nom.	**како́й?** но́вый **-ый** большо́й **-ой** ру́сский **-ий** хоро́ший си́ний	**како́е?** ново́е **-ое** большо́е ру́сское хоро́шее **-ее** си́нее	**кака́я?** но́вая **-ая** больша́я ру́сская хоро́шая си́няя **-яя**	**каки́е?** но́вые **-ые** больши́е **-ие** ру́сские хоро́шие си́ние
Gen.	**како́го?** но́вого **-ого** большо́го ру́сского хоро́шего **-его** си́него		**како́й?** но́вой **-ой** большо́й ру́сской хоро́шей **-ей** си́ней	**каки́х?** но́вых **-ых** больши́х **-их** ру́сских хоро́ших си́них

Case	Singular			Plural
	Masc.	Neut.	Fem.	
Dat.	**какому?** но́вому **-ому** большо́му ру́сскому хоро́шему **-ему** си́нему		**како́й?** но́вой **-ой** большо́й ру́сской хоро́шей **-ей** си́ней	**каки́м?** но́вым **-ым** больши́м **-им** ру́сским хоро́шим си́ним
Acc.	**како́й?** as nom. **како́го?** as gen.	**како́е?** as nom.	**каку́ю?** но́вую **-ую** большу́ю ру́сскую хоро́шую си́нюю **-юю**	**каки́е?** as nom. **каки́х?** as gen.
Instr.	**каки́м?** но́вым **-ым** больши́м **-им** ру́сским хоро́шим си́ним		**како́й?** но́вой **-ой** большо́й ру́сской хоро́шей **-ей** си́ней	**каки́ми?** но́выми **-ыми** боль- ши́ми **-ими** ру́с- скими хоро́- шими си́ними
Prep.	**о како́м?** о но́вом **-ом** о большо́м о ру́сском о хоро́шем **-ем** о си́нем		**о како́й?** о но́вой **-ой** о большо́й о ру́сской о хоро́- шей **-ей** о си́ней	**о каки́х?** о но́вых **-ых** о боль- ших **-их** о ру́с- ских о хоро́- ших о си́них

Declension of Possessive Pronouns

Case	Singular						Plural
	Masc.	Neut.	Fem.	Masc.	Neut.	Fem.	
Nom.	**чей?** мой	**чьё?** моё	**чья?** моя́	наш	на́ше	на́ша	**чьи?** мои́ на́ши
Gen.	**чьего́?** моего́		**чьей?** мое́й	на́шего		на́шей	**чьих?** мои́х на́ших
Dat.	**чьему́?** моему́		**чьей?** мое́й	на́шему		на́шей	**чьим?** мои́м на́шим
Acc.	as gen. as nom.	as nom.	**чью?** мою́	as gen. as nom.	as nom.	на́шу	**чьих?** **чьи?** as gen. as nom.
Instr.	**чьим?** мои́м		**чьей?** мое́й (-ею)	на́шим		на́шей (-ею)	**чьи́ми?** мои́ми на́шими
Prep.	**о чьём?** о моём		**о чьей?** о мое́й	о на́шем		о на́шей	**о чьих?** о мои́х о на́ших

Note.– 1. The pronouns **твой** and **свой** follow the declension pattern of **мой**.
2. The pronoun **ваш** follows the declension pattern of **наш**.

Declension of Demonstrative Pronouns

Case	Singular			Plural
	Masc.	Neut.	Fem.	
Nom.	э́тот (тот)	э́то (то)	э́та (та)	э́ти (те)
Gen.	э́того (того́)		э́той (той)	э́тих (тех)
Dat.	э́тому (тому́)		э́той (той)	э́тим (тем)
Acc.	as nom. as gen.		э́ту (ту)	as nom. as gen.
Instr.	э́тим (тем)		э́той (той)	э́тими (те́ми)
Prep.	об э́том (о том)		об э́той (о то́й)	об э́тих (о те́х)

Proper Nouns
Forename, Patronymic and Surname

Алекса́ндр Васи́льевич Ивано́в	Алекса́ндра Васи́льевна Ивано́ва
Андре́й Никола́евич Фоми́н	Анна Никола́евна Фомина́
Валенти́н Алекса́ндрович Петро́вский	Валенти́на Алекса́ндровна Петро́вская

Formation of Patronymics

Алекса́ндр сын Серге́я – Алекса́ндр Серге́евич	Алекса́ндра дочь Серге́я – Алекса́ндра Серге́евна
Ива́н сын Петра́ – Ива́н Петро́вич	Ни́на дочь Петра́ – Ни́на Петро́вна

26–1350

A Short List of Russian Forenames

Masculine Names		Feminine Names	
Full Name	Short Name	Full Name	Short Name
Алекса́ндра	Са́ша, Шу́ра	Алекса́ндра	Са́ша, Шу́ра
Алексе́й	Алёша, Лёша	Анна	Аня
Андре́й	Андрю́ша	Валенти́на	Ва́ля
Анто́н	–	Ве́ра	–
Валенти́н	Ва́ля	Гали́на	Га́ля
Васи́лий	Ва́ся	Евге́ния	Же́ня
Влади́мир	Воло́дя, Во́ва	Екатери́на	Ка́тя
Дми́трий	Ди́ма, Ми́тя	Любо́вь	Лю́ба
Евге́ний	Же́ня	Людми́ла	Лю́да, Ми́ла
Ива́н	Ва́ня	Мари́на	–
Константи́н	Ко́стя	Мари́я	Ма́ша
Михаи́л	Ми́ша	Наде́жда	На́дя
Никола́й	Ко́ля	Ната́лья	Ната́ша
Оле́г	Алик	Ни́на	–
Пётр	Пе́тя	Ольга	Оля
Серге́й	Серёжа	Светла́на	Све́та
Юрий	Юра	Со́фья	Со́ня
		Татья́на	Та́ня

Principal Meanings of Prepositions

Case	Preposition	Question	Example
Gen.	**из**	отку́да?	вы́йти **из** ко́мнаты
	с	отку́да?	уйти́ **с** вы́ставки
	от	отку́да?	отойти́ **от** до́ма
		от кого́?	уйти́ **от** врача́
	у	где?	стол **у** окна́
		у кого́?	быть **у** врача́
	о́коло	где?	магази́н **о́коло** гости́ницы
	напро́тив	где?	магази́н **напро́тив** гости́ницы
	недалеко́ от	где?	магази́н **недалеко́ от** гости́ницы
	до	куда́?	авто́бус идёт **до** це́нтра
		когда́?	встре́титься **до** обе́да

Case	Preposition	Question	Example
Gen.	**по́сле**	когда́?	верну́ться **по́сле** пра́здника
	с... до...	когда́?	рабо́тать **с** утра́ **до** ве́чера
	без	како́й?	чай **без** лимо́на
Dat.	**к**	куда́?	идти́ **к** метро́
		к кому́?	пойти́ **к** врачу́
	по	где?	идти́ **по** у́лице
		как?	говори́ть **по** телефо́ну
			посла́ть **по** по́чте
Acc.	**в**	куда́?	пойти́ **в** кино́
		когда́?	встре́титься **в** понеде́льник
	на	куда́?	пойти́ **на** конце́рт
		на како́е вре́мя?	прие́хать **на** неде́лю
	че́рез	когда́?	верну́ться **че́рез** день
	за	за что?	заплати́ть **за** поку́пки
		за како́е вре́мя?	реши́ть зада́чу **за** час
Instr.	**с**	с кем?	говори́ть **с** бра́том
		како́й?	ко́фе **с** молоко́м
	за	где?	остано́вка **за** угло́м
	над	где?	ла́мпа **над** столо́м
	под	где?	чемода́н **под** крова́тью
	пе́ред	где?	кио́ск **пе́ред** до́мом
	ря́дом с	где?	метро́ **ря́дом с** до́мом
Prep.	**о (об)**	о чём?	говори́ть **об** экску́рсии
		о ко́м?	ду́мать **о** дру́ге
	в	где?	ве́щи **в** шкафу́
		когда́?	прие́хать **в** январе́
	на	где?	кни́га **на** столе́
		когда́?	уе́хать **на** э́той неде́ле

Prepositions with Spatial Meaning (Position and Direction)

ГДЕ?			
ПРЕДЛОГ	Падеж	**ПРЕДЛОГ**	Падеж
НА	предл. пад.	**ПЕРЕД**	твор. пад.
В	предл. пад.	**РЯДОМ С**	твор. пад.
		ОКОЛО	род. пад.
		У	род. пад.
НАД	твор. пад.	**НАПРОТИВ**	род. пад.
ПОД	твор. пад.	**НЕДАЛЕКО ОТ...**	род. пад.
ЗА	твор. пад.	**ПО**	дат. пад.

КУДА?			
ПРЕДЛОГ	Падеж	ПРЕДЛОГ	Падеж
В НА	вин. п.	К	дат. п.
		ДО	род. п.

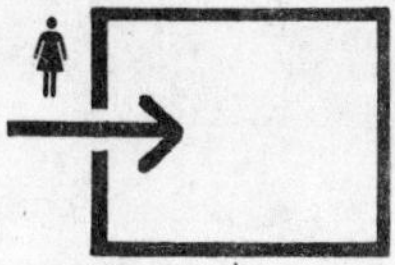

ОТКУДА?			
ПРЕДЛОГ	Падеж	ПРЕДЛОГ	Падеж.
ИЗ С	род. пад.	ОТ	род. пад.

Special Cases of Verb Conjugation

бежа́ть	я бегу́	ты бежи́шь	он бежи́т	мы бежи́м	вы бежи́те	они́ бегу́т
брать	я беру́	ты берёшь	он берёт	мы берём	вы берёте	они́ беру́т
быть	я бу́ду	ты бу́дешь	он бу́дет	мы бу́дем	вы бу́дете	они́ бу́дут
взять	я возьму́	ты возьмёшь	он возьмёт	мы возьмём	вы возьмёте	они́ возьму́т
дать	я дам	ты дашь	он даст	мы дади́м	вы дади́те	они́ даду́т
есть	я ем	ты ешь	он ест	мы еди́м	вы еди́те	они́ едя́т
е́хать	я е́ду	ты е́дешь	он е́дет	мы е́дем	вы е́дете	они́ е́дут
жить	я живу́	ты живёшь	он живёт	мы живём	вы живёте	они́ живу́т
идти́	я иду́	ты идёшь	он идёт	мы идём	вы идёте	они́ иду́т
лечь	я ля́гу	ты ля́жешь	он ля́жет	мы ля́жем	вы ля́жете	они́ ля́гут
мочь	я могу́	ты мо́жешь	он мо́жет	мы мо́жем	вы мо́жете	они́ мо́гут
пить	я пью	ты пьёшь	он пьёт	мы пьём	вы пьёте	они́ пьют
поня́ть	я пойму́	ты поймёшь	он поймёт	мы поймём	вы поймёте	они́ пойму́т
сесть	я ся́ду	ты ся́дешь	он ся́дет	мы ся́дем	вы ся́дете	они́ ся́дут
хоте́ть	я хочу́	ты хо́чешь	он хо́чет	мы хоти́м	вы хоти́те	они́ хотя́т

Special Cases of Past Tense Formation

везти́ нести́ спасти́	он вёз он нёс он спас	она́ везла́ она́ несла́ она́ спасла́	они́ везли́ они́ несли́ они́ спасли́
вести́ есть сесть упа́сть	он вёл он ел он сел он упа́л	она́ вела́ она́ е́ла она́ се́ла она́ упа́ла	они́ вели́ они́ е́ли они́ се́ли они́ упа́ли
бере́чь лечь мочь помо́чь	он берёг он лёг он мог он помо́г	она́ берегла́ она́ легла́ она́ могла́ она́ помогла́	они́ берегли́ они́ легли́ они́ могли́ они́ помогли́
исче́знуть поги́бнуть привы́к-нуть	он исче́з он поги́б он привы́к	она́ исче́зла она́ поги́бла она́ привы́кла	они́ исче́зли они́ поги́бли они́ привы́кли
умере́ть идти́	он у́мер он шёл	она́ умерла́ она́ шла	они́ у́мерли они́ шли

Main Types of Consonant Alternation

б → **бл**: люби́ть – люблю́	**к** → **ч**: пла́кать – пла́чу
в → **вл**: гото́вить – гото́влю	**с** → **ш**: писа́ть – пишу́
п → **пл**: купи́ть – куплю́	**ск** → **щ**: иска́ть – ищу́
г → **ж**: могу́ – мо́жешь	**ст** → **щ**: прости́ть – прощу́
д → **ж**: сиде́ть – сижу́	**т** → **ч**: отве́тить – отве́чу
з → **ж**: вози́ть – вожу́	**т** → **щ**: освети́ть – освещу́

Verbs Not Used Without -ся

боро́ться	каза́ться	ошиба́ться	соглаша́ться
боя́ться	ложи́ться	появля́ться	станови́ться
горди́ться	наде́яться	сади́ться	удава́ться
забо́титься	нра́виться	случа́ться	улыба́ться
здоро́ваться	остава́ться	смея́ться	явля́ться

RUSSIAN SPEECH CONVENTIONS

1. GREETINGS. LEAVE-TAKING

Expressions Used as Greetings

– Здра́вствуйте!
  До́брое у́тро!
  До́брый день!
  До́брый ве́чер!
– Приве́т! (informal, friendly)

Expressions Accompanying Greetings

– Здра́вствуйте!
  (Очень) ра́д(а) вас ви́деть!
– Как хорошо́, что мы встре́тились!
– Давно́ вас (тебя́) не ви́дел(а)!
– Как пожива́ете? Как у ва́с дела́?
– Как дела́? (informal, friendly)
– Как себя́ чу́вствуете?
– Спаси́бо, хорошо́, а как вы? (а как у ва́с?)
  а как ты?
– Ничего́, спаси́бо.
– Нева́жно.

Expressions Used at Leave-Taking

– До свида́ния!
– Всего́ хоро́шего!
  Всего́ до́брого!
– Проща́йте! (Проща́й!)
– До встре́чи! (До ско́рой встре́чи!)
– До за́втра!
  До воскресе́нья! (До пра́здника!, etc.)
– Споко́йной но́чи!
– Пока́! (informal, friendly)
– Уви́димся!

2. FORMS OF ADDRESS. MEANS OF ATTRACTING ATTENTION

Expressions Used to Address Strangers

– Това́рищ!
– Това́рищи!
– Уважа́емые колле́ги!
Дороги́е друзья́!
– Позво́льте сказа́ть... (Разреши́те мне сказа́ть...)
– Молодо́й челове́к! Вы не ска́жете...
Де́вушка! Вы не зна́ете...
– Прости́те, вы не ска́жете... (вы не зна́ете...)
Извини́те, пожа́луйста, вы не зна́ете...
– Бу́дьте добры́, скажи́те... (да́йте... и т. д.)
– Прости́те, вы не могли́ бы сказа́ть... (переда́ть...)
– Мо́жно вас спроси́ть... (попроси́ть...)
– Разреши́те спроси́ть... (попроси́ть...)
– Де́вочка, ты не зна́ешь...
Ма́льчик, ты не ска́жешь...

Possible Reactions

– Да, пожа́луйста.
– Я вас слу́шаю.
– Что вы хоти́те?
– Вы ко мне́?

Expressions Used to Address Friends or Acquaintances

– Това́рищ Ивано́в!
– Това́рищ Никола́ева!
– Ива́н Серге́евич!
– Ни́на Петро́вна!
– Оле́г!
– Та́ня!
– Друзья́!
– Ребя́та! (informal, friendly)

3. REQUESTS

– Прошу́ вас.
– Я могу́ попроси́ть Вас (Не могли́ бы Вы) помо́чь мне.
(сказа́ть мне, etc.)
– У меня́ к Вам про́сьба:...
– Бу́дьте добры́, покажи́те...
да́йте...
переда́йте...
– Скажи́те, пожа́луйста...
Да́йте, пожа́луйста...
Покажи́те, пожа́луйста...

Повтори́те, пожа́луйста...
– Разреши́те пройти́.
– Мо́жно войти́?

Informal, Friendly

– Прошу́ тебя́, не забу́дь...
– Помоги́ мне.
– Будь добр, переда́й мне...
покажи́ мне...
проводи́ меня́, etc.
– Скажи́, пожа́луйста...
Дай, пожа́луйста...
Покажи́, пожа́луйста...

Possible Replies to a Request

– Да, коне́чно.
– Да, пожа́луйста.
– С удово́льствием (сде́лаю э́то).
– Не беспоко́йтесь! (Не беспоко́йся!)
– К сожале́нию, не могу́ (не смогу́).
не зна́ю, etc.
– Прости́ (прости́те), я за́нят(а́).
– Извини́ (извини́те), я о́чень спешу́.

4. AGREEMENT. CONFIRMATION. REFUSAL

Agreement, Refusal to Comply with a Request or Declining an Invitation

– Вы не могли́ бы (ты бы не мо́г) сде́лать э́то?
Вы не мо́жете (ты не мо́жешь) сде́лать э́то?
Вы не сде́лаете (ты не сде́лаешь) э́то?
– Да, коне́чно.
Пожа́луйста. (Да, пожа́луйста.)
С удово́льствием.
Сде́лаю. (Обяза́тельно сде́лаю.)
Охо́тно. (Охо́тно сде́лаю.)
– К сожале́нию, не могу́ (не смогу́).
не смо́жем.
Очень жаль, но не могу́ (не смогу́).
К сожале́нию, я не могу́ (не смогу́) вы́полнить ва́шу (твою́) про́сьбу.
С удово́льствием бы, но не могу́ (не смогу́).

– Вы не хоти́те (ты не хо́чешь) пойти́ на э́ту вы́ставку?
Вы не хоти́те (ты не хо́чешь) пойти́ с на́ми?
Вы не пойдёте (ты не пойдёшь) с на́ми?
– Пойду́ (пойдём) с удово́льствием.
Пойду́ (пойдём) обяза́тельно.
Коне́чно, пойду́ (пойдём).

– Нет, не хочу́ (не хоти́м).
К сожале́нию, не могу́ (не мо́жем).
Рад(а) бы, да (но) нет вре́мени.
К сожале́нию, я за́нят(а́), мы за́няты.

– Пойдёмте (пойдём) на э́ту вы́ставку.
Дава́йте (дава́й) пойдём...
Пошли́...
– Пойдёмте (пойдём).
Дава́йте (дава́й).
Хорошо́, пойдём (пойдёмте).
Пошли́.
Я не про́тив (мы не про́тив).
– Не могу́ (не мо́жем).
В друго́й раз.

– Вы не придёте (ты не придёшь) к нам ве́чером?
в суббо́ту, в воскресе́нье, etc.
Вы не могли́ бы (ты не мо́г бы) зайти́ к нам (на часо́к)?
Приходи́те (заходи́те) к нам.
Приходи́ (заходи́).
– Придём (зайдём) с удово́льствием.
Приду́ (зайду́).
Коне́чно, придём (зайдём).
приду́ (зайду́).
– Спаси́бо, но не смогу́ (не смо́жем).
Спаси́бо за приглаше́ние, но я за́нят(а́).
Благодари́м мы за́няты.
– Спаси́бо, но я, к сожале́нию, за́нят(а́).
Благодарю́.
Очень жаль, но не смогу́ (не смо́жем).
С удово́льствием бы, но нет вре́мени.

Non-Committing Replies

– Не зна́ю, смогу́ ли.
Не зна́ем, смо́жем ли.
Не уве́рен(а), что смогу́.
Мо́жет быть (наве́рное), сде́лаю.
пойду́, etc.
Сде́лаю (пойду́, etc.), е́сли смогу́.
Я постара́юсь (мы постара́емся) сде́лать э́то.
прийти́, пойти́, etc.
Не обеща́ю, но постара́юсь.
Не обеща́ем, но постара́емся.

Agreement, Disagreement with the Conversation Partner

– Ду́маю, э́то интере́сно.
Мне ка́жется, э́то бу́дет интере́сно.
Это о́чень интере́сно (о́чень хорошо́).

– Ду́маю, да.
Мне ка́жется, да.
Коне́чно, да.
Коне́чно, интере́сно (хорошо́).
Да, коне́чно.
– Не согла́сен с ва́ми (с тобо́й).
Не согла́сна.
Я не согла́сен. (Я не согла́сна.)
Не ду́маю, что э́то интере́сно.
что э́то хорошо́.
что э́то так.
Мне ка́жется, э́то не та́к.
Ошиба́етесь. (Ошиба́ешься.)
Ну что вы! (Ну что ты!)
Ничего́ интере́сного! (Ничего́ хоро́шего!)

– Ду́маю (мне ка́жется), на э́тот спекта́кль сто́ит пойти́.
Мне ка́жется (ду́маю), э́то сто́ит посмотре́ть.
послу́шать.
купи́ть, etc.
Там сто́ит побыва́ть.
Туда́ сто́ит съе́здить.
– Да, коне́чно.
Ду́маю, да.
Коне́чно, сто́ит.
По-мо́ему, сто́ит.
– Не ду́маю.
Мне ка́жется, нет.
Мне ка́жется, не сто́ит.
Нет, не сто́ит.
Не сто́ит теря́ть вре́мя.
Там ничего́ интере́сного (ничего́ хоро́шего).

5. APOLOGIES

– Извини́те, пожа́луйста.
Прости́те, пожа́луйста.
– Винова́т.
Винова́та.
– Прошу́ проще́ния.
– Извини́те (прости́те) за беспоко́йство.
за опозда́ние, etc.
– Извини́те (прости́те), что помеша́л(а).
что опозда́л(а).
что задержа́л(а) вас.
что не позвони́л(а).
что перебива́ю вас.
переби́л(а).
– Ты́сячу извине́ний за всё!

Informal and Friendly Forms of Apology

– Извини́ (прости́), Ни́на.
– Про́сти меня́, Оле́г.
– Извини́ (прости́), я совсе́м не хоте́л(а) тебя́ оби́деть.
– Прости́, пожа́луйста, я неча́янно.
– Винова́т(а).
– Не серди́сь. (Не серди́тесь.)

Possible Reactions to an Apology

– Пожа́луйста.
– Ничего́.
– Не сто́ит (беспоко́иться).
– Не беспоко́йтесь! (Не беспоко́йся!)
– Пустяки́! (Каки́е пустяки́!)
– Ну что вы! (Ну что ты!)
– Всё в поря́дке!

6. REGRET. SYMPATHY

– Жаль.
Очень жаль.
Мне (нам) о́чень жаль.
– Жаль, что я не зна́л(а) об э́том.
что я не мо́г (не могла́) прийти́, etc.
что я не смогу́ прийти́ (пойти́, etc.).
что я за́нят(а́).
– Жаль, что вы не смогли́ (не смо́жете) прийти́ (пойти́, etc.).
– Жаль, что так получи́лось.
– Сочу́вствую вам (тебе́).

7. GRATITUDE

– Спаси́бо!
Большо́е спаси́бо!
Большо́е вам (тебе́) спаси́бо!
Благодарю́ вас (тебя́)!
Я вам (тебе́) о́чень благода́рен (благода́рна)!
Мы вам о́чень благода́рны!
– Спаси́бо за по́мощь! Спаси́бо вам (тебе́) за по́мощь!
– Большо́е спаси́бо за внима́ние!
за сове́т!
за приглаше́ние!
за поздравле́ние!
за гостеприи́мство, etc.
– Спаси́бо (вам, тебе́) за всё!
– Спаси́бо (большо́е спаси́бо) за то, что вы сде́лали для меня́ (для на́с)!
– От всей души́ (от всего́ се́рдца) благодарю́ вас (тебя́)!
– Разреши́те поблагодари́ть вас за всё!

Possible Reactions to an Expression of Gratitude

– Пожáлуйста.
– Не стóит.
  Не стóит благодáрности.
– Нé за что.
– Ну что вы! (Ну что ты!)
– Пустякѝ! Какѝе пустякѝ!

8. CONGRATULATIONS. WISHES

– Поздравля́ю вас (тебя́) с прáздником!
  Поздравля́ем с наступáющим прáздником!
  с Нóвым гóдом!
  с днём рождéния, etc.
– С прáздником вас (тебя́)!
  С Нóвым гóдом!
  С днём рождéния!
– Разрешѝте (позвóльте) поздрáвить вас с прáздником!
  с днём рождéния!, etc.
– Я хочу́ (мы хотѝм) поздрáвить вас с прáздником и пожелáть вам всегó сáмого хорóшего!
– Желáю (желáем) вам (тебé) счáстья, здорóвья, успéхов!
– Бу́дьте счáстливы, здорóвы!
  Будь счáстлив(а), здорóв(а)!

KEY TO THE EXERCISES

Unit 1

III. (a) 1. Чья э́то семья́? Чей э́то брат? Чья э́то сестра́? 2. Чей э́то стол? Чей э́то уче́бник? Чья э́то кни́га и чья э́то тетра́дь? 3. Чьё э́то пальто́? А чей э́то костю́м и чьё э́то пла́тье? 4. Чей э́то дом? Чья э́то кварти́ра? Чьё э́то окно́? (b) 1. Э́то мой чемода́н. Это моё полоте́нце. Это моя́ руба́шка. 2. Это его́ портфе́ль. Это его́ ру́чка. Это его́ письмо́. 3. Это на́ша шко́ла. Это наш клуб. Это наш стадио́н.

IV. 1.– Как вас зову́т?– Кто вы? 2.– Это ва́ша сестра́?– Как её зову́т?– Кто она́? 3.– Кто э́то?– Кто она́?

VIII. 1.– Как вас зову́т?– Оле́г.– Вы студе́нт?– Да. 2.– Кто ваш друг?– Он инжене́р.– Он ру́сский?– Да, ру́сский. 3.– Здра́вствуй, Оле́г!– До́брый день, Джон! Знако́мьтесь: мой друг Джон, моя́ сестра́ Та́ня.– Очень прия́тно. Та́ня.– Рад познако́миться. Джон.

Unit 2

I. 1. Он здесь. Оно́ сле́ва. Она́ спра́ва. 2. Вот он. Вот она́. Вот оно́. 3. Она́ здесь. Он там.

II. 1. Где стадио́н? 2. Где парк? 3. Где шко́ла? 4. Где магази́н?

V. а) 1. Да, мой. 2. Да, его́. 3. Да, её. 4. Да, моя́. 5. Да, его́. 6. Да, её. b) 1. Да, био́лог. Нет, не био́лог. 2. Да, инжене́р. Нет, не инжене́р. 3. Да, врач. Нет, не врач. 4. Да, студе́нтка. Нет, не студе́нтка. 5. Да, студе́нт. Нет, не студе́нт. 6. Да, шко́льница. Нет, не шко́льница.

VII. (a) 1. У меня́ есть ра́дио. 2. У меня́ есть телефо́н. 3. У меня́ есть часы́. 4. У меня́ есть чемода́н.

(b) 1. У тебя́ есть ра́дио? 2. У тебя́ есть телефо́н? 3. У тебя́ есть часы́? 4. У тебя́ есть чемода́н?

VIII. 1.– У ва́с (у тебя́) есть брат?– Как его́ зову́т?– Он врач? 2.– У ва́с (у тебя́) есть друг?– Как его́ зову́т?– Кто он?

IX. (a) Это её семья́. Это её оте́ц и мать. А э́то её сестра́ и брат. Её сестра́ – шко́льница, а брат уже́ студе́нт. Её оте́ц – врач; её мать то́же врач.

X. 1. "I have a brother."
"What is his name?"
"Oleg."
"Is he a student?"
"No, he is an engineer."

2. "Have you got a dictionary?"
"Yes, I have."
"And the textbook?"
"I've got it too."

Unit 3

I. 1. Вы, я. 2. Вы, мы. 3. Он, он. 4. Ты. 5. Ты, я.

II. 1.– Я чита́ю.– То́же чита́ет. 2. Мы чита́ем ..., они́ то́же чита́ют ... 3. Я чита́ю ..., вы чита́ете?

III. Я студе́нт. Я изуча́ю ру́сский язы́к. Я уже́ немно́го зна́ю ру́сский язы́к. Сейча́с я чита́ю текст. Я чита́ю по-ру́сски. Я ещё не всё понима́ю. У меня́ есть ру́сско-англи́йский слова́рь.

Мы студе́нты. Мы изуча́ем ... Мы уже́ немно́го зна́ем ... Сейча́с мы чита́ем ... Мы чита́ем ... Мы ещё не всё понима́ем. У на́с есть ...

IV. 1. Том спра́шивает: «Как по-ру́сски ...?» 2. Что вы сейча́с де́лаете? Мы чита́ем. 3. Вы всё понима́ете? 4. Что она́ изуча́ет?

VI. а) Дай мне, пожа́луйста, слова́рь... уче́бник.. журна́л... тетра́дь... каранда́ш. (b) Да́йте мне, пожа́луйста, са́хар... сыр... молоко́... кефи́р... сок.

VII. 1. Джон – студе́нт. Он изуча́ет ру́сский язы́к. У него́ есть друг Оле́г. Оле́г изуча́ет англи́йский. Они́ ча́сто рабо́тают вме́сте. Джон ещё пло́хо понима́ет по-ру́сски.

2.– У вас есть а́нгло-ру́сский слова́рь? – Да, коне́чно.– Да́йте мне, пожа́луйста, слова́рь.– Пожа́луйста.– Спаси́бо! – Пожа́луйста.

Unit 4

I. 1. Здесь ча́шки, стака́ны, таре́лки, ло́жки, ножи́ и ви́лки. 2. Здесь плащи́, костю́мы, пла́тья, руба́шки, ша́пки и ша́рфы. 3. Здесь кни́ги, тетра́ди, уче́бники, ру́чки и карандаши́.

II. а) 1. Это мои́ кни́ги. 2. Это на́ши уче́бники. 3. Это ва́ши газе́ты. 4. Это на́ши журна́лы. 5. Это ва́ши тетра́ди. 6. Это мои́ ру́чки. b) 1. Мои́ бра́тья – инжене́ры. 2. Мои́ друзья́ – врачи́. 3. Её подру́ги – студе́нтки. 4. На́ши това́рищи – студе́нты. 5. Мои́ сёстры – шко́льницы. 6. Её сыновья́ – спортсме́ны.

III. Мы здесь живём. Вот на́ши дома́, а э́то дома́, где живу́т на́ши друзья́. Напра́во заво́д, где рабо́тают на́ши бра́тья, а здесь шко́ла, где рабо́тают на́ши сёстры. Это институ́т, где рабо́тают на́ши това́рищи.

IV. 1. Это гости́ница. Эта гости́ница ... 2. Это слова́рь. Да́йте мне, пожа́луйста, э́тот слова́рь. 3. Это наш студе́нт. Этот студе́нт... 4. Это студе́нтка. Эта студе́нтка... 5. Это инжене́ры. Эти инжене́ры...

V. 1. Да́йте, пожа́луйста, э́ти стака́ны. 2. ... э́ти ча́шки. 3. ... э́ти таре́лки. 4. ... э́ти ло́жки. 5. ... э́ти ви́лки. 6. ... э́ти ножи́.

VI. 1. У тебя́ есть э́та фотогра́фия? 2. У тебя́ есть э́ти ру́сские газе́ты? 3. У тебя́ есть э́ти англи́йские газе́ты? 4. У тебя́ есть э́тот уче́бник? 5. У тебя́ есть э́та тетра́дь?

VII. 1. Я то́же студе́нт. 2. Я то́же изуча́ю ру́сский. 3. Я то́же немно́го понима́ю по-ру́сски, а вы? 4. Я то́же живу́ здесь, а вы? 5. Они́ то́же рабо́тают здесь, а они́?

VIII. Это райо́н, где я живу́. Наш райо́н но́вый, краси́вый. Вот мой дом, а там больни́ца, где рабо́тает моя́ ма́ма. Здесь шко́ла, где у́чится моя́ сестра́. А э́то дом, где живу́т мои́ друзья́. Я иногда́ быва́ю у них.

Unit 5

I. 1.– В го́роде.– В дере́вне.– В Москве́.– В Ленингра́де.– В Ки́еве. 2.– На фа́брике.– На заво́де.– В поликли́нике.– На по́чте.– В магази́не. 3.– На вы́ставке.– В музе́е.– На ве́чере.– На конце́рте.– На спекта́кле. 4.– В шко́ле.– В институ́те.– В университе́те.

II. ... в теа́тре; ... в кино́; ... в клу́бе; ... на стадио́не; ... в па́рке.

III. 1. Где он живёт? 2. Где живу́т его́ роди́тели? 3. Где они́ жи́ли ра́ньше? 4. Где ты роди́лся? (Где вы родили́сь?) 5. Где ты у́чишься? (Где вы у́читесь?) 6. Где у́чится твоя́ (ва́ша) сестра́? 7. Где рабо́тает твой (ваш) оте́ц? 8. Где рабо́тает твоя́ (ва́ша) ма́ма?

IV. 1. Нет, на ве́чере. 2. Нет, в клу́бе. 3. Нет, на по́чте. 4. Нет, на уро́ке. 5. Нет, в теа́тре. 6. Нет, в музе́е.

VI. Том и Джон изуча́ли ру́сский язы́к. Они́ ча́сто рабо́тали вме́сте, чита́ли, говори́ли по-ру́сски. Снача́ла Том чита́л текст, а Джон слу́шал, пото́м Джон чита́л, а Том слу́шал. Эмма то́же изуча́ла ру́сский язы́к. Снача́ла она́ де́лала упражне́ние, учи́ла слова́, пото́м чита́ла текст.

VII. (a) 1. А где она́ ра́ньше жила́? 2. А где она́ ра́ньше рабо́тала? 3. А где она́ ра́ньше учи́лась? (b) 1. А где он ра́ньше жил? 2. А где он ра́ньше рабо́тал? 3. А где он ра́ньше учи́лся? (c) 1. А где они́ ра́ньше жи́ли? 2. А где они́ ра́ньше учи́лись? 3. А что они́ ра́ньше изуча́ли?

VIII. – Ты давно́ живёшь в Москве́? – Да, я роди́лся в Москве́, а мои́ роди́тели ра́ньше жи́ли в Ленингра́де.– Где рабо́тает твой оте́ц? – На заво́де.– А ма́ма рабо́тает? – Да.– Где она́ рабо́тает? – В больни́це. Она́ врач.

Unit 6

I. 1. ... об университе́те. 2. ... о теа́тре. 3. ... о музе́е. 4. ... о ци́рке. 5. ... о футбо́ле.

II. 1. ... о тебе́. 2. ... о вас. 3. ... о нём. 4. ... о ней. 5. ... о них. 6. ... обо мне́.

III. 1. ... о его́ семье́. 2. ... о его́ бра́те. 3. ... о его́ сестре́. 4. ... о его́ отце́. 5. ... о ма́ме. 6. ... о её сы́не.

IV. 1. ... о Ки́еве. 2. ... о ро́дине. 3. ... о Москве́. 4. ... о Ленингра́де. 5. ... об Аме́рике.

V. 1. О чём она́ расска́зывала? 2. О чём э́тот фильм? 3. О чём (о ком) э́тот расска́з? 4. О чём э́та кни́га? 5. О ко́м она́ ча́сто ду́мает? 6. О ко́м он не забыва́ет?

VI. 1. Это моя́ ко́мната. Сле́ва стол. На столе́ кни́ги и тетра́ди. Спра́ва шкаф. В шкафу́ мои́ ве́щи. В углу́ крова́ть. На полу́ ковёр. 2. Вчера́ мы гуля́ли в лесу́. Та́ня была́ в па́рке. Брат рабо́тал в саду́.

VII. 1. пи́шет, пи́шут 2. говори́те, говоря́т 3. лю́бите, люблю́, люблю́, лю́бим 4. гото́вишь, гото́влю, гото́вят 5. расска́зывает (расска́зывал) 6. спра́шивал.

VIII. 1. ... жи́ли, ... учи́лись, ... по́мнили, ... говори́ли, ... расска́зывали, ... люби́л. 2. ... сиде́л(а), ... гото́вил(а), ... писа́л(а), ... чита́л(а), ... учи́л(а).

Unit 7

I. 1. ... го́род, райо́н, заво́д, магази́н. 2. ... бра́та, отца́, дру́га, Андре́я, его́ сосе́да. 3. ... сестру́, жену́, ма́му. 4. ... преподава́теля, учи́теля, това́рища. 5. ... кни́гу, газе́ту. 6. ... слова́рь, тетра́дь, журна́л.

II. 1. ... меня́. 2. ... тебя́. 3. ... её. 4. ... их. 5. ... нас. 6. ... его́.

III. 1. ... ви́дел(а), ... ви́дел(а), ... не ви́дел(а), 2. ви́дишь ..., ... ви́жу. 3. ... ви́дел(а), смо́трит .... 4. ... смотре́л(а). 5. ... смотрю́. 6. ... смо́трит.

IV. 1. слу́шаю. 2. слы́шал(а), слы́шал(а). 3. слы́шал. 4. слу́шали.

V. ... что, ... кто, ... где, ... когда́; ... чья, ... чей, ... чьё, ... чьи.

VI. (a) ... смотре́л, ... ви́дел, ... смо́трит, ... слу́шает. (b) ... ви́дите, ... ви́дите, ... смо́трим, ... слу́шаем.

VII. 1. Как зову́т его́ мать? 2. Как зову́т его́ бра́та? 3. Как зову́т его́ дру́га? 4. Как зову́т её сестру́? 5. Как зову́т её подру́гу? 6. Как зову́т её това́рища?

VIII. Его́ ма́му зову́т ..., его́ па́пу ..., ма́льчика ..., де́вочку ..., студе́нта ..., студе́нтку ...

IX. 1. Как называ́ется э́тот го́род? 2. ... э́та дере́вня? 3. ... э́та пло́щадь? 4. ... э́та у́лица? 5. ... э́та фа́брика? 6. ... э́тот стадио́н?

X. Вчера́ Джон был в кино́, смотре́л документа́льный фильм о спо́рте. Джон лю́бит спорт. В кинотеа́тре он ви́дел студе́нта, его́ зову́т Том. Том давно́ у́чится в университе́те. Он ча́сто смо́трит ру́сские фи́льмы. Сего́дня они́ вме́сте смотре́ли интере́сный англи́йский фильм.

Unit 8

I. (b) 1. ... начина́ются (конча́ются). 2. ... начина́ет (конча́ет). 3. ... начина́ет, ... конча́ет. 4. ... начина́ется, ... конча́ется. 5. ... начина́ется. 6. ... конча́ется. 7. ... начина́ет. ... конча́ет.

II. a) Сейча́с 12 часо́в. Сейча́с 6 часо́в. Сейча́с 9 часо́в. Сейча́с 3 часа́. (b) 1. Нет, в два часа́. 2. Нет, в пять часо́в. 3. Нет, в де́вять часо́в. 4. Нет, в шесть часо́в.

III. a) 1. А когда́ ты начина́ешь? 2. А когда́ вы конча́ете? 3. А когда́ он возвраща́ется? 4. А когда́ она́ у́жинает? 5. А когда́ они́ ложа́тся? b) 1. (Обы́чно мы встаём) в во́семь часо́в. 2. В де́вять часо́в? 3. В три часа́. 4. В четы́ре часа́. 5. В семь часо́в. 6. В оди́ннадцать часо́в.

V. 1. В понеде́льник. 2. Во вто́рник. 3. В сре́ду. 4. В четве́рг. 5. В пя́тницу. 6. В суббо́ту. 7. В воскресе́нье.

VII. Сего́дня воскресе́нье. Том и Джон встаю́т ра́но. Утром они́ е́дут ката́ться на лы́жах. Они́ за́втракают, беру́т лы́жи – и в де́вять часо́в они́ уже́ на остано́вке. Там их ждёт Оле́г. Они́ вме́сте е́дут в парк, снача́ла на авто́бусе, пото́м на метро́. Домо́й они́ возвраща́ются в четы́ре часа́, у́жинают, гото́вят зада́ния и в оди́ннадцать часо́в ложа́тся спать.

Unit 9

I. a) 1. Сади́тесь, пожа́луйста! 2. Слу́шайте, пожа́луйста. 3. Пиши́те, пожа́луйста. 4. Чита́йте, пожа́луйста b) 1. Гото́вь, пожа́луйста, зада́ние. 2. Учи́ но́вые слова́. 3. Переводи́ текст. c) 1. Не рабо́тай (не занима́йся) мно́го. 2. Отдыха́й. 3. Ложи́сь спать ра́но.

27–1350

III. 1. В больни́це. В больни́цу. 2. На заво́де. На заво́д. 3. В университе́те. В университе́т. 4. В шко́ле. В шко́лу.

IV. ... е́ду, ... идёт; ... е́ду; ... идёт; ... е́ду; ... е́ду; ... е́ду; ... иду́.

V. 1. ... пью, ... пьёт, ... пьёте. 2. ... пьют. 3. ... пьёшь. 4. ... ем, ... ест, ... едя́т. 5. ... еди́те.

VI. a) 1. Ско́лько сто́ит ча́шка ко́фе? 2. Ско́лько сто́ит бутербро́д с колбасо́й? 3. Ско́лько сто́ит бутербро́д с сы́ром?

VII. a) Да́йте, пожа́луйста, ко́фе (молоко́, сок, бутербро́д с колбасо́й, апельси́н). b) Да́йте, пожа́луйста, ру́чку (каранда́ш, тетра́дь, газе́ту, слова́рь).

VIII. Мой день. Мой день начина́ется в семь часо́в. В семь часо́в я встаю́, в во́семь за́втракаю, в де́вять начина́ю занима́ться. Заня́тия конча́ются в три часа́. Я иду́ домо́й. В четы́ре часа́ я обе́даю до́ма и́ли в столо́вой. Пото́м гото́влю зада́ния, отдыха́ю, слу́шаю ра́дио, чита́ю. Ужинаю я обы́чно в столо́вой. Я ем тво́рог и́ли мя́со, пью чай и́ли молоко́.

Unit 10

II. 1. ... начина́ю; ... на́чали. 2. ... конча́ются; ... ко́нчился; 3. ... пи́шет; ... написа́л.

III. ... конча́ет, ... ко́нчила; ... верну́лась; ... пригото́вила, поу́жинала, посмотре́ла, прочита́ла.

IV. 1. ... вста́л(а). 2. ... пошёл (пошла́). 3. ... верну́лся. 4. ... прочита́ла. 5. встре́тил(а).

VI. 1. Ни́на, пригото́вь обе́д! 2. Та́ня, сде́лай уро́ки! 3. Том, напиши́ письмо́! 4. Джон, вы́учи стихи́! 5. Оле́г, зако́нчи докла́д.

VII. a) 1. Он ... откры́лся. 2. Она́ ... закры́лась. 3. Он ... начался́. 4. Он ... ко́нчился. 5. Она́ ... верну́лась. b) 1. Ты ча́сто встреча́ешь Джо́на? 2. Он ... расска́зывает .... 3. Она́ ... конча́ет .... 4. Вы ... встреча́етесь ....

VIII. 1. А мы уже́ прочита́ли. 2. А Том уже́ написа́л. 3. А мы уже́ пригото́вили. 4. А Ни́на уже́ вы́учила. 5. А Андре́й уже́ пообе́дал.

X. 1. В буфе́те мо́жно вы́пить ко́фе. 2. В библиоте́ке мо́жно взять э́ти кни́ги. 3. В кио́ске мо́жно купи́ть газе́ты. 4. В магази́не мо́жно купи́ть э́тот уче́бник.

Unit 11

I. 1. Кака́я? каки́е? кака́я? како́й? 2. Кака́я? како́й? како́й? како́й?

II. Кварти́ра (больша́я, ма́ленькая, све́тлая, тёмная, но́вая, ста́рая, тёплая, удо́бная, хоро́шая); ку́хня (больша́я, ма́ленькая, све́тлая, тёмная, удо́бная, хоро́шая); ко́мната (больша́я, ма́ленькая, све́тлая, тёмная, тёплая, удо́бная, хоро́шая); балко́н (большо́й, ма́ленький, удо́бный); ме́бель (све́тлая, тёмная, краси́вая, но́вая, ста́рая, удо́бная, хоро́шая); шкаф (большо́й, ма́ленький, све́тлый, тёмный, краси́вый, но́вый, ста́рый, удо́бный, хоро́ший, кни́жный); стол (большо́й, ма́ленький, све́тлый, тёмный, но́вый, ста́рый, удо́бный, хоро́ший, пи́сьменный); дива́н (большо́й, ма́ленький, краси́вый, но́вый, ста́рый, удо́бный, хоро́ший); крова́ть (больша́я, ма́ленькая, но́вая, ста́рая, удо́бная, хоро́шая); по́лка (больша́я, ма́ленькая, све́тлая, тёмная, хоро́шая, кни́жная); кре́сло (большо́е, ма́ленькое, но́вое, ста́рое, удо́бное, хоро́шее); сту́лья (све́тлые, тёмные, но́вые, ста́рые, удо́бные, хоро́шие).

III. 1. ... како́й. 2. ... кака́я. 3. ... како́е. 4. ... како́й. 5. ... каки́е.

IV. 1. Ру́сский. Како́й .... Как .... 2. Кака́я .... Како́й .... 3. Как ....

V. a) 1. Како́е? 2. Како́й? 3. Како́е? 4. Каки́е? 5. Кака́я? 6. Каки́е? b) 1. Кака́я у них кварти́ра? 2. Каки́е в кварти́ре ко́мнаты? 3. Како́е окно́ в ку́хне? 4. Кака́я ме́бель в ко́мнате? 5. Како́й дива́н нале́во? 6. Како́й стол и како́е кре́сло напра́во?

VIII. a) 1. Ната́ша ходи́ла в библиоте́ку. 2. Оте́ц ходи́л на заво́д. 3. Брат ходи́л в шко́лу. 4. Они́ ходи́ли на вы́ставку. 5. Мы ходи́ли в теа́тр. b) 1. Они́ е́здили в центр. 2. Сестра́ е́здила на вокза́л. 3. Ма́ма е́здила в дере́вню. 4. Роди́тели е́здили на юг. 5. Джон е́здил на ро́дину.

IX. a) Я ходи́л(а) на конце́рт (на вы́ставку, на ве́чер). b) 1. – Обы́чно е́зжу на авто́бусе, но сего́дня е́ду на тролле́йбусе. 2. – Обы́чно е́зжу на трамва́е, но сего́дня е́ду на такси́.

X. На́ши друзья́ неда́вно получи́ли кварти́ру и пригласи́ли нас на новосе́лье. У них больша́я, све́тлая и тёплая кварти́ра. Они́ уже́ купи́ли ме́бель: кни́жный шкаф, пи́сьменный стол, сту́лья. На новосе́лье мы купи́ли хоро́ший пода́рок: ска́терть и краси́вые салфе́тки.

Unit 12

I. a) 1. ... поéдет. 2. ... полу́чат. 3. ... ку́пим. 4. ... вернётся. 5. ... вста́нут. 6. ... ля́гут. 7. ... откро́ется. 8. ... закро́ется. 9. ... начнётся. 10. ... ко́нчится. b) 1. ... приглашу́. 2. ... напишу́. 3. ... куплю́. 4. ... прочита́ю. 5. ... переведу́. 6. ... пригото́влю.

II. 1. ... приглашу́. 2. ... вы́ступлю. 3. ... пригото́влю. 4. ... куплю́. 5. ... ля́гу.

III. a) За́втра я вста́ну ..., вы́пью ... и пойду́ ... . начну́ рабо́тать. ... пообе́даю. ... ко́нчу рабо́тать и верну́сь ... . приглашу́ ... . встре́тимся ... и пойдём ... . верну́сь ..., поу́жинаю, послу́шаю ... и ля́гу спать. b) Обы́чно я встаю́ ..., пью ... и иду́ ... . начина́ю рабо́тать. ... обе́даю. ... конча́ю рабо́тать и возвраща́юсь ... . приглаша́ю ... . встреча́емся ... и идём ... . возвраща́юсь ..., у́жинаю, слу́шаю ... и ложу́сь спать.

IV. 1. ... встаёт 2. ... начина́ют 3. ... пи́шет 4. ... перево́дит 5. ... берёт 6. ... открыва́ется.

V. 1. Пошли́ ..., ... идёшь? 2. ... посмотре́ть 3. ... встаю 4. ... купи́ть 5. ... скажу́ 6. ... вернётся 7. ... пригласи́ть 8. ... купи́ли.

VIII. Та́ня и Оле́г пригласи́ли Джо́на в теа́тр. Они́ ча́сто приглаша́ют его́ в теа́тр и́ли в кино́. Сего́дня они́ иду́т на спекта́кль «Три сестры́». Джон чита́л «Три сестры́» по-англи́йски.

Сего́дня Джон, когда́ ко́нчит занима́ться, пообе́дает и пое́дет в центр. Там его́ бу́дут ждать Та́ня и Оле́г.

IX. I am very fond of the theatre. I like drama and my sister is fond of ballet. Today we are going to the Bolshoi Theatre to the ballet *Swan Lake*. We have invited a friend. We'll meet him in the Underground (subway).

Unit 13

II. 1. ... кни́ги студе́нта, студе́нтки, Та́ни, Оле́га, Джо́на. 2. ... докла́д учи́теля, преподава́теля, врача́, инжене́ра. 3. ... ве́щи му́жа, жены́, сы́на, до́чери. 4. ... день рожде́ния ма́тери, отца́, бра́та, сестры́. 5. ... институ́та, университе́та, фа́брики, заво́да.

III. 1. Андре́й муж Ни́ны. Ни́на жена́ Андре́я. 2. Оля подру́га Ната́ши. Ната́ша подру́га Оли. 3. Том друг Джо́на. Джон друг То́ма.

IV. 1. У них нет холоди́льника. Ку́пим холоди́льник. 2. У них нет дива́на (стола́, шка́фа, кре́сла, телеви́зора). Ку́пим дива́н (стол, шкаф, кре́сло, телеви́зор).

V. 1. Нет, ве́чера не́ было. 2. Нет, ле́кции не́ было. 3. Нет, экза́мена не́ было. 4. Нет, новосе́лья не́ было. 5. Нет, у меня́ не́ было биле́та. 6. Нет, его́ расска́за в журна́ле не́ было. 7. Нет, её не́ было.

VI. a) 1. Ду́маю, что уро́ка не бу́дет. 2. Ду́маю, что экску́рсии не бу́дет. 3. Ду́маю, что конце́рта не бу́дет. b) 1. Ду́маю, что ста́нции метро́ здесь не бу́дет. 2. Ду́маю, что стадио́на здесь не бу́дет. 3. Ду́маю, что гости́ницы ря́дом не бу́дет. 4. Ду́маю, что библиоте́ки там не бу́дет.

VII. 1. ... о нём. 2. ... её. 3. ... о вас. 4. ... его́. 5. ... тебя́.

VIII. a) ... отца́; ... у отца́; ... отца́. b) ... сестра́; ... сестру́ ... у сестры́; ... сестру́.

IX. a) 1. ... мо́жешь, ... могу́. 2. ... мо́жете, ... не мо́жем (не могу́). 3. ... мо́жет, ... мо́жет. 4. ... мо́гут, ... мо́гут. b) 1. ... мог. 2. ... могла́. 3. ... могли́.

X. 1. ... сесть, сади́тесь ... 2. ... сел. 3. ... ложи́шься спать, ... лёг. 4. ... открыва́ется, ... откры́лась. 5. ... начина́ется, ... начала́сь.

XI. (a) Вчера́ был день рожде́ния Та́ни, сестры́ Оле́га. В гостя́х у Та́ни бы́ли друзья́ Та́ни и Оле́га. Де́душка и ба́бушка Та́ни не смогли́ прие́хать. Они́ позвони́ли из Ленингра́да и поздра́вили Та́ню. Го́сти пе́ли и танцева́ли. Оте́ц Та́ни игра́л на гита́ре.

(b) "Where were you yesterday?"
"At a friend's. He invited me to his birthday party."
"Who else was there?"
"Our students, John and Tom."
"And what present did you buy?"
"A clock."

Unit 14

I. 1. Она́ подари́ла руба́шку отцу́ (бра́ту). 2. Я помога́ю ма́ме (па́пе). 3. Он пи́шет ма́тери (до́чери). 4. Она́ купи́ла пода́рки сестре́ (подру́ге). 5. Я пока́зывал (а) фотогра́фии дру́гу (това́рищу). 6. Я звони́л преподава́телю (учи́телю).

II. ... ла́мпу бра́ту; ... ска́терть сестре́; ... ша́пку Та́не; ... га́лстук Андре́ю.

III. а) 1. Жена́ написа́ла му́жу. 2. Дочь помога́ет ма́тери. 3. Оте́ц купи́л пода́рок сы́ну. 4. Ни́на позвони́ла Андре́ю. 5. Друг подари́л портфе́ль Оле́гу. 6. Подру́га купи́ла биле́т в теа́тр Та́не. b) 1. Вы дади́те ей слова́рь. 2. Вы расска́жете нам о ве́чере. 3. Ты ку́пишь мне газе́ту. 4. Они́ помо́гут ему́.

V. 1. Отцу́ и ма́тери (им) нра́вится э́тот го́род. 2. Андре́ю и Ната́ше (им) понра́вился э́тот бале́т. 3. Мне и Джо́ну (нам) понра́вилась э́та экску́рсия. 4. То́му (ему́) понра́вился спекта́кль. 5. Мне и Оле́гу понра́вилась э́та ле́кция. 6. Преподава́телю (ему́) понра́вился докла́д.

VI. Бра́ту идёт э́та руба́шка. Сестре́ идёт э́тот плащ. Ма́ме идёт э́тот костю́м. Отцу́ идёт э́то пальто́. Дру́гу идёт э́тот га́лстук. Подру́ге идёт э́та ша́пка. Това́рищу идёт э́тот шарф.

VII. 1. ... нам. 2. ... ей. 3. ... тебе́, ... ему́. 4. ... мне. 5. ... им. 6. ... вам.

XI. 1. ... встреча́ет, ... встре́тит. 2. ... купи́, ... покупа́ю. 3. ... покажи́те. 4. ... подари́ть. 5. ... беру́, ... взял(а́).

XII. Ни́не исполня́ется два́дцать лет. Та́ня хо́чет купи́ть ей пода́рок. Утром Та́ня пое́хала в универма́г. В магази́не ей понра́вился си́ний шарф. Та́ня купи́ла его́. Пото́м она́ купи́ла цветы́. Пода́рки о́чень понра́вились Ни́не. Ма́ма подари́ла Ни́не су́мку. Су́мка то́же понра́вилась Ни́не.

Unit 15

I. 1. ... поста́вили, ... стои́т. 2. ... положи́л(а), ... лежа́т. 3. ... пове́сил, ... виси́т. 4. ... поста́вил(а), ... стоя́т. 5. ... положи́, ... лежа́т. 6. ... поста́вил(а), ... стои́т.

II. 1. В ко́мнату. В ко́мнате. 2. В шкаф. В шкафу́. 3. На по́лку. На по́лке. 4. На стол. На столе́. 5. В холоди́льник. В холоди́льнике.

III. 1. а) ... положи́л(а), ... лежи́т. b) ... кладёшь. 2. ... поста́вил(а), ... стои́т. 3. ... ложи́тесь, ... легли́. 4. а) ... сиде́ли. b) ... сади́тесь.

IV. (а) 1. –... где моё пальто́? – Оно́ виси́т в шкафу́. Ты сам пове́сил его́ в шкаф. 2. – ... где мой костю́м? – Он виси́т в шкафу́. Ты сам пове́сил его́ в шкаф. 3. –... где мой га́лстук? – Он виси́т на сту́ле. Ты сам пове́сил его́ на стул. (b) 1. ... где мои́ кни́ги? – Они́ стоя́т на по́лке. Ты сам поста́вил их на по́лку. 2. –... где мой стака́н? – Он стои́т на столе́. Ты сам поста́вил его́ на стол. 3. ... где моё кре́сло? – Оно́ стои́т в ко́мнате. Ты сам поста́вил его́ в ко́мнату. (с) 1. ... где мои́ перча́тки? – Они́ лежа́т на окне́. Ты сама́ положи́ла их на окно́. 2. ... где мои́ ве́щи? – Они́ лежа́т на дива́не. Ты сама́ положи́ла их на дива́н. 3. ... где моя́ ша́пка? – Она́ лежи́т в чемода́не. Ты сама́ положи́ла её в чемода́н.

V. 1. Она́ должна́ была́ написа́ть ещё вчера́. 2. Он до́лжен был прочита́ть его́ ещё вчера́. 3. Она́ должна́ была́ купи́ть его́ ещё вчера́. 4. Они́ должны́ бы́ли пригласи́ть его́ ещё вчера́. 5. Он до́лжен был получи́ть их ещё вчера́. 6. Она́ должна́ была́ ко́нчить её ещё вчера́.

VI. а) 1. Он до́лжен пойти́ в институ́т. 2. Она́ должна́ пое́хать на фа́брику. 3. Он до́лжен встре́тить сестру́. 4. Ни́на должна́ дать тебе́ уче́бник. 5. Они́ должны́ поздра́вить Та́ню. 6. Вы должны́ пригласи́ть Джо́на. b) 1. Андре́й до́лжен позвони́ть тебе́. 2. Та́ня должна́ верну́ться в семь часо́в. 3. Они́ должны́ пригото́вить зада́ние. 4. Он до́лжен помо́чь тебе́. 5. Она́ должна́ занима́ться.

VII. 1. ... свобо́ден, ... свобо́дный. 2. ... за́нят, ... занято́й. 3. ... интере́сный.

VIII. а) 1. ... был за́нят. 2. ... была́ свобо́дна. 3. ... бы́ли свобо́дны. b) 1. ... бу́дет занята́. 2. ... бу́ду свобо́ден. 3. ... бу́дут свобо́дны.

IX. 1. ... спроси́ла, ... попроси́ла. 2. ... спра́шивал (спроси́л), ... попроси́л. 3. ... спроси́ла; ... попроси́ла.

X. 1. Она́ попроси́ла Оле́га купи́ть биле́ты в кино́. 2. Он спроси́л, когда́ начина́ется конце́рт. 3. Она́ попроси́ла Ната́шу прочита́ть э́тот расска́з. 4. Она́ спроси́ла, как называ́ется э́тот фильм. 5. Она́ попроси́ла Оле́га откры́ть окно́. 6. Он спроси́л То́ма, когда́ открыва́ется библиоте́ка.

XI. 1. Оле́г поста́вил чемода́н на́ пол, пове́сил пальто́ и костю́м в шкаф, положи́л ключ на стол. Ве́щи Оле́га вися́т в шкафу́, чемода́н стои́т на полу́, ключ лежи́т на столе́.

2. – Куда́ ты поста́вил слова́рь? – На по́лку. – Он стои́т на по́лке. – А куда́ положи́л тетра́дь? – В портфе́ль. Она́ лежи́т в портфе́ле.

Unit 16

I. 1. ему́ ... 2. вам ... 3. мне ... 4. ей ... 5. ему́ ... 6. нам ... 7. им ....

II. 1. Оле́г пло́хо себя́ чу́вствовал. У него́ боле́ла голова́, ему́ тру́дно бы́ло дыша́ть. 2. У сестры́ был грипп. Ей ну́жно бы́ло лежа́ть. 3. Та́ня была́ больна́. В пя́тницу она́ должна́ была́ пойти́ в поликли́нику. 4. Её сын был бо́лен, ему́ нельзя́ бы́ло ходи́ть в шко́лу. 5. Мне ну́жно бы́ло получи́ть лека́рство.

IV. 1. Ната́ше ну́жно пое́хать в санато́рий. 2. Ма́ме ну́жно пое́хать на юг. 3. Ему́ ну́жно пойти́ на рабо́ту. 4. Сы́ну ну́жно мно́го занима́ться. 5. До́чери ну́жно учи́ть англи́йский язы́к. 6. Джо́ну ну́жно сде́лать докла́д.

V. 1. Да, ей ну́жно оста́ться до́ма. 2. Да, мне ну́жно написа́ть отцу́. 3. Да, нам (мне) ну́жно купи́ть пода́рок Ната́ше. 4. Да, Джо́ну ну́жно пригласи́ть их на докла́д. 5. Да, Андре́ю ну́жно помо́чь им. 6. Да, Мари́и ну́жно пойти́ в библиоте́ку. 7. Да, им ну́жно перевести́ э́тот текст.

VI. 1. ... его́ (о нём), ... ему́. 2. ... тебя́, ... о тебе́. 3. ... вас, ... вам, ... вам. 4. ... меня́, ... мне. 5. ... к ней, ... ей. 6. ... им, ... их.

VII. 1. К отцу́ в Ки́ев. 2. К де́душке на юг. 3. К ба́бушке в дере́вню. 4. К бра́ту на се́вер. 5. К Андре́ю на заво́д. 6. К сестре́ на по́чту.

VIII. a) Мне ... b) ... отцу́, ма́тери, сестре́, бра́ту, сы́ну, дру́гу, подру́ге – Ему́ ... Ей ... Ей ... Ему́ ... Ему́ ... Ему́ ... Ей ....

IX. 1. ... ли ... – Если ... 2. ... ли ... – ... ли ... 3. ... ли ... – Если ... 4. ... ли ... – Если ... 5. ... ли ... – Если ...

X. 1. Ко́нчила ли Ни́на рабо́тать? 2. Начала́сь ли ле́кция? 3. Бу́дет ли он на экску́рсии? 4. Смо́жет ли Ната́ша прийти́ ве́чером? 5. Смо́жет ли Оле́г помо́чь Вам? 6. Зна́ет ли Та́ня англи́йский? 7. Хорошо́ ли Джон говори́т по-ру́сски?

XI. (a) 1. Пойдёт, е́сли бу́дет свобо́дна. 2. Пое́дут, е́сли бу́дут свобо́дны. 3. Придёт, е́сли бу́дет свобо́ден. 4. Пое́дет, е́сли бу́дет свобо́дна. 5. Пойдёт, е́сли бу́дет свобо́ден. (b) 1. Помогу́, е́сли могу́. (Помо́жем, е́сли мо́жем). 2. Куплю́, е́сли могу́. 3. Переда́ст, е́сли смо́жет. 5. Встре́чу, е́сли смогу́.

XII. (a) В понеде́льник Оле́г заболе́л. У него́ боле́ло го́рло, ему́ тру́дно бы́ло дыша́ть, была́ высо́кая температу́ра. В институ́т он не пошёл. Ма́ма вы́звала врача́. Врач осмотре́л Оле́га и сказа́л, что у него́ грипп. Врач дал ма́ме реце́пт и сказа́л, что ну́жно купи́ть лека́рство. Сестра́ пошла́ в апте́ку и купи́ла лека́рство. Неде́лю Оле́г был до́ма. В суббо́ту он почу́вствовал себя́ лу́чше и пошёл в институ́т.

(b) В понеде́льник я заболе́л(а), у меня́ боле́ло го́рло, мне тру́дно бы́ло дыша́ть ... В институ́т я не пошёл (не пошла́) ... Врач осмотре́л меня́ и сказа́л, что у меня́ грипп ... Неде́лю я был(а́) до́ма. В суббо́ту я почу́вствовал(а) себя́ лу́чше и пошёл (пошла́) в институ́т.

Unit 17

I. ... у бра́та, ... о́коло (у) метро́. – ... у метро́. – ... до «Проспе́кта Ма́ркса». ... до ста́нции. ... из метро́, ... к киоску ... о́коло (у) кио́ска.

II. 1. Они́ прие́хали на вокза́л ... 2. Мы отошли́ от по́езда. 3. Все вошли́ в ваго́н. 4. Джон уе́хал со ста́нции «Белору́сская». 5. Он отошёл от кио́ска. 6. Я ушёл от бра́та ве́чером. 7. Мы вы́шли из метро́.

III. (a) 1. В санато́рии. – Из санато́рия. 2. На экску́рсии. – С экску́рсии. 3. На вокза́ле. – С вокза́ла. 4. На вы́ставке. – С вы́ставки. 5. В буфе́те. – Из буфе́та. 6. На по́чте. – С по́чты. (b) 1. У сестры́. 2. У ма́тери. 3. У Андре́я. 4. У преподава́теля. 5. У това́рища. 6. У Та́ни. (c) 1. У ба́бушки в дере́вне. От ба́бушки из дере́вни. 2. У бра́та на се́вере. От бра́та с се́вера. 3. В Ки́еве у подру́ги. Из Ки́ева от подру́ги. 4. В больни́це у дру́га. Из больни́цы от дру́га. 5. У Джо́на в общежи́тии. От Джо́на из общежи́тия.

IV. a) 1. Он был в музе́е. Он ходи́л в музе́й. Он пришёл из музе́я. 2. Он был в университе́те. Он ходи́л в университе́т. Он пришёл из университе́та. 3. Он был в библиотéке. Он ходи́л в библиотéку. Он пришёл из библиотéки. 4. Он был на завóде. Он ходи́л на завóд. Он пришёл с завóда. b) Он живёт óколо (напрóтив) музéя, университéта, библиотéки, стадиóна.

V. 1. ... не пришёл, ... приéхала. ... смóжешь прийти́. 2. ... вы́шла, ... пришлá (приéхала). 3. ... доéхали, ... вы́шли. 4. ... приéхал? 5. ... уезжáют.

VII. a) 1. ... котóрый. 2. ... котóрый. 3. ... котóрая. 4. ... котóрое. 5. ... котóрые. b) 1. Это моя́ сестрá, котóрая живёт в Ки́еве. 2. Это наш студéнт, котóрый сдéлал интерéсный доклáд. 3. На столé лежáт кни́ги, котóрые я взял в библиотéке. 4. У Тáни нóвое пальтó, котóрое онá купи́ла вчерá.

VIII. a) 1. ... – Каки́е? – Котóрые лежáт ... 2. ... – Какóй? – Котóрый лежи́т ... 3. ... – Какóе? – Котóрое лежи́т ... b) 1. ... – Какóе? – Котóрое лежи́т ... 2. ... – Какóй? – Котóрый лежи́т ... 3. ... – Каки́е? – Котóрые лежáт ... c) 1. ... – Какáя? – Котóрая здесь лежáла. 2. ... – Какáя? – Котóрая здесь лежáла. 3. ... – Каки́е? – Котóрые здесь лежáли.

IX. a) 1. ... как проéхать к Кремлю́? 2. ... как проéхать к кинотеáтру «Росси́я»? 3. ... как проéхать к гости́нице «Тури́ст»? b) 1. ... как проéхать на проспéкт Ми́ра? 2. ... как проéхать на Лéнинский проспéкт? 3. ... как проéхать на плóщадь Революции?

X. 1. – Олéг ждёт меня́ у метрó «Белорýсская». Как тудá проéхать? – На метрó до «Проспéкта Мáркса», там сдéлаешь пересáдку на стáнцию «Плóщадь Свердлóва». От «Плóщади Свердлóва» доéдешь до стáнции «Белорýсская». 2. – Как проéхать к гости́нице «Москвá»? – На метрó до стáнции «Проспéкт Мáркса». 3. – Как проéхать к ГУМу? – На автóбусе и́ли троллéйбусе до цéнтра и́ли на метрó до стáнции «Плóщадь Революции».

Unit 18

I. 1. Ни́на былá (бýдет) врачóм. 2. Егó сестрá былá (бýдет) студéнткой. 3. Он был (бýдет) писáтелем. 4. Олéг был (бýдет) егó дрýгом. 5. Тáня былá (бýдет) её подрýгой.

II. a) 1. Натáша тóже хóчет стать учи́тельницей. 2. Олéг тóже хóчет стать биóлогом. 3. Ни́на тóже хóчет стать преподавáтельницей. b) 1. бýду инженéром. 2. ... бýду врачóм. 3. ... бýду преподавáтелем. 4. ... бýду учи́телем. 5. ... бýду космонáвтом.

III. 1. Конéчно, уви́жу. 2. Конéчно, приглашý. 3. Конéчно, вы́ступлю. 4. Конéчно, помогý. 5. Конéчно, куплю́. 6. Конéчно, смогý. 7. Конéчно, расскажý. 8. Конéчно, не забýду. 9. Конéчно, приготóвлю.

IV. (a) В воскресéнье я встáну рáно. Я бы́стро позáвтракаю и вы́йду из дóма. Я пойдý к метрó, там меня́ бýдет ждать товáрищ. Около метрó я куплю́ цветы́, встрéчу товáрища, и мы вмéсте поéдем на плóщадь Пýшкина. (b) 1. Тáня хорошó пéла и танцевáла. 2. Его брат преподавáл матемáтику. 3. Он чáсто давáл мне кни́ги. 4. Мы брáли учéбники в библиотéке. 5.. Олéг плóхо себя́ чýвствовал, у негó болéла головá, емý нýжно бы́ло пойти́ к врачý.

V. 1. ... хóчет приéхать, ... приéхала. 2. ... хóчешь купи́ть, ... купи́л. 3. ... хóчет пригласи́ть, ... пригласи́ли. 4. ... хочý написáть, написáл.

VII. a) 1. Нет, я хочý сам встрéтить её. 2. Нет, я хочý сам позвони́ть емý. 3. Нет, я хочý сам проводи́ть её. 4. Нет, я хочý сам помóчь ей. b) 1. Нет, я хочý, чтóбы ты пригласи́л их. 2. Нет, я хочý, чтóбы ты пошёл в магази́н. 3. Нет, я хочý, чтóбы ты поéхал к немý. 4. Нет, я хочý, чтóбы ты взял егó. 5. Нет, я хочý, чтóбы ты перевёл егó.

VIII. Сестрá Джóна рабóтает в коллéдже преподавáтелем. Онá началá учи́ть рýсский язы́к давнó, когдá былá ещё дéвочкой. Джон нáчал учи́ть рýсский язы́к, когдá стал студéнтом. Егó учи́тельницей былá сестрá.

Unit 19

I. (a) 1. Джон увлекáется спóртом. 2. Её сын увлекáется волейбóлом. 3. Дочь увлекáется гимнáстикой. 4. Олéг увлекáется футбóлом. 5. Он увлекáется бóксом. (b) 1. Я интересýюсь матемáтикой. 2. Сестрá интересýется литератýрой. 3. Вы интересýетесь мýзыкой? 4. Ты интересýешься балéтом? 5. Они́ интересýются теáтром.

II. Я был(á) в теáтре с Тáней, с Натáшей, с Алексéем, с Джóном, с дрýгом, с товáрищем, с подрýгой.

III. 1. Нúна давнó знакóма с Натáшей. 2. Я учúлся в шкóле с брáтом Андрéя. 3. Он ужé с дéтства увлекáлся матемáтикой. 4. Мы познакóмились с сестрóй Джóна. 5. Нúна дóлго разговáривала с отцóм. 6. Тáня тóже хóчет стать учúтельницей. 7. Я тóже решúл стать врачóм. 8. Джон увлекáется футбóлом. 9. Джон мечтáл стать футболúстом. 10. Он давнó занимáется спóртом.

IV. 1. ... с ним? 2. ... с ней. 3. ... с тобóй. 4. ... с ними. 5. ... со мнóй. 6. ... с тобóй, ... с ним. 7. ... с нáми.

V. (a) 1. ... мы с Джóном. 2. ... мы с Тáней. 3. ... мы с Олéгом. 4. Мы с Сáшей ... (b) 1. ... мать с отцóм. 2. Брат с сестрóй ... 3. ... дéдушка с бáбушкой. 4. ... Олéг с Андрéем.

VI. ... инженéром, ... учúтельницей; ... матемáтиком; ... к бáбушке в дерéвню; ... с врачóм, ... в дерéвне; ... с ним, ... о егó рабóте; ... врачóм.

VII. 1. ... знáет. 2. ... умéете игрáть. 3. ... умéет игрáть. 4. ... знáешь. 5. ... мóжем. 6. ... я не мог. 7. ... не могý открыть.

VIII. 1. ... не умéет ходúть. 2. ... не умéет говорúть. 3. ... не могý танцевáть. 4. ... не мóжет игрáть. 5. ... мóжете подождáть. 6. ... мóжешь позвонúть. 7. ... мóжет дать.

IX. 1. Олéг лю́бит футбóл, поэ́тому чáсто хóдит на стадиóн. 2. Натáша давнó не вúдела сестрý, поэ́тому éдет в Кúев. 3. Емý нýжно встрéтить отцá, поэ́тому он поéхал на вокзáл. 4. Родúтели Нúны живýт в Ленингрáде, поэ́тому лéтом Нúна поéдет в Ленингрáд. 5. Мы вмéсте отдыхáли на ю́ге, поэ́тому мы знакóмы с ним.

X. 1. – Потомý, что э́та вы́ставка óчень интерéсная. 2. – Потомý что онá óчень лю́бит балéт. 3. – Потомý что онú бы́ли óчень зáняты. 4 – Потомý что он игрáет в тéннис. 5. – Потомý что он не умéет катáться на лы́жах.

XI. a) ... к отцý. ... от отцá. ... отцá. ... с отцóм; b) ... мать, ... мáтери. ... у мáтери. ... мать. ... с мáтерью. c) ... с сестрóй. ... а сестрá, ... сестрé; ... сестрé. ... сестрý. ... с сестрóй. ... сестру. ... с сестрóй. ... сестрý. ... сестрé. ... сестрóй.

XII. a) Меня́ ... мне ... у меня́ ... со мнóй ... ; ... ко мнé, ... мне. ... со мнóй. ... обо мнé. b) Её ... ей ... У неё ... ... ей; ... о нéй, ... с ней.

Unit 20

I. лéтнее, зúмнее, осéннее ýтро; лéтний, зúмний, осéнний, пóздний вéчер; лéтний, зúмний, осéнний день; пóздний час; ýтренний, вечéрний спектáкль; ýтренняя, вечéрняя, сегóдняшняя газéта; лéтнее, зúмнее, осéннее пальтó; сúняя чáшка, сúний карандáш; нúжний этáж; нúжняя пóлка.

II. 1. На вéрхнюю пóлку, ... на вéрхней пóлке. 2. ... вечéрнюю газéту, ... на вечéрний спектáкль. 3. ... в лéтние канúкулы, ... лéтнюю рубáшку. 4. ... на послéдней останóвке. 5. ... в сосéдней квартúре. 6. ... в сосéднюю кóмнату.

III. 1. ... от стáршей сестры́. 2. ... твоéй стáршей сестрóй. 3. ... с твоéй стáршей сестрóй. 4. ... твою́ стáршую сестрý. 5. ... о егó стáршей сестрé. 6. Моя́ стáршая сестрá ... 7. ... у стáршей сестры́. 8. ... к стáршей сестрé.

IV. a) 1. На э́ту вы́ставку. С э́той вы́ставки. 2. На большýю фáбрику. С большóй фáбрики. 3. В сосéднюю шкóлу. Из сосéдней шкóлы. b) 1. В нáшей библиотéке. Из нáшей библиотéки. 2. На интерéсной вы́ставке. С интерéсной вы́ставки. 3. В той дерéвне.– Из той дерéвни. c) 1. К нáшей преподавáтельнице. От нáшей преподавáтельницы. 2. К э́той студéнтке. От э́той студéнтки. 3. К моéй подрýге. От моéй подрýги.

V. 1. Какýю? 2. Какýю? 3. На какóй? 4. На какóй? 5. В какóй? 6. К какóй? 7. В какýю? 8. На какóй? 9. Какóй? 10. О какóй? 11. С какóй?

VI. ... в мáленькой дерéвне, молодóй врач, больнóй жéнщине, погóда былá хорóшей, сúльный вéтер, мéлкие местá, по холóдной водé, больнóй жéнщине.

VII. 1. Нет, молодóй. 2. Нет, плохáя. 3. Нет, в лéтние. 4. Нет, вечéрние. 5. Нет, на вéрхней. 6. Нет, послéдние.

IX. 1. ... что; ... чтóбы 2. ... что; ... чтóбы 3. ... чтóбы 4. ... что; ... чтóбы 5. ... что; ... чтóбы 6. ... что; ... чтóбы.

Unit 21

II. 1. ... идёшь, ... хо́дишь ... ходи́ть 2. ... е́здим 3. ... е́дешь ... е́ду 4. ... е́хал 5. ... пла́вать, ... пла́вать 6. ... плывёт, ... пла́ваешь 7. ... лети́м (улета́ем).

III. a) 1. Ка́ждое у́тро он хо́дит в институ́т. 2. Ка́ждый ве́чер она́ хо́дит в библиоте́ку. 3. Ка́ждый четве́рг я хожу́ в бассе́йн. b) 1. Ка́ждое воскресе́нье я е́зжу за́ город. 2. Ка́ждое ле́то она́ е́здит в дере́вню. 3. В ле́тние кани́кулы они́ е́здят на юг.

IV. a) 1. Они́ ходи́ли в цирк. 2. Он ходи́л в клуб на конце́рт. 3. Она́ ходи́ла на но́вую вы́ставку. 4. Мы ходи́ли в сосе́днюю кварти́ру. b) 1. Мы е́здили на э́ту экску́рсию. 2. Он е́здил в санато́рий. 3. Брат е́здил на се́вер. 4. Её роди́тели е́здили в Ки́ев. 5. Оле́г е́здил в Сиби́рь. c) 1. Он ходи́л к отцу́ на фа́брику. 2. Мы ходи́ли к ма́тери на рабо́ту. 3. Она́ ходи́ла к подру́ге в общежи́тие. 4. Джон ходи́л в лаборато́рию к Оле́гу.

VI. 1. Куда́ вы идёте? 2. Куда́ ты е́дешь (вы е́дете)? 3. Куда́ она́ ходи́ла? 4. Куда́ ты е́здил ле́том?

VII. a) 1. ... идёт 2. ... идёт 3. ... идёт 4. ... идёт 5. ... шёл 6. ... во́дит, ... во́дит 7. ... не веди́ 8. ... идёт 9. ... не идёт.

X. 1. ... её, свое́й, её, о свое́й, её. 2. ... её, в свое́й, её.

XI. 1. ... его́ мать, ... свое́й ма́тери. 2. ... её подру́гу, ... к свое́й подру́ге. 3. ... его́ ба́бушке, ... свое́й ба́бушке. 4. ... её дочь, ... свое́й до́чери.

Unit 22

I. 1. ... знако́мого рыбака́, ... знако́мому рыбаку́, ... знако́мого рыбака́. 2. ... изве́стный пиани́ст, ... к изве́стному пиани́сту, ... изве́стным пиани́стом 3. ... прекра́сный, ... о прекра́сном спекта́кле, ... э́того прекра́сного поэ́та. 4. ... ма́леньком до́ме, ... ма́ленький дом, ... к ма́ленькому до́му. 5. ... после́дний уро́к, ... на после́днем этаже́, ... к после́днему ваго́ну.

II. 1. ... к мла́дшему бра́ту 2. ... от мла́дшего бра́та 3. ... мла́дшего бра́та 4. ... с мла́дшим бра́том 5. ... с её мла́дшим бра́том 6. ... её мла́дшему бра́ту 7. Её мла́дшего бра́та ... 8. ... о своём мла́дшем бра́те.

III. a) 1. На Чёрном мо́ре. С Чёрного мо́ря. 2. В стари́нном ру́сском го́роде. Из ста́рого ру́сского го́рода. 3. На большо́м заво́де. С большо́го заво́да. 4. В но́вом общежи́тии. Из но́вого общежи́тия. 5. На э́том стадио́не. С э́того стадио́на. b) 1. К на́шему преподава́телю. От на́шего преподава́теля. 2. К э́тому врачу́. От э́того врача́. 3. К моему́ дру́гу. От моего́ дру́га. 4. К ста́ршему бра́ту. От ста́ршего бра́та. 5. К своему́ това́рищу. От своего́ това́рища.

IV. 1. В како́м? 2. В како́м? 3. С каки́м? 4. Како́й? 5. Како́го? 6. От како́го? 7. Како́е? 8. В како́е?

V. a) ... свой, ... о своём, ... в его́, ... его́, ... в своём, ... его́, ... своего́, b) у своего́, ... о своём, ... с его́.

VI. 1. ... его́ оте́ц, ... своего́ отца́ 2. ... его́ брат, ... от своего́ бра́та 3. ... со свои́м дру́гом, ... его́ дру́га 4. ... о своём сы́не, ... его́ сы́ну.

VIII. a) 1. В про́шлом году́. 2. В э́том году́. 3. В сле́дующем году́. b) 1. В про́шлом ме́сяце. 2. В э́том ме́сяце. 3. В сле́дующем ме́сяце. c) 1. На про́шлой неде́ле. 2. На э́той неде́ле. 3. На бу́дущей неде́ле. d) 1. В ты́сяча девятьсо́т во́семьдесят тре́тьем году́. 2. В ты́сяча девятьсо́т во́семьдесят пя́том году́. 3. В ты́сяча девятьсо́т во́семьдесят шесто́м году́.

X. ... плыл, ... кри́кнул, ... вы́шел, ... пошли́, ... жил, ... игра́л, ... слу́шать (послу́шать) ... поéхал.

XI. (a) – Та́ня, ты лю́бишь зи́му? – Не о́чень. Я люблю́ тепло́, со́лнце, мо́ре. А како́е вре́мя го́да лю́бишь ты? – Я люблю́ о́сень. Обы́чно я отдыха́ю о́сенью. (b) – Где вы отдыха́ли в про́шлом году́? – На Украи́не. – Хорошо́ отдохну́ли? – Не о́чень. Ле́то бы́ло холо́дное. Почти́ ка́ждый день шёл дождь. В э́том году́ хочу́ пое́хать в Крым.

Unit 23

I. 1. В сле́дующую сре́ду. 2. В про́шлый вто́рник. 3. В э́ту сре́ду. 4. В э́тот понеде́льник. 5. В про́шлую пя́тницу. 6. В сле́дующую суббо́ту. 7. В про́шлое воскресе́нье. 8. На сле́дующий день.

II. a) 1. Да, но не в э́тот, а в про́шлый. 2. Да, но не в э́тот, а в про́шлый. 3. Да, но не в э́то, а в про́шлое. 4. Да, но не в э́ту, а в про́шлую. 5. Да, но не в э́ту, а в про́шлую. b) 1. Да, но не в э́тот, а в сле́дующий. 2. Да, но не в э́ту, а в сле́дующую. 3. Да, но не в э́ту, а в сле́дующую. 4. Да, но не в э́тот, а в сле́дующий. 5. Да, но не в э́то, а в сле́дующее.

III. a) 1. Ка́ждое у́тро она́ хо́дит в шко́лу. 2. Ка́ждый ве́чер он хо́дит в чита́льный зал. 3. Ка́ждую суббо́ту они́ хо́дят в кино́. 4. Ка́ждое воскресе́нье мы хо́дим в бассе́йн. b) 1. Ка́ждое ле́то мы е́здим на се́вер. 2. Ка́ждую о́сень она́ е́здит на Украи́ну. 3. Ка́ждую зи́му он е́здит в дере́вню. 4. Ка́ждую весну́ они́ е́здят на юг.

IV. 1. Весь день. 2. Весь ве́чер. 3. Всю неде́лю. 4. Всё ле́то. 5. Весь ме́сяц. 6. Весь год.

VI. 1. Ско́лько вре́мени ты провёл (вы провели́) в Москве́? 2. Как ча́сто ты занима́лся (вы занима́лись) ру́сским языко́м? 3. Как ча́сто ты ходи́л (вы ходи́ли) в теа́тр? 4. Когда́ в Москве́ начина́ются вече́рние спекта́кли? 5. Ско́лько вре́мени (как до́лго) иду́т спекта́кли? 6. Как ча́сто ты ката́лся (вы ката́лись) на лы́жах? 7. Когда́ ты тепе́рь пое́дешь (когда́ вы тепе́рь пое́дете) в Москву́?

VII. a) Встре́тимся по́сле рабо́ты. Поговори́м по́сле ле́кции. Позвони́ мне по́сле конце́рта. Подойди́ ко мне́ по́сле его́ докла́да. b) 1. До рабо́ты. 2. До ле́кции. 3. До конце́рта. 4. До его́ докла́да.

VIII. a) 1. Пе́рвое сентября́. Пе́рвого сентября́. 2. Двена́дцатое января́. Двена́дцатого января́. 3. Два́дцать четвёртое января́. Два́дцать четвёртого января́. 4. Седьмо́е февраля́. Седьмо́го февраля́.

X. 1. ... ничего́ 2. ... никто́ 3. ... нигде́ 4. ... никуда́ 5. ... никогда́.

Unit 24

I. a) 1. Нет, там нет гости́ниц. 2. Нет, там нет музе́ев. 3. Нет, там нет фа́брик. 4. Нет, там нет лаборато́рий. 5. Нет, там нет общежи́тий. b) 1. Нет, здесь не бу́дет стадио́нов. 2. Нет, здесь не бу́дет школ. 3. Нет, там не бу́дет санато́риев. 4. Нет, здесь не бу́дет лаборато́рий. 5. Нет, там не бу́дет поликли́ник.

II. 1. ... на́ших преподава́телей 2. ... э́тих студе́нтов 3. ... у на́ших студе́нток 4. ... э́тих де́вушек 5. ... от свои́х подру́г. 6. ... мои́х това́рищей. 7. ... изве́стных компози́торов.

III. 1. ... мои́х роди́телей. 2. ... её сынове́й. 3. ... от свои́х дочере́й. 4. ... у свои́х бра́тьев. 5. ... для свои́х сестёр. 6. ... от свои́х дете́й.

IV. 1. ... кни́жных магази́нов 2. ... вече́рних газе́т 3. ... англи́йских журна́лов 4. ... а́втора интере́сных расска́зов 5. ...тала́нтливых мастеро́в 6. ... молоды́х архите́кторов.

V. 1. Каки́х? 2. Для каки́х? 3. До каки́х? 4. По́сле каки́х? 5. Каки́х? 6. Каки́х? 7. У каки́х? 8. Каки́х?

VI. a) 1. – Прости́те, пожа́луйста, у вас нет больши́х тетра́дей? – Больши́х нет, мо́жет быть, возьмёте ма́ленькие? 2. – У вас нет чёрных ру́чек? – Чёрных нет, мо́жет быть, возьмёте си́ние? b) – У вас есть тёмные костю́мы (бе́лые пла́тья, све́тлые плащи́, чёрные шля́пы, се́рые руба́шки, кра́сные га́лстуки)? – Тёмных нет (бе́лых нет, све́тлых нет, чёрных нет, се́рых нет, кра́сных нет).

VII. a) 1. А когда́ они́ верну́тся со стадио́на? 2. А когда́ он вернётся из санато́рия? 3. А когда́ вы вернётесь из библиоте́ки? b) 1. А когда́ он возвраща́ется с заня́тий? 2. А когда́ они́ возвраща́ются с экску́рсий? 3. А когда́ вы возвраща́етесь из похо́дов?

IX. 1. ... себя́ 2. ... у себя́ 3. ... к себе́ 4. ... о себе́ 5. ... с собо́й 6. ... к себе́.

XI. ... пое́хать, ... вы́шел, ... пошли́, ... подошли́, ...ушёл (отошёл), ... дое́хали, ... вы́шли и пошли́, ... подошли́, ... пое́хали, ... е́хали, ... прие́хали.

Unit 25

III. (a) 1. В э́том клу́бе выступа́ло мно́го поэ́тов и писа́телей. 2. На ве́чере бы́ло мно́го де́вушек. 3. У нас бы́ло мно́го друзе́й. 4. У них бы́ло мно́го дете́й. (b) 1. В го́роде бы́ло ма́ло гости́ниц, магази́нов, па́рков, музе́ев. 2. Там бы́ло ма́ло больни́ц и поликли́ник. 3. Туда́ идёт ма́ло авто́бусов и тролле́йбусов. 4. На второ́м этаже́ бы́ло ма́ло аудито́рий и лаборато́рий. (c) 1. Здесь бу́дет не́сколько общежи́тий. 2. Я взял не́сколько газе́т и журна́лов. 3. Он получи́л не́сколько пода́рков. 4. Она́ получи́ла не́сколько пи́сем из до́ма.

IV. 1. ... четы́ре сту́ла, ... мно́го сту́льев 2. ... два кре́сла 3. ... три ножа́, ... пять ноже́й. 4. ... две ло́жки, ... не́сколько ло́жек 5. ... три ви́лки, ... не́сколько ви́лок 6. ... две ча́шки 7. ... три стака́на, ... пять стака́нов.

V. 1. Оди́ннадцать рубле́й. 2. Три́дцать рубле́й. 3. Два́дцать три рубля́. 4. Два рубля́. 5. (Оди́н) рубль два́дцать четы́ре (копе́йки). 6. Се́мьдесят три копе́йки. 7. Двена́дцать копе́ек. 8. Три́дцать пять копе́ек. 9. Две копе́йки.

IX. 1. ... друг с дру́гом, ... друг дру́га, ... друг дру́гу, ... друг о дру́ге, ... друг дру́га 2. ... друг с дру́гом, ... друг дру́га, ... друг с дру́гом, ... друг дру́гу.

X. ... рабо́тает в санато́рии, ... ста́ла пе́рвым врачо́м, ... учи́лась в шко́ле, ... стать агроно́мом, ... пла́ны её измени́лись, ... стать ме́диком, ... око́нчила шко́лу, ... продолжа́ла учи́ться, ... ле́чит дете́й.

Unit 26

II. 1. Свои́х дете́й. 2. Свои́х сынове́й. 3. Его́ дочере́й. 4. Враче́й. 5. Инжене́ров. 6. Арти́стов. 7. Этих де́вушек. 8. Свои́х подру́г. 9. Свои́х сестёр.

III. a) 1. ... свои́х бра́тьев 2. ... э́тих де́вочек 3. ... но́вых учи́тельниц 4. ... э́тих певцо́в 5. ... э́тих молоды́х архите́кторов 6. ... э́тих писа́телей b) 1. ... после́дние статьи́ 2. ... э́ти шко́лы 3. ... свои́ пе́рвые кни́ги 4. ... сего́дняшние газе́ты 5. ... твои́ уче́бники 6. ... ва́ши пи́сьма.

IV. 1. ... на́ших но́вых това́рищей 2. ... на́ших но́вых друзе́й 3. ... на́ших но́вых студе́нтов 4. ... на́ших но́вых студе́нток 5. ... на́ших но́вых преподава́телей.

V. 1. Мы слу́шали изве́стных поэ́тов и писа́телей. 2. Я ви́дел знамени́тых актёров. 3. Мы слу́шаем молоды́х певи́ц. 4. Я ви́дел э́тих футболи́стов. 5. Я хорошо́ зна́ю э́тих тала́нтливых архите́кторов.

IX. a) 1. Пусть позвони́т за́втра. 2. Пусть напи́шет за́втра. 3. Пусть приглася́т за́втра. 4. Пусть поздра́вит за́втра. 5. Пусть пое́дут за́втра. 6. Пусть даст за́втра. b) 1. Попроси́ Андре́я, пусть он ку́пит, он идёт в магази́н. 2. Попроси́ Оле́га, пусть он ку́пит, он идёт в кио́ск. 3. Попроси́ Ми́шу, пусть он ска́жет, он идёт к Джо́ну. 4. Попроси́ Ната́шу, пусть она́ возьмёт, она́ идёт в библиоте́ку. 5. Попроси́ Ни́ну, пусть она́ переведёт, она́ зна́ет англи́йский. 6. Попроси́ Оле́га, пусть он откро́ет, он сиди́т у окна́.

X. ... пое́хали за́ город, ... вы́шли из до́ма, ... подошли́ к остано́вке, ... пое́хали на вокза́л, ... дое́хали до на́шей ста́нции, ... вы́шли из ваго́на, ... пошли́ в лес, ... пошли́ на ста́нцию, ... пришли́ на ста́нцию, ... прие́хали, ... е́здить за́ город, ходи́ть в похо́ды.

XI. 1. ... стро́или, ... постро́или 2. ... гото́вились, ... подгото́вился 3. ... сдава́ть, ... сдал 4. ... перево́дят, ... перевели́ 5. ... успева́ю, ... не успе́л.

Unit 27

II. 1. ... на интере́сных вы́ставках 2. ... в музе́ях Ленингра́да 3. ... на конце́ртах 4. ... выступа́ют на фа́бриках и заво́дах 5. ... на (в) специа́льных поезда́х 6. ... в кио́сках.

III. 1. ... о но́вых спекта́клях 2. ... о после́дних фи́льмах 3. ... о его́ лу́чших карти́нах 4. ... об изве́стных худо́жниках 5. ... о вели́ких фи́зиках 6. ... об э́тих замеча́тельных матема́тиках 7. ... статьи́ о молоды́х врача́х 8. ... о после́дних экза́менах 9. ... о мои́х сёстрах 10. ... о свои́х бра́тьях.

IV. 1. В вече́рних. О вече́рних. 2. В ю́жных. О ю́жных. 3. В но́вых, высо́ких. О но́вых, высо́ких. 4. В ста́рых. О ста́рых. 5. В се́верных. О се́верных.

V. 1. О каки́х? 2. О каки́х? 3. В каки́х? 4. В каки́х? 5. На каки́х? 6. На каки́х?

VI. 1. ... от ста́рших бра́тьев, ... мне о ста́рших бра́тьях 2. ... ру́сских подру́г, ... о ру́сских подру́гах 3. ... об изве́стных архите́кторах, ... изве́стных архите́кторов 4. ... на́ших преподава́телей, ... о на́ших преподава́телях 5. ... в рабо́чих клу́бах 6. ... совреме́нных худо́жников, ... о совреме́нных худо́жниках.

VIII. 1. ... встре́чу, ... встреча́ю 2. ... подари́ть 3. ... познако́мился 4. ... взял.

X. 1. ... принесла́ 2. ... привёз 3. ... привы́к 4. ... перевёл 5. ... вы́росли.

Unit 28

I. 1. ... мла́дшим бра́тьям 2. ... свои́м сёстрам 3. ... ста́рым друзья́м 4. ... свои́м подру́гам 5. ... э́тим студе́нтам 6. ... на́шим гостя́м.

II. 1. (В Ки́ев) к свои́м де́тям. 2. К свои́м роди́телям. 3. К свои́м това́рищам. 4. К рабо́чим э́той фа́брики. 5. К свои́м преподава́телям. 6. К на́шим студе́нткам.

III. 1. ... изве́стным фи́зикам 2. ... знамени́тых учёных 3. ... молоды́х специали́стов, ... молоды́м специали́стам. 4. ... бу́дущим врача́м, ... бу́дущих враче́й, ... будущи́м врача́м 5. ... иностра́нных журнали́стов, ... иностра́нным журнали́стам 6. ... америка́нских космона́втов, ... америка́нским космона́втам.

IV. 1. От каки́х? 2. Каки́х? 3. Каки́м? 4. Каки́м? 5. По́сле каки́х? 6. В каки́х? 7. К каки́м?

V. 1. Каки́м студе́нтам он помога́ет? 2. К како́му экза́мену они́ гото́вятся? 3. Кому́ (каки́м преподава́телям) они́ бу́дут сдава́ть экза́мены? 4. Где (у кого́) он был? 5. О чём они́ говори́ли?

VII. 1. ... кото́рый, ... кото́рого, ... кото́рому, ... с кото́рым, о кото́ром 2. ... в кото́ром, ... кото́рый, ... о кото́ром, ... кото́рым, 3. ... кото́рая, ... кото́рую, ... на кото́рой, ... о кото́рой.

VIII. 1. ... в кото́рой он роди́лся, ... в кото́рую он е́здил, ... из кото́рой он прие́хал 2. ... в кото́ром он живёт, ... в кото́рый он прие́хал, ... из кото́рого он прие́хал.

X. a) –... где приём заказны́х пи́сем?–... где приём телегра́мм? b) Да́йте, пожа́луйста, оди́н конве́рт (откры́тку, ма́рку за 5 копе́ек).

Unit 29

I. 1. ... со свои́ми сёстрами 2. ... со ста́ршими бра́тьями 3. ... со свои́ми подру́гами 4. ... с э́тими студе́нтами 5. ... со свои́ми ста́рыми друзья́ми 6. ... с интере́сными людьми́

II. 1. Инжене́рами. 2. Био́логами. 3. Фи́зиками и матема́тиками. 4. Архите́кторами. 5. Врача́ми. 6. Учителя́ми (преподава́телями).

III. 1. ... на́ших преподава́телей, ... с на́шими преподава́телями 2. ... молоды́х рабо́чих, ... с молоды́ми рабо́чими 3. ... изве́стных матема́тиков, ... с изве́стными матема́тиками 4. ... тала́нтливых худо́жников, ... с тала́нтливыми худо́жниками. 5. ... иностра́нных тури́стов, ... иностра́нных тури́стов, ... с иностра́нными тури́стами.

IV. 1. Каки́е? 2. Каки́х? 3. Каки́м? 4. Каки́х? 5. В каки́х? 6. С каки́ми? 7. С каки́ми? 8. В каки́х?

V. 1. На́ши но́вые друзья́. 2. У на́ших но́вых друзе́й. 3. На́шим но́вым друзья́м. 4. На́шим но́вым друзья́м. 5. К на́шим но́вым друзья́м. 6. На́ших но́вых друзе́й. 7. С на́шими но́выми друзья́ми. 8. О на́ших но́вых друзья́х.

VI. 1. ... кото́рые, ... кото́рых, ... к кото́рым, ... о кото́рых 2. ... кото́рые, ... у кото́рых, ... от кото́рых, ... кото́рым, ... с кото́рыми.

VII. 1. ... това́рищи, с кото́рыми Джон живёт в общежи́тии. 2. ... студе́нты, с кото́рыми мы е́дем на экску́рсию. 3. ... де́вушки, кото́рые рабо́тают в на́шей лаборато́рии. 4. ... го́сти, кото́рым я хочу́ показа́ть Москву́. 5. ... роди́тели, кото́рых она́ встреча́ла на вокза́ле.

VIII. 1. Это челове́к, кото́рого он зна́ет (с кото́рым он знако́м). 2. Это де́вушка, кото́рую он зна́ет (с кото́рой он знако́м). 3. Это писа́тель, кото́рого он лю́бит. 4. Это кни́га, кото́рую он лю́бит. 5. Это го́род, в кото́ром он роди́лся. 6. Это дере́вня, в кото́рой он роди́лся. 7. Это учёный, кото́рого все зна́ют. 8. Это пе́сня, кото́рую написа́ли неда́вно. 9. Это дом, кото́рый постро́или неда́вно. 10. Это пальто́, кото́рое купи́ли неда́вно.

IX. 1. ... ва́зу с цвета́ми 2. ... портфе́ль с кни́гами и тетра́дями 3. ... тетра́дь с э́тими упражне́ниями 4. ... конве́рты с краси́выми ма́рками 5. Я взял чемода́н со свои́ми веща́ми 6. ... к по́лке с кни́гами.

XI. ... объясни́ли, ... прочита́л, ... прошло́, ... стал, ... не забы́ли, ... нашёл, ... реши́л, ... вспо́мнил, ... ста́ли.

Unit 30

II. ... приéхал, ... приезжáет, ... приéхали, ... поéхать, ... вы́шли, ... дошлá, ... подошёл, ... поéхать, ... поéхали, ... приéхали.

IV. 1. ... прилетéл 2. ... уéхала 3. ... прихóдит 4. ... принóсит 5. ... привóзит, ... привезлá.

V. 1. ... приезжáет 2. ... прихóдят 3. ... выхожу́ 4. ... я подхожу́ 5. ... ухóдят 6. ... принóсит.

VI. 1. a) ... к Андрéю приезжáл брат b) ... к Андрéю приéхал брат 2. a) ... к Олéгу приходи́л Джон b) ... к Олéгу пришёл Джон 3. a) ... Ми́ша приноси́л свои́ фотоальбóмы b) ... Ми́ша принёс свои́ фотоальбóмы.

X. ... из Ленингрáда, ... из Москвы́, ... из Ки́ева, ... из Адлера.

XI. ... реши́л, ... сказáли, ... уви́дел, ... поня́ть, ... садя́тся.

Unit 31

II. 1. ... что ... 2. ... чтóбы ... 3. ... что ... 4. ... чтóбы ... 5. ... что ... 6. ... чтóбы.

III. 1. ... ли ... 2. Если ... 3. ... ли ... 4. Если ... 5. ... ли ... 6. Если ... 7. ... ли ... 8. Если ...

IV. 1. Врач спроси́л Тáню, как онá себя́ чу́вствует. 2. Джон спроси́л, когдá прилетáет Андрéй. 3. Ни́на спроси́ла, что зáвтра идёт в теáтрах. 4. Олéг спроси́л меня́, какóй экзáмен я сдаю́ ... 5. Джон спроси́л дéвушек, как они́ собирáются провести́ прáздники. 6. Я спроси́л Тáню, где онá реши́ла встречáть Нóвый год.

V. 1. Джон сказáл, что он хóчет послáть домóй письмó и бандерóль. 2. Брат написáл, что он был óчень зáнят. 3. Сестрá Ни́ны написáла ей, что её письмó онá получи́ла. 4. Сестрá попроси́ла передáть привéт Тáне. 5. Олéг сказáл Джóну, что ему́ нрáвятся стихи́ Гамзáтова. 6. Олéг сказáл Джóну, чтóбы он прочитáл егó стихи́.

VI. 1. Тáня спроси́ла Олéга, бы́ли ли ужé вечéрние газéты. Олéг отвéтил, что их ещё нé было. 2. Олéг попроси́л Тáню позвони́ть в спрáвочное бюрó. Тáня сказáла, что онá ужé позвони́ла. 3. Натáша спроси́ла Ни́ну, давнó ли онá окóнчила институ́т. Ни́на отвéтила, что онá окóнчила институ́т два гóда назáд. 4. Олéг спроси́л Джóна, умéет ли он катáться на лы́жах? Джон отвéтил, что умéет. 5. Андрéй спроси́л Джóна, поéдет ли он домóй ... Джон отвéтил, что ещё не реши́л. 6. Ми́ша спроси́л Олю, тру́дная ли э́то статья́. Оля сказáла, что óчень тру́дная и попроси́ла Ми́шу помóчь перевести́ статью́.

VII. a) 1. Послáли ли вы телегрáмму роди́телям? 2. Знáете ли вы егó áдрес? 3. Пришлёте ли вы мне э́ти кни́ги? 4. Говори́л ли он вам об э́том? 5. Смóжете ли вы прочитáть егó статью́? 6. Пóмните ли вы, что ... b) 1. Откры́лась ли ужé вы́ставка Рéриха, не знáю. 2. Идёт ли э́тот фильм в нáшем кинотеáтре? 3. Верну́лся ли он ужé из óтпуска? 4. Сдал ли он зачёт по матемáтике? 5. Кóнчились ли ужé у ни́х заня́тия? 6. Закры́лась ли ужé столóвая?

VIII. 1. Скажи́ ей, что я обязáтельно позвоню́. 2. Скажи́ ей, что я обязáтельно приглашу́ её. 3. Скажи́ ей, что я обязáтельно дам ей э́тот журнáл. 4. Скажи́ ей, что я обязáтельно встрéчу её. 5. Скажи́ ему́, что я обязáтельно помогу́ ему́. 6. Скажи́ ему́, что я обязáтельно вы́ступлю.

X. a) Передáйте привéт и поздравлéния вáшему брáту (вáшей сестрé, вáшим роди́телям, вáшим друзья́м, Ни́не, Андрéю).

XIII. 1. ... родны́х и знакóмых, ... родны́х и знакóмых, ... с родны́ми и знакóмыми, ... родны́м и знакóмым 2. ... об экзáменах, ... к экзáменам, ... экзáмены, ... экзáменов 3. ... до зи́мних кани́кул, ... зи́мних кани́кул 4. ... мнóго нóвых райóнов, ... в нóвых райóнах, ... о нóвых райóнах.

XIV. ... спешáт, ... сдéлать, ... позвони́ть, ... сказáть, ... послáть, ... поздрáвить, ... написáть, ... сдéлал, ... послáл, ... купи́л, ... забы́л, ... поéхал, ... ждать.

Unit 32

III. a) Интерéсный – интерéснее – сáмый интерéсный; прекрáсный – прекрáснее – са́мый прекра́сный; пра́вильный – пра́вильнее – са́мый пра́вильный; свобо́дный – свобо́днее – са́мый свобо́дный; сме́лый – смеле́е – са́мый сме́лый; си́льный – сильне́е – са́мый си́льный; сла́бый – слабе́е – са́мый сла́бый; весёлый – веселе́е – са́мый весёлый; тру́дный – трудне́е – са́мый тру́дный; удо́бный – удо́бнее – са́мый удо́бный. b) Молодо́й – моло́же – са́мый молодо́й; ста́рый – ста́рше – са́мый ста́рый; хоро́ший – лу́чше – са́мый лу́чший; плохо́й – ху́же – са́мый плохо́й; большо́й – бо́льше – са́мый большо́й; ма́ленький – ме́ньше – са́мый ма́ленький; просто́й – про́ще – са́мый просто́й; лёгкий – ле́гче – са́мый лёгкий. c) Тепло́ – тепле́е; хо́лодно – холодне́е; ско́ро – скоре́е; по́здно – по́зже; ра́но – ра́ньше; ча́сто – ча́ще; мно́го – бо́льше; ма́ло – ме́ньше.

IV. 1. Да, брат ста́рше сестры́. 2. Да, сестра́ моло́же бра́та. 3. Да, на́ша кварти́ра бо́льше их кварти́ры. 4. Да, моя́ ко́мната ме́ньше её ко́мнаты. 5. Да, он прие́хал по́зже меня́. 6. Да, второ́й но́мер журна́ла интере́снее пе́рвого. 7. Да, ваш дом вы́ше на́шего. 8. Да, э́то ле́то тепле́е про́шлого. 9. Да, о́зеро Байка́л глу́бже Оне́жского.

V. 1. Вы пришли́ по́зже меня́. 2. Я быва́ю здесь ре́же, чем он. 3. Та́ня говори́т по-англи́йски ху́же Оле́га. 4. Ста́рый текст трудне́е, чем но́вый. 5. Экза́мен сдать трудне́е, чем зачёт. 6. Вчера́ бы́ло холодне́е, чем сего́дня. 7. Ленингра́д ме́ньше Москвы́.

VII. 1. Та́ня – моя́ са́мая лу́чшая подру́га. 2. Матема́тика – мой са́мый люби́мый предме́т. 3. Это ле́то бы́ло са́мое холо́дное. 4. ... э́то для меня́ са́мый лу́чший о́тдых. 5. Да́нко был са́мым сме́лым челове́ком. 6. Это был са́мый тру́дный путь. 7. Новосиби́рск – са́мый кру́пный го́род в Сиби́ри. 8. Аму́р – са́мая больша́я река́ ...

IX. 1. Вы не могли́ бы помо́чь ... ? 2. Вы не могли́ бы купи́ть ... ? 3. Ты не мог бы прийти́ ... ? 4. Он не мо́г бы позвони́ть ... ? 5. Она́ не могла́ бы перевести́ ... ? 6. Та́ня не могла́ бы присла́ть ... ?

X. 1. ... пое́дем, ... пое́хали бы 2. ... бу́дет занима́ться, ... е́сли бы занима́лся 3. ... пойдём, ... пошли́ бы 4. ... посмотрю́, ... посмотре́л.

XI. 1. Если бы ты дал мне слова́рь, я перевёл бы э́тот текст. 2. Если бы ты прочита́л э́тот расска́з, он понра́вился бы тебе́. 3. Если бы он хоте́л, он мог бы взять э́ту кни́гу ... 4. Если бы она́ интересова́лась биоло́гией, она́ пошла́ бы на э́ту ле́кцию. 5. Если бы я встре́тил его́, я пригласи́л бы его́ к нам. 6. Если бы она́ пое́хала к роди́телям, она́ посла́ла бы им телегра́мму.

XII. a) 1. Если бы у меня́ бы́ло вре́мя, я пришёл бы к тебе́. Если бы у меня́ не́ было вре́мени, я не пришёл бы к тебе́. 2. Если бы я люби́л хи́мию, я поступи́л бы на э́тот факульте́т. Если бы я не люби́л хи́мию, я не поступи́л бы на э́тот факульте́т. b) 1. Если бы он волнова́лся, он не сда́л бы экза́мен. Если бы он не волнова́лся, он сдал бы экза́мен. 2. Если бы мне помеша́ли, я не ко́нчил бы э́ту рабо́ту. Если бы мне не помеша́ли, я ко́нчил бы э́ту рабо́ту.

Unit 33

II. 1. Изуча́я ..., изучи́в ...
2. Приходя́ ..., придя́ ...
3. Де́лая ..., сде́лав ...
4. Сдава́я ..., сдав ...

III. 1. Он сиде́л на дива́не и смотре́л ... 2. Он разгова́ривал со мно́й и клал кни́ги ... 3. Когда́ он отвеча́л на экза́мене, он ... волнова́лся. 4. Когда́ он уезжа́л из Москвы́, он ... оставля́л ... 5. Когда́ она́ отдыха́ла на ю́ге, она́ мно́го пла́вала. 6. Когда́ Ни́на встре́тила ... сестру́, она́ пое́хала ... 7. Когда́ он верну́лся домо́й, он рассказа́л ... (он верну́лся ... и рассказа́л ...). 8. Когда́ он уе́хал ..., он оста́вил ... 9. Он подплы́л к бе́регу и вы́шел ... (Когда́ он подплы́л ..., он вы́шел ...) 10. Я подошёл к остано́вке и уви́дел ... (Когда́ я подошёл ..., я уви́дел ...) 11. Он посмотре́л но́вый фильм и рассказа́л о нём ... (Когда́ он посмотре́л ..., он рассказа́л ...)

V. a) 1. ... това́рищ, живу́щий ... (око́нчивший ...) 2. ... това́рища, живу́щего ... (око́нчившего ...) 3. ... с това́рищем, живу́щим ... (око́нчившим ...) 4. ... това́рищу, живу́щему ... (око́нчившему ...) 5. ... у това́рища, живу́щего ... (око́нчившего ...) 6. ... о това́рище, живу́щем ... (око́нчившем ...)

b) 1. … де́вушка, рабо́тающая … (написа́вшая …) 2. … де́вушку, рабо́тающую … (написа́вшую …) 3. … с де́вушкой, рабо́тающей … (написа́вшей …) 4. … де́вушке, рабо́тающей … (написа́вшей …) 5. … у де́вушки, рабо́тающей … (написа́вшей …) 6. … о де́вушке, рабо́тающей … (написа́вшей …).

VI. a) 1. … студе́нт, хорошо́ зна́ющий … 2. … де́вушку, говоря́щую … 3. … с дру́гом, рабо́тающим … 4. … о роди́телях, живу́щих … 5. … арти́стам, игра́ющим … 6. … това́рища, интересу́ющегося … 7. … студе́нтов, занима́ющихся … 8. … к профе́ссору, чита́ющему … 9. … об учёном, изуча́ющем … b) 1. … о писа́телях, прие́хавших … 2. … со студе́нтом, выступа́вшим … 3. … дру́гу, пригласи́вшему … 4. … у това́рища, уже́ сда́вшего … 5. … со студе́нтами, сиде́вшими … 6. … о друзья́х, верну́вшихся … 7. … де́вушку, откры́вшую … 8. … сестре́, присла́вшей … 9. … с това́рищами, е́здившими …

VII. 1. … архите́ктора, постро́ившего … ; … дом, постро́енный … 2. … кни́га, напи́санная … ; писа́тель, написа́вший … 3. … космона́вты, приглашённые … ; студе́нты, пригласи́вшие … 4. … слова́рь, ку́пленный неда́вно; … това́рища, купи́вшего … 5. … кни́ги, забы́тые; … студе́нт, забы́вший … 6. Де́вушка, откры́вшая … ; … вошли́ в откры́тую дверь. 7. … письмо́, полу́ченное … ; … Олю, получи́вшую …

IX. 1. Делега́ция, при́нятая ре́ктором … Ре́ктор, приня́вший делега́цию … 2. … журна́лы, принесённые мне … Това́рищ, принёсший … 3. … пе́сни, испо́лненные молоды́м певцо́м … У певца́, испо́лнившего … 4. Фотоальбо́м, пока́занный мне … Де́вушка, показа́вшая … 5. Зада́ча, решённая дру́гом … … дру́гу, реши́вшему … 6. … пе́сня, спе́тая студе́нтами … … студе́нтов, спе́вших … 7. В телегра́мме, по́сланной им … … с това́рищем, посла́вшим … 8. … пода́рок, ку́пленный сестре́. Де́вушка, купи́вшая …

X. 1. Это шко́ла, кото́рую постро́или неда́вно. 2. Это университе́т, кото́рый основа́ли неда́вно. 3. Это кни́га, кото́рую опубликова́ли давно́. 4. Это расска́з, кото́рый перевели́ на ру́сский язы́к. 5. Это телегра́мма, кото́рую посла́ли вчера́. 6. Это письмо́, кото́рое получи́ли неда́вно. 7. Это пе́сня, кото́рую написа́ли неда́вно. 8. Это пробле́ма, кото́рую изуча́ют давно́.

XI. 1. … при́нят, … при́нятыми 2. … сда́нных, … сданы́. 3. … организо́ван, … организо́ванном 4. … откры́та, … откры́тую 5. … постро́ена, … постро́енной 6. … осно́ван, … осно́ванном 7. … переведены́, … переведённые.

Russian-English Vocabulary

А

а́вгуст August
авто́бус bus
а́втор author
агроно́м agronomist
а́дрес address
азиа́тский Asian
А́зия Asia
а́йл (Central Asian) village
актёр actor
актри́са actress
алфави́т alphabet
Аме́рика America
аметика́нец American
америка́нка American
анги́на sore throat, quinsy
англи́йский English
англича́нин Englishman
англича́нка Englishwoman
Англия England
а́нгло-ру́сский English-Russian
анса́мбль *m.* ensemble
апельси́н orange
апте́ка chemist's, drugstore
апре́ль April
аркти́ческий Arctic
а́рмия army
арти́ст actor, singer
арти́стка actress, singer
архите́ктор architect
архитекту́ра architecture
архитекту́рный architectural
астроно́м astronomer
аудито́рия lecture-hall
афори́зм aphorism
А́фрика Africa
африка́нец African
аэропо́рт airport

Б

ба́бушка granny, grandmother
бале́т ballet
балко́н balcony
бандеро́ль *f.* printed matter
банк bank
бассе́йн swimming-pool
бе́гать (бегу́, бежи́шь, ... бегу́т) *imp.* to run, to jog
беда́ misfortune
бе́дный poor
без *prep. + gen.* without
безлю́дный lonely, uninhabited
безу́мный mad
бе́лый white
бельё linen
бе́рег bank; shore
бесе́довать (бесе́дую, бесе́дуешь) *imp. с кем?* to talk
библиоте́ка library
биле́т 1. ticket; 2. examination card
био́лог biologist
биоло́гия biology
благодари́ть *imp. кого́? за что?* to thank
блесте́ть *imp.* to glisten
бли́же nearer
бли́зкий near, close
бли́зко near, closely
блины *pl.* bliny, pancakes
блю́дце saucer
бога́тство wealth, riches
бога́тый rich
бой chimes
бо́лее[1] more (than)
бо́лее[2], **тем бо́лее** all the more
боле́знь *f.* illness, sickness
боле́ть *imp. чем?* to be ill; to be sick; *p.* **заболе́ть** to fall ill
больни́ца hospital
бо́льно (is) painful
больно́й[1] sick, unsound, unhealthy
больно́й[2] patient
бо́льше more
большо́й big, large; great
борщ beetroot and cabbage soup, borshch
борьба́ 1. struggle; 2. wrestling
боти́нки *pl.* shoes, boots
боя́ться (бою́сь, бои́шься) *imp. кого́? чего́?* to be afraid, to fear
брат brother
брать (беру́, берёшь) *imp. что? кого́? p.* **взять** 1. to take; 2. to borrow
броса́ть *imp. что? куда́? p.* **бро́сить** to throw
бро́сить (бро́шу, бро́сишь) *p.* to throw
брю́ки *pl.* trousers, pants
бу́дущее the future
бу́дущий 1. future; 2. next
бу́ква letter
буква́рь *m.* ABC book
бума́га paper

бутербро́д (open-face) sandwich
буфе́т buffet; cafeteria
буфе́тчица barmaid
быва́ть *imp., p.* **побыва́ть** to be; to visit
бы́вший former
бы́стро quickly
быть (бу́ду, бу́дешь) *imp.* to be

В

в (во) *prep. + acc. or prepos.* in, into
ваго́н (railway) carriage, (railroad) car, covered goods van
ва́жный important
ва́за vase
ва́нная bathroom
вдруг suddenly
ве́домость register
ведь isn't it?, didn't you?, *etc.*; you see, you know
везде́ everywhere
везти́ (везу́, везёшь) *imp. кого́? что?* to carry
век century
вели́кий great
велосипе́д bicycle
ве́рить *imp. кому́? чему́? во что? в кого́? p.* **пове́рить** to believe, to trust
ве́рно (is) right
верну́ть *p. что? кому́? куда́?* to return, to give back
верну́ться *p. куда́?* to return, to come back
ве́рный faithful
вероя́тно probably
вертолёт helicopter
ве́рхний upper
ве́село (one) has a good time, (one) enjoys oneself
весе́нний spring
весёлый joyous, cheerful
весе́лье merry-making
весна́ spring
весно́й in spring
вести́ (веду́, ведёшь) *imp. кого́? что?* to lead
весь (вся, всё, все) all, whole
ве́тер wind
ве́тка branch
ве́чер 1. evening; 2. evening party
вече́рний evening
ве́чером in the evening
ве́шать *imp. что?* to hang
вещь *f.* thing
взять (возьму́, возьмёшь) *p. что? кого́?* 1. to take; 2. to borrow
вид kind
ви́деть (ви́жу, ви́дишь) *imp. что? кого́?* to see
визи́т visit
ви́лка fork
виногра́д grapes
висе́ть *imp.* to hang
вме́сте together
вме́сто instead of
внеза́пно suddenly
вниз down(ward)
внизу́ down, below
внима́ние attention
внима́тельно attentively, carefully
внук grandson
внутри́ inside
вну́чка granddaughter
во́время in time, on time
вода́ water
води́ть (вожу́, во́дишь) *imp. что? кого́?* to lead
возвраща́ть *imp. что? кому́?* to give back
возвраща́ться *imp. куда́?* to return
вози́ть (вожу́, во́зишь) *imp. кого́? что?* to carry
война́ war
войти́ (войду́, войдёшь) *p.* to go in, to come in, to enter
вокза́л (railway) station
волейбо́л volleyball
волк wolf
волнова́ться (волну́юсь, волну́ешься) *imp.* to worry; to be anxious
во́лосы *pl.* hair
вообще́ in general
вопро́с question
воспомина́ние memory
восста́ние uprising
восто́к east
восто́чный eastern, oriental
вот here is (are)
впереди́ in front, ahead
вперёд forward
впро́чем though
враг enemy
врач doctor
вре́мя time
вре́мя го́да season
всегда́ always
всего́ 1. of all; 2. only
всё everything
всё же yet
всё-таки nevertheless
вспомина́ть *imp. кого́? что? о ком? о чём? p.* **вспо́мнить** to remember, to recall
вспо́мнить *p. кого́? что? о ком? о чём?* to remember, to recall
встава́ть (встаю, встаёшь) *imp., p.* **встать** to get up
встать (вста́ну, вста́нешь) *p.* to get up
встре́ча get-together; meeting; encounter
встреча́ть *imp. кого́? что? p.* **встре́тить** to meet; to run into, to come across
встреча́ться *imp. с кем? p.* **встре́титься** to meet

встре́тить (встре́чу, встре́тишь) *p. кого́? что?* to meet; to run into, to come across
встре́титься (встре́чусь, встре́тишься) *p. с кем?* to meet
вся́кий 1. any; 2. each, every
вто́рник Tuesday
вход entrance
входи́ть (вхожу́, вхо́дишь) *imp., p.* **войти́** to go in, to come in, to enter
вчера́ yesterday
вчера́шний yesterday's
выбира́ть *imp. что? кого́? p.* **вы́брать** to choose
вы́брать (вы́беру, вы́берешь) *p. что? кого́?* to choose
вызыва́ть *imp. кого́? что? p.* **вы́звать** 1. to call; 2. to excite
вы́звать (вы́зову, вы́зовешь) *p. кого́? что?* 1. to call; 2. to excite
вы́йти (вы́йду, вы́йдешь) *p.* to go out, to come out, to leave
вы́пить (вы́пью, вы́пьешь) *что? p.* to drink up
вы́полнить *p. что?* to fulfil
выполня́ть *imp. что? p.* **вы́полнить** to fulfil
выража́ть *imp. что? p.* **вы́разить** to express, to convey
вы́разить (вы́ражу, вы́разишь) *p. что?* to express, to convey
вы́расти *p.* to grow (up)
вырыва́ть *imp. что? отку́да? p.* **вы́рвать** to tear out
вы́рвать to tear out
выска́зывание opinion
высо́кий high, tall
высоко́ high, highly
вы́ставка exhibition
выступа́ть *imp., p.* **вы́ступить** to perform
вы́ступить (вы́ступлю, вы́ступишь) *p.* to perform
вы́ход exit
выходи́ть (выхожу́, выхо́дишь) *imp., p.* **вы́йти** to go out, to come out, to leave

Г

газе́та newspaper
галере́я gallery
га́лстук tie
где where
гео́лог geologist
гимна́стика gymnastics; *P. T.* exercises
гита́ра guitar
гла́вное the main thing; above all
гла́вный main, principal; head
гла́вным о́бразом mainly
глаз eye
глубо́кий deep
глу́пый foolish
говори́ть *imp. что? кому́? о чём? о ком? p.* **сказа́ть** to speak; to say
год year
годи́ться (гожу́сь, годи́шься) *imp. кому́?* to be suitable
голова́ head
го́лос voice
голубо́й light-blue
гора́ mountain
го́рдый proud
горе́ть *imp.* to burn
го́рло throat
го́рный 1. mountain(ous); 2. mining
го́род town, city
гостеприи́мный hospitable
гости́ница hotel
гость *m.* guest, visitor
госуда́рство state
госуда́рственный state
гото́в (is) ready
гото́вить (гото́влю, гото́вишь) *imp. что?* to prepare; to cook
гото́виться (гото́влюсь, гото́вишься) *imp. к чему?* to prepare
гра́дус degree
гра́мота literacy
гра́мотный literate
грани́ца border
грипп flu
гроза́ thunderstorm
гро́мко (is) noisy; loudly
гру́стно (is) sad
гру́стный sad
гу́бы *pl.* lips
гуля́ть *imp.* to walk
гумани́ст humanist

Д

да yes
дава́ть (даю́, даёшь) *imp. что? кому́? p.* **дать** to give; to lend
давно́ 1. long ago; 2. long since
дагеста́нский Daghestan
да́же even
далеко́ far
да́льний distant, remote
да́льше farther, further
дари́ть *imp. что? кому́? p.* **подари́ть** to give
да́ром 1. in vain; 2. free
да́та date
дать (дам, дашь, даст, дади́м, дади́те, даду́т) *p. что? кому́?* to give; to lend
дверь *f.* door
дво́йка second lowest (unsatisfactory) mark
дворе́ц palace
де́вочка (small) girl
де́вушка girl (in her late teens)
де́душка grandfather
дежу́рная receptionist

28–1350

дежу́рный on duty
дека́брь December
де́лать *imp. что? p.* **сде́лать** to do; to make
де́ло job
день *m.* day
день рожде́ния birthday
де́ньги money
дереве́нский rural, village
дере́вня village
де́рево 1. tree; 2. wood
держа́ть *imp. что? кого́?* to hold
де́ти *pl.* children
де́тство childhood; **в де́тстве** in one's childhood
де́тский children's
деше́вле cheaper
дёшево (is) cheap; cheaply
джу́нгли jungle
диало́г dialogue
дива́н settee
ди́кий wild
днём in the afternoon
до *prep. + gen.* before, in front of; as far as; till
до востре́бования poste restante, to be called for
до свида́ния good-bye
доброта́ kindness
до́брый kind
добыва́ть *imp. что? p.* добы́ть to get
добы́ть (добу́ду, добу́дешь) *p. что?* to get
доезжа́ть *imp. до чего́? p.* **дое́хать** to reach
дое́хать (дое́ду, дое́дешь) *p. до чего́?* to reach
дождь *m.* rain
дождли́вый rainy
дойти́ (дойду́, дойдёшь) *p. до чего́?* to reach
докла́д report
до́ктор doctor
до́ктор нау́к doctor of sciences
документа́льный documentary
до́лго for a long time
до́лжен (one) must
дом house, block of flats
дом о́тдыха holiday centre
до́ма at home
дома́шний home-made
домо́й home
допо́лнить *p. что? кого́?* to complete
дополня́ть *imp. что? кого́? p.* **допо́лнить** to complete
доро́га 1. way; 2. road
до́рого (is) dear, dearly
дорого́й dear
дороги́е *pl.* those dear (to one)
до сих по́р until now
доходи́ть (дохожу́, дохо́дишь) *imp. до чего́? p.* **дойти́** to reach
дочь daughter
драгоце́нный precious
дра́ма drama, play
драмати́ческий drama
древнеру́сский Old Russian
дре́вний old, ancient
друг friend
друго́й (an)other
дру́жба friendship
дру́жеский informal
дру́жный united
ду́мать *imp. о ком? о чём?* to think
дуть *imp.* to blow
дух spirit
душа́ soul, heart
дыша́ть *imp.* to breathe

Е

Евро́па Europe
европе́йский European
еди́нственный (the) only, sole
ежего́дно annually
ежего́дный annual
е́здить (е́зжу, е́здишь) *imp.* to go
ело́вый fir, of a fir-tree
е́сли if
есте́ственный natural
есть (быть, име́ть) to be; to have
есть (ем, ешь, ест, еди́м, еди́те, едя́т) *imp. что?* to eat
е́хать (е́ду, е́дешь) *imp.* to go
ещё still; yet

Ё

ёлка New Year tree, Christmas tree

Ж

жаль (is) a pity
жа́ркий hot
жать ру́ку *кому́?* to shake somebody by the hand
ждать *imp. кого́? что? p.* **подожда́ть** 1. to wait; 2. to expect
жела́ние wish
жела́ть *imp. кому́? чего́? p.* **пожела́ть** to wish
жена́ wife
же́нский women's; female
же́нщина woman
жёлтый yellow
живопи́сный picturesque
жи́вопись *f.* painting
живо́т stomach
живо́тное animal
жизнь *f.* life
жи́тель inhabitant

жить (живу́, живёшь) *imp.* to live
жура́вль *m.* crane
журна́л journal, magazine
журнали́ст journalist
журна́льный сто́лик occasional table

З

за *prep. + acc. or instr.* 1. behind, beyond; 2. for
заблуди́ться *p.* to lose one's way
заболе́ть *p. чем?* to fall ill
забыва́ть *imp. кого́? что? о ком? о чём? p.* **забы́ть** to forget
забы́ть (забу́ду, забу́дешь) *p. кого́? что? о ком? о чём?* to forget
заво́д factory
за́втра tomorrow
за́втрак breakfast
за́втракать to have breakfast
за́втрашний tomorrow's
задава́ть (задаю́, задаёшь) *imp. что? кому́? p.* **зада́ть** to give; **задава́ть вопро́с** to ask a question
зада́ние 1. homework; 2. assignment, task, exercise
зада́ть (зада́м, зада́шь, зада́ст, задади́м, задади́те, зададу́т) *p. что? кому́?* to give; **зада́ть вопро́с** to ask a question
зада́ча 1. task; 2. problem, sum
заинтересова́ть (заинтересу́ю, заинтересу́ешь *p. кого́? чем?* to interest
заинтересова́ться *p. чем? кем?* to be interested
заказно́й registered
зака́нчивать *imp. что? что де́лать? p.* **зако́нчить** to finish, to complete
зако́нчить *p. что? что де́лать?* to finish, to complete
закрыва́ть *imp. что p.* **закры́ть** to close
закрыва́ться *imp., p.* **закры́ться** to close
закры́тый 1. closed; 2. indoor
закры́ть (закро́ю, закро́ешь) *p. что?* to close
закры́ться *p.* to close
зал hall; auditorium
заме́тить (заме́чу, заме́тишь) *p. кого́? что?* to notice
замеча́тельный outstanding
замеча́ть *imp. кого́? что? p.* **заме́тить** to notice
замолча́ть *p.* to become silent
занаве́ска curtain
занима́ться to study
за́нят (is) busy
заня́тие class
за́пад west
за́падный western
за́пах smell
за́пись *f.* recording
запла́кать (запла́чу, запла́чешь) *p.* to burst out crying
запо́лнить *p. что?* to fill in, to fill out
заполня́ть *imp. что? p.* **запо́лнить** to fill in, to fill out
засмея́ться (засмею́сь, засмеёшься) *p.* to laugh, to burst out laughing
затрудни́ть *p. кого́? чем?* to cause difficulty
затрудня́ть *imp. кого́? чем? p.* **затрудни́ть** to cause difficulty
зачёт test
зашуме́ть (зашумлю́, зашуми́шь) *p.* to begin making a noise, to begin rustling
зверь *m.* animal, beast
звони́ть *imp. кому́? p.* **позвони́ть** to ring up, to telephone
зда́ние building
здесь here
здоро́ваться *imp. с кем? p.* **поздоро́ваться** to greet, to say hello
здоро́вый sound, healthy
здоро́вье health
здра́вствуй(те) how do you do; hello
зелёный green
земля́ 1. earth; 2. land, ground
зе́ркало mirror
зима́ winter
зи́мний winter
зимо́й in winter
злой wicked
знако́м *с кем? с чем?* (is) acquainted, (has) met, know (somebody)
знако́мить *кого́? с кем?* to introduce; to acquaint
знако́миться (знако́млюсь, знако́мишься) *imp. с кем? с чем? p.* **познако́миться** to meet
знако́мство getting acquainted
знако́мый[1] familiar
знако́мый[2] acquaintance, friend
знако́мые *pl.* acquaintances, friends
знамени́тый famous, renowned
зна́ние knowledge
знать *imp. кого́? что?* to know
зна́чит so
зна́чить *imp. что?* to mean
зо́нтик umbrella
зуб tooth

И

и and
игра́ game
игра́ть *imp. во что? на чём?* to play
идти́ (иду́, идёшь) *imp.* to walk, to go
из *prep. + gen.* from, out of
изве́стный well-known, renowned
издава́ть (издаю, издаёшь) *imp. что? p.* **изда́ть** to publish

изда́ть *p. что?* to publish
измени́ть *p. что? кого́?* to change
измени́ться *p.* to change
изменя́ть *imp. что? кого́? p.* **измени́ть** to change
изменя́ться *imp., p.* **измени́ться** to change
и́зредка occasionally
изуча́ть *imp. что? p.* **изучи́ть** to study
изучи́ть *p. что?* to study
и́ли or
ико́на icon
иллюмина́ция illumination
име́ть *imp. что?* to have
и́мя first (Christian) name
и́ндекс (почто́вый) (post) code
инди́йский Indian
инжене́р engineer
иногда́ sometimes
иностра́нный foreign
институ́т college; institute
инструме́нт instrument, tool
интере́с interest
интере́сно (is) interesting
интере́сный interesting
интересова́ть (интересу́ю, интересу́ешь) *p. кого́?* to interest
интересова́ться *imp. кем? чем?* to be interested
интернациона́льный international
иска́ть (ищу́, и́щешь) *imp. кого́? что?* to look for, to seek
иску́сство art
испо́лнить *p. что?* to perform
исполня́ть *imp. что? p.* **испо́лнить** to perform
испуга́ться *p. кого́? чего́?* to be frightened
исто́рик historian
истори́ческий historical
исто́рия[1] history
исто́рия[2] case; story
исцели́ть *p. кого́? от чего́?* to cure
исцеля́ть *imp. кого́? от чего́? p.* **исцели́ть** to (try to) cure
исчеза́ть *imp., p.* **исче́знуть** to disappear
исче́знуть *p.* to disappear
ито́г sum total
ию́ль July
ию́нь June

К

к *prep. + dat.* to, towards
кабине́т study; consulting room; **рентге́новский кабине́т** X-ray unit
ка́жется it seems
ка́ждый every; each
как so, as
как обы́чно as usual
как пра́вило as a rule
како́в what (is)?
како́й what, which
како́й-нибудь any
како́й-то some
календа́рь *m.* calendar
кани́кулы *pl.* holidays, vacation
капу́ста cabbage
каранда́ш pencil
ка́рта map
карти́на picture, painting
карто́фель *m.* (*coll.* **карто́шка**) potatoes
ка́сса cash-desk
кассе́та cassette
кастрю́ля saucepan, casserole
ката́ться *imp. на чём?* **~ на лы́жах** to ski; **~ на са́нках** to toboggan
кафе́ café, snack bar
ка́чество quality
кварти́ра flat, apartment
кефи́р kefir
киломе́тр kilometre
кино́ cinema, movie
кинотеа́тр cinema, movie theatre
кио́ск kiosk
кирги́зский Kirghiz
кирпи́ч brick
класс class, classroom
класть (кладу́, кладёшь) *imp. что? куда́? p.* **положи́ть** to put, to place
кли́мат climate
климати́ческий climatic
клуб club
ключ key
кля́тва oath
кни́га book
кни́жный book
кни́жный шкаф bookcase
ковёр carpet, rug
когда́ when
колбаса́ sausage
колле́дж college
колле́кция collection
колхо́з collective farm
колхо́зник collective farmer
кома́нда team
ко́мната room
ко́мпас compass
компо́т stewed fruit
компози́тор composer
комсомо́лец Young Communist Leaguer
конве́рт envelope
конгре́сс congress
коне́ц end
коне́чно of course
консе́рвы tinned food, canned food
конститу́ция constitution
конфере́нция conference
конфе́та sweet, candy
конце́рт concert
конча́ть *imp. что? что де́лать? p.* **ко́нчить** to end; to graduate (from)
конча́ться *imp.* to end
ко́нчить *p. что? что де́лать?* to end; to graduate (from)
ко́нчиться *p.* to end

копе́йка copeck
коридо́р corridor
кори́чневый brown
корреспонде́нция correspondence
космона́вт cosmonaut
космона́втика cosmonautics
ко́смос (outer) space
костю́м suit
кото́рый who, which
ко́фе coffee
ко́фта (woman's) jacket
ко́шка cat
край country, territory, land
краса́вец handsome man
краса́вица a beauty
краси́во (is) beautiful
краси́вый beautiful
кра́сный red
красота́ beauty
кре́пко firmly
кре́сло armchair
крича́ть (кричу́, кричи́шь) *imp. что? кому́?* to shout
кри́кнуть *p. что? кому́?* to shout
крова́ть *f.* bed
кру́пный large
крупне́йший (the) largest
к сожале́нию unfortunately
кста́ти 1. to the point; 2. incidentally; 3. by the way
кто who
кто́-нибудь somebody
кто́-то somebody
куда́ where
куда́-нибудь somewhere
культу́ра culture
культу́рный cultured
купи́ть (куплю́, ку́пишь) *p. что? кому́? для кого́?* to buy
ку́рица 1. hen; 2. chicken
кусо́к piece
ку́хня kitchen

Л

лаборато́рия laboratory
ла́герь *m.* camp
ла́мпа lamp
леге́нда legend
легко (is) easy
ледяно́й icy
лежа́ть to be, to lie
лека́рство medicine, drug
ле́кция lecture
лес wood, forest
лета́ть *imp.* to fly
лете́ть (лечу́, лети́шь) *imp.* to fly
ле́тний summer
ле́то summer
ле́том in summer
лечи́ть *imp. кого́?* to treat
лечь (ля́гу, ля́жешь,... ля́гут) *p. куда́?* to lie (down)
лёгкий 1. light; 2. easy
лёд ice
ли whether, if
лист leaf
листо́к form
литерату́ра literature
литерату́рный literary
лицо́ face
лоб forehead
ло́дка boat
ложи́ться *imp. куда́? p.* **лечь** to lie down;
ложи́ться спать to go to bed
ло́жка spoon
ло́шадь *f.* horse
лук onions
луна́ moon
луч ray
лу́чше better
лу́чший best
лы́жи *pl.* skis
люби́мый favourite
люби́тель lover
люби́ть (люблю́, лю́бишь) *imp. кого́? что? что де́лать?* to like; to love
любо́вь *f.* love
лю́ди *pl.* people

М

магази́н shop, store
май May
ма́ленький small, little
ма́ло few, little
малогра́мотный semi-literate
ма́льчик boy
ма́ма mommy, mother
ма́рка (postage) stamp
март March
маршру́т itinerary, route
ма́сло butter
ма́стер master
матема́тик mathematician
матема́тика mathematics
матч match
мать mother
маши́на 1. motor-car, automobile; 2. machine
ме́бель *f.* furniture
медве́дь *m.* bear
ме́дик *m.* medical man, physician
медици́на medicine
медици́нский medical
медици́нская сестра́ (hospital) nurse
ме́жду between; among
междунаро́дный international
ме́лкий shallow
мело́дия melody
ме́ньше less, not so much (as)

ме́сто place
ме́сяц month
метр metre
метро́ underground railway, subway
мечта́ dream
мечта́ть *imp. о ком? о чём?* to dream
меша́ть *imp. кому́? что де́лать?* to hinder
миллио́н million
ми́лый dear (in a salutation)
мини́стр minister
ми́нус minus
мину́та minute
мир[1] world
мир[2] peace
мирово́й world
ми́тинг rally
мла́дший younger
мно́гие *pl.* many
мно́го many, much
мно́гое many things; much
многонациона́льный multinational
многоуважа́емый dear (in a salutation)
многочи́сленный numerous
мо́жет быть perhaps, maybe
мо́жно (is) possible, (one) can; (one) may
молодёжь *f.* youth
молоде́ц fine fellow, well done!
молодо́й young
мо́лодость youth
молоко́ milk
молча́ть *imp.* to be silent
мо́ре sea
моро́з frost
морко́вь *f.* carrots
москви́ч Muscovite
москви́чка Muscovite
моско́вский Moscow
мост bridge
мочь (могу́, мо́жешь,... мо́гут) *imp. что (с)де́лать?* to be able, (one) can
му́дрость wisdom, adage
муж husband
мужчи́на man
музе́й museum
му́зыка music
музыка́льный musical
музыка́нт musician
мы́ло soap
мысль *f.* thought, idea; reason
мя́со meat
мяч ball

Н

на *prep. + acc. or prepos.* on, at
на́бережная embankment
наве́рное most likely, must
наве́рх up(ward)
наверху́ above
на́волочка pillowcase
над *prep. + instr.* over, above
наде́жда hope
наде́яться *imp. на кого́? на что?* 1. to hope; 2. to depend
на днях one of these days
наза́д back(wards)
называ́ть *imp. что? кого́? как? p.* **назва́ть** to call
называ́ться *imp.* to be called
найти́ (найду́, найдёшь) *p. кого́? что?* to find
наконе́ц at last
накрыва́ть (накры́ть) на стол to lay the table
нале́во to the left
на па́мять as a souvenir
написа́ть (напишу́, напи́шешь) *p. что? кому́? о ком? о чём?* to write
напра́во to the right
напра́сно for nothing, in vain
напро́тив *prep. + gen.* opposite
наро́д people
наро́дность nationality
наро́дный folk
наря́дный brightly decorated
населе́ние population
населя́ть *что?* to inhabit
насто́льная ла́мпа desk lamp
настоя́щий real
наступа́ть *imp., p.* **наступи́ть** to come, to set in
наступи́ть *p.* to come, to set in
нау́ка science
научи́ть *p. кого́? чему́?* to teach
научи́ться *p. чему́?* to learn
нау́чно-популя́рный popular-science
нау́чный scientific, research
находи́ть (нахожу́, нахо́дишь) *imp. что? кого́? p.* **найти́** to find
находи́ться (нахожу́сь, нахо́дишься) *imp.* to be, to be situated (located)
на ходу́ on the way
национа́льный national
нача́ло beginning
нача́ть (начну́, начнёшь) *p. что? что де́лать?* to begin
нача́ться *p.* to begin
начина́ть *imp. что? что де́лать? p.* **нача́ть** to begin
начина́ться *imp., p.* **нача́ться** to begin
не not
не́бо sky
невозмо́жно (is) impossible
неда́вно recently
недалеко́ not far
неде́ля week
недо́лго for a short time
незнако́мый unfamiliar
неизве́стно (is) unknown, one does not know
неизве́стный unknown
не́жный gentle, delicate

не́когда one has no time
не́который some
нелегко́ (is) not easy
нельзя́ (is) impossible, (one) cannot
немно́го a little
необы́чный unusual
неожи́данно unexpectedly, suddenly
нео́пытный inexperienced
непло́хо not (so) badly
непо́лный not full, incomplete
непоня́тный ununderstandable
не́сколько some, several
не́сколько раз several times
несомне́нно undoubtedly
нести́ (несу́, несёшь) *imp. что?* to carry, to bear
нет no
не то́лько, но и... not only... but also...
неудо́бно (is) inconvenient; (is) uncomfortable
неуже́ли is it possible?, really?
не́что something
нигде́ nowhere
ни́жний lower
ни́зкий low
никогда́ never
ничто́ nothing
никуда́ nowhere
ничего́ nothing
ничто́ nothing
но but
новогодний New-Year
но́вое (something) new
новосе́лье housewarming party
но́вость news
но́вый new
нога́ foot; leg
но́ги *pl.* feet; legs
но́мер[1] room
но́мер[2] number (No.)
норма́льный normal
нос nose
носи́ть (ношу́, но́сишь) *imp. что? кого́?* 1. to carry, to bear; 2. to wear
носки́ *pl.* socks
ночь *f.* night
но́чью at night
ноя́брь November
нра́виться (нра́влюсь, нра́вишься) *imp. кому́?* to like
ну́жно (is) necessary, (one) must
ну́жный necessary, needed
нуль naught, zero

О

о, об (обо) *prep. + prepos.* about, of
обе́д dinner, lunch
обе́дать *imp.* to have dinner (lunch)
обеща́ть *imp. что? кому́?* to promise
обита́емый inhabited
обнима́ть *imp. кого́? что? p.* **обня́ть** to embrace
обня́ть (обниму́, обни́мешь) *p. кого́? что?* to embrace
образе́ц example
образова́ние education
образо́ванный educated
о́бувь *f.* footwear
обуча́ться *imp., p.* **обучи́ться** to be taught
общежи́тие hall of residence, dormitory
объясни́ть *p. что? кому́?* to explain
объясня́ть *imp. что? кому́? p.* **объясни́ть** to explain
обыкнове́нный ordinary
обы́чно usually; **как обы́чно** as usual
обы́чный usual
обяза́тельно without fail
обяза́тельный 1. compulsory; 2. indispensable
о́вощи *pl.* vegetables
огро́мный vast, enormous
огуре́ц cucumber
одева́ться *imp., p.* **оде́ться** to dress
оде́жда clothes
оде́ться (оде́нусь, оде́нешься) *p.* to dress
одея́ло blanket; quilt
одна́жды one day, once
одна́ко however
о́зеро lake
ока́нчивать *imp. что? p.* **око́нчить** 1. to finish; 2. to graduate (from)
окно́ window
о́коло *prep. + gen.* near
око́нчить *p. что?* 1. to end; 2. to graduate (from)
октя́брь October
октя́брьский October
олимпиа́да Olympic Games
омыва́ть to wash
опа́здывать *imp., p.* **опозда́ть** to be late
опера́ция operation
опозда́ть *p.* to be late
опубликова́ть (опублику́ю, опублику́ешь) *p. что?* to publish
о́пыт experience
о́пытный experienced
опя́ть again
организова́ть *что?* to organise
оригина́л, в оригина́ле in the original
освети́ть (освещу́, освети́шь) *p. что?* to light up
освеща́ть *imp. что? p.* **освети́ть** to light
осе́нний autumn
о́сень *f.* autumn, fall
о́сенью in autumn, in the fall
осма́тривать *imp. кого́? что? p.* **осмотре́ть** to see, to examine
осмотре́ть *p. кого́? что?* to see, to examine
основа́тель founder
основа́ть *p. что?* to found

осо́бенно especially, particularly
остава́ться (остаю́сь, остаёшься) *imp., p.* **оста́ться** 1. to stay; 2. to be left
оста́вить (оста́влю, оста́вишь) *p. что? кому́?* to leave
оставля́ть *imp. что? кому́? p.* **оста́вить** to leave
остана́вливаться *imp., p.* **останови́ться** to stop
останови́ться (остановлю́сь, остано́вишься) *p.* to stop
остано́вка stop
оста́ться (оста́нусь, оста́нешься) *p.* 1. to stay; 2. to be left
о́стров island
от *prep.* + *gen.* from, off
отве́т answer
отве́тить (отве́чу, отве́тишь) *p. кому́? на что?* **(на вопро́с,** etc.**)** to answer
отвеча́ть *imp. кому́? на что? p.* **отве́тить** to answer
отдава́ть (отдаю́, отдаёшь) *imp. что? кому́? p.* **отда́ть** to give (back)
о́тдых rest, relaxation
отдыха́ть *imp.* to rest; to relax
оте́ц father
открыва́ть *imp. что? p.* **откры́ть** to open
открыва́ться *imp., p.* **откры́ться** to open
откры́тка postcard
откры́тый 1. open; 2. open-air
откры́ть (откро́ю, откро́ешь) *p. что?* to open
откры́ться *p.* to open
отку́да from where
отме́тить (отме́чу, отме́тишь) *p. что?* to celebrate, to mark
отме́тка mark
отмеча́ть *imp. что? p.* **отме́тить** to celebrate, to mark
отноше́ние attitude
отойти́ (отойду́, отойдёшь) *p.* to move away, to leave
отпра́виться (отпра́влюсь, отпра́вишься) *p.* to set off
отправля́ться *imp., p.* **отпра́виться** to set off
отпра́здновать (отпра́здную, отпра́зднуешь) *p. что?* to celebrate
о́тпуск holiday, vacation
отремонти́ровать (отремонти́рую, отремонти́руешь) *p. что?* to repair
отры́вок excerpt, extract
отходи́ть (отхожу́, отхо́дишь) *imp., p.* **отойти́** to move away, to leave
о́тчество patronymic
отъе́зд departure
официа́льный official, formal
охо́та wish, desire
охо́тник hunter
охо́тно willingly
о́чень very; very much
очки́ *pl.* spectacles
ошиба́ться *imp. в ком? в чём? p.* **ошиби́ться** to be mistaken
ошиби́ться *p. в ком? в чём?* to be mistaken
оши́бка mistake

П

па́дать *imp., p.* **упа́сть** to fall
па́лец finger
пальто́ overcoat
па́мятник monument
па́мятник архитекту́ры monument of architecture
па́мять *f.* memory
па́па dad, father
па́рень fellow
парк park
патрио́т patriot
па́хнуть *p.* to smell
пацие́нт patient
пев́ец singer
певи́ца singer
педаго́г teacher
педагоги́ческий pedagogical, teaching
пенсионе́р pensioner
первонача́льный original
перевести́ (переведу́, переведёшь) *p. что?* to translate
перево́д translation
переводи́ть (перевожу́, перево́дишь) *imp. что? p.* **перевести́** to translate
перево́дчик translator, interpreter
передава́ть (передаю́, передаёшь) *imp. что? кому́? p.* **переда́ть** to give a message
переда́ть (переда́м, переда́шь, переда́ст, передади́м, передади́те, передаду́т) *p. что? кому́?* to give a message
переда́ча broadcast, programme
перее́хать (перее́ду, перее́дешь) *p.* to move
переры́в interval
переса́дка change (of trains, buses, etc.)
переу́лок by-street, lane
перча́тки *pl.* gloves
пе́сня song
петь (пою́, поёшь) *imp. что?* to sing
печа́ль *f.* sorrow
пешко́м on foot
пиани́но upright piano
пиани́ст pianist
пиджа́к suit coat, jacket
пиро́г pie
пиро́жное small (cream) cake
писа́тель writer
писа́ть (пишу́, пи́шешь) *imp. что? кому́? о чём? о ком? p.* **написа́ть** to write
пи́сьменный written
пи́сьменный стол desk

пи́сьменность written language
письмо́ letter
пить (пью, пьёшь) *imp. что?* to drink
пла́вать *imp.* 1. to swim; 2. to sail
пла́кать (пла́чу, пла́чешь) to weep, to cry
план plan
пла́тье dress
плащ weathercoat, waterproof coat
плита́ kitchen range
плот raft
пло́хо badly, poorly
плохо́й bad, poor
пло́щадь *f.* square
плыть (плыву́, плывёшь) *imp.* 1. to swim; 2. to sail
плюс plus
по *prep. + dat.* according to, in accordance with, under; over, across; after
по-англи́йски (in) English
побе́да victory
побере́жье coast
поблагодари́ть *p. кого́? за что?* to thank
побыва́ть *p.* to be, to visit
пове́рить *p. кому́? чему́? во что? в кого́?* to believe, to trust
пове́сить (пове́шу, пове́сишь) *p. что? куда́?* to hang
повторе́ние repetition
погиба́ть *imp., p.* **поги́бнуть** to die, to perish
поги́бнуть *p.* to die, to perish
погово́рка saying
пого́да weather
под *prep. + instr.* under
подари́ть *p. что? кому́?* to give
пода́рок present
по́двиг heroic deed, feat
подготови́тельный preparatory
подгото́виться (подгото́влюсь, подгото́вишься) *p. к чему́?* to prepare
подгото́вка preparation
поднима́ть *imp. что? p.* **подня́ть** to lift, to raise
поднима́ться *imp., p.* **подня́ться** to go up, to ascend
подня́ть (подниму́, подни́мешь) *p. что?* to lift, to raise
подня́ться *p.* to go up, to ascend
подожда́ть *p. кого́? что?* to wait for
подойти́ (подойду́, подойдёшь) *p. к кому́? к чему́?* to approach
подру́га friend
поду́мать *p. о ком? о чём?* to think
поду́шка pillow; cushion
подходи́ть (подхожу́, подхо́дишь) *imp. к кому́? p.* **подойти́** to approach
по́езд train
пое́здка journey, trip
пое́хать (пое́ду, пое́дешь) *p.* to go
пожа́луй 1. (one) may; 2. probably
пожа́луйста please
пожела́ние wish
пожела́ть *p. кому́? чего́?* to wish
поза́втракать *p.* to have breakfast
позади́ behind
позвони́ть *p. кому́?* to ring up, to telephone
по́здний late
по́здно late
поздоро́ваться *p. с кем?* to greet, to say hello
поздрави́тельный congratulatory
поздра́вить (поздра́влю, поздра́вишь) *p. кого́? с чем?* to congratulate, to wish somebody well
поздравле́ние congratulation
поздравля́ть *imp. кого́? с чем? p.* **поздра́вить** to congratulate, to wish well
по́зже later
познако́мить *p. кого́? с кем?* to introduce, to acquaint
познако́миться (познако́млюсь, познако́мишься) *p. с кем? с чем?* to meet
пойти́ (пойду́, пойдёшь) *p.* to walk, to go
пока́ as yet
показа́ть (покажу́, пока́жешь) *p. что? кому́?* to show
пока́зывать *imp. что? кому́? p.* **показа́ть** to show
покупа́ть *imp. что? кому́? p.* **купи́ть** to buy
пол floor
по́ле field
поле́зные ископа́емые (economic) minerals
поликли́ника polyclinic
по́лка shelf
по́лный full, complete
полови́на half
положи́ть *p. что? куда́?* to put, to place
полоте́нце towel
получа́ть *imp. что? p.* **получи́ть** to get, to receive
получи́ть *p. что?* to get, to receive
полчаса́ half an hour
по́люс, по́люс хо́лода the pole of cold
помеша́ть *p. кому́?* to hinder
помидо́р tomato
по́мнить *imp. кого́? что?* to remember
помога́ть *imp. кому́? p.* **помо́чь** to help
по-мо́ему in my opinion
помо́чь (помогу́, помо́жешь, ... помо́гут) *p. кому́?* to help
по́мощь *f.* help
понеде́льник Monday
понима́ть *imp. что? кого́? p.* **поня́ть** to understand
понра́виться (понра́влюсь, понра́вишься) *p. кому́?* to be liked
поня́тно (is) understandable, (is) clear
поня́тный understandable

поня́ть (пойму́, поймёшь) *p. что? кого́?* to understand
пообе́дать *p.* to have dinner (lunch)
пообеща́ть *p. кому́? что?* to promise
поплы́ть (поплыву́, поплывёшь) *p.* 1. to swim; 2. to sail
попра́виться (попра́влюсь, попра́вишься) *p.* to get well again, to recover
поправля́ться *imp., p.* **попра́виться** to get well again, to recover
попроси́ть (попрошу́, попро́сишь) *p. кого́? что (с)де́лать?* to ask
попроща́ться *p. с кем? с чем?* to say good-bye
популя́рный popular
пора́ it is time
пора́довать (пора́дую, пора́дуешь) *p. кого́? чем?* to make happy
по-ра́зному differently
портре́т portrait
портфе́ль *m.* briefcase
по-ру́сски (in) Russian
по-сво́ему in one's own way
посети́тель visitor
посети́ть (посещу́, посети́шь) *p. кого́? что?* to visit
посеща́ть *imp. кого́? что? p.* **посети́ть** to visit
посла́ть (пошлю́, пошлёшь) *p. что? кому́?* to send
по́сле *prep.* + *gen.* after
после́дний last
посло́вица proverb
послу́шать *p. что? кого́?* to listen
посмотре́ть *p. что?* to see
посове́товать (посове́тую, посове́туешь) *p. кому́? что (с)де́лать?* to advise, to recommend
поспеши́ть *p. куда́?* to hurry
поспо́рить *p. с кем?* to argue
посреди́не in the middle
поста́вить (поста́влю, поста́вишь) *p. что? куда́?* to put, to place
постара́ться *p. что сде́лать?* to try
по-ста́рому as before
посте́ль *f.* bed, bedding
постро́ить *p. что?* to build
поступа́ть *imp. куда́? p.* **поступи́ть** to enter, to enrol
поступи́ть (поступлю́, посту́пишь) *p. куда́?* to enter, to enrol
посу́да plates and dishes
посыла́ть *imp. что? кого́? куда́? p.* **посла́ть** to send
посы́лка parcel
поте́ря loss
потеря́ть *что?* to lose
потоло́к ceiling
пото́м then
пото́мок descendant
потому́ что because
потре́бовать (потре́бую, потре́буешь) *p. чего́?* to require, to demand
поу́жинать *p.* to have supper
похо́д hike
поцелова́ть (поцелу́ю, поцелу́ешь) *p. кого́? что?* to kiss
почему́ why; **вот почему́** that is why
по́чта post office
почти́ almost, nearly
почу́вствовать себя́ (почу́вствую, почу́вствуешь) *p. как?* to feel
поэ́зия poetry
поэ́т poet
поэ́тому that is why, therefore
появи́ться (появлю́сь, поя́вишься) *p.* to appear
появля́ться *imp., p.* **появи́ться** to appear
пра́вда truth
пра́вило rule
пра́вильно right; correct
пра́дед great-grandfather
пра́здник holiday; festivity
пра́здничный festive
пра́здновать (пра́здную, пра́зднуешь) *imp. что?* to celebrate
предме́т subject
представи́тель representative
представле́ние idea
прекра́сный fine
пре́мия bonus
преподава́тель lecturer, instructor
преподава́тельница lecturer, instructor
преподава́ть (преподаю́, преподаёшь) *imp. что?* to teach
привезти́ (привезу́, привезёшь) *p. что? кого́?* to bring
привести́ (приведу́, приведёшь) *p. кого́?* to bring
приве́т 1. hello, hi; 2. regards
приводи́ть (привожу́, приво́дишь) *imp. кого́? p.* **привести́** to bring
привози́ть (привожу́, приво́зишь) *imp. что? кого́? p.* **привезти́** to bring
привыка́ть *imp. к кому́? к чему́? p.* **привы́кнуть** to get used (to)
привы́кнуть *p. к кому́? к чему́?* to get used (to)
пригласи́ть (приглашу́, пригласи́шь) *p. кого́?* to invite
приглаша́ть *imp. кого́? p.* **пригласи́ть** to invite
прие́зд arrival
приезжа́ть *imp., p.* **прие́хать** to come, to arrive
прие́хать (прие́ду, прие́дешь) *p.* to come, to arrive
приём reception, receiving
прийти́ (приду́, придёшь) *p.* to come
прика́з command, order
прилета́ть *imp., p.* **прилете́ть** to arrive (by plane)

прилете́ть (прилечу́, прилети́шь) *p.* to arrive (by plane)
приме́р example
принима́ть *imp. кого́? что? p.* **приня́ть** 1. to receive; 2. to give (an examination)
принести́ (принесу́, принесёшь) *p. что?* to bring
приноси́ть (приношу́, прино́сишь) *imp. что? p.* **принести́** to bring
приня́ть (приму́, при́мешь) *p. кого́? что?* 1. to receive; 2. to give (an examination)
приро́да 1. countryside; 2. nature
присла́ть (пришлю́, пришлёшь) *p. что? кого́?* to send
присыла́ть *imp. что? кого́? p.* **присла́ть** to send
приходи́ть (прихожу́, прихо́дишь) *imp., p.* **прийти́** to come
прия́тно (is) pleasant
пробле́ма problem, issue
провести́ (проведу́, проведёшь) *p. что?* **(вре́мя)** to spend (time)
провожа́ть *imp. кого́? p.* **проводи́ть** to see off
проводи́ть (провожу́, прово́дишь) *p. кого́?* to see off
проводи́ть *imp. что?* **(вре́мя)** *p.* **провести́** to spend (time)
прогна́ть *p. кого́?* to drive away
програ́мма programme
продава́ть *imp., p.* **прода́ть** to sell
продаве́ц shop-assistant, salesclerk
продавщи́ца shop-assistant, salesclerk
продолжа́ть *imp. что? что де́лать? p.* **продо́лжить** to continue
продо́лжить *p. что? что де́лать?* to continue
проду́кты *pl.* foodstuffs
прое́хать (прое́ду, прое́дешь) *p. к чему́-либо* to get (to)
прожи́ть (проживу́, проживёшь) *p.* to live
произведе́ние work
произойти́ *p.* to happen
происходи́ть *imp., p.* **произойти́** to happen
пройти́ (пройду́, пройдёшь) *p.* to go through, to walk (all over)
проника́ть *imp., p.* **прони́кнуть** to come through, to penetrate
прони́кнуть *p.* to come through, to penetrate
проси́ть (прошу́, про́сишь) *imp. кого́? что сде́лать? p.* **попроси́ть** to ask
проспе́кт avenue
про́сто simply
просто́й simple
простыня́ bed-sheet
протяжённость length
профе́ссия profession, trade
профе́ссор professor
проходи́ть (прохожу́, прохо́дишь) *imp., p.* **пройти́** to go through; to walk (all over)
проце́нт per cent
прочита́ть *p. что? о ком? о чём?* to read
про́шлый last
проща́ться *imp. с кем? p.* **попроща́ться** to say good-bye
проявля́ть (прояви́ть) **терпе́ние** to show patience
пря́мо straight, right
пти́ца bird
публикова́ть (публику́ю, публику́ешь) *imp. что?* to publish
пуга́ться *imp. кого́? чего́?* to be frightened
пусты́ня desert
пусть let
путеше́ственник traveller
путеше́ствие journey, voyage
путеше́ствовать (путеше́ствую, путеше́ствуешь) *imp.* to travel
путь *m.* way, road
пу́шка gun, cannon
пье́са play
пятёрка the highest (excellent) mark
пя́тница Friday

Р

рабо́та work
рабо́тать *imp. кем?* to work
рабо́чий worker
рад (is) glad
ра́дио radio
ра́достный joyous
ра́дость joy
раз time
ра́зве isn't it?, don't you?, didn't you?, haven't you?, *etc.*
развива́ть *imp. что?* to develop
разгова́ривать *imp. с кем? о чём?* to talk
разгово́р conversation
раздева́ться *imp., p.* **разде́ться** to undress, to take off one's clothes
разде́ться (разде́нусь, разде́нешься) *p.* to undress, to take off one's clothes
разме́р size
разнообра́зный various
ра́зный different
райо́н district
ра́нний early
ра́но (is) early
ра́ньше 1. earlier; 2. before
расска́з story; short story
рассказа́ть (расскажу́, расска́жешь) *p. что? кому́?* to tell, to narrate
расска́зывать *imp. что? кому́? p.* **рассказа́ть** to tell, to narrate
расстоя́ние distance
расти́ *imp.* to grow
ребёнок child
ребя́та *pl.* children; boys and girls

револю́ция revolution
ре́дкий rare
ре́дко rarely
результа́т result
рейс flight
река́ river
ремонти́ровать (ремонти́рую, ремонти́руешь) *imp. что? p.* **отремонти́ровать** to repair
репети́ция rehearsal
респу́блика republic
рестора́н restaurant
реце́пт prescription
реша́ть *imp.* 1. *что?* to solve; 2. *что де́лать? p.* **реши́ть** to decide
реши́ть *p.* 1. *что?* to solve; 2. *что де́лать?* to decide
реши́ться *p. на что?* to resolve
ро́вно exactly, sharp
ро́дина one's native country
роди́тели *pl.* parents
роди́ться *p.* to be born
родно́й native
родны́е *pl.* relations
рожде́ние birth
рома́н novel
рот mouth
роя́ль *m.* grand piano
руба́шка shirt
рубль *m.* rouble
рука́ *f.* hand, arm
руководи́ть *кем? чем?* to be in charge
ру́сский Russian
ру́сско-англи́йский Russian-English
ру́чка 1. pen; 2. handle
ры́ба fish
рыба́к fisherman
ры́нок market
рюкза́к knapsack, rucksack
ря́дом beside, next to

С

с (со) *prep. + gen. or instr.* with; from
сад garden
сади́ться (сажу́сь, сади́шься) *imp., p.* **сесть** to sit (down)
сала́т salad
салфе́тка (table) napkin, serviette
сам oneself
самова́р samovar
самолёт aeroplane, airplane
самоотве́рженность selflessness
са́мый extremely, widely; (the) most + *adj.;* very
санато́рий sanatorium, health centre
сапоги́ *pl.* boots
сара́й shed
са́хар sugar
све́жий fresh
свет light
свети́ть *imp.* to shine
све́тлый light
свобо́да freedom
свобо́ден (is) free
свобо́дный free
свой one's (own)
связь *f.* 1. connection; 2. communication
сдава́ть (сдаю, сдаёшь) *imp. что?* **(экза́мен)** to take (an examination) *p.* **сдать (экза́мен)** to pass (an examination)
сдать (сдам, сдашь, сдаст, сдади́м, сдади́те, сдаду́т) *p. что?* to pass (an examination)
сде́лать *p. что?* to do, to make
себя́ oneself
се́вер north
се́верный northern
сего́дня today
сего́дняшний today's
сезо́н season
сейча́с now
се́льский rural
семья́ family
сентя́брь September
серде́чный hearty, cordial
се́рдце heart, soul
се́рый grey
серьёзно in earnest; seriously
серьёзный serious
сестра́ sister
сесть (ся́ду, ся́дешь) *p.* to sit down
сиби́рский Siberian
сиде́ть (сижу́, сиди́шь) *imp.* to sit
си́ла strength
си́льно 1. hard, heavily; 2. very (much)
си́льный strong
си́мвол symbol
си́ний blue
сказа́ть (скажу́, ска́жешь) *p. что? кому́?* to say
ска́зка fairy tale
ска́терть *f.* tablecloth
скве́рно (is) bad
сквозь *prep. + acc.* through
сковорода́ flying pan, skillet
ско́лько how many, how much
ско́ро soon
скри́пка violin
скуча́ть *imp. по кому́? по чему́?* 1. to have a tedious time; 2. to miss (somebody)
сла́бый weak; light
сла́йды *pl.* slides
сле́ва on the left
сле́дующий next
слепо́й blind
слова́рь dictionary
сло́во word
служи́ть *imp. кому́? чему́?* to serve
случа́ться *imp. p.* **случи́ться** to happen
случи́ться *p.* to happen
слу́шать *imp. кого́? что?* to listen

слы́шать *imp. что? о чём? о ком?* to hear
сме́ло bravely
сме́лость *f.* bravery, courage
сме́лый brave, courageous
смерть *f.* death
смея́ться (смею́сь, смеёшься) *imp. над кем? над чем?* to laugh
смотре́ть *imp. что?* to see *на что? на кого́?* to look (at)
смочь (смогу́, смо́жешь, ...смо́гут) *p. что (с)де́лать?* to be able, can
смысл meaning, message
снача́ла at first
снег snow
соба́ка dog
собира́ть *imp. что? кого́? p.* **собра́ть** to collect
собира́ться *imp., p.* **собра́ться** 1. to gather (together); 2. to get ready; 3. to be going
собра́ть (соберу́, соберёшь) *p. что? кого́?* to collect
собра́ться *p.* 1. to gather (together); 2. to get ready; 3. to be going
со́бственный one's own
соверша́ть *imp. что? p.* **соверши́ть** 1. to make (a trip, a journey); 2. to accomplish
соверше́нно quite
соверши́ть *p. что?* 1. to make (a trip, a journey); 2. to accomplish
сове́т advice
сове́товать (сове́тую, сове́туешь) *imp. что? кому́?* to advise, to recommend
сове́тский Soviet
совреме́нник contemporary
совреме́нный modern, contemporary
совсе́м quite
согла́сен *с кем? с чем?* (one) agrees
сожале́ние, к сожале́нию unfortunately
создава́ть (создаю́, создаёшь) *imp. что? p.* **созда́ть** to create
созда́ние creation
созда́ть (созда́м, созда́шь, созда́ст, создади́м, создади́те, создаду́т) *p. что?* to create
сок juice
солда́т private, soldier
солда́тский soldier's, private's
солида́рность solidarity
со́лнечный sunny
со́лнце sun; sunlight
соль *f.* salt
сообща́ть *imp. что? кому́? p.* **сообщи́ть** to tell; to let know
сообщи́ть *p. что? кому́?* to tell; to let know
соревнова́ние competition
сосе́д neighbour
сосе́дний neighbour; adjacent
сосно́вый pine, of a pine-tree
сохрани́ть *p. что?* to preserve
сохраня́ть *imp. что? p.* **сохрани́ть** to preserve
социалисти́ческий socialist
спа́льня bedroom
спаса́ть *imp. кого́? p.* **спасти́** to save
спаси́бо thank you
спасти́ (спасу́, спасёшь) *p. кого́? что?* to save
спать (сплю, спишь) *imp.* to sleep
спекта́кль *m.* performance
спеть (спою́, споёшь) *p. что?* to sing
специали́ст specialist
специа́льность speciality; profession
специа́льный special
спеши́ть *imp. куда́?* to hurry
спо́рить *imp. с кем? о ком?* to argue
спорт sport
спорти́вный sport, sports
спортсме́н sportsman
спра́ва on the right
справедли́вость justice
спра́вочное бюро́ inquiry office, information bureau
спра́шивать *imp. кого́? о ком? о чём? p.* **спроси́ть** to ask, to inquire
спроси́ть (спрошу́, спро́сишь) *p. кого́? о ком? о чём?* to ask, to inquire
сра́зу at once
среда́ Wednesday
сре́дства *pl.* means
ста́вить (ста́влю, ста́вишь) *imp. что? куда́? p.* **поста́вить** to put, to place
стадио́н stadium
стака́н glass
станови́ться *imp. кем? чем? p.* **стать** to become
ста́нция station
стара́ться *imp. что (с)де́лать?* to try
стари́нный old, ancient
ста́рость old age
ста́рший elder
ста́рый old
стать (ста́ну, ста́нешь) *p. кем? чем?* to become
статья́ article
стена́ wall
с тех по́р since then
стихи́ *pl.* verse, poetry
стихотворе́ние poem
сто́ить *imp.* to cost
стол table
столи́ца capital
столо́вая dining-room; canteen, cafeteria
стоя́нка такси́ taxi rank, taxi (cab) stand
стоя́ть (стою́, стои́шь) *imp.* to stand
страна́ country
стра́шный terrible
стреля́ть *imp.* to fire
стро́ить *imp. что? p.* **постро́ить** to build
стройотря́д building detachment
студе́нт *m.* (college or university) student

студе́нтка *f.* (college or university) student
стул chair
сты́дно (is) ashamed
суббо́та Saturday
субтропи́ческий subtropical
суди́ть (служу́, су́дишь) *imp. кого́?* to try
с удово́льствием with pleasure
судьба́ fate, lot; future
су́мка bag
суп soup
суро́вый severe
су́ша (dry) land
существова́ть (существу́ю, существу́ешь) *imp.* to exist
сфотографи́ровать (сфотографи́рую, сфотографи́руешь) *p. кого́? что?* to photograph
сфотографи́роваться *p.* to be photographed
счастли́вый happy; lucky
сча́стье happiness; good luck
счита́ть *imp.* 1. *что?* to count; 2. to consider
сын son
сыр cheese
сюда́ here

Т

тайга́ taiga
так so
тако́й such
такси́ taxi, cab
тала́нт talent, gift
тала́нтливый talented, gifted
там there
та́нец dance
танцева́ть (танцу́ю, танцу́ешь) *imp. что?* to dance
таре́лка plate
творо́г cottage cheese
теа́тр theatre
текст text
телеви́зор T.V. set
телегра́мма telegram
телегра́ф telegraph office
телефо́н telephone
телефо́н-автома́т public telephone
те́ло body
тем бо́лее especially as
те́ма theme
темно́ (is) dark
тёмный dark
температу́ра temperature
те́ннис tennis
тепе́рь now
тепло́[1] (is) warm
тепло́[2] warmth
тёплый warm
терпе́ние patience
террито́рия territory, area
теря́ть *imp. что? кого́? p.* **потеря́ть** to lose
тетра́дь *f.* exercise-book
темно́ (is) dark
тепло́ (is) warm
тёмный dark
тёплый warm
ти́хий quiet
ти́хо (is) quiet
това́рищ friend, comrade
тогда́ then
то́же also
то́лько only
топо́р axe
торт cake, gâteau
тот that
то́чно exactly, precisely
тради́ция tradition
трамва́й tram, streetcar
трансли́ровать *imp. что?* **по ра́дио (по телеви́зору)** to broadcast by radio (by television)
тра́нспорт transport, transportation
тре́бовать (тре́бую, тре́буешь) *imp. чего́? p.* **потре́бовать** to require, to demand
три́ста three hundred
тро́йка[1] third lowest (satisfactory) mark
тро́йка[2] troika (a vehicle drawn by three horses abreast)
тролле́йбус trolleybus
труд work
тру́дно (is) difficult
тру́дный difficult
трудя́щийся worker
туале́т 1. toilet; 2. dressing-table
туда́ there
ту́мбочка bedside table
тури́зм tourism
тури́ст 1. tourist; 2. hiker
тури́стский 1. tourist; 2. hiking
тут here
ту́фли *pl.* shoes
ты́сяча thousand
тысячеле́тний thousand-year, millennial
тьма darkness
тюрьма́ prison
тяжело́ seriously, gravely
тяжёлый heavy

У

у *prep. + gen.* at; with
уважа́емый dear (in a salutation)
уважа́ть *imp. кого́? что?* to respect
уваже́ние respect; **с уваже́нием** yours sincerely
увести́ (уведу́, уведёшь) *p. кого́?* to take away, to lead away
увлека́ться *imp. кем? чем? p.* **увле́чься** to be keen (on)

увлече́ние enthusiasm, **с увлече́нием** with enthusiasm
увле́чься (увлеку́сь, увлечёшься) *p. кем? чем?* to be keen (on)
уводи́ть (увожу́, уво́дишь) *imp. кого́? p.* **увести́** to take away, to lead away
у́гол corner
уда́чный good, successful
удиви́тельно amazingly
удиви́ться (удивлю́сь, удиви́шься) *p. чему́?* to be surprised
удивлённо in surprise
удивля́ться *imp. чему́? p.* **удиви́ться** to be surprised
удо́бно (is) convenient
удо́бный comfortable
удово́льствие, с удово́льствием with pleasure
уезжа́ть *imp. p.* **уе́хать** to leave
уе́хать (уе́ду, уе́дешь) *p.* to leave
уже́ already
у́жин supper
у́жинать to have supper (dinner)
уйти́ (уйду́, уйдёшь) *p.* to leave
ука́з decree
укра́сить (укра́шу, укра́сишь) *p. что? чем?* to decorate
украша́ть *imp. что? чем? p.* **укра́сить** to decorate
у́лица street
ум intellect
умере́ть (умру́, умрёшь) *p.* to die
уме́ть *imp. что де́лать?* to be able, can
умира́ть *imp., p.* **умере́ть** to die
у́мный clever
универма́г department store
университе́т university
упа́сть (упаду́, упадёшь) *p.* to fall
упражне́ние exercise
Ура́л the Urals
ура́льский Ural
уро́к lesson, class
усло́вие condition
услы́шать *p. что? о чём? о ком?* to hear
успева́ть *imp., p.* **успе́ть** to manage
успе́ть *p.* to manage
успе́х success
устава́ть (устаю, устаёшь) *imp., p.* **уста́ть** to get tired
уста́лый tired
уста́ть (уста́ну, уста́нешь) *p.* to be tired
у́стный oral, viva voce
устра́ивать *imp. что? p.* **устро́ить** to arrange, to organise
устро́ить *p. что?* to arrange, to organise
у́тренний morning
у́тро morning
у́тром in the morning
у́хо ear
уходи́ть (ухожу́, ухо́дишь) *imp., p.* **уйти́** to leave
уче́бник textbook
уче́ние learning
учени́к *m.* pupil, high-school student
учени́ца *f.* pupil, high-school student
учёба studies, studying
учёный scientist, scholar
учи́лище school
учи́тель *m.* teacher, schoolmaster
учи́тельница *f.* teacher, schoolmistress
учи́ть *imp. что? кого́? чему́?* to teach
учи́ться *imp.* 1. *где?* to study; 2. *чему́?* to learn
ую́тный cosy

Ф

фа́брика factory
фа́кел torch
факульте́т faculty, department
фами́лия last name, family name, surname
фанта́зия fantasy, imagination
фаши́ст Nazi
фаши́стский Nazi
февра́ль February
фейерве́рк fireworks
фестива́ль *m.* festival
фи́зик physicist
фи́зика physics
фило́лог philologist
фильм film, movie
фотоальбо́м album of photographs
фотоаппара́т camera
фотографи́ровать (фотографи́рую, фотографи́руешь) *imp. кого́? что?* to photograph
фотографи́роваться *imp.* to be photographed
фотогра́фия photograph
Фра́нция France
францу́зский French
фронт front
фру́кты *pl.* fruit
футбо́л football, soccer
футболи́ст football player, soccer player
футбо́льный football

Х

хвали́ться *imp. чем? кем?* to boast
хи́мик chemist
хи́мия chemistry
хлеб bread
ходи́ть (хожу́, хо́дишь) *imp.* to walk, to go
хозя́ин (*pl.* хозя́ева) 1. host; 2. master
хозя́йка 1. hostess; 2. mistress
хокке́й hockey
хо́лод cold
холоди́льник refrigerator
хо́лодно (is) cold
холо́дный cold

хоро́ший good, fine
хорошо́ well
хоте́ть (хочу́, хо́чешь, хо́чет, хоти́м, хоти́те, хотя́т) *imp. чего́? что (с)де́лать?* to want
хоть even though
худо́жник artist
худо́жественный фильм feature film
ху́же worse

Ц

царь tsar
цвет colour
цвето́к flower
целова́ть (целу́ю, целу́ешь) *imp. кого́? что?* to kiss
це́лый whole, entire
цель *f.* purpose, goal
цена́ price
центр centre
це́рковь *f.* church
цирк circus
ци́фра figure, number

Ч

чай tea
ча́йник teapot; kettle
часово́й по́яс time zone
ча́сто often
ча́стый frequent
часть *f.* part
часть све́та part of the world
часы́ *pl.* watch; clock
ча́шка cup
чей whose
челове́к man, person
челове́ческий human
челове́чество humankind
чем than
чемода́н suitcase
че́рез *prep. + acc.* 1. through, across; 2. in
черномо́рский Black Sea
четве́рг Thursday
четвёрка second highest (good) mark
чёрный black
число́ date
чи́стый clean
чита́льный зал reading-room
чита́тель reader
чита́ть *imp. что? о ком? о чём? p.* **прочита́ть** to read
чте́ние reading
что[1] *conj.* that
что[2] *pron.* what
что́бы in order to
что́-нибудь something
что́-то something
чу́вство sense, feeling
чу́вствовать (себя́) (чу́вствую, чу́вствуешь) *imp. как?* to feel
чулки́ *pl.* stockings

Ш

ша́пка cap
шарф scarf
ша́хматы chess
широ́кий wide
шине́ль *f.* greatcoat
шкаф cupboard; wardrobe
шко́ла school
шко́льник pupil, high-school student
шко́льница pupil, high-school student
шко́льный school
шко́льный това́рищ schoolmate
шля́па hat
штаб headquarters
шум noise
шуме́ть *imp.* to make a noise, to rustle
шу́тка joke

Щ

щи cabbage soup

Э

экза́мен examination
экономи́ст economist
экску́рсия excursion
экспози́ция exposition, exhibition
энтузиа́зм enthusiasm
эта́ж floor, storey
э́тот this, that

Ю

ю́бка skirt
юбиле́й jubilee
юг south
ю́го-за́падный south-western
ю́жный southern
ю́ность youth
ю́ноша youth
юриди́ческий law
юриспруде́нция law

Я

я́блоко apple
я́блочный apple
яви́ться *p. кем? чем?* to be
явле́ние phenomenon
явля́ться *imp. кем? чем? p.* **яви́ться** to be
язы́к language
яйцо́ egg
янва́рь January
я́ркий bright
я́рко brightly

11.50